C. Rogoveanu

Fachsprachprüfung – erfolgreich bestehen!

Herrn Dipl.-Psych. Dirk S. Lambert

Sie haben die Tür aufgemacht und das Licht eingeschaltet.
Und da war ich, auf stilles Nichts wartend.

Wichtige Menschen sind nett zu mir.
Das haben Sie mir beigebracht, während Sie mein Leben retteten.

Ihre
Stefania-Cristina Rogoveanu

Stefania-Cristina Rogoveanu

Fachsprachprüfung – erfolgreich bestehen!

Kompaktes Wissen, Sprachtraining und Simulationen für Mediziner

2. Auflage

ELSEVIER

Elsevier GmbH, Bernhard-Wicki-Str. 5, 80636 München, Deutschland
Wir freuen uns über Ihr Feedback und Ihre Anregungen an: kundendienst@elsevier.com

ISBN 978-3-437-21349-6 eISBN 978-3-437-06532-3

Aus Gründen der Barrierefreiheit sind die Bilder in elektronischen Ausgaben dieses Buches mit Alt-Text-Beschreibungen (Alternativ-Text) versehen, die von Elsevier bereitgestellt werden. Mehr Informationen erhalten Sie unter https://www.elsevier.com/about/accessibility.

Bücher und Zeitschriften, die von Elsevier veröffentlicht werden, entsprechen den geltenden Produktsicherheitsanforderungen. Für etwaige Bedenken oder Fragen zur Produktsicherheit wenden Sie sich bitte an unseren autorisierten Vertreter, Elsevier B.V., productsafety@elsevier.com.

Elsevier nimmt eine neutrale Position in Bezug auf territoriale Meinungsverschiedenheiten oder Zuständigkeitsansprüche in seinen veröffentlichten Inhalten ein, einschließlich Landkarten und institutionellen Zugehörigkeiten.

Wichtiger Hinweis: Die medizinischen Wissenschaften unterliegen einem sehr schnellen Wissenszuwachs. Der stetige Wandel von Methoden, Wirkstoffen und Erkenntnissen ist allen an diesem Werk Beteiligten bewusst. Sowohl der Verlag als auch die Autorinnen und Autoren und alle, die an der Entstehung dieses Werkes beteiligt waren, haben große Sorgfalt darauf verwandt, dass die Angaben zu Methoden, Anweisungen, Produkten, Anwendungen oder Konzepten dem aktuellen Wissensstand zum Zeitpunkt der Fertigstellung des Werkes entsprechen.
Der Verlag kann jedoch keine Gewähr für Angaben zu Dosierung und Applikationsformen übernehmen. Es sollte stets eine unabhängige und sorgfältige Überprüfung von Diagnosen und Arzneimitteldosierungen sowie möglicher Kontraindikationen erfolgen. Jede Dosierung oder Applikation liegt in der Verantwortung der Anwenderin oder des Anwenders. Die Elsevier GmbH, die Autorinnen und Autoren und alle, die an der Entstehung des Werkes mitgewirkt haben, können keinerlei Haftung in Bezug auf jegliche Verletzung und/oder Schäden an Personen oder Eigentum, im Rahmen von Produkthaftung, Fahrlässigkeit oder anderweitig übernehmen.

Für die Vollständigkeit und Auswahl der aufgeführten Medikamente übernimmt der Verlag keine Gewähr.
Geschützte Warennamen (Warenzeichen) werden in der Regel besonders kenntlich gemacht (®). Aus dem Fehlen eines solchen Hinweises kann jedoch nicht automatisch geschlossen werden, dass es sich um einen freien Warennamen handelt.

Bibliografische Information der Deutschen Nationalbibliothek
Die Deutsche Nationalbibliothek verzeichnet diese Publikation in der Deutschen Nationalbibliografie; detaillierte bibliografische Daten sind im Internet über https://www.dnb.de abrufbar.

26 27 28 29 30 5 4 3 2 1

In ihren Veröffentlichungen verfolgt die Elsevier GmbH das Ziel, genderneutrale Formulierungen für Personengruppen zu verwenden. Um jedoch den Textfluss nicht zu stören sowie die gestalterische Freiheit nicht einzuschränken, wurden bisweilen Kompromisse eingegangen. Selbstverständlich sind **immer alle Geschlechter** gemeint.

Planung: Dr. Bernhard Gall; Projektmanagement: Sibylle Hartl
Redaktion: Susanne Armbruster, www.susannearmbruster.de
Rechteklärung: Katja Sieger-Schauer
Herstellung: Dietmar Radünz, Leipzig; Sibylle Hartl
Satz: Thomson Digital, Noida, Indien
Druck und Bindung: Drukarnia Dimograf Sp. z o. o., Bielsko-Biała, Polen
Umschlaggestaltung: SpieszDesign, Neu-Ulm
Titelfotografie: © Malik Nalik – stock.adobe.com

Aktuelle Informationen finden Sie im Internet unter **www.elsevier.de**

Vorwort zur 2. Auflage

Liebe FSP-Kandidatinnen und -Kandidaten, liebe Kolleginnen und Kollegen,

auch wenn meine eigene Fachsprachprüfung schon etwas länger zurückliegt, erinnere ich mich noch gut an meine damaligen Sorgen und Gedanken. Auch über vier Jahre nach dem Erscheinen der ersten Auflage sehe ich vor meinem inneren Auge noch immer das große Fragezeichen: „Gibt es ein Leben nach der Fachsprachprüfung?“

Und es gilt unverändert: Ja! Das gibt es.

Verändert hat sich jedoch die ein oder andere medizinische *Leitlinie,* sodass die Aktualisierungen in der zweiten Auflage neben Ergänzungen im Fachsprachteil vor allem den medizinischen Teil betreffen. Zudem habe ich die *Arztbriefe* und die *Arzt-Arzt-Gespräche* etwas praxisorientierter gestaltet, ohne aber ihre Struktur oder Fachlichkeit zu reduzieren. Neu hinzugekommen sind *Formulierungsbeispiele* am Ende einiger Kapitel. Sie sollen helfen, aus oftmals komplizierten und verwirrenden Aussagen der FSP-„Patienten“ die Quintessenz zu extrahieren.

Zuletzt habe ich die enthaltenen *Fallbeispiele* etwas lebendiger gestaltet – sie sollen aber keinesfalls auswendig gelernt werden. :-) Es sei an dieser Stelle schon gesagt: Wenn Sie die Grundstrukturen verinnerlicht haben, nehmen Sie meine Vorschläge gern als Anregung; finden Sie jedoch *Ihren eigenen Stil,* mit dem Sie in verschiedenen Fällen flexibel reagieren können.

Wann auch immer Sie Sorgen um die FSP haben (oder die pure Angst sie überfällt), denken Sie daran: Sie haben das Studium der Humanmedizin bereits abgeschlossen. Sie besitzen schon den Großteil des Know-hows! Dieses Buch ist nur dazu da, um *Ihren* Gesang anzustimmen. Oder einfach: um zu lernen, *Ihre* Fachkenntnisse in der deutschen medizinischen Fachsprache auszudrücken.

Und trotz großer fachlicher Abschnitte sei daran erinnert: Dieses Buch will auf die Fachsprachprüfung *vorbereiten.* Mit seinem breiten Rand für Notizen mag es an das Studium erinnern, wie ein Kollege es mal beschrieben hat, doch es ersetzt keinesfalls die einschlägige Fachliteratur.

Der kleine *Bär Lin,* mein Talisman aus Berlin, ist also in diese Auflage umgezogen. Er wird Sie auch weiterhin auf Ihrem Weg zur FSP begleiten. ;-)

Und nun: Alle einsteigen! Es geht los!

Hamburg, im Sommer 2025

Ihre Stefania-Cristina Rogoveanu (aka *LittleDoc*)
und Glücksbringer *Lin*

Vorwort zur 1. Auflage

Liebe Kandidatinnen und Kandidaten,

an einer deutschen Klinik zu praktizieren ist für viele Ärztinnen und Ärzte ein Traum – und immer ein mutiger Schritt in die Zukunft. Eine Voraussetzung dafür ist das Bestehen der „Fachsprachprüfung Medizin" (FSP). Doch bevor Sie jetzt völlig durchdrehen …

Dieses Büchlein wurde für die betrübten und verzweifelten Seelen *(such as yours truly)* geschrieben, die ihr Leben unbedingt komplizierter machen wollen.

Sie haben sich entschieden, nach Deutschland zu gehen, und natürlich haben Sie Angst vor der Prüfung. Angst vor dem freien Sprechen *(„Mensch, Lesen oder Schreiben geht, vielleicht auch Hören – aber wenn ich sprechen soll …")*. Angst, dass Sie eine Krankheit nicht sofort identifizieren. Oder dass Sie die Therapieschritte nicht genau kennen. Oder dass Sie nicht wissen, was Sie fragen müssen. Oder dass Sie nicht genug Zeit haben, um alles zu fragen und aufzuschreiben. Oder, ganz übel: dass Sie den Patienten nicht verstehen! Oder – *worst case scenario* – dass Sie ein Blackout bekommen. o.O

Dann … Herzlichen Glückwunsch: Sie sind ein normaler Kandidat!

So wie ich es war, so wie wir es wahrscheinlich alle waren – oder jetzt sind.

Das ist Lin, mein Talisman

[O690]

Er kommt aus Bärlin und ich lernte ihn an der U-Bahn-Station Alexanderplatz kennen. *It was love at first sight!* Auf meinem Weg nach Deutschland hat Lin mich immer begleitet.

Lin hat einen puscheligen Schwanz, ein kugeliges Bäuchlein und richtig runde Wangen, weil er so viel Käse und Schokolade isst – bei Bärchen sind dies die Körperteile, an denen sie am meisten zunehmen. Mein Lin spricht alle Sprachen der Welt und kann Gedanken lesen.

In der Hoffnung, dass er auch Ihnen viel Glück auf Ihrem Weg bringen und manche Sorgen abnehmen kann, teile ich ihn mit allen Lesern dieses Buches.

Last but not least

Dieses Buch ist keine Bibel und mein Ego wird nicht verletzt, wenn Sie alles ändern, besonders bei der Anamnese und im Arztbrief. Wichtig ist, dass Sie eine feste eigene Struktur entwickeln.

Dazu brauchen Sie nur das Buch gründlich von vorn bis hinten durchzuarbeiten – meistens schlage ich mehrere Ideen, Redemittel und sogar „Ausreden“ vor; wählen Sie aus, was Ihnen am besten passt. Und kombinieren Sie die Passagen aus verschiedenen Kapiteln.

Aus Erfahrung weiß ich, dass Bücher, mit denen man gründlich arbeitet, selten genug Platz für Notizen lassen. Dieses Buch ist anders! Es bietet viel Freiraum für Ihre eigenen Gedanken, Anmerkungen oder um sich Gedächtnisstützen zu schaffen. Notieren Sie, was Sie sich noch einprägen müssen, was besonders wichtig für Sie ist, was Sie ein anderes Mal nacharbeiten wollen, und erstellen Sie Ihre ganz individuelle Systematik.

Welche Themen Sie unbedingt beherrschen sollten, da sie recht häufig in der FSP abgefragt werden, können Sie schnell in der Randspalte erkennen: BLITZ (und Donner) zeigen Ihnen den Weg :-)

An einigen Stellen finden Sie in der Randspalte auch kleine Tipps, Hinweise oder Rätsel von LittleDoc, die mit einem Augenzwinkern geschrieben sind. Es ist so viel zu lernen, aber ich wünsche Ihnen auch viel Spaß dabei!

Und natürlich dürfen Sie mir in den Randspalten auch eine Allergie auf Schokolade wünschen, denn das wird in manchen Kapiteln bestimmt vorkommen! Pssst! ;-)

Der Gedanke am Ende des Buches soll sein: *„Egal, was in der Prüfung drankommen wird, ich kann auf jeden Fall etwas dazu sagen, ich werde nicht stumm bleiben.“* Und ich verspreche Ihnen, Sie werden mehr als „etwas“ sagen.

Es ist Ihnen wahrscheinlich schon klar geworden, dass dieses Buch eher unkonventionell geschrieben wurde.

Sie werden später sehen, dass auch meine Einstellung zu den Patienten ziemlich entspannt ist. Das heißt keinesfalls, dass ich Beschwerden oder Krankheiten nicht ernst nehme – im Gegenteil! Ich merke es jedoch, wenn ein manchmal schon schwieriges Gespräch noch komplizierter wird, weil ein Patient sich vor mir schämt, zu aufgeregt oder zu ängstlich ist.

Kein Mensch sollte Angst vor mir haben. Kein Mensch sollte wegen mir aufgeregt sein. Ich bin kein Gott und ich übermittle auch nicht sein Werk. Ich bin ein Mensch, ein Arzt, ein Patient.

And now, without further ado, let us begin …

Ich wünsche Ihnen viel Erfolg bei der Prüfung!

Hamburg, den 31. März 2020

Ihre
Stefania-Cristina Rogoveanu
aka LittleDoc

Danksagung

Beim Schreiben des Buches haben mich Menschen und Worte begleitet …

„… und dann zaubert sie aus den Resten ein neues, ganz tolles Gericht, das das missglückte Soufflé vergessen lässt."
Frau Susanne Armbruster. Weil Sie auch hinter den Worten lesen.

„Ich habe unsere alten E-Mails gelesen, als du noch meine Lehrerin warst. Mir wurde übel. Du bist klein wie ein Gnom – und doch so streng manchmal."
Herrn J. Papingi. Für deine unendliche Geduld und für alles, was du mir beibringst. Und weil du mich seit Jahren tapfer aushältst.

Hamburg, im Sommer 2025

Stefania-Cristina Rogoveanu

Die Autorin

Biografisches

Stefania-Cristina Rogoveanu
[K407]

- Geboren 1993 in Rumänien
- 2017 Abschluss des Medizinstudiums als Jahrgangsbeste
- 2018 Fachsprachprüfung und Approbation durch die Ärztekammer Hamburg
- 2018–2025 Assistenzärztin an verschiedenen Kliniken in Norddeutschland
- 2025 Fachärztin für Psychiatrie und Psychotherapie
- 2025 Oberärztin für Psychiatrie und Psychotherapie mit dem Schwerpunkt Abhängigkeitserkrankungen

Expertise und Anliegen

Zur Vorbereitung meiner eigenen Fachsprachprüfung habe ich zahlreiche Lernmaterialien gesichtet, ausgewertet und aufbereitet. Ich stellte fest, dass sie neben nützlichen auch sehr viele weniger nützliche, zum Teil veraltete Informationen enthielten oder die Unterlagen nicht auf die spezifische Situation von Ärztinnen und Ärzten zugeschnitten waren. Ein kompaktes Werk mit dem medizinischen „State of the Art" fehlte.

Seit 2018 habe ich viele Medizinerinnen und Mediziner auf ihrem Weg nach Deutschland begleitet und mit den von mir zusammengestellten Materialien *erfolgreich auf die FSP vorbereitet.*

Viele Kolleginnen und Kollegen berichteten mir danach von ihren Erfahrungen bei der FSP, sodass ich inzwischen umfangreiche Kenntnisse eines typischen, aber auch eines untypischen Prüfungsverlaufs habe. All diese Informationen und Kenntnisse sind in dieses Buch eingeflossen.

Mit der Aufnahme meiner Tätigkeit als Ärztin möchte ich meine Erfahrungen und mein Wissen weitergeben, um anderen Kolleginnen und Kollegen den Weg nach Deutschland zu ebnen.

Benutzerhinweise

TIPP

Hier finden Sie wertvolle Strategien, um in der FSP Extrapunkte zu sammeln – sei es durch clevere Feinheiten oder durch Tricks, die Ihnen den letzten Schliff verleihen.

MERKE

Die FSP verlangt einiges an Hirnakrobatik! Hier finden Sie besonders wichtige Punkte, die Sie sich gut einprägen sollten.

CAVE!

Sowohl in der FSP als auch im klinischen Alltag erfordern diese kniffligen Punkte besondere Aufmerksamkeit – Sie sollten sie im Blick behalten.

Fehler gefunden?

An unsere Inhalte haben wir sehr hohe Ansprüche. Trotz aller Sorgfalt kann es jedoch passieren, dass sich ein Fehler einschleicht oder fachlich-inhaltliche Aktualisierungen notwendig geworden sind. Sobald ein relevanter Fehler entdeckt wird, stellen wir eine Korrektur zur Verfügung. Mit diesem QR-Code gelingt der schnelle Zugriff.

https://else4.de/9783437213496

Wir sind dankbar für jeden Hinweis, der uns hilft, dieses Werk zu verbessern. Bitte richten Sie Ihre Anregungen, Lob und Kritik an folgende E-Mail-Adresse: kundendienst@elsevier.com

Abkürzungen

⊗	hemmt, vernichtet
/d	pro Tag / per day
♀	Frauen
♂	Männer
Ø	nicht / kein
A.	Arteria
AA	Assistenzarzt
AÄ	Assistenzärztin
ABI	Arm-Bein-Index
ABI	Ankle-brachial Index / Knöchel-Arm-Index
ACE-Hemmer	Angiotensin-Converting-Enzym-Hemmer
ACTH	adrenokortikotropes Hormon / Kortikotropin
AD	autosomal-dominant
aHT	arterielle Hypertonie
AP	alkalische Phosphatase
aPTT	aktivierte partielle Thromboplastinzeit
AR	autosomal-rezessiv
ASS	Acetylsalicylsäure
AT1-Rezeptor-antagonist	Angiotensin-II-Rezeptor-Subtyp-1-Antagonist
AV	atrioventrikulär
AZ	Allgemeinzustand
b. B.	bei Bedarf
BB	Blutbild
BD	Blutdruck
bds.	beidseits
BMI	Body-Mass-Index
BSG	Blutsenkungsgeschwindigkeit
BSK	Blutkörperchensenkungs-geschwindigkeit
BSR	Blutsenkungsrate
BZ	Blutzucker
bzw.	beziehungsweise
C_2	Alkohol
CA	Chefarzt
CÄ	Chefärztin
CCK	Cholecystokinin / Pankreozymin
CCT	Schädel-Computertomografie
CK	Kreatinkinase
C-MRT	Schädel-Magnetresonanztomografie
CMV	Zytomegalievirus
COPD	chronisch obstruktive Lungenerkrankung / Chronic Obstructive Pulmonary Disease
CT	Computertomografie
DM	Diabetes mellitus
DSA	digitale Subtraktionsangiografie
DTP-Impfung	Diphtherie-, Tetanus- und Pertussis-Impfung
EEG	Elektroenzephalogramm
EKG	Elektrokardiogramm
EMG	Elektromyogramm
ESG	Erythrozytensenkungsgeschwindigkeit
ESR	Erythrozytensedimentationsrate
ESWL	extrakorporale Stoßwellenlithotrypsie
EZ	Ernährungszustand
FA	Facharzt
FÄ	Fachärztin
FEV_1	exspiratorische Einsekundenkapazität / Forced Expiratory Volume in 1 Second
FGA	Antipsychotika der ersten Generation (Neuroleptika)
ggf.	gegebenenfalls
GGT / γ-GT / Gamma-GT	Gamma-Glutamyltransferase
GIB	gastrointestinale Blutung
GINA	Global Initiative for Asthma
GIP	Gastric Inhibitory Polypeptide
GKK	Glukokortikoid
GLP1	Glucagon-like Peptid 1
GOLD	Global Initiative for Chronic Obstructive Lung Disease

GOT	Glutamat-Oxalacetat-Transaminase / Aspartat-Aminotransferase (ASAT / AST)
GPIIb / IIIa-Rezeptor-Antagonisten	Glykoprotein-IIb / IIIa-Rezeptorantagonisten
GPT	Glutamat-Pyruvat-Transaminase / Alanin-Aminotransferase (ALAT / ALT)
HA	Hausarzt
HÄ	Hausärztin
HAV	Hepatitis-A-Virus
Hb	Hämoglobin
HbA_{1c}	glykiertes Hämoglobin / glykosyliertes Hämoglobin
HBV	Hepatitis-B-Virus
HCV	Hepatitis-C-Virus
HD	High Definition
HDL	High Density Lipoprotein
HDV	Hepatitis-D-Virus / Delta-Virus
HELLP	Haemolysis, Elevated Liver enzymes, Low Platelet count
HEV	Hepatitis-E-Virus
HIV	humanes Immundefizienz-Virus
HLA-System	Human Leukocyte Antigen System
i. a.	intraarteriell
i. d. R.	in der Regel
i. m.	intramuskulär
i. v.	intravenös
IFN	Interferon
IUP	Intrauterinpessar
KHK	koronare Herzkrankheit
KM	Kontrastmittel
Krea	Kreatinin
LDH	Lactatdehydrogenase
LDL	Low Density Lipoprotein
li.	links
M.	Morbus
max.	maximal
MHC	Major Histocompatibility Complex
MI	Myokardinfarkt
MMR-Impfung	Mumps-Masern-Röteln-Impfung
MRT	Magnetresonanztomografie
MTX	Methotrexat
N.	Nerv
NSAR	nichtsteroidales Antirheumatikum / nichtsteroidales Antiphlogistikum
NYHA	New York Heart Association
o. g.	oben genannt
o. p. B.	ohne pathologischen Befund
OA	Oberarzt
OÄ	Oberärztin
OP	Operation
p(h)	hydrostatischer Druck
py	Packungsjahr (engl. „pack year[s]“)
$P2Y_{12}$	G-Protein-gekoppelter purinerger Chemorezeptor für Adenosindiphosphat (ADP)
p_aCO2	arterieller Kohlendioxidpartialdruck
p_aO2	arterieller Sauerstoffpartialdruck
pAVK	periphere arterielle Verschlusskrankheit
pCO2	Kohlendioxidpartialdruck
PDE-4-Inhibitor	Phosphodiesterase-4-Inhibitor
PG	Prostaglandin
Pl.	Plural
PLZ	Postleitzahl
pO2	Sauerstoffpartialdruck
Prof.	Professor / -in
PTCA / PTA / PCI	perkutane transluminale Koronarangioplastie / Percutaneous Coronary Intervention
PTT	partielle Thromboplastinzeit
RAAS	Renin-Angiotensin-Aldosteron-System
re.	rechts
Rö.	Röntgen
RR	Riva-Rocci (Blutdruckmessmethode, auch „Blutdruck-Symbol“)
rt-PA	Recombinant Tissue Plasminogen Activator
Rx.	Röntgen
s.	siehe
s. c.	subkutan

s. o.	siehe oben
s. u.	siehe unten
SGA	Antipsychotika der zweiten Generation
Sono.	Sonografie
SSRI	selektive Serotonin-Wiederaufnahme-Hemmer
St.	Stadium
STH	Somatropin / somatotropes Hormon
TB / TBC	Tuberkulose
TEE	Transesophageal Echocardiography
TEP	Totalendoprothese
TSH	thyreotropes Hormon / Thyreoideastimulierendes Hormon / Thyreotropin
TVT	tiefe Venenthrombose
u. a.	unter anderem
U-Status	Urin-Status
U-Sticks	Urin-Sticks
usw.	und so weiter
V. a.	Verdacht auf
v. a.	vor allem
VE	Vorerkrankungen
z. B.	zum Beispiel
Z. n.	Zustand nach
ZVK	zentraler Venenkatheter
η	Viskosität

Abbildungsnachweis

Der Verweis auf die jeweilige Abbildungsquelle befindet sich bei allen Abbildungen im Werk am Ende des Legendentextes in eckigen Klammern. Alle nicht besonders gekennzeichneten Grafiken und Abbildungen © Elsevier GmbH, München.

F210-007 Forrest JA, Finlayson ND, Shearman DJ. Endoscopy in gastrointestinal bleeding. Lancet. 1974;2(7877):394–397. doi:10.1016/s0140-6736(74)91770-x

F210-010 Teasdale G, Jennett B. Assessment of coma and impaired consciousness. A practical scale. Lancet. 1974; 2(7872): 81-84. doi:10.1016/s0140-6736(74)91639-0

F210-020 Blatchford O et al. A risk score to predict need for treatment for upper gastrointestinal haemorrhage. Lancet 2000; 356(9238):1318–1321

F723-019 Aringer M, Costenbader K, Daikh D, et al. 2019 European League Against Rheumatism/American College of Rheumatology Classification Criteria for Systemic Lupus Erythematosus. Arthritis Rheumatol. 2019;71(9):1400–12

F813-002 Best WR, Becktel JM, Singleton JW, Kern F Jr. Development of a Crohn's disease activity index. National Cooperative Crohn's Disease Study. Gastroenterology. 1976;70(3):439-444

F813-007 Armstrong D et al. The endoscopic assessment of esophagitis: a progress report on observer agreement. Gastroenterology. 1996;111(1):85-92. doi:10.1053/gast.1996.v111.pm8698230

F993-001 Wells PS, Anderson DR, Rodger M, et al. Excluding pulmonary embolism at the bedside without diagnostic imaging: management of patients with suspected pulmonary embolism presenting to the emergency department by using a simple clinical model and d-dimer. Ann Intern Med. 2001;135(2):98–107. doi:10.7326/0003-4819-135-2-200107170-00010

K407 Marcel Völker, SoulPicture – König & Völker GbR, Kiel

M1025 Stefania-Cristina Rogoveanu, Hamburg

O690 Daniel Unrau, Ochsenfurt, https://www.danielunrau.de

W854-008 Deutsche Gesellschaft für Kardiologie – Herz-und Kreislaufforschung e.V. (2019); Deutsche Hochdruckliga e.V.: ESC/ESH Pocket Guidelines. Management der arteriellen Hypertonie, Version 2018. Börm Bruckmeier Verlag GmbH, Grünwald. Kurzfassung der „2018 ESC/ESH Guidelines on the management of arterial hypertension" (Eur Heart J 2018; doi: 10.1093/eurheartj/ehy339)

W888-004 Linnemann B et al. Diagnostik und Therapie der tiefen Venenthrombose und Lungenembolie – AWMF-S2k-Leitlinie. Stand: 11.01.2023. Deutsche Gesellschaft für Angiologie – Gesellschaft für Gefäßmedizin e.V. (DGA) Verfügbar unter: https:/register.awmf.org/de/leitlinien/detail/065-002. Zugriff am: 13.02.2025

W917 American Heart Association, Inc; Dallas (US)

X221-064 Ständige Impfkommission: Empfehlungen der Ständigen Impfkommission (STIKO) beim Robert Koch-Institut 2025

Inhaltsverzeichnis

I

Kommunikation in der FSP

KAPITEL

1 Fachsprachprüfung Medizin

1.1 Von der FSP zur Approbation

Voraussetzungen, um in Deutschland zu praktizieren

Was die technische Ausstattung und den wissenschaftlichen Stand betrifft, eilt den deutschen Kliniken ein guter Ruf voraus. Das Leben in Deutschland kann sehr komfortabel und sicher sein – und ist deshalb auch für viele Mediziner attraktiv.

Um als Ärztin oder Arzt an einer deutschen Klinik praktizieren zu können, müssen zunächst lebensverändernde Entscheidungen getroffen werden. Alle Mediziner müssen bestimmte Zertifikate zum Nachweis ihrer Ausbildung besitzen – und in der Fachsprachprüfung (FSP) ihre sprachlichen Fähigkeiten unter Beweis stellen.

Erst wenn Sie die FSP bestehen, erhalten Sie die Approbation und können damit in Deutschland als Arzt bzw. Ärztin praktizieren.

Was wird in der FSP geprüft?

Die Fachsprachprüfung stellt für viele Mediziner die größte Hürde dar: Bei Durchfallquoten von bundesweit bis zu 49 % (2024) haben viele Angst, die FSP nicht zu bestehen.

Nicht die medizinischen Kenntnisse, sondern Verstehen, Sprechen, Lesen und Schreiben werden in der FSP geprüft (allgemeinsprachlich an Level B2, fachspezifisch an C1 orientiert). Aber: Die Sprachkenntnisse müssen natürlich auf einer soliden Basis medizinischen Wissens stehen!

Mit diesem Buch trainieren Sie beides: Sie üben die sprachlichen Mittel und verbessern Ihre kommunikativen Fähigkeiten. Zugleich überprüfen Sie Ihre medizinischen Kenntnisse und frischen diese in einigen Fachbereichen auf. So treten Sie die FSP mit den besten Voraussetzungen an.

Wie läuft die FSP ab?

Die FSP ist meistens in drei, jeweils ca. 20-minütige Einheiten eingeteilt: In einer simulierten Situation beweisen Sie sich als Arzt in der Anamnese mit dem Patienten, dokumentieren den Fall im Arztbrief und stellen ihn im Gespräch Kollegen vor. Zum Schluss werden noch einige Fragen gestellt und Fachbegriffe geklärt.

Nicht zu vergessen: Wie reagieren Sie in Stressmomenten? Welche kommunikativen Mittel stehen Ihnen zur Verfügung, um auch schwierige Situationen souverän zu klären? Und was antworten Sie, wenn Sie die Antwort nicht kennen?

Darauf wird dieses Buch Sie vorbereiten (➤ Abb. 1.1).

Entscheidung treffen

- Warum das Heimatland verlassen?
- Warum Deutschland?

Voraussetzungen

- Medizin-Diplom.
- Zertifikat über allgemeine deutsche Sprachkenntnisse auf Level B2 (bzw. C1, C2 oder höher) von einem anerkannten Institut (Goethe, TELC usw.); dies ist noch NICHT das Fachsprachenzertifikat!
  - Ein C1-/C2-Zertifikat wird in der FSP keinen Unterschied machen; was zählt, ist, wie gut Sie wirklich sprechen und sich verständigen können. Nur das „Blatt Papier" wird Ihre Chancen in der FSP nicht erhöhen.

Schritte vor der FSP

- Bundesland in Deutschland aussuchen.
- Benötigte Unterlagen sammeln und an die Ärztekammer senden.
  - In einigen Bundesländern benötigen Sie eine schriftliche „Stellenzusage". Das heißt, Sie müssen zuerst in einem deutschen Krankenhaus hospitieren, um eine solche Zusage zu erhalten (s. u. „Bewerbung").
- Die Prüfungsgebühr bezahlen und auf den Termin warten (je nach Bundesland kann dies zwischen 2 Wochen und 4 Monaten dauern).

FSP

- *[Eine Panikattacke bekommen, auf Medizin verzichten und stattdessen Schafe hüten ...]*

Mit Käse und Schokolade feiern

- Die Prüfung ist endlich vorbei!

Bewerbung

- Um sich an einer deutschen Klinik zu bewerben, brauchen Sie die E-Mail-Adresse der Personalabteilung oder Klinikleitung – manchmal gibt es aber auch Bewerbungsportale auf Krankenhaus-Websites:
  - Maps → Krankenhaus und ausgewählte Stadt eingeben → Website → gewünschte Abteilung → Team → Leitung.
  - Maps → Krankenhaus und ausgewählte Stadt eingeben → Website → „Stellenausschreibung" oder „Karriere" anklicken → Suchkriterien eingeben → Bewerbungsunterlagen hochladen.

Abb. 1.1 **Links:** Von der Entscheidung, in Deutschland zu praktizieren, bis zur Approbation und erfolgreichen Bewerbung an einer Klinik. Voraussetzung ist das Bestehen der Fachsprachprüfung. **Rechts:** Der reguläre Ablauf der FSP [M1025/L143]

Ankommen und warten

Sie haben den Termin, sind pünktlich (oder etwas zu früh) und müssen wahrscheinlich in einem Wartezimmer kurz warten. Jemand wird vielleicht Ihren Ausweis kurz an sich nehmen und eine Kopie davon machen.
Versuchen Sie nicht, mit den eventuell anderen wartenden Prüfungskandidaten ein Gespräch über die FSP anzufangen. Über ein anderes Thema können Sie sich gern unterhalten.

Weg zum Prüfungsraum

Jemand wird Sie abholen. Auf dem Weg kann es sein, dass Ihnen Small-Talk-Fragen gestellt werden, sodass Sie sich entspannen:

- Sind Sie gut angekommen?
- Seit wann sind Sie in Deutschland?
- Wie war der Flug?
- Haben Sie gut geschlafen?
- Fühlen Sie sich fit für die Prüfung?

Begrüßung und Kennenlernen

- Sie kommen in ein Zimmer, in dem 2 oder 3 Prüfer auf Sie warten. Sie werden begrüßt und die Prüfer werden sich kurz vorstellen. Sie sind alle Ärzte und einer von ihnen wird den Patienten spielen.
- Sie sollen sich vielleicht kurz vorstellen, das heißt: nicht den ganzen Lebenslauf erzählen, sondern Ihren Namen nennen und 3, 4 Sätze zu Ihrer Biografie.
- Dann wird Ihnen die Struktur der Prüfung vorgestellt. Der erste Teil kann nun beginnen.

Teil 1:
Die Anamnese
im Arzt-Patienten-Gespräch

- Dauer: ca. 20 Minuten.
- Ein Prüfer (auch Arzt von Beruf) wird einen Patienten simulieren und Sie werden als Arzt auftreten. Nun erheben Sie eine Anamnese.
- Sie können sich Notizen machen. Die werden Sie in den nächsten Teilen der FSP brauchen!

Teil 2:
Der Arztbrief

- Dauer: ca. 20 Minuten.
- Sie werden wahrscheinlich in ein anderes Zimmer begleitet.
- Anhand Ihrer Notizen sollen Sie nun einen Arztbrief schreiben.
- Nach 20 Minuten werden Sie abgeholt. Es empfiehlt sich, den Brief binnen 15 Minuten fertig zu schreiben, sodass Sie noch Zeit für Korrekturen haben.

Teil 3:
Die Fallvorstellung
im Arzt-Arzt-Gespräch

- Dauer: ca. 20 Minuten.
- Stellen Sie nun nur anhand der Notizen aus Teil 1 (ohne Arztbrief!) den Fall den Arztkollegen vor. Nehmen Sie sich bitte Zeit dafür! Währenddessen oder am Ende stellen Ihnen die Prüfer Fragen.
- Es kann sein, dass Sie Fragen an den Patienten wiederholen sollen. Das ist nicht schlimm!
- Zum Schluss bekommen Sie – je nach Prüfungszentrum – **ca. 10 Fachbegriffe** zum Erklären. Dafür haben Sie ca. 5 Minuten zur Verfügung.

Verabschiedung

- Die Prüfer markieren das Ende der Prüfung und wünschen Ihnen alles Gute.
- Es kann sein, dass sie fragen, was Ihre Pläne für die Zukunft sind. Sie dürfen gern etwas anderes als „Ich möchte nur noch schlafen" sagen ;-)

1.2 Auswahl einer Klinik

Famulatur, Hospitation oder Ausübung des Berufs als Arzt – doch welche Klinik kommt für Sie infrage? Ihr gewünschtes Fachgebiet ist ein Kriterium, die Größe der Klinik und nicht zuletzt das urbane Umfeld sind weitere (➤ Tab. 1.1)

Deutschland verfügt über ein breites klinisches Spektrum: große Städte mit kleinen Krankenhäusern, kleinste Städte mit großen Krankenhäusern und Zentren, kleine Städte mit kleinen Krankenhäusern und große Städte mit großen Krankenhäusern. Hier heißt „kleines Krankenhaus" nicht unbedingt „schlecht ausgestattetes" oder „nicht modernes Krankenhaus" – oft ganz im Gegenteil!

Entscheiden, was das Beste für Sie ist, können nur Sie. Und was am besten zu Ihnen passt, passt nicht zu allen ;-)

Tab. 1.1 Pro und Kontra bei der Orts- und Klinikwahl – eine Entscheidungshilfe

	Große Stadt	**Kleine Stadt**
Pro	• breitere Akzeptanz von Menschen mit Migrationshintergrund • leichtere Integration dank der vielfältigeren Lebensangebote • schnellerer Aufbau sozialer Kontakte • mehrere medizinische Fachrichtungen • Anonymität	• Hilfsbereitschaft • kurze Wege zu Arbeit, Bank, Post, Supermärkten usw. • Ruhe, Rückzugsmöglichkeiten • geringere Lebenshaltungskosten
Kontra	• Anonymität • längere Arbeitswege • fehlende Ruhe oder Rückzugsmöglichkeiten • Reizüberflutung • höhere Lebenshaltungskosten	• Abschirmung von der „Außenwelt" • manchmal eine höhere Ausgrenzung als Migrant • manchmal weniger Toleranz bei Sprachschwierigkeiten • soziale Isolation • weniger Privatsphäre
	Große Klinik	Kleine Klinik
Pro	• mehrere medizinische Fachrichtungen • eher Akzeptanz von Menschen mit Migrationshintergrund, das heißt: größere Toleranz bei Sprachschwierigkeiten • Anonymität • Lernangebot deutlich höher aufgrund einer größeren Anzahl schwieriger Fälle	• Lernangebot deutlich höher durch mehr Anleitung • Lernangebot deutlich höher durch Betreuung mehrerer Stationen mit verschiedenen Schwerpunkten • nahezu familiäre Atmosphäre im Arbeitsalltag
Kontra	• Anonymität • Überforderung, Überlastung durch deutlich schwierigere Fälle • Lernangebot paradoxerweise manchmal geringer durch Betreuung nur eines Schwerpunktes über lange Zeiträume	• seltener Zugang zu anspruchsvolleren oder vielschichtigeren Fällen • oft fehlende Toleranz gegenüber Menschen mit Migrationshintergrund, das heißt: fehlende Toleranz bei Sprachschwierigkeiten • evtl. fachliche Unterforderung

KAPITEL

2 Anamnese (Arzt-Patienten-Gespräch)

2.1 Allgemeinanamnese

In der allgemeinen Anamnese erfragen Sie alle relevanten Daten der Patienten, um eine Verdachtsdiagnose feststellen zu können. Dies ist der erste Teil der Prüfung, er dauert ca. 20 Minuten. Der Prüfungskandidat ist in der Rolle des Arztes, einer der Prüfenden übernimmt die Rolle des Patienten.

LittleDoc dankt

Viele Tipps, die Sie hier finden, habe ich Herrn Dr. Joy Papingi zu verdanken.
Thank you, you gorgeous nerdy bundle of Joy. You rock!

2.1.1 Gesprächsbeginn

Zuerst stellt der Arzt (Prüfungskandidat) sich kurz vor und fragt den Patienten (Prüfer), *ob er einverstanden ist,* dass man die Anamnese mit ihm durchführt. Beispiel:

- „Guten Tag. Mein Name ist … und ich bin auf der Station als AA/FA tätig. Ich möchte heute das Aufnahmegespräch mit Ihnen durchführen. *Sind Sie damit einverstanden?*"
  Erst danach kann die Anamnese beginnen.

TIPP

Manchmal passiert es bei der Prüfung, dass der Patient sagt: „Nein, Sie sind doch zu jung", oder: „Nein. Aus welchem Land kommen Sie eigentlich? Was machen Sie hier? Haben Sie genug Erfahrung?" Auch im Klinikalltag sollte man diese Reaktion nie persönlich nehmen. Sie sollten jedoch darauf vorbereitet sein, ruhig bleiben und sachlich darauf antworten.
Denn die Zustimmung des Patienten brauchen Sie auf jeden Fall.

- „Frau/Herr X, in Deutschland darf man erst als Assistenzarzt arbeiten, wenn man eine Prüfung besteht – die habe ich bestanden und meine Approbation bekommen. Und wir arbeiten hier im Team. Jetzt würde ich das Aufnahmegespräch mit Ihnen durchführen. Bevor wir dann über therapeutische Maßnahmen entscheiden, werde ich den Fall mit dem Oberarzt besprechen. Machen Sie sich also bitte keine Sorgen, die wichtigen Entscheidungen treffen wir gemeinsam – im Team."

Gesprächsführung allgemein

- Sprechen Sie während der Anamnese mit dem Patienten kein „Fachchinesisch".

2

LittleDoc meint
Im klinischen Alltag gibt es keinen „Chef" im Arzt-Patienten-Gespräch, oft bestimmen die Bedürfnisse des Patienten das Tempo.
Aber in der FSP haben die Schauspieler manchmal einen großen Redebedarf; sie unterbrechen Sie und stellen viele, gern auch fiese Fragen. Bleiben Sie höflich und nett, aber machen Sie auch klar, dass Sie das Aufnahmegespräch bis zum Ende durchführen wollen. Die Fragen beantworten Sie zum Schluss. Sonst ist Ihre Zeit vorbei und die Anamnese noch nicht abgeschlossen ;-)

- In der FSP ist der Arzt (Prüfungskandidat) der Chef. Er steuert das Gespräch.
- Wenn der Patient zu schnell oder undeutlich spricht: „Frau/Herr X, langsamer bitte, ich muss mir auch Notizen machen."
- Wenn der Patient sofort Medikamente gegen seine Beschwerden möchte: „Frau/Herr X, ich glaube Ihnen, dass es wehtut/dass Sie das nicht mehr ertragen können. Wenn ich Ihnen aber die falschen Medikamente gebe, wird das auch nichts Gutes bringen. Ich muss Ihnen zuerst noch ein paar Fragen stellen. Gleich sind wir fertig."
- Weitere Beispiele, wie Sie schwierige Situationen mit kommunikativen Strategien meistern, finden Sie am Ende dieses Kapitels.

Im Notfall

Gleich nach der aktuellen Anamnese soll man …

1. *den Patienten kurz beruhigen,* z. B.: „Okay, Frau/Herr X. Nehmen Sie bitte hier kurz Platz./Bleiben Sie bitte hier. Ich lege Ihnen gleich einen Zugang. Sie bekommen auch ein bisschen Sauerstoff/ein Schmerzmittel usw. Ich werde Ihren Fall sofort mit dem OA besprechen."
2. *mit den Prüfern sprechen,* z. B.: „Frau/Herr Dr./Prof. Y, wenn ich einen solchen Fall in der Klinik hätte, würde ich sofort mit einem OA telefonieren/sprechen/würde ich sofort einen OA rufen. Ich glaube, es handelt sich um einen Notfall. Ich habe einen Verdacht auf … Der Patient braucht jetzt … Behandlung. Darf ich aber heute mit der Anamnese weitermachen?"

Sehr häufige Notfälle in der Prüfung: Myokardinfarkt, Lungenembolie, Schlaganfall, ↑ gastrointestinale Blutung, Hämorrhagie (z. B. nach einem Unfall mit Femurfraktur).

TIPP

Rule of Thumb: Auf keinen Fall Angst vor komischen Fragen oder Reaktionen des Patienten haben! Das ist *Ihre Chance,* den Prüfern zu zeigen, dass Sie gut reagieren können. Auch wenn Sie vielleicht ängstlich sind und einige Sprachfehler machen – wichtig ist, *dass* Sie reagieren und nicht stumm bleiben! Sie können *alles* beantworten, glauben Sie mir [auch wenn Sie die falsche Antwort geben …].

2.1.2 Patientendaten

LittleDoc meint
Manchmal wollen die Patienten das Geburtsjahr nicht sagen: „Das können Sie auch allein ausrechnen, oder?" Ruhig bleiben. Kurz lächeln.
Denken Sie an Joey als Dr. Drake Ramoray: „I'm a doctor, not a mathematician!"
Any "Friends" fans out there? :-)

- „Wie heißen Sie? Bitte buchstabieren Sie das langsam. Ist das richtig geschrieben?" (Sie zeigen dem Patienten, was Sie geschrieben haben.)
- „Wie alt sind Sie? Wann genau sind Sie geboren?" (Man könnte nur die zweite Frage stellen, wenn man auch unter Druck schnell rechnen kann.)
- „Wie groß sind Sie?"
- „Wie viel wiegen Sie?"
- „Was sind Sie von Beruf?" „Was genau machen Sie in Ihrem Beruf?" Oder: „Arbeiten Sie mit …?" (Noxen usw.)
- „Wie heißt Ihr Hausarzt?"

TIPP

Die Frage nach dem Hausarzt ist wichtig, besonders bei älteren Patienten oder Patienten, die ihre eigenen Vorerkrankungen oder die Medikation nicht so genau kennen. In der Situation brauchen Sie das – im besten Fall schriftliche – Einverständnis der Patienten, mit dem HA zu sprechen (sog. Schweigepflichtentbindung). *„Rücksprache mit dem HA steht aus/folgt"*, schreiben Sie dann im Arztbrief.

Im Notfall

In Notsituationen ist es vor allem wichtig, Name und Geburtsdatum zu erfahren – am besten auch die aktuelle Medikation, Erkrankungen und Allergien. Die restlichen Punkte können Sie später erfragen.

In der Prüfungssituation sollen Sie zeigen, dass Sie den Notfall erkannt haben. Je nach Reaktion der Prüfer fragen Sie, ob Sie mit der „üblichen" Anamnese weitermachen dürfen.

2.1.3 Aktuelle Anamnese

- „Was kann ich für Sie tun?"/„Was führt Sie zu uns?"
- „Seit wann haben Sie diese Beschwerden?"
- „Könnten Sie diese Beschwerden genauer beschreiben?" (s. „Spezielle Anamnese")

LittleDoc meint

Manchmal antworten die Patienten: „Nichts können Sie für mich tun. Sie sind zu jung und unerfahren. Seit wann sind Sie überhaupt in Deutschland? Ich will mit dem Oberarzt sprechen."
Ruhig bleiben. Schon darauf vorbereitet sein (s.Tipp am Anfang dieses Kapitels).

2.1.4 Vegetative Anamnese

- „Haben Sie Fieber, Schüttelfrost oder Nachtschweiß?"
- „Haben Sie ungewollt ab- oder zugenommen? Wie viel +/-? In welchem Zeitraum?"
- „Hat sich Ihr Appetit in letzter Zeit verändert?" (Wenn der Patient schon mit Nausea/Vomitus kommt, erklären Sie bitte, was Sie meinen: nicht heute oder gestern, sondern in den letzten Wochen oder Monaten.)
- „Leiden Sie an psychischen Erkrankungen?" (Der Patient kann beleidigt reagieren – „wir fragen das standardmäßig". Just keep it casual. You can still rock this!)
- „Haben Sie Probleme mit dem Stuhlgang oder beim Wasserlassen?"
- „Sind Sie Stress ausgesetzt?"/„Fühlen Sie sich gestresst?"
- „Treiben Sie regelmäßig Sport?"
- „Besuchen Sie regelmäßig Ihren Frauenarzt (♀)? Ihren Urologen (♂)? Den Hausarzt (♀, ♂)? Ist alles in Ordnung?"

LittleDoc meint

Vorsicht bei dieser Frage! Viele Menschen fühlen sich *gestresst.* Viele werden *Ja* sagen.
Ich bin zum Beispiel schon etwas „gestresst", wenn ich im Urlaub keine kalte Cola bekomme. Oder wenn ich ein Stück Kuchen bestellen will und es mehr als zwei Sorten in der Vitrine gibt. Trotzdem sollte man psychosomatische Beschwerden nie ausschließen. Stellen Sie die Frage in der Prüfung aber nur, wenn Sie sicher sind, dass Sie eine allzu ausführliche Erzählung des „Patienten" steuern oder stoppen können.

TIPP

Fast alle Patientinnen antworten auf die Frage, ob sie sich regelmäßig checken lassen, mit *Nein* (besonders Patientinnen mit Z.n. Hysterektomie). Klären Sie kurz darüber auf, wie wichtig die Vorsorgeuntersuchungen sind.

glauben) „… machen Sie sich bitte nicht solche Gedanken. Ich bitte Sie um ein bisschen Geduld, bis alle Ergebnisse da sind, erst dann können wir die richtige Diagnose stellen. Wir werden dann alles gemeinsam besprechen."

TIPP

Wenn der Patient die stationäre Aufnahme oder bestimmte Therapieverfahren, Untersuchungen usw. ablehnt, muss er dies unterschreiben; erst danach darf er nach Hause. Das bedeutet, dass Sie dem Patienten – wenn möglich mit Zeugen – erklären müssen, welche Risiken für ihn bestehen.
Notieren Sie diese Risiken und ergänzen Sie (oder lassen Sie den Patienten schreiben):

- auf dem Bogen *„Entlassung gegen ärztlichen Rat":* „Mir wurden die Risiken der gegen ärztlichen Rat vorzeitigen Entlassung erklärt und ich habe sie verstanden."
- auf dem Bogen *„Behandlungsverweigerung"* (wenn der Patient eine Therapie verweigert oder ablehnt): „Mir wurden die Risiken der Ablehnung der Behandlung … erklärt und ich habe sie verstanden."
- *Lassen Sie den Patienten den Bogen am Ende des Gesprächs unterschreiben.*

2.2 Spezielle Anamnese

2.2.1 Schmerzanalyse

Ort

- „Wo tut es weh?/Können Sie mir zeigen, wo es wehtut?"
  - im Epigastrium/epigastrisch
  - im Hypochondrium li./re./In der Regio hypochondriaca dextra/sinistra usw.
  - periumbilikal
  - in der Fossa Iliaca li./re. oder sinistra/dextra
  - im Hypogastrium
  - in den Extremitäten
  - im linken Bein/Arm …

TIPP

Benutzen Sie möglich viele Fachbegriffe beim Schreiben und Vorstellen des Falls – aber bitte nicht im Gespräch mit dem Patienten!

MERKE

Schmerzen in $^{+\text{Dativ}}$

Charakter

- „Können Sie die Schmerzen genauer beschreiben? Sind sie eher …?"
  - dumpf
  - bohrend
  - stechend
  - ziehend

- kribbelnd
- brennend
- drückend
- pochend/pulsierend
- klopfend
- scharf
- kolikartig
- wellenförmig …

- Bei Abdominalschmerzen auch:
  - „Fühlen Sie sich aufgebläht?“
  - „Haben Sie Sodbrennen/Verdauungsstörungen?“
  - „Müssen Sie aufstoßen?“
  - „Werden die Schmerzen immer stärker oder lassen sie nach?“
- „Von 1 bis 10 – wie stark tut es weh?“ (Zeigen Sie dabei mit der Hand von der Tischfläche hoch bis etwa 30 cm über den Tisch.)

Ausstrahlung

- „Strahlen die Schmerzen aus? Wohin?“
- „Sind die Schmerzen nur … (Ort), also lokalisiert? Oder sind sie eher diffus?“
- „Wandern die Schmerzen?“

MERKE

Ausstrahlung in +Akkusativ!

Dauer

- „Seit wann haben Sie die Schmerzen?“
- „Wie lange dauern die Schmerzen an?“
- „Haben Sie solche Beschwerden schon mal gehabt?“
- „Haben sie die Schmerzen ständig oder treten sie nur gelegentlich auf?“
- „Wie oft bekommen Sie diese Schmerzen?“
- „Wann kommen die Schmerzen und wann verschwinden sie wieder?“
- „Treten die Schmerzen plötzlich auf oder steigern sie sich langsam?“
- „Was taten Sie, als die Schmerzen aufgetreten sind?“

Einflussfaktoren

- „Gibt es etwas, das die Symptome verbessert oder verschlimmert?“ (z. B. Körperhaltung, Bewegung, Essen usw.)
- „Haben Sie schon Medikamente dagegen probiert? Hat das etwas gebracht?“

Begleitbeschwerden

- „Haben Sie auch andere Beschwerden? Welche?“

2.2.2 Kardiologie

- „Haben Sie Brustschmerzen oder ein Engegefühl in der Brust?“
- „Wo genau haben Sie die Schmerzen? Hinter dem Brustbein oder eher in der Magengrube?“ (epigastrisch)
- „Strahlen die Schmerzen aus? Wohin?“
- „Seit wann haben Sie die Schmerzen?“
- „Treten die Schmerzen nur bei Belastung oder auch in Ruhe auf?“ (belastungsabhängig)
- „Sind die Beschwerden mit dem Atmen verbunden? Also wenn Sie (tief) einatmen oder ausatmen?“ (atemsabhängig)
- „Sind die Beschwerden mit dem Essen verbunden?“ (nahrungsabhängig)
- „Sind die Beschwerden mit der Lage verbunden?“ (lageabhängig)
- „Bekommen Sie schwer Luft?“
- „Haben Sie sich übergeben?“
- „Haben Sie ein Nitrospray benutzt? Haben sich die Beschwerden dadurch verbessert?“
- „Haben Sie Herzrasen bemerkt?“ (Tachykardie)
- „Haben Sie Herzklopfen bemerkt?“ (Palpitationen)
- „Haben Sie Herzstolpern bemerkt?“ (Extrasystole)
- „Ist Ihnen schwindelig geworden?“
- „Wird Ihnen manchmal schwarz vor Augen, z. B. beim Aufstehen?“
- „Sind Sie schon einmal ohnmächtig geworden?“
- „Müssen Sie nachts Wasser lassen? Wie oft?“
- „Haben Sie geschwollene Beine bemerkt? Morgens oder abends?“
- „Wie weit können Sie laufen? Oder wie viele Treppen schaffen Sie am Stück? Also ohne Unterbrechung/Pause.“
- „Wie viele Kissen nutzen Sie beim Schlafen?“

Risikofaktoren

- Diabetes mellitus
- aHT
- Rauchen, Drogen
- Hypercholesterinämie
- Herzfehler, Herzschrittmacher, Stentimplantation

2.2.3 Pneumologie

- „Haben Sie Probleme beim Atmen?“
- „Wenn ja, haben Sie eher Probleme beim Einatmen, ggf. beim tiefen Luftholen, oder eher beim Ausatmen?“
- „Wann treten die Beschwerden auf? Bei Belastung oder auch in Ruhe?“
- „Bekommen Sie auch Brust(korb)schmerzen beim Atmen? Wenn ja, eher beim tiefen Einatmen oder beim Ausatmen?“
- „Bekommen Sie diese Schmerzen nur bei Belastung?“

- „Wie viele Kissen nutzen Sie, wenn Sie schlafen?"
- „Klagt Ihr Partner/Ihre Partnerin, dass Sie Schnarchen?"
- „Ist es Ihnen passiert, dass Sie beim Schlafen Luftnot bekamen?"
- „Seit wann haben Sie Husten?"
- „Ist der Husten trocken oder haben Sie Auswurf bemerkt?" (= produktiv)
- „Welche Farbe und Konsistenz hat der Auswurf?" (Transparent, gelblich, grünlich, eitrig, blutig/nur mit Blutfäden, dünn, wässerig, schleimig, schaumig usw.)
- „Haben Sie etwas verschluckt?"
- „Sind Sie heiser?"

Risikofaktoren

- Rauchen
- Arbeit: Dämpfe, Schadstoffe (z. B. Asbest) usw.

2.2.4 Gastroenterologie

- „Leiden Sie unter Übelkeit?"
- „Haben Sie sich erbrochen/übergeben? Wie oft? Wie viel? Wie sah es aus? Wie lange nach dem Essen war das?"
- „Geht es Ihnen besser, nachdem Sie sich erbrochen haben?"
- „Müssen Sie aufstoßen?"
- „Haben Sie Sodbrennen?"
- „Haben Sie Bauchschmerzen?" (wenn ja → Schmerzanalyse)
- „Haben Sie ein Völlegefühl? Haben Sie das Gefühl, dass Sie viel schneller als früher satt werden?"
- „Essen Sie gerne Fleisch?"
- „Fühlen Sie sich aufgebläht?" (Meteorismus)
- „Treten die Beschwerden nach dem Verzehr bestimmter Speisen auf?"
- „Was haben Sie in den letzten Stunden gegessen?"
- „Haben Sie Durchfall oder Verstopfung?"
- „Welche Farbe hat der Stuhl? Ist er blutig, teerschwarz, gelblich?"
- „Welche Konsistenz hat der Stuhl? Hart, fest, weich, schleimig, wässerig?"
- „Haben Sie manchmal das Gefühl, dass Sie zur Toilette müssen, aber da kommt eigentlich nichts?" (Tenesmen)
- „Wann hatten Sie die letzte Magen-/Darmspiegelung? Was war das Ergebnis?" (auch hinsichtlich Antikoagulation)

2.2.5 Nephrologie

- „Haben Sie Probleme beim Wasserlassen?"
- „Müssen Sie häufig Wasser lassen? Wie viel? (Welche Menge?) Auch nachts?"
- „Welche Farbe hat Ihr Harn/Urin?"

- „Riecht er komisch?"
- „Haben Sie Schmerzen oder Brennen beim Wasserlassen?"
- „Haben Sie Augenschwellungen oder Gesichtsschwellungen bemerkt?"
- „Haben Sie Beinschwellungen bemerkt?"
- „Haben Sie Rückenschmerzen oder Bauchschmerzen?"

TIPP
Vergessen Sie nicht, danach zu fragen, ob/wohin die Nierenkolik ausstrahlt! Spezifisch!

2.2.6 Neurologie

- „Haben Sie Kopfschmerzen?"
- „Wo genau sind die Schmerzen?"
- „Sind die Schmerzen nur einseitig? Wenn ja, bleiben sie nur auf der linken/rechten Seite oder wechseln sie die Seite?"
- „Ist Ihnen während der Schmerzen übel oder müssen Sie sich übergeben?"
- „Haben Sie Probleme mit den Augen? Tragen Sie eine Brille?"
- „Haben Sie eine besondere Lichtempfindlichkeit während der Attacken bemerkt? Oder Lärmempfindlichkeit?"
- „Bekommen Sie Schwindel? Wann?"
- „Kommen die Kopfschmerzen plötzlich oder gibt es vorher Anzeichen? Spüren Sie Blitze oder ein Kribbeln in den Fingern oder im Gesicht?"
- „Haben Sie irgendwelche Begleitbeschwerden? Tränenfluss, Nasenverstopfung, Augenschmerzen usw.?"
- „Hatten Sie Bewusstseinsausfälle, eine Ohnmacht? Sind Sie ohnmächtig geworden?"
- „Erinnern Sie sich an etwas, das während, vor oder gleich nach diesen Ohnmachtsanfällen passiert ist?"
- „Lassen Sie unwillkürlich Wasser während dieser Episoden?"
- „Haben Sie sich während der Episoden irgendwie verletzt? Zum Beispiel Kopfverletzungen, Zungenbiss?"
- „Haben Sie Kopfschmerzen oder Brechreiz vor oder nach diesen Episoden?"

2.2.7 Frauenheilkunde

- „Bekommen Sie Ihre Tage regelmäßig?"
- „Wie lange dauern sie?"
- „Wie stark blutet es? Wie viele Tampons oder Binden nutzen Sie pro Tag?"
- „Haben Sie einen Ausfluss aus der Scheide bemerkt? Welche Farbe und Konsistenz? Welcher Geruch? Seit wann?"
- „Haben Sie Schmierblutungen bemerkt?"
- „Sind Sie schon in den Wechseljahren?"

- „Hatten Sie Blutungen, seitdem Ihre Periode aufgehört hat?“
- „Haben Sie Probleme beim Geschlechtsverkehr? Zum Beispiel Blutungen danach?“
- „Ist Ihre Periode ausgeblieben?“
- „Kann es sein, dass Sie schwanger sind?“
- „Wie viele Schwangerschaften haben Sie gehabt?“
- „Gab es irgendwelche Probleme während der Schwangerschaft?“
- „Hatten Sie Fehlgeburten oder Abtreibungen?“
- „Wie weit in der Schwangerschaft sind Sie?“
- „Ist das Ihre erste Schwangerschaft? Wie viele Kinder haben Sie?“
- „Haben Sie normal entbunden oder via Kaiserschnitt?“
- „Haben Sie eine Schnittentbindung gehabt? Warum?“
- „Leiden Sie unter Kopfschmerzen? Sehen Sie Blitze? Hören Sie Klick-Geräusche?“

2.2.8 Sexualanamnese

- „Könnten Sie mir etwas über Ihre Beziehung erzählen?“ (mit einer offenen Frage anfangen)
- „Wie oft haben Sie Geschlechtsverkehr?“
- „Wann hatten Sie das letzte Mal Geschlechtsverkehr?“
- „Wie viele Sexualpartner hatten Sie in letzter Zeit?“
- „Haben Sie vaginalen und/oder analen Geschlechtsverkehr und/oder Oralsex?“
- „Wie verhüten Sie?/Wie schützen Sie sich vor Geschlechtskrankheiten?“
- „Hatten Sie schon mal eine sexuell übertragbare Erkrankung?“
- „Haben Sie Blutungen bei/nach dem Geschlechtsverkehr?“
- „Erreichen Sie immer problemlos den Orgasmus?“
- „Haben Sie Schmerzen nach dem Orgasmus?“
- „Haben Sie Probleme, die Erektion zu halten?“

2.2.9 Hautheilkunde

- „Hatten Sie schon einmal einen Hautausschlag?“
- „Wo genau haben Sie den Hautausschlag?“
- „Juckt es?“
- „Tut es weh?“
- „Ist die Stelle größer geworden?“
- „Haben Sie so eine Veränderung/Verfärbung/einen Hautausschlag auch irgendwo anders?“
- „Wie sieht der Hautausschlag aus?“
- „Wie groß ist die Stelle, die von Hautausschlag betroffen ist? War das immer so? Wie sah es am Anfang aus?“
- „Ist der Ausschlag trocken oder eher nass?“
- „Welche Farbe hat er?“

- „Ist er schuppend?“
- „Haben Sie auch Bläschen bemerkt? Wie groß sind sie? Welche Farbe haben sie? Sind sie mit klarer Flüssigkeit oder mit etwas Eitrigem gefüllt?“
- „Seit wann haben Sie das … (Muttermal) hier?“
- „War es immer so groß/unregelmäßig …?“
- „Haben Sie eine Blutung bemerkt?“
- „Waren Sie schon mal bei der Hautkrebsvorsorge?“
- „Haben Sie Allergien?“
- „Haben Sie etwas draufgemacht/draufgeschmiert?“
- „Welche Medikamente nehmen Sie ein?“
- „Hat jemand in der Familie etwas Ähnliches im Moment?“

2.2.10 Orthopädie

- „Haben Sie ein Taubheitsgefühl/Schmerzen/Kribbeln in Ihrem …? Seit wann?“
- „Können Sie den … normal bewegen?“
- „Haben Sie bemerkt, ob Ihr … kälter oder blasser/wärmer oder bläulich wurde?“
- „Sind Sie gestürzt?“
- „Trugen Sie einen Helm?“
- „Sind Sie auf Erde, Sand, Asphalt, Zement usw. gestürzt?“
- „Auf welche Seite sind Sie gefallen?“
- „Sind Sie ohnmächtig geworden?“
- „Haben Sie auch andere Verletzungen, z. B. Abschürfungen?“

TIPP

DMS nicht vergessen! Da Sie in der Prüfung keine körperliche Untersuchung durchführen, müssen Sie den Patienten nach Veränderungen fragen, die auf Störungen der DMS hindeuten könnten.
Durchblutung: Fragen Sie nach der Temperatur: „Haben Sie das Gefühl, dass Ihre … kälter sind?"
Motorik: „Können Sie Ihren … normal bewegen?"
Sensibilität: „Haben Sie Kribbeln/Schmerzen/… in Ihren …?"
+ spezifische Fragen, vom Fall abhängig.

2.2.11 Hämatologie

- „Haben Sie Blutungen gehabt? Eventuell kleinere Mengen?“
- „Haben Sie Blut im Erbrochenen/Auswurf/Stuhl/Harn bemerkt? Welche Farbe? Eher schaumig, wässerig oder schleimig? Wie Kaffeesatz?“
- „Fühlen Sie sich müde?“
- „Haben Sie bemerkt, dass Sie blasser worden sind?“
- „Waren Sie in letzter Zeit häufiger erkältet?“
- „Haben Sie bemerkt, dass Sie in letzter Zeit leichter als üblich blaue Flecke bekommen?“

- „Haben Sie Fieber, Schüttelfrost oder Nachtschweiß bemerkt?“
- „Haben Sie ungewollt ab- oder zugenommen? Wie viel und in welchem Zeitraum?“

2.2.12 Onkologie

- „Wann haben Sie den …/diese Veränderung das erste Mal bemerkt?“
- „Hat er/sie sich vergrößert?“
- „Tut es weh beim Tasten?“
- „Können Sie den/die verschieben oder ist der/die fest?“
- „Haben Sie ungewollt ab- oder zugenommen? Wie viel und in welchem Zeitraum?“
- „Ist Ihr Appetit verändert?“

2.2.13 Infektiologie

TIPP
Falls meldepflichtige Krankheit (s. Anhang) → *„Gesundheitsamt wurde informiert“* im Arztbrief schreiben (und es in der Praxis auch tun!).
Der Patient wird isoliert!

„Seit wann haben Sie diese Beschwerden? Hatten Sie Fieber? Haben Sie das Fieber gemessen?“

MERKE
„Haben Sie … gemess**en**“ ist richtig (nicht: „gemesst“)!

- „Hat jemand in Ihrer Familie ähnliche Beschwerden gehabt?“
- „Haben Sie eine Reise ins Ausland gemacht?“
- „Arbeiten Sie mit vielen Menschen?“
- „Mit wie vielen Menschen sind Sie in letzter Zeit in Kontakt gekommen?“

LittleDoc meint
Seien Sie bitte vorsichtig, wenn Sie einen Verdacht auf eine infektiöse Krankheit haben. Der „Patient“ sagt manchmal in der Prüfung: „Okay, Frau/Herr Doktor, ich bleibe stationär … Aber bitte, bitte, würden Sie mir ein Zimmer mit einem netten Patienten geben? Sonst habe ich zu viel Angst … Und ich muss mit jemandem reden können usw.“
Nein! Dem Patienten schön erklären, dass man zuerst einige Untersuchungen durchführen muss – erst danach wird entschieden, ob er allein oder mit einem anderen Patienten im Zimmer untergebracht wird.

2.2.14 Psychiatrie

TIPP
Mit einer offenen Frage beginnen.

Hier sind einige Fragen, wie Sie ein Gespräch beginnen oder auf die Sie sich im Verlauf der FSP stützen können. Wichtig ist vor allem, dass Sie die *Notfälle* oder Situationen mit *akuter Eigen- oder Fremdgefährdung* erkennen (s. ➤ Kapitel 19 „Psychiatrie“), in denen Sie den Patienten nicht einfach wieder gehen lassen dürfen.

- „Was führt Sie zu uns? Erzählen Sie, bitte.“
- „Wann hat alles begonnen?“
- „Was, glauben Sie, ist der Auslöser dafür?“

- „Okay, das wäre der Hauptgrund. Und was ist noch passiert?"
- „Und seitdem fühlen Sie sich …?"
- „Wissen Sie, welches Datum wir heute haben? Welchen Wochentag?" (ggf. helfende
  Fragen wie: „Was meinen Sie, welche Jahreszeit haben wir – wenn Sie so durchs Fenster schauen? Ist es Frühling, Winter …?") bzw. „Seit wann sind Sie hier?"
- „Wo sind wir hier?"
- „Wie heißen Sie?", „Wann sind Sie geboren?" (Antwort des Patienten abwarten) „Also, wie alt sind Sie?", „Haben Sie … Familie/Kinder/eine(n) Partner(in) usw.?"
- „Weswegen sind Sie hier?" (ggf. helfende Fragen wie: „Ist das hier eine Schule, ein Krankenhaus, eine Bank?) „Wieso sind Sie dann hier?"
- „Haben Sie bemerkt, dass Sie in letzter Zeit Dinge vergessen (haben)? Ich werde Ihnen drei Begriffe sagen, bitte wiederholen Sie die jetzt und nach einigen Minuten werde ich Sie noch mal fragen, was die Begriffe waren" (z. B. Rucksack, Kirche, Geduld)
- „Können Sie sich gut konzentrieren? Um etwas zu lesen oder zu lernen?"
- „Haben Sie Ängste (auch vor kleinen Sachen) oder machen Sie sich viele Sorgen?"
- „Ist es Ihnen schon mal passiert, dass Sie diese Ängste bekommen, auch wenn Sie eigentlich in Sicherheit sind? Ist es eine diffuse/unbestimmte Angst?"
- „Haben Sie schon mal eine Panikattacke erlebt? Wie war das? Hatten Sie dabei das Gefühl, dass Sie schwer Luft bekommen, dass Sie Herzrasen oder Herzklopfen haben oder sogar dass Sie sterben werden?"
- „Kennen Sie das, dass Sie manchmal Dinge wiederholt tun müssen, obwohl Sie wissen, dass es keinen Sinn macht? Zum Beispiel die Wohnungstür mehrfach auf- und abschließen, weil Sie das Gefühl haben, dass Sie sich nicht merken können, dass Sie bereits abgeschlossen haben? Oder dass Sie bestimmte Dinge mehrfach/immer wieder prüfen?"
- „Ist es Ihnen schon mal passiert, dass Sie das Gefühl hatten, jemand würde Sie verfolgen oder jemand/etwas wäre in Ihrer Wohnung/Nähe, der/das Sie verletzen oder irgendwie beeinflussen möchte?"
- „Hören/sehen/spüren Sie manchmal Geräusche/Stimmen/Menschen usw., die andere nicht hören/sehen können? Oder die vielleicht nicht da sind?"
- „Haben Sie schon mal das Gefühl gehabt, dass Sie Ihren Körper verlassen oder dass manche eigenen Körperteile Ihnen fremd sind?"
- „Haben Sie sich selbst verletzt? Wollen Sie sich verletzen? Wie?"
- „Fühlen Sie sich ruhelos?"
- „Leiden Sie an Einschlaf- oder Durchschlafstörungen?"
- „Haben Sie an Selbstmord gedacht? Haben Sie einen Plan gemacht?"

TIPP

Falls Sie einen Verdacht auf akute Eigen- oder Fremdgefährdung haben → *Notfall!* → Patient muss stationär bleiben.
Rücksprache mit dem Oberarzt notwendig!

2.3 Handlungsplan im Notfall

Rasches Handeln und Entscheiden ist wichtig und rettet Leben!

In der FSP wird manchmal geprüft, ob Sie schnell und sicher reagieren, die Situation im Griff haben und Anweisungen geben können, wenn ein Notfall eintritt. Anders als im klinischen Alltag sollten Sie in der FSP aber zur „normalen“ Anamnese zurückkehren, indem Sie die Situation souverän bei den Prüfern ansprechen (➤ Abb. 2.1).

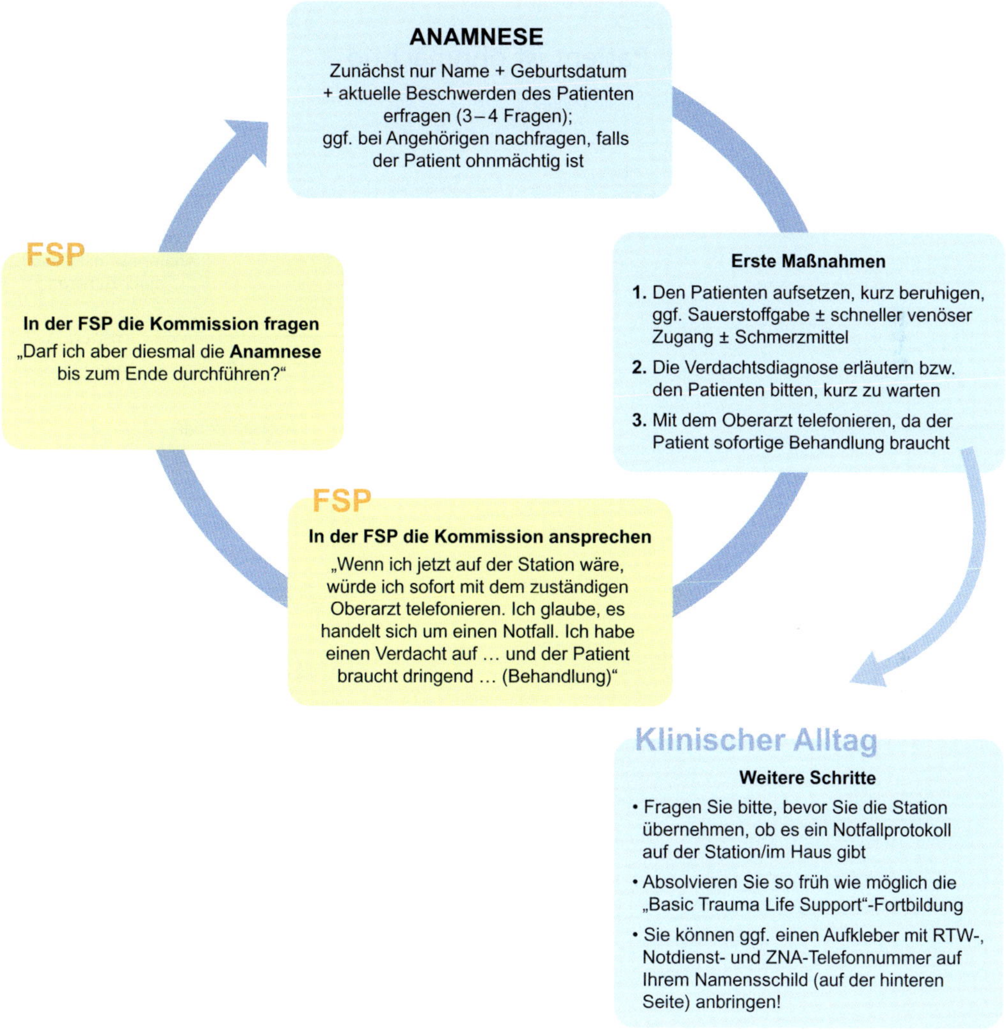

Abb. 2.1 Notfall bei der Anamnese – Schritte in der FSP und im klinischen Alltag [M1025/L143]

2.4 Kommunikative Strategien

Nicht immer läuft die Anamnese reibungslos, nicht immer beantworten die Patienten brav alle Ihre Fragen – und das gilt ganz besonders in der Fachsprachprüfung! Die Prüfer testen, ob Sie als Arzt mit schwierigen Patienten in Stresssituationen gut umgehen können und rasch eine Antwort finden. Zeigen Sie, dass Sie das Gespräch steuern können (➤ Abb. 2.2).

In den folgenden Beispielen sehen Sie typische Problemsituationen – und mit welchen kommunikativen Strategien Sie diese lösen und entspannen.

2.4.1 Patient ist ohnmächtig

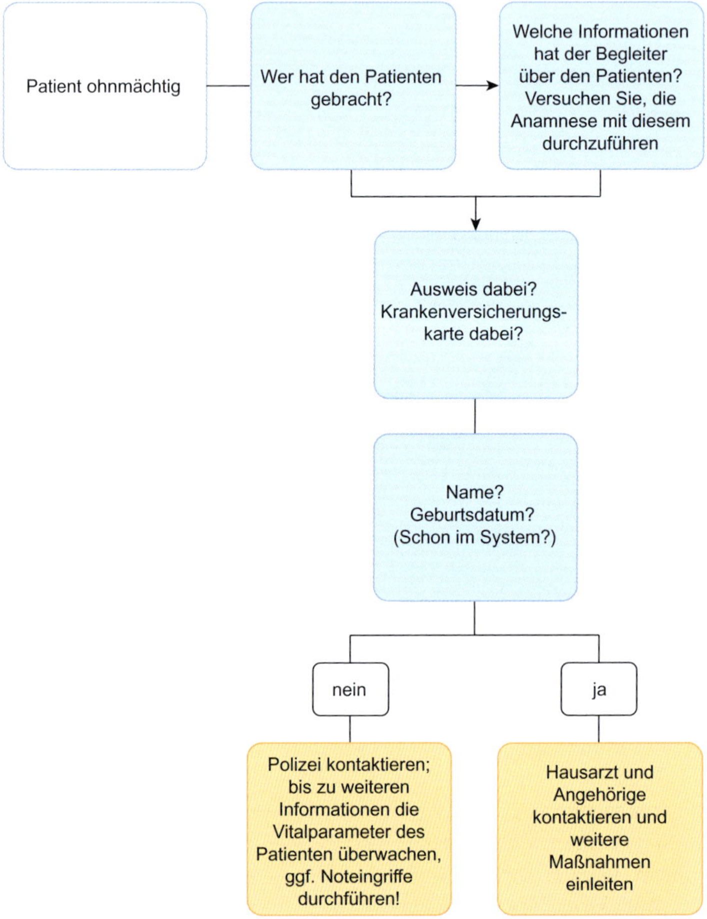

Abb. 2.2 Kommunikationswege, falls der Patient bei der Anamnese bewusstlos bzw. ohnmächtig ist [M1025/L143]

2.4.2 Patient zeigt keine Krankheitseinsicht

Der Patient habe angeblich „kein Problem“ und wisse nicht, warum er hier sei.

- Wer hat ihn ins Krankenhaus gebracht? Wieso ist er da?
  - „Wer hat Sie hierhergebracht?“ – „Wie sind Sie hierhergekommen?“ – „Was kann ich für Sie tun?“ – „Wieso sind Sie hergekommen?“
- Ort, Zeit, Person und Situation – orientiert?
  - „Wie heißen Sie? Können Sie mir Ihr Geburtsdatum nennen?“ – „Können Sie mir das heutige Datum/den Wochentag/den Monat/die Jahreszeit nennen?“ – „Wissen Sie, wo Sie hier sind?“ – „Wissen Sie, warum Sie hier sind?“
- Beschwerden in letzter Zeit (auch wenn er zum jetzigen Zeitpunkt keine Beschwerden habe)?
  - „Hatten Sie in letzter Zeit Schmerzen?“ – „Haben Sie sich in letzter Zeit unwohl gefühlt?“ – „Litten Sie in den letzten Wochen an Übelkeit, mussten Sie sich übergeben?“
- Auffällige Ereignisse in letzter Zeit (mehrfach gestürzt, Amnesie, Aufmerksamkeitsprobleme)?
  - „Ist in letzter Zeit etwas Besonderes passiert?“ – „Hatten Sie einen Unfall?“ – „Hatten Sie Probleme, sich etwas zu merken/zu erkennen?“
- Konflikte am Arbeitsplatz/in der Familie? Stört ihn etwas im Moment?
  - „Ist bei Ihnen privat alles in Ordnung?“ – „Gibt es Probleme am Arbeitsplatz?“ – „Verstehen Sie sich gut mit Ihrer Familie?“ – „Belastet Sie zurzeit etwas?“

2.4.3 Patient verweigert Zusammenarbeit mit Ihnen

Der Patient möchte lieber mit einem Oberarzt oder mit einem anderen Kollegen sprechen.

- Dem Patienten erklären, dass Sie Ihr Studium abgeschlossen haben und für das Aufnahmegespräch gut ausgebildet sind.
  - „Herr/Frau X, wenn ich die Ausbildung als Ärztin nicht hätte, dürfte ich Sie gar nicht fragen.“ – „Ich habe alle in Deutschland erforderlichen Qualifikationen/meine Qualifikationen sind in Deutschland anerkannt.“ – „Ich habe mein Studium mit guten/den besten Noten abgeschlossen und habe schon viele Aufnahmegespräche durchgeführt.“
- Dem Patienten erklären, dass alle Entscheidungen danach zusammen mit einem Oberarzt getroffen werden.
  - „Aber keine Sorge, Herr/Frau X, nach diesem Gespräch bespreche ich alles mit dem Oberarzt. Die weiteren Entscheidungen werden wir zusammen treffen.“ – „Sie sind hier in besten Händen.“ – „Wir arbeiten im Team und alle Entscheidungen werden gemeinsam mit dem Oberarzt getroffen.“

- Dem Patienten erklären, dass momentan nur Sie verfügbar sind/dass Sie für die Abteilung X zuständig sind.
  - „Es tut mir leid, Herr/Frau X, aber im Moment sind alle anderen Kollegen auf Station/im OP/nicht verfügbar." – „Keine Sorge, Herr/Frau X, ich bin für die Station zuständig. Sie sind bei mir in guten Händen."
- Dem Patienten erklären, dass er, wenn er unbedingt zuerst mit einem Oberarzt sprechen möchte, warten muss und bis dahin keine Medikamente gegen seine Beschwerden bekommen kann.
  - „Okay, Herr/Frau X, ich sehe, was ich für Sie tun kann, und versuche, den Oberarzt schnellstmöglich zu erreichen. Die Medikamente können erst danach verabreicht werden." – „In Ordnung, Herr/Frau X, ich leite Ihren Fall an den Oberarzt weiter. Er wird Ihnen dann auch die Medikamente verabreichen."
- Dem Patienten erklären, dass er, wenn er unbedingt zuerst mit einem Oberarzt sprechen möchte, warten muss und sich sein Zustand verschlechtern kann/könnte.
  - „Wenn Sie zuerst mit dem Oberarzt sprechen möchten, kann ich Ihnen leider nicht sofort Medikamente gegen Ihre Beschwerden geben, da ich nicht weiß, was Sie haben. Ich fürchte allerdings, dass sich Ihr Zustand dadurch verschlechtern könnte." – „Na schön, Herr/Frau X, nach unserem Gespräch könnte ich Ihnen die entsprechenden Medikamente verabreichen, sodass sich Ihr Zustand schnell verbessert. Aber okay, wenn Sie gern auf den Oberarzt warten möchten, müssen Sie Geduld haben – und ich weise Sie klar auf das Risiko hin, dass sich Ihr Zustand verschlechtern könnte."

2.4.4 Patient spricht nicht klar und deutlich

Der Patient spricht zu schnell.

- Dem Patienten erklären, dass Sie Notizen machen müssen, er deshalb bitte langsamer sprechen möge.
  - „Langsam bitte, Herr/Frau X, ich notiere mir alles." – „Sprechen Sie bitte etwas langsamer, damit ich alles genau notieren kann."

Der Patient spricht zu langsam.

- Dem Patienten höflich erklären, dass er ein bisschen Tempo machen solle, weil Sie schnellstmöglich mit der Behandlung beginnen wollen und die Zeit drängt.
  - „Geben Sie gern ein bisschen Gas, Herr/Frau X, damit wir schnell alle Fragen klären und mit der Behandlung beginnen können." – „Antworten Sie bitte gern kurz und knapp, denn wir wollen keine Zeit verlieren."

Der Patient spricht zu leise.

- Den Patienten einfach darum bitten, dass er etwas lauter spricht.
  - „Sprechen Sie bitte etwas lauter." – „Würden Sie bitte etwas lauter sprechen, sodass ich alles gut verstehen kann?"

Der Patient spricht im Dialekt.

- Den Patienten höflich bitten, er solle Hochdeutsch sprechen.
  - „Würden Sie bitte Hochdeutsch sprechen?“ – „Würden Sie dies bitte auf Hochdeutsch wiederholen?“ – „Sie sprechen einen interessanten Dialekt, würden Sie das für mich auf Hochdeutsch wiederholen?“

Der Patient unterbricht Sie mit Fragen.

- Dem Patienten erklären, dass die Zeit knapp ist und Sie zuerst eine Diagnose stellen wollen, sodass Sie ihn schnell therapieren können; ankündigen, dass Sie danach alle Fragen beantworten werden.
  - „Lassen Sie mich bitte erst alle meine Fragen stellen, damit ich mir schnell ein Bild machen kann und wir mit der Behandlung beginnen können. Aber keine Sorge, Ihre Fragen werden nicht vergessen. Die stellen Sie, wenn wir einmal durch sind.“ – „Lassen Sie mich bitte aussprechen, Herr/Frau X, damit wir schnell durch das Aufnahmegespräch kommen und mit der Therapie beginnen können. Ihre Fragen stellen Sie bitte am Schluss.“

Der Patient erzählt zu ausführlich.

- Dem Patienten eine effiziente Gesprächsstruktur vorschlagen.
  - „Alle diese Informationen sind wichtig, aber lassen Sie uns zuerst die jetzigen Beschwerden erklären. Bitte beantworten Sie meine Fragen, und zum Schluss werde ich Sie fragen, ob wir noch etwas vergessen haben.“ – „Ja, das sind sehr wichtige Informationen, Herr/Frau X. Wir wollen uns nun aber zuerst auf das Wesentliche konzentrieren/das Wichtigste herausfiltern. Am Schluss stellen Sie bitte alle Ihre Fragen.“

2.4.5 Patient fordert sofortige Diagnose

Der Patient ist aufgeregt und fordert die sofortige Diagnosestellung. („Habe ich Krebs?“ – „Was habe ich?“ – „Brauche ich eine Operation?“ usw.)

TIPP

Es ist nicht schlimm, wenn Sie in der FSP die Diagnose nicht stellen können. Schlimm wird es, wenn Sie gar nichts sagen.
Vergessen Sie bitte nicht, dass Sie die Fallvorstellung vor einem Oberarzt/Chefarzt machen. Das heißt, er ist da, um Sie zu unterstützen und Ihnen zu helfen. Sie dürfen also Fragen stellen!

1. *Sie glauben nicht,* dass der Patient Krebs hat/eine Operation braucht usw.
   - „Herr/Frau X, wieso denken Sie gleich an das Schlimmste? Versuchen Sie bitte, sich ein bisschen zu beruhigen, sodass ich meine Fragen zu Ende führen kann. Ich glaube nicht, dass es sich bei Ihnen um … handelt, aber wir werden ein paar Untersuchungen durchführen, sodass wir sicher sein können, dass alles in Ordnung ist.“
2. *Sie glauben,* dass der Patient Krebs hat/eine Operation braucht usw.
   - „Herr/Frau X, ich bitte Sie um ein bisschen Geduld. Im Moment kann ich leider noch nichts ausschließen. Wir werden jetzt dieses Gespräch

zu Ende führen, danach werde ich einige Untersuchungen für Sie organisieren. Wenn dann alle Ergebnisse da sind, können wir uns besser orientieren und hoffentlich eine klare Diagnose stellen. Ich werde Ihnen alles Schritt für Schritt erklären, inklusive der Therapie." – „Herr/Frau X, ich glaube, eine Operation wird nötig sein. Aber versuchen Sie bitte, sich nicht so viele Gedanken zu machen. Die Kollegen hier sind sehr gut ausgebildet und solche Operationen werden bei uns routinemäßig durchgeführt. Sie sind hier in den besten Händen."

3. *Sie haben keine Ahnung,* was der Patient hat [und was Sie in dieser Prüfung überhaupt machen; Sie wollen den Rest Ihres Lebens Ziegen hüten …].
   - „Herr/Frau X, ich bitte Sie um ein bisschen Geduld. Im Moment kann man leider noch keine Diagnose stellen. Ich werde Ihren Fall mit dem Oberarzt besprechen und wir werden zusammen das weitere Vorgehen abstimmen. Ich werde Ihnen alles Schritt für Schritt erklären, inklusive der Therapie."

- Ein Arzt-Arzt-Gespräch enthält immer Fragen; das heißt, auch Sie können Fragen stellen oder um Rat/Mithilfe bitten.
  - „Ja, Herr Professor Y, genau das wollte ich mit Ihnen besprechen. Ich will ehrlich sein, ich bin mir nicht sicher, was der Patient hat. Deswegen möchte ich Sie um Ihren Ratschlag/Ihre Meinung zu … bitten."

2.4.6 Patient fordert sofortige Therapie

Der Patient ist ungeduldig und fordert sofortige Behandlung/Medikation.

- Dem Patienten erklären, dass Sie ihm nichts verabreichen können, bevor Sie nicht genau wissen, was er hat; dafür muss er ein paar Fragen beantworten; erst danach kann er die bestmögliche Therapie bekommen.
  - „Ich muss Sie noch um etwas Geduld bitten, Herr/Frau X. Wir müssen erst klären, was Ihnen genau fehlt. Dafür beantworten Sie bitte zuerst meine Fragen. Nur dann können wir sicherstellen, dass Sie die beste Therapie bekommen." – „Lassen Sie uns erst genau klären, was Ihnen fehlt. Dafür müssen Sie ein paar Fragen beantworten. Dann kann ich entscheiden, welche Therapie Ihnen am besten hilft."
- *Erst dann,* wenn Ihnen klar ist, was der Patient hat, geben Sie ihm auch ein Schmerzmittel.
  - „Herr/Frau X, ich verstehe Ihre Situation/dass Sie Angst/Schmerzen haben. Um Ihre Situation zu erleichtern/zu verbessern, bekommen Sie erst einmal etwas Sauerstoff/versuchen Sie bitte, ein paar Mal tief ein- und auszuatmen. Es wird Ihnen dann schon etwas besser gehen. Ein Schmerzmittel darf ich Ihnen aber erst verabreichen, wenn Sie alle meine Fragen beantwortet haben."

KAPITEL

3 Arztbrief (Dokumentation)

Der Arztbrief dokumentiert im Klinikalltag fortlaufend die Ergebnisse – von der stationären Aufnahme bis zur Entlassung des Patienten. Er gibt einen Überblick über Krankheitsverlauf und Behandlungsmaßnahmen und ist zugleich die Basis für weitere Schritte der Therapie.

Die FSP-Kandidaten sollen einen Arztbrief an einen Kollegen schreiben, wobei das Gedankenspiel etwa Folgendes ist: Sie haben den Patienten gerade gesehen und die Anamnese durchgeführt. Sie haben nun vielleicht sogar eine Verdachtsdiagnose. Ein Kollege sagt: „Ich möchte jetzt wissen, *welche Informationen* Sie in der Anamnese erhielten, *welche Verdachtsdiagnose* Sie haben, was die *Differenzialdiagnosen* sind und welche *Untersuchungen* notwendig sind, um diese Verdachtsdiagnose zu bestätigen. Wenn diese Diagnose bestätigt wird, möchte ich gern wissen, wie Sie *therapieren* würden und wie die *Prognose* für diesen Patienten ist."

Der Arztbrief in der FSP ist eine Kombination aus Epikrise, Verlegungsbrief, Entlassungsbrief und Hellsehen mit Kristallkugel. Eine Art Einhorn, wenn Sie so wollen. Trotzdem ist davon abzuraten, dass Sie in der FSP Laborwerte oder andere paraklinische Ergebnisse erfinden (dies gilt ebenso für das Arzt-Arzt-Gespräch).

LittleDoc meint
Im klinischen Alltag schreibt man Arztbriefe anhand wahrer Ereignisse und Ergebnisse. Dadurch ist alles viel deutlicher strukturiert. Wir bleiben aber hier bei unserem „Einhorn-Arztbrief".

3.1 Kleine Tipps mit großer Wirkung

Konjunktiv I

Verwenden Sie im Arztbrief möglichst den Konjunktiv I, wenn Sie Informationen darstellen, die Sie vom Patienten erhalten haben, das heißt, wenn Sie die Äußerungen des Patienten in der Anamnese (Haupt- und Nebenbeschwerden, vegetative Anamnese, Vorerkrankungen, Voroperationen, Medikamentenanamnese, Allergien, Noxen, Familienanamnese, Sozialanamnese, s. Beispiele unten) wiedergeben.

Das Gleiche gilt bei der Fallvorstellung im Arzt-Arzt-Gespräch – wenn möglich auch dann im Konjunktiv I sprechen.

Passiv

Benutzen Sie Passiv-Konstruktionen, wenn Sie über die diagnostischen und therapeutischen Maßnahmen sprechen beziehungsweise darüber schreiben (s. Beispiele unten).

Brief-Formeln

Achten Sie bei der Anrede darauf, den Arztbrief formell zu beginnen:
- Sehr geehrte Frau Prof./Dr. X,
  Sehr geehrte Frau Kollegin,
- Sehr geehrter Herr Prof./Dr. Y,
  Sehr geehrter Herr Kollege,

Schließen Sie den Arztbrief auch formell ab:
- Für weitere Fragen stehen wir Ihnen gern zur Verfügung.

Mit freundlichen (kollegialen) Grüßen
AA/FA …

Verwenden Sie diese höflichen Formeln auch dann, wenn Sie in der Prüfung keine Zeit mehr haben, um z. B. über die Therapie zu schreiben. Wer das vergisst, [wird eine 7 Jahre dauernde Allergie auf Schokolade bekommen und] dem werden viele Punkte abgezogen. [Aber Schokolade ist wichtiger.]

3.2 Über die Anamnese berichten

3.2.1 Einleitung

- Sehr geehrte Frau Prof./Dr. X,
  Sehr geehrte Frau Kollegin,
- Sehr geehrter Herr Prof./Dr. Y,
  Sehr geehrter Herr Kollege,
- wir berichten Ihnen nachfolgend über Frau/Herrn Z, geb. TT.MM.JJJJ, wohnhaft in (ggf. Straße, Hausnr., PLZ) Stadt, die/der sich am TT.MM.JJJJ in unserer Notaufnahme vorstellte.

MERKE
Nach der Anrede steht ein Komma, in der zweiten Zeile geht es klein weiter: „wir" soll hier mit kleinem „w" geschrieben werden!

3.2.2 Haupt- und Nebenbeschwerden

aka „der Dativ-Paragraf"
- Die Patientin/Der Patient befand sich in … AZ und … EZ. Sie/Er war zu Ort, Zeit, Person und Situation (voll) orientiert/desorientiert.
  AZ = Allgemeinzustand: gut, schlecht, schmerzbedingt, leicht/stark/deutlich reduziert …
  EZ = Ernährungszustand: schlank, mager, (prä-)adipös, kachektisch …
- Frau/Herr Z stellte sich **mit**$^{+\text{Dativ}}$ … bestehend**en** stark**en** epigastrisch**en** Schmerz**en** (N-Deklination!) *seit*$^{+\text{Dativ}}$ … Minut*en*/Stund*en*/Tagen/Monat*en*/Jahr*en* vor.

Begleitsymptome
- Des Weiteren klagte sie/er über$^{+\text{Akk}}$ …
- Die Patientin/Der Patient gab noch an, dass …

MERKE
Man schreibt „des Weiteren" bzw. am Satzanfang „Des Weiteren" (*nicht:* desweiteren/desweitere/Des weiteren ...).

3.2.3 Vegetative Anamnese

- Die vegetative Anamnese sei unauffällig.
- Bis auf o. g. ... sei die vegetative Anamnese unauffällig.
  o. g. = oben genannt
- Die Patientin/Der Patient leide unter A, B und C. Der Patient klagt über ...

3.2.4 Vorerkrankungen

- Es bestehen keine Vorerkrankungen.
- Bis auf ... und ... bestehen keine anderen Vorerkrankungen.
- Die Patientin/Der Patient leide an D, E und F.

MERKE
Leiden *an* + Krankheit;
Leiden *unter* + Symptom.

3.2.5 Voroperationen, Chemotherapie, Strahlentherapie

- Z. n. Appendektomie **vor** x Jahren.
- Z. n. Chemotherapie bei X-Karzinom/-Sarkom/-Malignom usw. **vor** y Jahren.
- Z. n. Strahlentherapie bei Y-Karzinom/-Sarkom/-Malignom usw. **vor** z Jahren.
  Z. n. = Zustand nach

LittleDoc meint
Die meisten FSP-Kandidaten neigen hier dazu, „seit" statt „vor" zu schreiben. Glücklicherweise dauert aber keine Operation jahrelang!

3.2.6 Medikamentenanamnese

- Medikamentenanamnese (sei) unauffällig.
- Bis auf ... xx mg 0-1-0/1-1-1 usw. und ... yy mg 1-1-0/0-1-0 usw. nehme die Patientin/der Patient keine weiteren Medikamente ein.
- Bis auf ... zz mg b. B. nehme die Patientin/der Patient keine weiteren Medikamente ein.
  b. B. = bei Bedarf
- Die Patientin/Der Patient nehme X, Y, Z ein. (Auch mit Dosierung und 0-0-0 bei jedem Medikament.)

MERKE
Medikament**e** (Akkusativ) einnehmen (*nicht:* Medikamenten (Dativ));
genauso: Problem**e** (Akkusativ) haben (*nicht:* Problemen (Dativ));
XY ei**nn**ehmen, *aber:* Er nehm**e** XY **e**in.

3.2.7 Allergien und Unverträglichkeiten

- Allergien wurden verneint/seien unbekannt.
- X-Allergie sei bekannt.
- Y-Unverträglichkeit sei bekannt.

3.2.8 Noxen

- Tabak-/Nikotinkonsumwurde verneint.
- Tabakabusus wurde mit … py bejaht.

py = (pro Tag gerauchte Zigarettenpackungen) × (Anzahl Raucherjahre) = Packungsjahr (engl.: pack year)

- Der Patient rauche 2 Zigaretten pro Tag seit 10 Jahren.
- Alkoholkonsum wurde verneint.
- Alkoholkonsum wurde mit 3 Flaschen Bier pro Tag bejaht./Der Patient trinke 3 Flaschen Bier pro Tag.
- Drogenkonsum wurde verneint.
- Drogenabusus wurde mit … bejaht.

3.2.9 Familienanamnese

- Die Familienanamnese sei unauffällig.
- Der Vater des Patienten leide an …/habe an … gelitten.
- Die Mutter der Patientin sei an den Folgen$^{+\text{Genitiv}}$ eines/einer … verstorben.

3.2.10 Sozialanamnese

- Die Patientin/Der Patient sei ledig/verheiratet/verwitwet/in einer Partnerschaft-lebend/geschieden.
- Sie/Er wohne allein/mit seiner Partnerin/Ehefau/ihrem Partner/Ehemann in einer Wohnung/einem Haus usw., xy. Etage, mit/ohne Aufzug.
- Sie/Er habe ein Kind/xy Kinder.
- Sie/Er habe einen Hund.
- Frau/Herr X arbeite als …

3.2.11 Diagnose und Therapie

- Die Anamnese deutet auf … **hin.**
- Zu de**n** Differenzialdiagnos**en** gehören: …/Differenzialdiagnostisch kommen **in** Betracht: …
- Körperliche Untersuchung wurde durchgeführt. Der Patient w**u**rde stationär aufgenommen.

- Bei V. a. … w**u**rde Blut abgenommen (BB, CRP, BSG, GOT, GPT, GGT, Krea usw. abhängig vom Verdacht). Urin- und Stuhlprobe wurden entnommen. EKG wurde **ge**schrieben. Röntgen-Thorax wurde angefertigt. CT-Thorax-Abdomen wurde geplant. Chirurgisches Konsil zur Mitbeurteilung/zur Optimierung der Therapie wurde angemeldet. Die Ergebnisse stehen noch aus.
  V. a. = Verdacht auf
- X-Therapie wurde eingeleitet. N (Medikament) wurde verabreicht/**ver**schrieben. Sauerstoff-Gabe wurde angeordnet.
- X-Gelenk wurde fixiert.
- N-Operation wurde geplant. Der Patient wurde dafür aufgeklärt.
- Psychologisches Konsil wurde **an**gemeldet. Psychotherapie wurde geplant.
- Oder: Je nach **den** Ergebniss**en** der/des … wird eine passende Therapie eingeleitet.
- Empfehlungen: Wir empfehlen Ernährungsberatung, Patienten-Schulung, Gewichtsabnahme, regelmäßige Kontrolle usw.
- Medikation: …
- ggf.: Der Patient wurde für xy Tage krankgeschrieben.
- *ggf. Prognose:*
  - positiv
  - negativ
  - fraglich
  - abhängig von der Compliance de**s** Patient**en**/de**r** Patient**in.**

TIPP

Das sind nur Beispiele. Vermeiden Sie bitte unnötige Untersuchungen, wie z. B. „Röntgen-Thorax" bei einem verstauchten Knöchel oder „EKG" bei einem eingewachsenen Nagel, auch wenn diese beweisen könnten, dass Sie die Fachsprache gut beherrschen.

3.2.12 Einordnung und Schlussformel

Nach der Diagnose und den Therapieempfehlungen nennen Sie die Maßnahmen, die Sie anordnen würden (➤ Tab. 3.1). Schließen Sie den Arztbrief mit einer Grußformel.

- Für weitere Fragen stehen wir Ihnen gern zur Verfügung.
  Mit freundlichen kollegialen Grüßen
  AA/FA …

LittleDoc meint

Wenn Sie diesen Teil in der FSP vergessen, kann es sein, dass Ihnen jede Menge Punkte abgezogen werden [und Sie bekommen eine Allergie auf Schokolade]!

Tab. 3.1 Häufige Redemittel im Arztbrief

Therapie (Medikamente, O_2 usw.)	eingeleitet.
	angeordnet.
	durchgeführt.
	verabreicht. (Oder: Der Patient wurde auf … eingestellt,)
	verschrieben.
	Die Therapie richtet sich nach den klinischen und apparativen Untersuchungen.
	Je nach den Ergebnissen der apparativen Untersuchungen wird eine passende Therapie eingeleitet/veranlasse ich bei Bestätigung der Verdachtsdiagnose …
Konsil oder Untersuchung	angemeldet.
	organisiert.
	geplant.
	durchgeführt.
	erbeten.
Bitte die Konsile begründen: zur Mitbeurteilung/zur Optimierung der Therapie/der Nachbehandlung/des Pflegekonzeptes.	

3.3 Typische Formulierungen

- Der Patient wurde (bei bekannten/em/er) … stationär aufgenommen.
- Bei Verdacht auf … wurde …
- Zum Ausschluss eines/einer(Genitiv) … wurde … (Untersuchungen/Konsile).
- Die Ergebnisse/Befunde stehen aus (= *pending*).
- Es erfolgte eine deutliche/rasche Verbesserung/leider keine Verbesserung.
- Zur weiteren Aufklärung wurde der Hausarzt kontaktiert.
- Wegen früherer Medikation/Vorerkrankungen/Voroperationen usw. wird der Hausarzt kontaktiert.
- Rücksprache mit dem Hausarzt wegen früherer Medikation/Vorerkrankungen/Voroperationen usw. folgt.

MERKE

Medikamente werden **ver**schrieben. Ein EKG wird **ge**schrieben.
„Die Ergebnisse (der Untersuchungen) stehen noch aus" – eine Ausrede, falls Sie keine Ahnung haben, was der Patient eigentlich hat. Vergessen Sie bitte nicht: Das Ziel der Prüfung ist Kommunikation. Auch in der Klinik wird es Ihnen passieren, dass Sie die Hilfe des Chefarztes/Oberarztes/Facharztes brauchen. Das ist völlig normal. Dafür stehen sie auch zur Verfügung.
Bei Infektionen, für die nach dem Infektionsschutzgesetz eine Meldepflicht besteht, schreiben Sie bitte: *„Gesundheitsamt wurde informiert"* [und in der Praxis tun Sie es bitte auch].
Bei Kindern/Angehörigen, die allein zu Hause geblieben sind und Hilfe brauchen, schreiben Sie bitte: *„Psychosozialer Dienst wurde kontaktiert"* [auch dies tun Sie bitte in der Praxis].

KAPITEL

4 Fallvorstellung (Arzt-Arzt-Gespräch)

In der Fallvorstellung werden Sie den neuen Fall einem Kollegen oder Vorgesetzten vorstellen. Gesprächspartner ist ein Arzt, daher bitte *Fachsprache* benutzen. Zweck ist, dass Sie die wichtigsten Informationen über die Krankheit mitteilen, die Untersuchungen nennen, die Sie angemeldet haben, und die eventuelle Therapie präsentieren.

Die Prüfer werden Sie unterbrechen – das ist aber normal. *Sie dürfen auch Fragen stellen, wenn Sie etwas nicht wissen!* Es soll genau wie im Klinikalltag laufen: Sie stellen den Fall vor, berichten, was Sie gemacht haben, und bekommen Empfehlungen oder Lösungen von Ihrem Kollegen, wenn diese nötig sind.

Es werden nicht die medizinischen Kenntnisse beurteilt, sondern Ihre Einstellung zum Klinikalltag, Ihre Reaktionen und kommunikativen Fähigkeiten.

Berichten, zuhören, Fragen stellen: „Das weiß ich leider nicht" und „Was meinen Sie, Frau/Herr X?" dürfen Sie ruhig sagen!

Die Fallvorstellung im Arzt-Arzt-Gespräch ist meistens der dritte Teil der FSP aka „Kandidat versus Prüfer" [the ultimate battle]. Oder eher: Ihre *Chance* zu zeigen, dass Sie motiviert sind, Ihr Fach Medizin beherrschen und sich gut auf Deutsch verständigen können.

LittleDoc meint
Wer einen Arztbrief schreiben kann, kann auch die Fallvorstellung meistern!
A simple piece of profound wisdom from LittleDoc ;-)

Sie werden nur Ihre Notizen aus der Anamnese vor sich haben (nicht den Arztbrief!). Deshalb ist mein Vorschlag für Vorbereitung und Training, dass Sie zuerst direkt die Fallvorstellung üben – und den Arztbrief am Ende schreiben.

In diesem Kapitel wurden Beispielformulierungen gewählt, die man am Anfang des Trainings nutzen kann (aber nicht muss). Sie werden merken, dass die Arzt-Arzt-Gespräche mit der Zeit meistens etwas „lockerer" verlaufen und sich eher auf das Wesentliche konzentrieren.

Da wir in diesem Buch die Kommunikationsstrategien für eine Fachsprachprüfung üben, kann es sein, dass Ihnen manche Formulierungen etwas unnatürlich vorkommen. Komplexe Sätze kann man in 2–3 einfache Sätze zerlegen, auf Konjunktiv I kann man hier oder da verzichten. Seien Sie flexibel und passen Sie bitte alles an Ihr aktuelles Fachsprachniveau und an Ihre Klinikerfahrung an.

Das Arzt-Arzt-Gespräch könnte nach folgendem *Muster* verlaufen:

Guten Tag,
Frau/Herr X,
Frau/Herr Dr. X,
Frau/Herr Prof. X,

wir haben einen neuen Patienten/eine neue Patientin, nämlich Herrn/Frau X, und ich würde über ihn/sie berichten. Darf ich? *(„Ja.“)* Vielen Dank.
Herr/Frau X ist ein y-jähriger Patient/eine y-jährige Patientin, der/die sich in der Notaufnahme/auf unserer Station vor z Minuten vorstellte.
Der Patient/Die Patientin befand sich in … AZ und … EZ. Er/Sie war zu Ort, Zeit und Person (voll) orientiert/desorientiert. Herr/Frau X stellte sich mit seit … Minuten/Stunden/Tagen/Monaten/Jahren bestehendem/er/em/en starkem/er/em/en … vor.
Des Weiteren klagte er/sie über … Der Patient/Die Patientin gab noch an, dass …
Bis auf … sei die vegetative Anamnese unauffällig. Der Patient/Die Patientin leide an A, B und C.
Z. n. … vor … Jahren.
Bis auf … mg b. B. nehme der Patient/die Patientin keine weiteren Medikamente ein. X-Allergie sei bekannt. Tabakabusus wurde mit … py bejaht. Alkoholkonsum wurde mit … pro … bejaht. Drogenabusus wurde verneint. Der Vater des Patienten/der Patientin habe an … gelitten.
Der Patient/Die Patientin sei verheiratet/verwitwet/in einer Partnerschaft lebend/geschieden usw. und wohne allein/mit seinem/ihrem Partner/Partnerin/Ehefrau/Ehemann in einer Wohnung/einem Haus, xy. Etage, mit/ohne Aufzug. Er/Sie habe ein Kind. Er/Sie habe einen Hund. Herr/Frau X arbeite als …
Die Anamnese deutet auf … hin. Differenzialdiagnostisch kommen in Betracht: …
Die körperliche Untersuchung wurde durchgeführt. Der Patient/Die Patientin wurde stationär aufgenommen.
Bei V. a. … wurde Blut abgenommen (BB, CRP, BSG, GOT, GPT, GGT, Krea usw.). Urin- und Stuhlprobe wurden entnommen. EKG wurde geschrieben. Röntgen-Thorax wurde angefertigt. CT-Thorax-Abdomen wurde geplant. Chirurgisches Konsil zur Mitbeurteilung/zur Optimierung der Therapie wurde angemeldet.
AA-Therapie wurde eingeleitet. BB wurde verabreicht. Sauerstoffgabe wurde angeordnet.
CC-Gelenk wurde fixiert.
DD-Untersuchung wurde geplant. Der Patient/Die Patientin wurde darüber aufgeklärt.
Ein psychologisches Konsil wurde angemeldet.
Das war zunächst alles. Des Weiteren möchte ich den Fall gern mit Ihnen besprechen.

Darauf folgen die Fragen der Prüfer (vgl. ➤ Kapitel 20 „Prüfungssimulationen“).

KAPITEL

5 Aufklärung über medizinische Maßnahmen

In der Anamnese (beim Arzt-Patienten-Gespräch) oder bei der Fallvorstellung (beim Arzt-Arzt-Gespräch) kommt es vor, dass die Prüfer den Ablauf der FSP unterbrechen und um Aufklärung bitten:

„Nun stopp! Erklären Sie dem Patienten, was eine xx (Untersuchung, OP-Methode) ist und welche Komplikationen dabei auftreten können. Machen Sie bitte eine Aufklärung der xx/Klären Sie uns bitte über xx auf."

Die Aufklärungen gehören nicht überall zum Studium, sind in Deutschland (und in der FSP) aber enorm wichtig! Es kann sein, dass das etwas Neues für einige von Ihnen ist. No biggie. Im Normalfall darf man nichts mit einem Patienten/einer Patientin tun, bevor man ihn/sie richtig aufklärt:

- Warum wird die Untersuchung/eine bestimmte Therapie empfohlen?
- Welche Infos bringt die Untersuchung?
- Was bringt eine Operation?
- Wie wird die OP gemacht?
- Was sind die Risiken? Welche möglichen Komplikationen gibt es?
- Wie kann/soll sich der Patient darauf vorbereiten?

LittleDoc meint

Die Aufklärungen sollten Sie sehr gut trainieren.
Üben Sie damit Ihre Rolle als Arzt/Ärztin: Sie stehen unter Zeitdruck, steuern das Gespräch und müssen zugleich flexibel auf die Antworten des Patienten/der Patientin reagieren. Also: Den Dialog mit den Patienten/Patientinnen suchen!
Achten Sie auf die Details in den Aufklärungen. Notieren Sie am Rand die Besonderheiten.
Wenn Sie Ihr Fachwissen auffrischen, die Prüfung simulieren und eine Maßnahme vorschlagen, wiederholen Sie am besten die komplette Aufklärung, bis Ihnen die Gesprächsführung ganz selbstverständlich ist.

Achtung! Bevor Sie mit der Aufklärung beginnen, sprechen Sie kurz mit dem Patienten. Manche wollen nicht so viel über die Technik wissen – keep it simple. *Was Sie aber auf jeden Fall erklären müssen – egal ob der Patient es hören will oder nicht –, sind die Risiken und möglichen Komplikationen.*

In der Klinik werden Sie die Aufklärung meist auf einem Papierbogen durchführen. Sie können zusätzlich Notizen darauf machen und am Ende sollten Sie und der Patient (oder der gesetzliche Betreuer, Bevollmächtigte, ggf. auch Zeuge) *unterschreiben.* Die Aufklärung wird meist 24 Stunden vor der Operation/Untersuchung/Medikamenten-Gabe usw. gemacht – außer in *Notfällen!*

5.1 Röntgen

Guten Tag, Herr/Frau X,

ich habe gerade mit dem Oberarzt gesprochen: Bei Ihnen ist eine *Röntgenuntersuchung* nötig :-)

LittleDoc meint

Lächeln Sie den Patienten an :-)

Ich versuche, Sie über alles aufzuklären. Wenn ich zu schnell spreche oder wenn Sie etwas nicht verstanden haben, sagen Sie mir bitte Bescheid, okay?

Wir werden einen Röntgenstrahl nutzen, um eine bildliche Darstellung Ihres Körperinneren bzw. von Körperteilen zu bekommen. Die Strahlenbelastung ist gering, daher ist die Röntgenuntersuchung relativ ungefährlich.

Sie werden auf jeden Fall eine Bleischürze oder Bleikapsel bekommen, um die anderen Körperregionen schützen.

Meine Kollegen werden Ihnen erklären, wie Sie stehen sollen. Aber am wichtigsten ist, dass Sie sich nicht bewegen, wenn wir unser „Fotoshooting" durchführen, okay? Alles klar.

Der Kollege wird Ihnen sagen: „Jetzt einatmen, ausatmen, Luft anhalten" usw. Seien Sie bitte aufmerksam, wir wollen tolle Bilder erhalten, ohne irgendwelche Verfälschungen oder Unschärfen.

LittleDoc meint

Hier bitte aufpassen:
Wenn Sie eher ein ruhiger, schüchtener Typ sind, lassen Sie den Humor weg. Lieber darauf verzichten als zu klingen, als ob Sie einen Scherz auswendig gelernt hätten :-)
Oder finden Sie Ihre eigenen Witze – und bitte immer daran denken: Nicht alle Menschen haben den gleichen Humor wie Sie ;-)

Wissen Sie schon, ob Sie irgendwelche Allergien gegen Kontrastmittel (KM) haben? Wir können das vorher testen – und selbst wenn Sie allergisch reagieren, haben wir immer ein Gegenmittel.

Haben Sie bisher Fragen?

Gut. Dann machen wir weiter. Nämlich mit etwas, das Sie vermutlich lieber nicht hören würden, das ich aber dennoch mit Ihnen besprechen will: das Thema Komplikationen, z. B. beim Legen eines venösen Zugangs und bei KM-Gabe. Das heißt nicht, dass wir Komplikationen erwarten, sie sind jedoch nicht gänzlich auszuschließen.

- Allergien und Unverträglichkeiten, falls wir ein KM benutzen: auf das KM, Betäubungs-, Desinfektionsmittel, Latex usw.
- Verletzungen und Durchstoßungen von Blutgefäßen – das kann bei aller Vorsicht passieren. Sie werden danach wahrscheinlich eine schöne blaue Verfärbung als Erinnerung bekommen.
- Infektionen und Wundheilungsstörungen an der Einstichstelle sind in seltenen Fällen möglich.
- Das KM kann in bestimmten Fällen eine Schilddrüsenüberfunktion oder Nierenfunktionsstörungen verursachen.
- Sonst sagen Sie uns bitte Bescheid, wenn Sie Übelkeit, Schwindel, Hautausschlag, Schmerzen, Fieber oder so etwas bekommen. Bleiben Sie aber ruhig, das habe ich nach einer Röntgenuntersuchung bisher noch nie erlebt!

Haben Sie Fragen?

Gut, dann wäre meine Bitte, dass Sie einmal hier unterschreiben, dass Sie alles gehört und verstanden haben und mit der Untersuchung einverstanden sind.

5.2 Computertomografie (CT)

Guten Tag, Herr/Frau X,

ich habe gerade mit dem Oberarzt gesprochen: Bei Ihnen ist eine *Computertomografie (kurz: CT)* nötig :-)

Ich versuche, Sie über alles aufzuklären. Wenn ich zu schnell spreche oder wenn Sie etwas nicht verstanden haben, sagen Sie mir bitte Bescheid, okay?

Mit CT-Bildern lassen sich Ort und Ausdehnung von ... (Körperregion/Organ) über Röntgenbilder messen. Wir machen viele, viele „Fotos" von einer gewissen Körperregion und die netten Kollegen in der Radiologie messen und rechnen dann alles aus und geben uns ihre Verdachtsdiagnose.

Was für Sie sehr wichtig ist: Falls Sie medizinische Ausweise/Pässe (z. B. Allergie, Röntgen, Diabetiker, Implantate) haben, bringen Sie die bitte mit. Ebenso wenn Sie Metformin einnehmen: Sagen Sie uns bitte Bescheid und nehmen Sie am Abend vor der Untersuchung die Tablette nicht mehr ein. Die Strahlenbelastung durch die Computertomografie ist höher als bei einer normalen Röntgenuntersuchung, aber auch nicht enorm.

Bitte am Vortag bis zu 2 Stunden vor dem Termin viel klare Flüssigkeit (z. B. Tee oder Mineralwasser), aber keine Milch und keinen Alkohol trinken. 4 Stunden vor dem Termin bitte nichts mehr essen und nicht mehr rauchen. So vermeiden wir Nierenschädigungen durch das KM.

Um alles sozusagen in „Ultra HD" zu sehen, werden Sie vielleicht vor der Untersuchung Wasser mit einer Kontrastmittellösung zum Trinken bekommen. Was danach genau passiert: Sie werden in eine Röhre geschoben. Diese bewegt sich um Ihren Körper. So bekommen wir in Sekundenschnelle Querschnittsbilder. Manchmal führen wir die Untersuchung zweimal durch, einmal ohne und beim zweiten Mal mit KM. Sie brauchen also einfach nur ruhig liegen zu bleiben und können die Erfahrung genießen, wenn das geht :-) [In 10 bis 20 Minuten sind wir fertig mit dem „Fotoshooting".]

Wissen Sie schon, ob Sie irgendwelche Allergien gegen KM haben? Wir können das vorher testen – und selbst wenn Sie allergisch reagieren, haben wir immer ein Gegenmittel.

Haben Sie bisher Fragen?

Gut. Dann machen wir weiter. Nämlich mit etwas, das Sie vermutlich lieber nicht hören würden, das ich aber dennoch mit Ihnen besprechen will: das Thema Komplikationen, z. B. beim Legen eines venösen Zugangs und bei KM-Gabe. Das heißt nicht, dass wir Komplikationen erwarten, sie sind jedoch nicht gänzlich auszuschließen.

- Allergien und Unverträglichkeiten, falls wir ein KM benutzen: auf das KM, Betäubungs-, Desinfektionsmittel, Latex usw.
- Verletzungen und Durchstoßungen von Blutgefäßen – das kann bei aller Vorsicht passieren. Sie werden danach wahrscheinlich eine schöne blaue Verfärbung als Erinnerung bekommen.
- Infektionen und Wundheilungsstörungen an der Einstichstelle sind in seltenen Fällen möglich.
- Das KM kann in bestimmten Fällen eine Schilddrüsenüberfunktion oder Nierenfunktionsstörungen verursachen.
- Sonst sagen Sie uns bitte Bescheid, wenn Sie Übelkeit, Schwindel, Hautausschlag, Schmerzen, Fieber oder so etwas bekommen.

Haben Sie Fragen?

Gut, dann wäre meine Bitte, dass Sie einmal hier unterschreiben, dass Sie alles gehört und verstanden haben und mit der Untersuchung einverstanden sind.

5.3 Magnetresonanztomografie (MRT)

Guten Tag, Herr/Frau X,

ich habe gerade mit dem Oberarzt gesprochen: Bei Ihnen ist eine *Kernspintomografie* bzw. *Magnetresonanztherapie (kurz: MRT)* nötig :-)

Ich versuche, Sie über alles aufzuklären. Wenn ich zu schnell spreche oder wenn Sie etwas nicht verstanden haben, sagen Sie mir bitte Bescheid, okay?

Bei der Kernspintomografie werden mit Radiowellen und Magnetfeldern Aufnahmen des ganzen Körpers oder bestimmter Körperregionen erstellt. Mit dieser Untersuchung kann man viele Veränderungen sehen, die man z. B. mit Röntgen, Computertomografie oder Angiografie schwerer erfassen kann.

Was sehr wichtig ist: Sagen Sie uns bitte, ob Sie Ausweise/Pässe (z. B. Allergie-, Schrittmacher-/Implantat-, Diabetikerausweis, Röntgenpass etc.) haben.

Haben Sie irgendwelche Tätowierungen am Körper? Permanentes Make-up zählt auch.

Haben Sie metallische oder magnetische Implantate, Herzschrittmacher (je nach MRT-Gerät), Neurostimulatoren, automatische Insulinpumpen, Hörgeräte (z. B. Cochleaimplantat), Kriegsverletzungen (z. B. Granatsplitter)? All das müssen wir unbedingt wissen. Diese Teile werden beschädigt und Sie könnten richtig verletzt werden, wenn Sie so was tragen und es uns vor der Untersuchung nicht sagen!

Für Frauen: Tragen Sie eine Spirale? (IUP) – die könnte verrutschen, also wir empfehlen einen Ultraschall nach dieser Untersuchung.

So, Frau/Herr X, tragen Sie so was? Gegenstände wie: Schmuck oder Piercings, Uhr, Brille, Zahnprothesen, Arm- oder Beinprothesen, Zahnspangen, Hörgeräte, Metallteile an der Kleidung, Handy – alles muss weg. Die Kreditkarten auch – die behalte ich gerne für Sie, auch langfristig, wenn Sie wollen ;-)

Während der Untersuchung werden wir Sie über eine Videokamera überwachen. Bitte bleiben Sie ganz ruhig liegen. Sie werden auch Kopfhörer tragen und darüber erfahren, wann Sie ein- und ausatmen oder die Luft anhalten sollen. Diese Untersuchung ist leider sehr laut und manchmal unangenehm für jemanden, der Angst in engen Räumen bekommt – aber Sie scheinen sehr tapfer zu sein, oder irre ich mich? Das wird schon. Auf Wunsch bekommen Sie ein Beruhigungsmittel. Unser „Fotoshooting" dauert zwischen 15 und 30 Minuten, es kann in seltenen Fällen ein bisschen länger dauern. Wir können es jederzeit abbrechen, wenn etwas sein sollte.

Wenn Sie ein KM über eine Kanüle in ein Blutgefäß bekommen, bitte danach reichlich Alkoholfreies trinken (z. B. Tee, Mineralwasser, Saft).

Wissen Sie schon, ob Sie irgendwelche Allergien gegen KM haben? Wir können das vorher testen – und selbst wenn Sie allergisch reagieren, haben wir immer ein Gegenmittel.

Sie werden für diese Untersuchung in eine geschlossene Röhre geschoben. Dort wird das Gerät Bilder von Ihrem Körper erstellen, die auf den Computer übertragen werden und die wir danach beurteilen.

Haben Sie bisher Fragen?

Gut. Dann machen wir weiter. Nämlich mit etwas, das Sie vermutlich lieber nicht hören würden, das ich aber dennoch mit Ihnen besprechen will: das Thema Komplikationen, z. B. beim Legen eines venösen Zugangs und bei KM-Gabe. Das heißt nicht, dass wir Komplikationen erwarten, sie sind jedoch nicht gänzlich auszuschließen.

- Allergien und Unverträglichkeiten, falls wir ein KM benutzen: auf das KM, Betäubungs-, Desinfektionsmittel, Latex usw.
- Verletzungen und Durchstoßungen von Blutgefäßen – das kann bei aller Vorsicht passieren. Sie werden danach wahrscheinlich eine schöne blaue Verfärbung als Erinnerung bekommen.
- Infektionen und Wundheilungsstörungen an der Einstichstelle sind in seltenen Fällen möglich.
- Das KM kann in bestimmten Fällen eine Schilddrüsenüberfunktion oder Nierenfunktionsstörungen verursachen.
- Sonst sagen Sie uns Bescheid, wenn Sie Übelkeit, Schwindel, Hautausschlag, Schmerzen, Fieber oder so etwas bekommen.

Haben Sie Fragen?

LittleDoc meint

Hier muss ich noch mal betonen: Auch wenn Sie merken, dass sich die Risiken und Komplikationen wiederholen und manchmal irrelevant erscheinen, bitte auf keinen Fall darauf verzichten! Die Patienten müssen sie verstehen!

Gut, dann wäre meine Bitte, dass Sie einmal hier unterschreiben, dass Sie alles gehört und verstanden haben und mit der Untersuchung einverstanden sind.

5.4 Angiografie

Guten Tag, Herr/Frau X,

ich habe gerade mit dem Oberarzt gesprochen: Bei Ihnen ist eine angiografische Darstellung arterieller Blutgefäße, eine sogenannte *Angiografie*, nötig :-) Haben Sie davon schon mal gehört?

Ich versuche, Sie über alles aufzuklären. Wenn ich zu schnell spreche oder wenn Sie etwas nicht verstanden haben, sagen Sie mir bitte Bescheid, okay?

LittleDoc meint

Lächeln Sie den Patienten an. Das entspannt die Situation und den Patienten :-)

Zuerst: Was Sie betrifft – Sie brauchen keine Angst zu haben. Sie bekommen eine lokale Betäubung und brauchen nur ruhig zu bleiben. Mehr nicht. Es wird ca. 30 Minuten dauern. Die Strahlenbelastung mit moderner Computertechnik ist gering.

Über diese Untersuchung können wir beurteilen, ob Sie Gefäßerkrankungen, z. B. Aussackungen, Einengungen, Verschlüsse, und Verletzungen oder Tumoren haben.

Sie bekommen eine schöne örtliche Betäubung an der Einstichstelle in der Leisten- oder Ellenbeuge, mal sehen, wo die Kollegen in der Radiologie es wollen. Dann wird eine Hohlnadel in eine Schlagader eingeführt. Durch diese

Nadel wird ein Katheter an die Stelle geführt, die untersucht werden soll. Das machen wir unter Ultraschall- oder Röntgen-Kontrolle. Es wird auch ein KM gespritzt, sodass wir alles in „Ultra HD“ sehen.

Wissen Sie schon, ob Sie irgendwelche Allergien gegen KM haben? Wir können das vorher testen – und selbst wenn Sie allergisch reagieren, haben wir immer ein Gegenmittel.

Haben Sie bisher Fragen?

Gut. Dann machen wir weiter. Nämlich mit etwas, das Sie vermutlich lieber nicht hören würden, das ich aber dennoch mit Ihnen besprechen will: das Thema Komplikationen, z. B. beim Legen eines venösen Zugangs und bei KM-Gabe. Das heißt nicht, dass wir Komplikationen erwarten, sie sind jedoch nicht gänzlich auszuschließen.

- In seltenen Fällen kommt es zu Allergien und Unverträglichkeiten: auf das KM, Betäubungs-, Desinfektionsmittel, Latex usw.
- Verletzungen und Durchstoßungen von Blutgefäßen – das kann bei aller Vorsicht passieren. Sie werden danach wahrscheinlich eine schöne blaue Verfärbung als Erinnerung bekommen.
- Nachblutungen sind selten. Falls es zu stark blutet, werden Sie eine Bluttransfusion bekommen – und auch da gibt es ein ganz kleines Risiko: dass Sie eine HIV- oder HBV/HCV-Infektion bekommen. Klar, das Blut wird immer sehr gut untersucht … Aber da bleibt trotzdem ein Risiko … minimal!
- Infektionen und Wundheilungsstörungen an der Einstichstelle sind in seltenen Fällen möglich.
- Wenn sich Blutgerinnsel oder Teilchen von Ablagerungen an der Gefäßwand ablösen oder zu viel Luft in die Vene eindringt, kann sich ein Blutgefäß verschließen (das heißt Embolie in unserem „Fachchinesisch“). Dies kann Durchblutungsstörungen zur Folge haben. Dann würden Sie eine Behandlung benötigen – entweder medikamentös oder mit einer kleinen Gefäßoperation.
- Selten kann es zu Haut-, Gewebe- und Nervenschäden mit dauerhaften Folgen kommen: Schmerzen, Entzündung, Absterben von Gewebe, Narben, Empfindungs- und Funktionsstörungen, Lähmungen.
- Das KM kann in bestimmten Fällen eine Schilddrüsenüberfunktion oder Nierenfunktionsstörungen verursachen.
- Sonst sagen Sie uns Bescheid, wenn Sie Übelkeit, Schwindel, Hautausschlag, Schmerzen, Fieber oder so etwas bekommen.

Haben Sie Fragen?

Gut, dann wäre meine Bitte, dass Sie einmal hier unterschreiben, dass Sie alles gehört und verstanden haben und mit der Untersuchung einverstanden sind.

5.5 Phlebografie

Guten Tag, Herr/Frau X,

ich habe gerade mit dem Oberarzt gesprochen: Bei Ihnen ist eine *Phlebografie* nötig :-) Haben Sie davon schon mal gehört?

Ich versuche, Sie über alles aufzuklären. Wenn ich zu schnell spreche oder wenn Sie etwas nicht verstanden haben, sagen Sie mir bitte Bescheid, okay?

Die Phlebografie ist eine Röntgenuntersuchung, bei der die Venen und Venenklappen dargestellt werden. Durch die Untersuchung können Veränderungen der Gefäße, Blutgerinnsel, Krampfadern oder Gefäßmissbildungen erkannt werden. Man nutzt dazu auch ein KM, sodass man alles in „Ultra HD“ sieht.

Was besonders wichtig ist: Sie sollten vier Stunden vor dem Eingriff nichts essen und eine Stunde vor dem Eingriff nicht mehr rauchen – wenn möglich, nie wieder rauchen :-). Aber das besprechen wir separat. Danach sollten Sie ca. 30 Minuten gehen oder Fußbewegungen durchführen. Sie sollten viel trinken (z. B. Tee, Mineralwasser), sodass wir Nierenprobleme vermeiden.

Vor der Röntgenuntersuchung wird Ihnen durch einen Zugang ein jodhaltiges KM in eine Vene am Fußrücken eingespritzt. Und dann beginnt unser „Fotoshooting“.

Haben Sie bisher Fragen?

Gut. Dann machen wir weiter. Nämlich mit etwas, das Sie vermutlich lieber nicht hören würden, das ich aber dennoch mit Ihnen besprechen will: das Thema Komplikationen, z. B. beim Legen eines venösen Zugangs und bei KM-Gabe. Das heißt nicht, dass wir Komplikationen erwarten, sie sind jedoch nicht gänzlich auszuschließen.

- In seltenen Fällen kommt es zu Allergien und Unverträglichkeiten: auf das KM, Betäubungs-, Desinfektionsmittel, Latex usw., Juckreiz, Hautausschlag.
- Verletzungen und Durchstoßungen von Blutgefäßen – das kann bei aller Vorsicht passieren. Sie werden danach wahrscheinlich eine schöne blaue Verfärbung als Erinnerung bekommen.
- Nachblutungen sind selten. Falls es zu stark blutet, werden Sie eine Bluttransfusion bekommen – und auch da gibt es ein ganz kleines Risiko: dass Sie eine HIV- oder HBV/HCV-Infektion bekommen. Klar, das Blut wird immer sehr gut untersucht … Aber da bleibt trotzdem ein Risiko … minimal!
- Infektionen und Wundheilungsstörungen an der Einstichstelle sind in seltenen Fällen möglich.
- Wenn sich Blutgerinnsel oder Teilchen von Ablagerungen an der Gefäßwand ablösen oder zu viel Luft in die Vene eindringt, kann sich ein Blutgefäß verschließen (das heißt Embolie in unserem „Fachchinesisch“). Dies kann Durchblutungsstörungen zur Folge haben. Dann würden Sie eine Behandlung benötigen – entweder medikamentös oder mit einer kleinen Gefäßoperation.

- Selten kommt es zu Haut-, Gewebe- und Nervenschäden mit dauerhaften Folgen: Schmerzen, Entzündung, Absterben von Gewebe, Narben, Empfindungs- und Funktionsstörungen, Lähmungen (z. B. an den Gliedmaßen).
- Das KM kann in bestimmten Fällen eine Schilddrüsenüberfunktion oder Nierenfunktionsstörungen verursachen.
- Sonst sagen Sie uns bitte Bescheid, wenn Sie Übelkeit, Schwindel, Hautausschlag, Schmerzen, Fieber oder so etwas bekommen.

Haben Sie Fragen?

Gut, dann wäre meine Bitte, dass Sie einmal hier unterschreiben, dass Sie alles gehört und verstanden haben und mit der Untersuchung einverstanden sind.

5.6 Sonografie

Guten Tag, Herr/Frau X,

ich habe gerade mit dem Oberarzt gesprochen: Bei Ihnen ist eine *Ultraschalluntersuchung* bzw. eine *Sonografie* nötig :-) Haben Sie davon schon mal gehört?

Ich versuche, Sie über alles aufzuklären. Wenn ich zu schnell spreche oder wenn Sie etwas nicht verstanden haben, sagen Sie mir bitte Bescheid, okay?

Wir werden Ultraschallwellen nutzen, mit denen wir Bilder aus Ihrem Körperinnern erstellen. Das Ultraschallgerät besteht aus einem Schallkopf und einem Computer, der die Bilder errechnet. Mithilfe des Schallkopfs werden Ultraschallwellen in den Körper gesandt und dann aufgenommen oder als „Echo" an den Computer zurückgeworfen. Weil unsere Organe den Schall unterschiedlich zurückwerfen, lassen sie sich auf den Bildern voneinander abgrenzen.

Was besonders wichtig ist: Vermeiden Sie bitte blähende Speisen am Tag vorher – keine leckeren Bohnen, keine Kohlrouladen und so etwas, Blumenkohl geht leider auch nicht. Die Harnblase soll gefüllt sein (Wasser, Tee trinken) und am allerbesten wäre es, wenn Sie ca. 4 Stunden vor der Untersuchung nichts essen würden.

Haben Sie bisher Fragen?

Gut. Dann machen wir weiter mit dem Thema Komplikationen. Glücklicherweise gibt es kaum Komplikationen. Es kann aber sein, dass Sie eine Hautallergie oder einen Juckreiz wegen des Ultraschallgels bekommen. Aber das wird in 1 bis 2 Tagen vorbei sein.

Haben Sie Fragen?

Okay, dann wäre meine Bitte, dass Sie einmal hier unterschreiben, dass Sie alles gehört und verstanden haben und dass Sie mit der Untersuchung einverstanden sind.

5.7 Kontrastmittelsonografie

Guten Tag, Herr/Frau X,

ich habe gerade mit dem Oberarzt gesprochen: Bei Ihnen ist eine *Kontrastmittelsonografie* nötig :-) Haben Sie davon schon mal gehört?

Ich versuche, Sie über alles aufzuklären. Wenn ich zu schnell spreche oder wenn Sie etwas nicht verstanden haben, sagen Sie mir bitte Bescheid, okay?

Wir werden Ultraschallwellen nutzen, mit denen wir Bilder aus Ihrem Körperinnern erstellen. Das Ultraschallgerät besteht aus einem Schallkopf und einem Computer, der die Bilder errechnet. Mithilfe des Schallkopfs werden Ultraschallwellen in den Körper gesandt und dann aufgenommen oder als „Echo" an den Computer zurückgeworfen. Weil unsere Organe den Schall unterschiedlich zurückwerfen, lassen sie sich auf den Bildern voneinander abgrenzen.

Ein Ultraschall-Kontrastmittel wird uns dabei helfen, Raumforderungen genau zu erkennen und ihre Durchblutung in „Ultra HD" zu sehen. Manchmal kann man das sofort zuordnen (gutartig, bösartig, borderline).

Bei instabiler Angina pectoris, Herzinfarkt oder bei schwerer Herz- oder Lungenerkrankung darf eine Kontrastmittelsonografie nicht durchgeführt werden.

Was ich noch nicht gesagt habe: Sie brauchen einen venösen Zugang fürs KM. Das heißt, ich werde Ihnen eine sogenannte Braunüle legen. Mit einer Nadel sticht man in eine Vene und setzt einen sehr feinen, etwa 2 cm langen Plastikschlauch in die Vene ein. Dadurch können verschiedene Flüssigkeiten verabreicht werden, einschließlich KM. Sie werden nur den ersten Stich spüren, danach sollten Sie keine Schmerzen haben und den Arm normal bewegen können. Manchmal bekommen Patienten, ähnlich wie nach einer Blutentnahme, einen blauen Fleck an der Einstichstelle. Dieser sollte jedoch nach einigen Tagen nicht mehr sichtbar sein.

Vermeiden Sie bitte blähende Speisen am Tag vorher – keine leckeren Bohnen, keine Kohlrouladen und so etwas, Blumenkohl geht leider auch nicht. Die Harnblase soll gefüllt sein (Wasser, Tee trinken). Um Ihre Gallenblase zu beurteilen oder falls wir eine Feinnadelpunktion machen, wäre es am besten, wenn Sie ca. 4 Stunden vor der Untersuchung nichts essen würden.

Haben Sie bisher Fragen?

Gut. Dann machen wir weiter. Nämlich mit etwas, das Sie vermutlich lieber nicht hören würden, das ich aber dennoch mit Ihnen besprechen will: das Thema Komplikationen, z. B. beim Legen eines venösen Zugangs und bei KM-Gabe. Das heißt nicht, dass wir Komplikationen erwarten, sie sind jedoch nicht gänzlich auszuschließen.

- In seltenen Fällen kommt es zu Allergien und Unverträglichkeiten: auf das KM, Betäubungs-, Desinfektionsmittel, Latex, Ultraschallgel usw.
- Verletzungen und Durchstoßungen von Blutgefäßen – das kann bei aller Vorsicht passieren. Sie werden danach wahrscheinlich eine schöne blaue Verfärbung als Erinnerung bekommen.

- Infektionen und Wundheilungsstörungen sind in seltenen Fällen möglich.
- Selten kommt es zu Haut-, Gewebe- und Nervenschäden mit dauerhaften Folgen: Schmerzen, Entzündung, Absterben von Gewebe, Narben, Empfindungs- und Funktionsstörungen, Lähmungen (z. B. an den Gliedmaßen).
- Bitte verständigen Sie sofort Ihre Ärztin/Ihren Arzt, wenn Übelkeit, Durchfall, Unwohlsein, Schwindel, Niesreiz, Hautausschlag, Schmerzen, Fieber (über 38 °C), Schüttelfrost oder andere Beschwerden während oder nach der Untersuchung auftreten. Bei erheblichen Beschwerden bitte den Notarzt rufen, falls Ihre Ärztin/Ihr Arzt nicht erreichbar ist.

Haben Sie Fragen?

Gut, dann wäre meine Bitte, dass Sie einmal hier unterschreiben, dass Sie alles gehört und verstanden haben und mit der Untersuchung einverstanden sind.

5.8 Sonografisch gesteuerte Feinnadelpunktion

Guten Tag, Herr/Frau X,

ich habe gerade mit dem Oberarzt gesprochen: Bei Ihnen ist eine sonografisch gesteuerte *Feinnadelpunktion* nötig :-) Haben Sie davon schon mal gehört?

Wenn ich zu schnell spreche oder wenn Sie etwas nicht verstanden haben, sagen Sie mir bitte Bescheid, okay?

Eine Feinnadelpunktion wird durchgeführt, um Gewebe für eine Untersuchung mit dem Mikroskop zu gewinnen und damit z. B. die Herkunft von Tumoren zu klären. Das Ziel ist, dass wir eine klare Zuordnung der Raumforderung bekommen.

Was besonders wichtig ist: Wenn Sie Medikamente wie Aspirin, Marcumar oder Clopidogrel einnehmen, fragen Sie bitte Ihren Hausarzt, ob diese Medikamente pausiert werden können. Am Tag der Punktion müssen Sie nüchtern sein.

Die Punktion ist in der Regel wenig schmerzhaft. Danach bleiben Sie für mindestens eine Stunde bei uns. Am Tag der Punktion und in den folgenden Tagen sollten Sie Sport vermeiden und nichts Schweres heben.

Es wird so sein: Örtliche Betäubung der Punktionsstelle, dann wird eine dünne Nadel unter Ultraschallkontrolle in das Zielgewebe geführt. So wird Gewebe entnommen, das dann in die Abteilung für Pathologie geht. Abschließend wird ein Kontroll-Ultraschall zum Ausschluss einer Blutung durchgeführt.

Haben Sie bisher Fragen?

Gut. Dann machen wir weiter. Nämlich mit etwas, das Sie vermutlich lieber nicht hören würden, das ich aber dennoch mit Ihnen besprechen will: das Thema Komplikationen. Das heißt nicht, dass wir Komplikationen erwarten, sie sind jedoch nicht gänzlich auszuschließen.

- In seltenen Fällen kommt es zu Allergien und Unverträglichkeiten: auf Betäubungs-, Desinfektionsmittel, Latex usw.
- Verletzungen und Durchstoßungen von Blutgefäßen – das kann bei aller Vorsicht passieren. Sie werden danach wahrscheinlich eine schöne blaue Verfärbung als Erinnerung bekommen.
- Nachblutungen sind selten. Falls es zu stark blutet, werden Sie eine Bluttransfusion bekommen – und auch da gibt es ein ganz kleines Risiko: dass Sie eine HIV- oder HBV/HCV-Infektion bekommen. Klar, das Blut wird immer sehr gut untersucht … Aber da bleibt trotzdem ein Risiko … minimal!
- Infektionen und Wundheilungsstörungen sind in seltenen Fällen möglich.
- Haut-, Gewebe- und Nervenschäden mit dauerhaften Folgen: Schmerzen, Entzündung, Absterben von Gewebe, Narben, Empfindungs- und Funktionsstörungen, Lähmungen (z. B. an den Gliedmaßen).
- Bitte verständigen Sie sofort Ihre Ärztin/Ihren Arzt, wenn Übelkeit, Durchfall, Unwohlsein, Schwindel, Niesreiz, Hautausschlag, Schmerzen, Fieber (über 38 °C), Schüttelfrost oder andere Beschwerden während oder nach der Untersuchung auftreten. Bei erheblichen Beschwerden bitte den Notarzt rufen, falls Ihre Ärztin/Ihr Arzt nicht erreichbar ist.

Haben Sie Fragen?

Gut, dann wäre meine Bitte, dass Sie einmal hier unterschreiben, dass Sie alles gehört und verstanden aben und mit der Untersuchung einverstanden sind.

LittleDoc meint

Zum Thema „Stichkanal-Metastasen nach Feinnadel-Biopsieentnahme" gibt es verschiedene Meinungen. Je nachdem, welche Erfahrungen Sie haben, erwähnen Sie diese Komplikation – oder eben nicht.

5.9 Skelettszintigrafie

Guten Tag, Herr/Frau X,

ich habe gerade mit dem Oberarzt gesprochen: Bei Ihnen ist eine *Knochenszintigrafie* nötig :-) Haben Sie davon schon mal gehört?

Ich versuche, Sie über alles aufzuklären. Wenn ich zu schnell spreche oder wenn Sie etwas nicht verstanden haben, sagen Sie mir bitte Bescheid, okay?

Mit dieser Untersuchung können Stoffwechselveränderungen am Skelettsystem untersucht werden. Das klingt jetzt sehr trendy. Ich meine, wir finden Krankheitsherde am Knochen früher als mit einem Röntgenbild.

Sie werden einen Zugang bekommen und über diesen Zugang wird ein radioaktiver Stoff injiziert. Dann warten wir etwa 20 Minuten. Danach benutzen wir eine sogenannte Gammakamera, um ein „Hightech-Fotoshooting" zu machen und die benötigten Messungen durchzuführen. Unser „Fotoshooting" dauert ca. 10 Minuten. Nehmen Sie zwischen den Messungen viel Flüssigkeit zu sich und versuchen Sie, oft Wasser zu lassen.

Das radioaktive Medikament ist gut verträglich. Nebenwirkungen und Wechselwirkungen mit anderen Medikamenten sind nicht bekannt.

Haben Sie bisher Fragen?

Gut. Dann machen wir weiter. Nämlich mit etwas, das Sie vermutlich lieber nicht hören würden, das ich aber dennoch mit Ihnen besprechen will: das Thema Komplikationen, z. B. beim Legen eines venösen Zugangs und bei KM-Gabe. Das heißt nicht, dass wir Komplikationen erwarten, sie sind jedoch nicht gänzlich auszuschließen.

- In seltenen Fällen kommt es zu Allergien und Unverträglichkeiten: auf den radioaktiven Stoff, auf das Betäubungs-, Desinfektionsmittel, Latex usw.
- Verletzungen und Durchstoßungen von Blutgefäßen – das kann bei aller Vorsicht passieren. Sie werden danach wahrscheinlich eine schöne blaue Verfärbung als Erinnerung bekommen.
- Infektionen und Wundheilungsstörungen sind in seltenen Fällen möglich.
- Selten kommt es zu Haut-, Gewebe- und Nervenschäden mit dauerhaften Folgen: Schmerzen, Entzündung, Absterben von Gewebe, Narben, Empfindungs- und Funktionsstörungen, Lähmungen (z. B. an den Gliedmaßen).
- Sonst sagen Sie uns bitte Bescheid, wenn Sie Übelkeit, Schwindel, Hautausschlag, Schmerzen, Fieber oder so etwas bekommen.

Haben Sie Fragen?

Gut, dann wäre meine Bitte, dass Sie einmal hier unterschreiben, dass Sie alles gehört und verstanden haben und mit der Untersuchung einverstanden sind.

5.10 Schilddrüsenszintigrafie

Guten Tag, Herr/Frau X,

ich habe gerade mit dem Oberarzt gesprochen: Bei Ihnen ist eine *Schilddrüsenszintigrafie* nötig :-) Haben Sie davon schon mal gehört?

Ich versuche, Sie über alles aufzuklären. Wenn ich zu schnell spreche oder wenn Sie etwas nicht verstanden haben, sagen Sie mir bitte Bescheid, okay?

Mit dieser Untersuchung kann man die Größe, Form und die Funktion der Schilddrüse beurteilen. Uns interessiert, ob Sie Knoten haben. Das könnte man auch mit einem Ultraschall sehen – wir wollen aber genau wissen, was das für Knoten sind. Wie funktionieren diese Knoten? Zellen mit hoher Stoffwechselaktivität nehmen mehr radioaktive Substanz auf (warme/heiße Knoten) als Zellen mit geringerer Aktivität (kalte Knoten).

Heiße Knoten können durch Jodmangel verursacht sein. Kein Jod bedeutet auch: keine oder weniger Schilddrüsenhormone. Deswegen steigern Wachstumsfaktoren die Aktivität der Schilddrüse und das Jod wird effektiver benutzt. Wenn das nur isoliert in der Schilddrüse passiert, dann hat man einen

Knoten. Solche Knoten bilden manchmal sehr viele Hormone und sie werden zum autonomen Adenom, einem gutartigen Tumor, der aber manchmal viele Beschwerden verursacht.

Kalte Knoten sieht man bei einer Zyste oder einer Entzündung. Selten werden kalte Knoten auch bösartig, deshalb werden wir sie überwachen.

Sie werden einen Zugang bekommen und über diesen Zugang wird ein radioaktiver Stoff injiziert. Dann warten wir etwa 20 Minuten. Danach benutzen wir eine sogenannte Gammakamera, um ein „Hightech-Fotoshooting" zu machen und die benötigten Messungen durchzuführen. Unser „Fotoshooting" dauert ca. 10 Minuten. Nehmen Sie zwischen den Messungen viel Flüssigkeit zu sich und versuchen Sie, oft Wasser zu lassen.

Das radioaktive Medikament ist gut verträglich. Nebenwirkungen und Wechselwirkungen mit anderen Medikamenten sind noch nicht bekannt. Etwa 1 % der Stoffe erreicht die Schilddrüse, also keine Sorge.

Haben Sie bisher Fragen?

Gut. Dann machen wir weiter. Nämlich mit etwas, das Sie vermutlich lieber nicht hören würden, das ich aber dennoch mit Ihnen besprechen will: das Thema Komplikationen, z. B. beim Legen eines venösen Zugangs und bei KM-Gabe. Das heißt nicht, dass wir Komplikationen erwarten, sie sind jedoch nicht gänzlich auszuschließen.

- In seltenen Fällen kommt es zu Allergien und Unverträglichkeiten: auf den radioaktiven Stoff, auf das Betäubungs-, Desinfektionsmittel, Latex usw.
- Verletzungen und Durchstoßungen von Blutgefäßen – das kann bei aller Vorsicht passieren. Sie werden danach wahrscheinlich eine schöne blaue Verfärbung als Erinnerung bekommen.
- Infektionen und Wundheilungsstörungen sind in seltenen Fällen möglich.
- Selten kommt es zu Haut-, Gewebe- und Nervenschäden mit dauerhaften Folgen: Schmerzen, Entzündung, Absterben von Gewebe, Narben, Empfindungs- und Funktionsstörungen, Lähmungen (z. B. an den Gliedmaßen).
- Sonst sagen Sie uns bitte Bescheid, wenn Sie Übelkeit, Schwindel, Hautausschlag, Schmerzen, Fieber oder so etwas bekommen.

Haben Sie Fragen?

Gut, dann wäre meine Bitte, dass Sie einmal hier unterschreiben, dass Sie alles gehört und verstanden haben und mit der Untersuchung einverstanden sind.

5.11 Ösophago-Gastro-Duodenoskopie (ÖGD)

Guten Tag, Herr/Frau X,

ich habe gerade mit dem Oberarzt gesprochen: Bei Ihnen ist eine *Magenspiegelung* (ÖGD) nötig :-) Haben Sie davon schon mal gehört?

Ich versuche, Sie über alles aufzuklären. Wenn ich zu schnell spreche oder wenn Sie etwas nicht verstanden haben, sagen Sie mir bitte Bescheid, okay?

Bei der Magenspiegelung werden die Speiseröhre, der Magen und der Zwölffingerdarm untersucht.

Nach dem Abendessen am Vortag (spätestens um 20 Uhr) dürfen Sie keine Speisen mehr zu sich nehmen, in den letzten 4 Stunden vor der Untersuchung auch nichts mehr trinken. Und bitte auch nicht rauchen.

Sie bekommen, wenn Sie das wünschen, eine leichte Narkose. Sie werden auf der linken Seite liegen und einen Zahnschutz im Mund behalten. Wir machen eine örtliche Betäubung im Rachen mit einem Spray und dann kann es losgehen.

Das Gerät sieht aus wie ein Schlauch, ist ganz dünn, mit einer Kamera am Ende. Es wird durch den Mund eingeführt und weiter bis zum Zwölffingerdarm geschoben. Wir werden auch ein bisschen Luft hineinblasen, sodass wir mehr Raum haben und alles in „Ultra HD" sehen. Also nicht wundern – am Ende werden Sie ganz elegant Luft aufstoßen. Wir können durch diesen „Schlauch" auch andere Geräte schieben, z. B. um Gewebeproben zu entnehmen, eine Blutung zu stillen oder Ausstülpungen zu entfernen usw.

Die Pathologie-Ergebnisse kommen in einigen Tagen.

Wenn Sie die Narkose wünschen, dürfen Sie danach nicht Auto fahren, keine wichtigen Entscheidungen treffen und keine Verträge unterzeichnen. Eine Rückfahrt mit dem Taxi wird i. d. R. von der Krankenkasse erstattet, sprechen Sie bei Bedarf bitte mit Ihrer Krankenkasse. Bitten Sie den Fahrer, Sie bis zur Wohnungstür zu begleiten.

Haben Sie bisher Fragen?

Gut. Dann machen wir weiter. Nämlich mit etwas, das Sie vermutlich lieber nicht hören würden, aber es muss dennoch besprochen werden: das Thema Komplikationen. Das heißt nicht, dass wir Komplikationen erwarten, sie sind jedoch nicht gänzlich auszuschließen.

Schwierigkeiten und Komplikationen sind bei der Gastroskopie sehr selten – der diagnostische und therapeutische Gewinn ist um ein Vielfaches höher als das Risiko.

Bei aller Vorsicht kann es in seltenen Fällen aber zu Folgendem kommen:

- Verletzung der benachbarten Organe oder Durchstechen der Wände des Verdauungstraktes,
- Blutung nach Entnahme von Gewebeproben
- Störung von Atmung, Herz und Kreislauf,
- Schäden am Gebiss,
- Infektionen,
- allergische Reaktionen auf die Medikamente, Desinfektionsmittel, Handschuhe, Betäubungsmittel usw.,
- Komplikationen durch den venösen Zugang, meistens als blaue Flecke, Infektionen, Blutungen, Gefäß- und Nervenverletzungen,
- Heiserkeit.

Wir haben also nur schöne Sachen mit Ihnen vor. Nein, im Ernst, man muss alles erwähnen, wir erwarten keine Komplikationen, Sie sollten aber darüber Bescheid wissen.

Sagen Sie es uns bitte, wenn Sie Übelkeit, Schwindel, Hautausschlag, Schmerzen, Fieber oder so etwas nach der Untersuchung bekommen.

Haben Sie Fragen?

Gut, dann wäre meine Bitte, dass Sie einmal hier unterschreiben, dass Sie alles gehört und verstanden haben und mit der Untersuchung einverstanden sind.

5.12 Endoskopisch retrograde Cholangiopankreatikografie (ERCP)

Guten Tag, Herr/Frau X,

ich habe gerade mit dem Oberarzt gesprochen: Bei Ihnen ist eine *Darstellung der Gallenwege und der Bauchspeicheldrüse mit Kontrastmittel* nötig :-) Haben Sie davon schon mal gehört?

Ich versuche, Sie über alles aufzuklären. Wenn ich zu schnell spreche oder wenn Sie etwas nicht verstanden haben, sagen Sie mir bitte Bescheid, okay?

LittleDoc meint

Vorsicht, Zungenbrecher! :-P

Die ERCP erlaubt es, Erkrankungen der Gallenwege und/oder der Bauchspeicheldrüse nachzuweisen und gegebenenfalls gleich zu behandeln.

Was für Sie besonders wichtig ist: Nach dem Abendessen am Vortag (spätestens um 20 Uhr) dürfen Sie keine Speisen mehr zu sich nehmen, in den letzten 2 Stunden vor der Untersuchung auch nichts mehr trinken.

Sie bekommen eine Kurznarkose. Sie werden auf der linken Seite liegen und einen Zahnschutz im Mund behalten. Dann kann alles losgehen.

Das Gerät sieht aus wie ein Schlauch, ist ganz dünn, mit einer Kamera am Ende. Es wird durch den Mund eingeführt und weiter bis zur Mündung der Gallenwege und des Bauchspeicheldrüsenganges im Zwölffingerdarm geschoben. Wir werden auch ein bisschen Luft hineinblasen, sodass wir mehr Raum haben und alles in „Ultra HD" sehen. Also nicht wundern – am Ende werden Sie ganz elegant Luft aufstoßen. Wir können durch diesen „Schlauch" auch andere Geräte schieben, z. B. um Gewebeproben zu entnehmen, eine Blutung zu stillen, Ausstülpungen oder Gallensteine zu entfernen, Gallen- oder Bauchspeicheldrüsengang zu erweitern usw. Manchmal nutzt man auch ein KM und Röntgenstrahlen, um alles besser beurteilen zu können.

Die Pathologie-Ergebnisse kommen in einigen Tagen.

Wegen der Narkose dürfen Sie danach nicht Auto fahren, keine wichtigen Entscheidungen treffen und keine Verträge unterzeichnen. Eine Rückfahrt mit dem Taxi wird i. d. R. von der Krankenkasse erstattet, halten Sie bei Bedarf bitte Rücksprache mit Ihrer Krankenkasse. Bitten Sie den Fahrer, Sie bis zur Wohnungstür zu begleiten.

Haben Sie bisher Fragen?

Gut. Dann machen wir weiter. Nämlich mit etwas, das Sie vermutlich lieber nicht hören würden, aber es muss dennoch besprochen werden: das Thema Komplikationen. Das heißt nicht, dass wir Komplikationen erwarten, sie sind jedoch nicht gänzlich auszuschließen.

Schwierigkeiten und Komplikationen sind bei der Gastroskopie sehr selten – der diagnostische und therapeutische Gewinn ist um ein Vielfaches höher als das Risiko.

Bei aller Vorsicht kann es in seltenen Fällen aber zu Folgendem kommen:
- Verletzung der benachbarten Organe oder Durchstechen der Wände des Verdauungstraktes,
- Blutung nach Entnahme von Gewebeproben
- Störung von Atmung, Herz und Kreislauf,
- Schäden am Gebiss,
- Infektionen,
- allergische Reaktionen auf die Medikamente, Desinfektionsmittel, Handschuhe, Betäubungsmittel usw.,
- Komplikationen durch den venösen Zugang, meistens als blaue Flecke, Infektionen, Blutungen, Gefäß- und Nervenverletzungen,
- Entzündung der Bauchspeicheldrüse,
- Gallenwegsinfektion,
- Heiserkeit.

Wir haben also nur schöne Sachen mit Ihnen vor. Nein, im Ernst, man muss alles erwähnen, wir erwarten keine Komplikationen, sie sollten jedoch darüber Bescheid wissen.

Sagen Sie es uns bitte, wenn Sie Übelkeit, Schwindel, Hautausschlag, Schmerzen, Fieber oder so etwas nach der Untersuchung bekommen.

Haben Sie Fragen?

Gut, dann wäre meine Bitte, dass Sie einmal hier unterschreiben, dass Sie alles gehört und verstanden haben und mit der Untersuchung einverstanden sind.

5.13 Kapselendoskopie

Guten Tag, Herr/Frau X,

ich habe gerade mit dem Oberarzt gesprochen: Bei Ihnen ist eine *Kapselspiegelung* nötig :-) Haben Sie davon schon mal gehört?

Ich versuche, Sie über alles aufzuklären. Wenn ich zu schnell spreche oder wenn Sie etwas nicht verstanden haben, sagen Sie mir bitte Bescheid, okay?

Mithilfe einer Videokapsel ist es möglich, den gesamten Verdauungstrakt zu spiegeln und ein schönes Video von Ihrem Dünndarm zu drehen. So kann man Entzündungen finden, Blutungen, Verengungen oder Tumore.

Ich muss übrigens etwas erwähnen: Verengungen mögen wir gar nicht, wenn wir die Kapsel nutzen. Ich erkläre gleich warum.

Die Minikamera ist so klein wie eine normale Tablette. Sie wird mit etwas Wasser eingenommen. Bitte beißen Sie nicht auf die Kamera. [Es tut ihr weh, die ist uns lieb und teuer.] Nach etwa 3 Tagen werden Sie ein *„Ü-Ei"* im Stuhlgang finden – unsere Minikamera. Die Kapsel brauchen wir nicht, die können Sie ruhig wegwerfen. Die Kamera ist aber wichtig.

LittleDoc meint

Uns wurde so eine Kapsel im Studium gezeigt. Erst am Ende des Seminars hieß es: „Sie funktioniert: sie wurde schon benutzt." O.o

Sie werden zudem Elektroden am Körper tragen – wie bei einem EKG. Das ist nicht immer angenehm. Diese Elektroden übertragen die Daten an einen Rekorder. Den tragen Sie auch immer bei sich. Während Sie den Rekorder tragen, dürfen Sie nicht duschen, baden oder schwimmen, weil das System nicht wasserdicht ist.

Haben Sie bisher Fragen?

Gut. Dann machen wir weiter. Nämlich mit etwas, das Sie vermutlich lieber nicht hören würden, aber es muss dennoch besprochen werden: das Thema Komplikationen. Das heißt nicht, dass wir Komplikationen erwarten, sie sind jedoch nicht gänzlich auszuschließen.

Es gibt wenige mögliche Komplikationen, diese sind jedoch ungünstig. Das größte Problem wären Verengungen. Es besteht die Möglichkeit, dass die Kapsel nicht auf natürlichem Wege ausgeschieden wird – das ist jedoch selten! In diesem Fall wird die Kapsel bei einer Spiegelung entfernt, manchmal muss sie sogar chirurgisch entfernt werden.

Haben Sie Fragen?

Gut, dann wäre meine Bitte, dass Sie einmal hier unterschreiben, dass Sie alles gehört und verstanden haben und mit der Untersuchung einverstanden sind.

5.14 Koloskopie

Guten Tag, Herr/Frau X,

ich habe gerade mit dem Oberarzt gesprochen: Bei Ihnen ist eine *Darmspiegelung* nötig :-) Haben Sie davon schon mal gehört?

Ich versuche, Sie über alles aufzuklären. Wenn ich zu schnell spreche oder wenn Sie etwas nicht verstanden haben, sagen Sie mir bitte Bescheid, okay?

Was für Sie besonders wichtig ist: 5 Tage vor der Untersuchung keine Speisen mehr, die schwer verdaulich sind – auch wenn Vollkornprodukte, faseriges Gemüse und kernhaltiges Obst sonst gesund sind: Bitte verzichten Sie darauf. Am Tag vor der Untersuchung bitte nur ein leichtes Frühstück zu sich nehmen, danach nur noch trinken. Am Tag der Untersuchung gar nichts zu sich nehmen, bitte. Sie bekommen auch ein Abführmittel von uns, das Sie bitte nehmen – schon 24 Stunden vor der Untersuchung.

Sie bekommen, wenn Sie das wünschen, eine leichte Narkose. Sie werden auf der linken Seite liegen und einen Zahnschutz im Mund behalten. Wir machen eine örtliche Betäubung im Rachen mit einem Spray und dann kann es losgehen.

Das Gerät sieht aus wie ein Schlauch, ist ganz dünn, mit einer Kamera am Ende. Es wird durch den After eingeführt und weiter bis zum Endteil des Dünndarms (terminales Ileum) geschoben. Wir werden auch ein bisschen Luft hineinblasen, sodass wir mehr Raum haben und alles in „Ultra HD" sehen. Wir können durch diesen „Schlauch" auch andere Geräte schieben, z. B.

um Gewebeproben zu entnehmen, eine Blutung zu stillen oder Ausstülpungen zu entfernen usw. Diese Ausstülpungen (Polypen) können entarten und Dickdarmkrebs verursachen. Von daher versuchen wir, sofort alle zu entfernen. Wenn sie aber schon zu groß sind, brauchen Sie später leider eine Operation.

Die Pathologie-Ergebnisse kommen in einigen Tagen.

Wenn Sie die Narkose wünschen, dürfen Sie danach nicht Auto fahren, keine wichtigen Entscheidungen treffen und keine Verträge unterzeichnen. Eine Rückfahrt mit dem Taxi wird i. d. R. von der Krankenkasse erstattet, halten Sie bei Bedarf bitte Rücksprache mit Ihrer Krankenkasse. Bitten Sie den Fahrer, Sie bis zur Wohnungstür zu begleiten.

Haben Sie bisher Fragen?

LittleDoc meint

Die Patienten geraten manchmal in Stress, besonders wenn es um eine Narkose geht.
Sie können das Gespräch mit ein bisschen Humor auflockern, z. B.: „Wenn Sie die Narkose wünschen, dürfen Sie danach nicht Auto fahren, keine wichtigen Entscheidungen treffen, keine Verträge unterzeichnen *und auf keinen Fall seiltanzen.*"

Gut. Dann machen wir weiter. Nämlich mit etwas, das Sie vermutlich lieber nicht hören würden, aber es muss dennoch besprochen werden: das Thema Komplikationen. Das heißt nicht, dass wir Komplikationen erwarten, sie sind jedoch nicht gänzlich auszuschließen.

Schwierigkeiten und Komplikationen sind bei der Gastroskopie sehr selten – der diagnostische und therapeutische Gewinn ist um ein Vielfaches höher als das Risiko.

Bei aller Vorsicht kann es in seltenen Fällen aber zu Folgendem kommen:

- Verletzung der benachbarten Organe oder Durchstechen der Wände des Verdauungstraktes,
- Blutung nach Entnahme von Gewebeproben,
- Störung von Atmung, Herz und Kreislauf,
- Infektionen,
- allergische Reaktionen auf die Medikamente, Desinfektionsmittel, Handschuhe, Betäubungsmittel usw.,
- Komplikationen durch den venösen Zugang, meistens als blaue Flecke [sodass Sie uns nicht vergessen], Infektionen, Blutungen, Gefäß- und Nervenverletzungen.

Wir haben also nur schöne Sachen mit Ihnen vor. Nein, im Ernst, man muss alles erwähnen, wir erwarten keine Komplikationen, Sie sollten jedoch darüber informiert sein.

Sagen Sie uns bitte Bescheid, wenn Sie Übelkeit, Schwindel, Hautausschlag, Schmerzen, Fieber oder so etwas nach der Untersuchung bekommen.

Haben Sie Fragen?

Gut, dann wäre meine Bitte, dass Sie einmal hier unterschreiben, dass Sie alles gehört und verstanden haben und dass Sie mit der Untersuchung einverstanden sind.

5.15 Laparoskopie

Guten Tag, Herr/Frau X,

ich habe gerade mit dem Oberarzt gesprochen: Bei Ihnen ist eine *Bauchspiegelung* nötig :-) Haben Sie davon schon mal gehört?

Ich versuche, Sie über alles aufzuklären. Wenn ich zu schnell spreche oder wenn Sie etwas nicht verstanden haben, sagen Sie mir bitte Bescheid, okay?

Zur Untersuchung des Bauchraums wird kein großer Bauchschnitt durchgeführt, keine Sorge. In der Laparoskopie machen wir stattdessen üblicherweise 3 sehr kleine Schnitte – einen am Nabel und die anderen seitlich dazu. Durch diese kleinen Schnitte führen wir einen Schlauch mit einer Kamera am Ende und anderen Instrumenten in ihren Bauchraum ein. Bevor wir das aber machen, werden wir Ihren Bauch aufblasen, sodass wir alles gut sehen können und genug Platz zum Operieren haben. Das Gute an dieser Methode ist, dass die Heilung sehr schnell und mit wenig Schmerzen verbunden ist. Natürlich werden Sie aber – wie bei einer „klassischen" Operation – eine Narkose bekommen.

Manchmal bekommen die Patienten danach einige Tage eine Drainage, das heißt einen sehr dünnen Schlauch, durch den krankhafte oder vermehrte Körperflüssigkeiten abgeleitet werden können. Das ist normal nach einer Operation.

Nach einigen Tagen werden Sie sich viel besser fühlen. Doch auch wenn man von außen fast nichts sehen kann, vergessen Sie bitte nicht, dass es eine Operation war: Innerlich haben Sie noch Wunden, die heilen müssen. Schonen Sie sich daher einige Wochen und übertreiben Sie es nicht mit Sport oder dem Heben schwerer Sachen.

Haben Sie bisher Fragen?

Gut. Dann machen wir weiter. Nämlich mit etwas, das Sie vermutlich lieber nicht hören würden, aber es muss dennoch besprochen werden: das Thema Komplikationen. Das heißt nicht, dass wir Komplikationen erwarten, sie sind jedoch nicht gänzlich auszuschließen.

Wie bei jeder anderen Operation können auch im Rahmen einer Laparoskopie Komplikationen auftreten.

- Man muss immer eine Thrombose oder Embolie in Betracht ziehen.
- Blutungen und Nachblutungen sind auch möglich. Falls es zu stark blutet, bekommen Sie eine Bluttransfusion – auch da gibt es ein ganz kleines Risiko: dass Sie eine HIV- oder HBV/HCV-Infektion bekommen. Klar, das Blut wird immer sehr gut untersucht. Aber da bleibt trotzdem ein minimales Risiko.
- Infektionen und Wundheilungsstörungen sind möglich.
- Die Schnitte werden ca. … cm groß sein. Falls nötig, kann es sein, dass meine Kollegen einen Schnitt erweitern müssen oder doch klassisch operieren, z. B. wenn etwas verletzt wird.
- Bei aller Vorsicht kann es zur Verletzung der Gefäße/Nerven oder der benachbarten Organe kommen. Ganz selten, aber es kann passieren.

- Es kann auch sein, dass Sie danach blaue Flecke haben.
- Und schließlich: Wir bemühen uns, die Naht immer unauffällig zu machen, aber manchmal sieht es am Ende nicht unbedingt perfekt aus. Also kosmetisch ungünstige Ergebnisse wären auch ein „Risiko".
- Wenn wir im Fall eines Tumors operieren und sich im Labor herausstellt, dass er bösartig war, muss man leider noch mal operieren, um ihn vollständig zu entfernen (Re-Operation).

Haben Sie Fragen?

Gut, dann wäre meine Bitte, dass Sie einmal hier unterschreiben, dass Sie alles gehört und verstanden haben und mit der Untersuchung einverstanden sind.

5.16 Allgemeine OP-Aufklärung

Guten Tag, Herr/Frau X,

Sie haben …

Dafür ist eine Operation notwendig, nämlich eine sogenannte … Haben Sie davon schon mal gehört?

Dann besprechen wir den ganzen Verlauf zusammen. Wenn ich zu schnell spreche oder wenn Sie etwas nicht verstanden haben, sagen Sie mir bitte Bescheid, okay?

LittleDoc meint

Wenn Patienten sehen, dass Sie die Aufklärung machen, könnte ihre Angst sein, dass Sie auch (allein) operieren werden. „Machen Sie sich keine Gedanken, Herr/Frau X. Auf keinen Fall werde ich die Operation (allein) durchführen. Nein, das machen die Oberärzte./Nein, die Oberärzte sind immer dabei. Ich möchte mit Ihnen nur den Verlauf und die Risiken besprechen."

So. Sie werden vor der Operation auf jeden Fall eine Narkose bekommen und darüber werden Sie auch mit den Kollegen in der Anästhesie noch einmal sprechen. Sie dürfen vor der Operation nichts essen oder trinken. Das ist uns ganz wichtig. Ich weiß, dass viele Patienten sich Sorgen machen, dass es wehtut oder dass es unangenehm ist – aber Sie werden schön „schlafen" und nichts mitbekommen.

Wir werden auf … (Ort) einen Schnitt machen. Dadurch können wir die Organe sehen. Dann … *(hier 2–3 Sätze zur Technik nennen).* Ich weiß, das klingt ganz schrecklich, aber es ist viel leichter getan als erklärt.

Haben Sie bisher Fragen?

Gut. Dann machen wir weiter. Nämlich mit etwas, das Sie vermutlich lieber nicht hören würden, aber es muss dennoch besprochen werden: das Thema Komplikationen. Das heißt nicht, dass wir Komplikationen erwarten, sie sind jedoch nicht gänzlich auszuschließen.

- Man muss immer eine Thrombose oder Embolie in Betracht ziehen.
- Blutungen und Nachblutungen sind auch möglich. Falls es zu stark blutet, werden Sie eine Bluttransfusion bekommen – und auch da gibt es ein ganz kleines Risiko: dass Sie eine HIV- oder HBV/HCV-Infektion bekommen. Klar, das Blut wird immer sehr gut untersucht. Aber da bleibt trotzdem ein minimales Risiko.
- Infektionen und Wundheilungsstörungen sind möglich.

- Der Schnitt wird ca. … cm groß sein. Falls nötig, kann es sein, dass meine Kollegen den Schnitt erweitern müssen.
- Bei aller Vorsicht kann es zur Verletzung der Gefäße/Nerven oder der benachbarten Organe kommen. Ganz selten, aber es kann passieren.
- Wenn wir im Fall eines Tumors operieren und sich im Labor herausstellt, dass er bösartig war, muss man leider noch mal operieren, um ihn vollständig zu entfernen (Re-Operation).
- Es kann auch sein, dass Sie danach blaue Flecke haben. Oder dass Sie Blutansammlungen oder andere Flüssigkeitsansammlungen nach der OP bekommen.
- Manchmal legen die Kollegen eine Drainage, das heißt einen sehr dünnen Schlauch, durch den krankhafte oder vermehrte Körperflüssigkeiten abgeleitet werden können. Das ist normal nach einer Operation. Die soll für ein paar Tage bleiben, also nicht wundern nach der OP: „Was ist das denn?!"
- Und schließlich: Wir bemühen uns, die Naht immer unauffällig zu machen, aber manchmal sieht es am Ende nicht unbedingt perfekt aus. Also kosmetisch ungünstige Ergebnisse wären auch ein „Risiko".

So. Ich habe Sie genug erschreckt. Ach, das wird schon. Sie sind in guten Händen, das Team ist sehr gut.

Haben Sie Fragen?

Gut, dann wäre meine Bitte, dass Sie einmal hier unterschreiben, dass Sie alles gehört und verstanden haben und dass Sie mit der Untersuchung einverstanden sind.

II Prüfungsrelevantes Fachwissen

KAPITEL

6 Kardiologie und Gefäßmedizin

6.1 Arterielle Hypertonie (aHT)

- Messung zu verschiedenen Zeitpunkten
- Messung an beiden Armen und Beinen (➤ Tab. 6.1)
  - BD-Differenz zwischen Armen → Aortenbogensyndrom, Aortendissektion, Subclavia-Verschluss?
  - BD-Differenz zwischen Armen und Beinen > 20 mmHg → Aortenisthmusstenose?
- BD > 140/90 mmHg → ↑ kardiovaskuläres Risiko
- „Fun Fact“: BD sinkt normalerweise nachts um ca. 10 mmHg
  - bei etwa ⅔ aller sekundären Hypertonieformen gibt es keine Blutdruckabsenkung (die Patienten heißen dann „Non-Dipper“)

Tab. 6.1 Einteilung der arteriellen Hypertonie (nach DGK 2018) [W854-008]

	Systolischer BD (mmHg)	Diastolischer BD (mmHg)
optimal	< 120	< 80
normal	< 1129	< 84
hochnormal	130–139	85–89
leichte Hypertonie **(Grad I)**	140–159	90–99
mittelschwere Hypertonie **(Grad II)**	160–179	100–109
schwere Hypertonie **(Grad III)**	≥ 180	≥ 110
isolierte systolische Hypertonie	≥ 140	< 90

6.1.1 Ätiologie

- essenzielle Hypertonie > 90 % der Fälle; multifaktoriell
- sekundäre Hypertonie (Beispiele):
  - *renale* Hypertonie: renoparenchymatöse oder renovaskuläre Erkrankungen, z. B. Glomerulonephritis, Nierenarterienstenose (Doppler?)
  - *endokrine* Funktionsstörungen: Hyperthyreose, Conn-Syndrom, Cushing-Syndrom, Akromegalie, Phäochromozytom

- *kardiovaskuläre* aHT: Aortenisthmusstenose (klinisch: RR-Seitendifferenz!)
- Schlafapnoe-Syndrom
- *Schwangerschaft*

CAVE!
Präeklampsie → Eklampsie/HELLP-Syndrom

- *Medikamente:* Steroide, Ovulationshemmer, GKK, NSAR, Cyclosporin A
- *Drogen:* Kokain, Amphetamine
- *Enzephalitis*
- *rheumatologische* Krankheiten: SLE, Vaskulitiden
- *Schmerzen*
- *Lakritz* → NaCl und Wasser-Retention

6.1.2 Diagnostik

- *Anamnese*
  - Risikofaktoren (Beispiele):
    - Nikotinabusus
    - Adipositas
    - Hyperlipidämie
    - Diabetes mellitus
    - Medikamente
    - familiäre Disposition
    - Stress
    - hoher Alkohol-/Kaffeekonsum
    - hoher Salzkonsum
  - Klinik
    - Kopfschmerzen
    - Schwindel
    - Tinnitus
    - Nasenbluten
    - Belastungsdyspnoe
  - Familienanamnese
    - Herzkrankheiten
    - Nierenkrankheiten
    - Apoplex
    - aHT
- *körperliche Untersuchung*
  - BD-Messung (in Ruhe, im Seitenvergleich, richtige Manschettengröße, verschiedene Zeitpunkte), 24-Stunden-Blutdruckmessung
  - Pulsmessung (Pulsus durus)
  - Auskultation Herz, Gefäße, Nierenarterien
  - Augenhintergrund

LittleDoc meint

Bei keiner der in diesem Buch genannten Krankheiten werden Sie ALLE Symptome oder Risikofaktoren bei Ihrem FSP-Patienten antreffen! Und auch im Klinikalltag nicht … Für ein genaues Vorgehen in der aHT-Diagnostik: s. aktuelle *Leitlinien!*

- *Laboruntersuchung*
  - BB
  - Glukose
  - Krea
  - Elektrolyte – K ↓ (M. Conn?)
  - Harnsäure
  - Cholesterin und Triglyzeride
  - Urineiweiß (Mikroalbumin!)
  - Renin-Aldosteron Quotient – M. Conn? (sek. aHT)
  - Adrenalin, Noradrenalin – Phäochromozytom? (sek. aHT)
  - Kortisol/24 Stunden Urin, Dexamethason Hemmtest – M. Cushing? (sek. aHT)
- *Abdomen-Sonografie* – Nieren, Nebennieren beurteilen
- *Duplex Nierenarterien* – Aneurysma, Stenosen
- *EKG*
- *Echokardiografie*

6.1.3 Komplikationen

- *Gehirn*
  - Schlaganfall
  - Massenblutung
  - Mikroangiopathie/vaskuläre Demenz
- *Herz*
  - Linksherzhypertrophie
  - hypertensive Kardiomyopathie
  - KHK und Myokardinfarkt
  - Herzinsuffizienz
- *Gefäße*
  - pAVK
  - Aortendissektion
  - Bauchaortenaneurysma
- *Niere:* hypertensive Nephropathie → Niereninsuffizienz
- *Augen:* hypertensive Retinopathie (sehr gefährlich, wenn der diastolische BD > 100 mmHg!)

6.1.4 Therapie

- *Lebensstiländerung*
  - Kochsalzrestriktion max. 5–6 g pro Tag
  - Lakritz-Konsum begrenzen
  - C_2 -Konsum begrenzen
  - mehr Gemüse und Obst, Milchprodukte mit niedrigem Fettgehalt
  - Gewichtsreduktion
  - 30 Minuten/d Bewegung
  - Nikotinkarenz

- *Antihypertensiva* – Ziel < 140/90 mmHg (bei DM < 140/80–85 mmHg)
  - Diuretika
  - ACE-Hemmer – nephroprotektiv (↓ vasonkonstriktorische Wirkung von Angiotensin II an der efferenten Arteriole + ↓ intraglomerulärer Kapillardruck → ↓ Proteinurie)
  - AT1-Rezeptorantagonisten (Sartane)
  - β-Blocker
  - Kalziumkanalblocker

MERKE

Asthma → Ø non-selektive β-Blocker
Gicht → Ø Diuretika, sonst ↑ Harnsäure
Niereninsuffizienz → Ø K^+-sparende Diuretika
Herzinsuffizienz → Ø Kalziumantagonisten, weil inotrop neg.
KHK → Ø Dihydralasin, weil vasodilat.

6.1.5 Hypertensiver Notfall

= akuter Blutdruckanstieg + Schädigungen verschiedener Organe

- mögliche Komplikationen
  - Sehstörungen, frische Blutungen und Papillenödem (Augenhintergrund)
  - Hochdruck-Enzephalopathie, Bewusstseinsstörungen, intrakranielle Blutungen, Schwindel
  - Lungenödem
  - dissezierendes Aortenaneurysma
  - instabile Angina pectoris, Myokardinfarkt
- Therapie
  - Nitroglyzerin 1,2 mg Spray oder Kapsel
  - Nifedipin oder Nitrendipin – nur wenn es keine instabile Angina pectoris ist
  - Uradipil 25 mg i. v.
  - Clonidin 0,075 mg i. v. langsam (nicht bei Enzephalopathie)

CAVE!

Zerebrale Minderperfusion Risiko → Blutdrucksenkung um ca. 25 % bzw. auf 100–110 mmHg diastolisch innerhalb von ≥ 2 Stunden.

6.2 Koronare Herzkrankheit

= die Arteriosklerose der Koronararterien → Abweichung zwischen O_2-Angebot und O_2-Bedarf →

- Angina pectoris
- Herzrhythmusstörung
- Myokardinfarkt

6.2.1 Ätiologie

- aHT
- Nikotinabusus
- Hyperlipoproteinämie
- DM

6.2.2 Klinik

Angina pectoris = retrosternaler Druckschmerz mit Ausstrahlung in den linken Arm, Unterkiefer, Epigastrium oder Rücken

- *stabile Angina pectoris*
  - Belastungsabhängig + sistiert in Ruhe oder Vasodilatatoren (Glyceroltrinitrat).
- *instabile Angina pectoris*
  - tritt auch in Ruhe auf
  - dauert > 10 Minuten
  - Vasodilatatoren haben Ø Effekt
  - primär = jede Erstangina
  - sekundär: ↑ Stärke und ↑ Frequenz → steigende Medikamentendosierungen nötig
- *Prinzmetal- oder vasospastische Angina*
  - koronarer Spasmus
  - reversible ST-Hebungen
  - Ø Troponin- und CK-Anstieg
  - Therapie: Nitraten und Kalziumantagonisten
  - ⊗ β-Blocker! (Vasokonstriktion)

6.2.3 Diagnostik

- Ruhe-EKG
- Belastungs-EKG
  - horizontale oder deszendierende Senkung der ST-Strecke ≥ 0,1 mV in den Extremitätenableitungen
  - horizontale oder deszendierende Senkung der ST-Strecke ≥ 0,2 mV in den Brustwandableitungen
  - ↑ der ST-Strecke ≥ 0,1 mV
- Perfusionsmyokardszintigrafie: invasiv, bei unklaren Belastungs-EKG-Befunden, in Ruhe und nach Belastung
  - belastungsabhängige Minderperfusion: reversible Aktivitätsminderung unter Ergometriebelastung; in Ruhe o. p. B.
  - Myokardnarben (Z. n. MI): irreversible Aktivitätsverminderung; auch in Ruhe pathologisch
- Stress-Echokardiografie oder Kardio-MRT: Wandbewegungsstörungen bei Belastung
- Koronarangiografie: *Goldstandard der Diagnostik*, invasiv, aber auch therapeutisch

6.2.4 Therapie

- Ziel: ↓ Sauerstoffverbrauch und ↑ Sauerstoffangebot
- Risikofaktoren ↓:
  - Nikotinkarenz
  - Gewichtsabnahme
  - körperliche Bewegung
  - fettarme, ballaststoffreiche Ernährung
  - kein Dysstress, mehr Eustress
  - LDL 70–115 mg/dl (abhängig von Risiko), HDL > 40 mg/dl, Triglyzeride < 200 mg/dl
- *stabile Angina pectoris*
  - Rekanalisation: PTCA/Stenting
  - Bypass-Operation: für koronare Dreigefäßerkrankung oder ↑ Syntax Score II (kann man mit einer Software oder App berechnen)
  - Vorteil: Restenosierung nach OP < Restenosierung nach interventionellen Verfahren
  - Medikamente
    - ASS/Clopidogrel
    - ACE-Hemmer
    - β-Blocker oder Kalziumkanalblocker Ivabradin oder Ranolazin (Piperazinderivat; selektiver Inhibitor des Natrium-Einstroms ins Myokard)
    - Nitrate oder Molsidomin: keine Toleranzentwicklung
    - Statine – Ziel: LDL < 70–115 mg/dl (abhängig von Risiko)
- *instabile Angina pectoris:* s. Myokardinfarkt

LittleDoc meint

Die LDL- und HDL-Normwerte sind wichtig!

6.3 Exkurs: Belastungs-EKG

- **Wichtig** für die Prognose und den Effekt der Therapie [und weil die Prüfer nach diesem Thema fragen]!

6.3.1 Prozedere

- Körperliche Belastung + EKG-Schreiben + BD-Messung
- Man kann ein Fahrradergometer, ein Laufband und eine Kletterstufe einsetzen oder man kann Dobutamin, Adenosin oder Dypiridamol nutzen (bei Patienten mit lokomotorischen Beschwerden).
- Mit dem Fahrradergometer:
  - Zuerst wird in körperlicher Ruhe ein EKG geschrieben und der Blutdruck gemessen.
  - Dann beginnt die körperliche Belastung – zunächst mit einem geringen Widerstand, der in Watt gemessen wird. Am Anfang 50 (oder 25) Watt.
  - Nach jeder Minute: EKG mit schneller Registriergeschwindigkeit kurz schreiben + BD-Messung.

- Alle 2–3 Minuten wird der Gegenstand um 25 Watt ↑, bis der Patient erschöpft ist, bis er Angina bekommt, bis man mindestens 70 % der maximalen Herzfrequenz erreicht oder wenn bestimmte krankhafte Veränderungen der EKG-Kurve oder Herzrhythmusstörungen auftreten:
  - ST-Elevation oder ST-Senkung > 0,2 mV
  - ventrikuläre oder bradykarde Herzrhythmusstörungen
  - systolischer BD > 240 mmHg oder diastolischer BD > 115 mmHg
  - Blutdruckabfall
  - Ø physiologischer Blutdruckanstieg
- Die maximale Herzfrequenz = 220 minus Lebensalter
- Am Ende schreibt man noch 3–5 Minuten ein EKG und misst minütlich den BD

6.3.2 Absolute Abbruchkriterien

- Erreichen der maximalen Herzfrequenz
- kein Frequenzanstieg
- Blutdruckabfall > 10 mmHg
- kein systolischer Blutdruckanstieg
- Blutdruck > 240 mmHg systolisch, > 115 mmHg diastolisch
- Arrhythmien, Blockierungen (AV oder Schenkelblock)
- körperliche Erschöpfung und/oder Atemnot, Zyanose, Schwindel, Kaltschweißigkeit, Bewegungsstörung

6.3.3 Auswertung

- *Normalbefund*
  - Tachykardie, regelmäßiger Herzrhythmus ± Extrasystolen
  - maximaler systolischer BD 260 mmHg
  - normale Luftnot
  - keine Beschwerden
- *pathologisch*
  - Herzrhythmusstörungen
  - mehrere direkt aufeinanderfolgende Extraschläge (*Salven* oder wenn > 7 direkt aufeinander = „ventrikuläre Tachykardie")
  - komplexe Arrhythmien
  - neu aufgetretene deszendierende oder horizontale ST-Senkungen ≥ 0,1 mV, 80 msec nach dem J-Punkt
  - weitere Absenkung um 0,1 mV bei ST-Senkungen auch im Ruhe-EKG
  - aszendierend verlaufende ST-Strecke mit einer Senkung ≥ 0,15 mV, 80 msec nach dem J-Punkt
  - ST-Hebungen ≥ 0,1 mV (aber: ST-Hebungen ≥ 0,1 mV sind häufig nach einem Q-Zacken-Infarkt nachweisbar und weisen dann nicht unbedingt auf eine Ischämie hin)
  - Angina pectoris

6.3.4 Normen

- PWC = Physical Work Capacity = Watt/Körpergewicht
- Man kann die letzten Werte des Patienten als Vergleich nehmen oder die normalen Werte in speziellen Tabellen ablesen → Prognose?

6.4 Akuter Myokardinfarkt

= Myokardnekrose aufgrund eines Koronararterienverschlusses

- akutes Koronarsyndrom = STEMI + non-STEMI + instabile Angina pectoris

LittleDoc meint

Notfall!

Siehe Prozedere im Kapitel „Handlungsplan im Notfall".

6.4.1 Ätiologie

- Arteriosklerose → Thrombose durch Plaque-Ruptur
- Koronarspasmus
- Koronariitis
- Embolie
- Risikofaktoren
  - nicht beeinflussbar
    - männliches Geschlecht
    - höheres Lebensalter
    - Familienanamnese
  - beeinflussbar
    - Nikotin
    - aHT
    - Hyperlipoproteinämie und Dyslipoproteinämie (LDL > 160 mg/dl und HDL < 35 mg/dl)
    - DM
    - Adipositas
    - Bewegungsmangel
    - psychosoziale Faktoren

6.4.2 Klinische Einteilung

- *Typ 1:* spontan, wegen eines Thrombus in einer oder mehreren Koronararterien
- *Typ 2:* ischämiebedingt, mit Myokardnekrose, bei Embolien, Koronarspasmen, aHT, arterieller Hypotonie oder Anämie, Arrhythmien usw.
- *Typ 3:* klassische Symptome der Ischämie + EKG-Veränderungen, Kammerflimmern, schneller Exitus
- *Typ 4:* bei (oder nach) einer perkutanen Koronarintervention
- *Typ 5:* bei (oder nach) einem Koronararterienbypass

6.4.3 Klinik

- retrosternaler oder linksthorakaler Schmerz
- Ausstrahlung in den linken Arm, seltener in den Oberkiefer, in die Schulter oder das Epigastrium
- Unruhe
- Todesangst

TIPP

Patienten mit Diabetes mellitus → manchmal keine Schmerzen wegen Neuropathie → Diagnose aufgrund der vegetativen Symptome: Übelkeit, Erbrechen, starkes Schwitzen, Unruhe und Todesangst.

- Atemnot (Linkherzinsuffizienz)
- körperliche Untersuchung: Herzinsuffizienz (Ödeme, Rasselgeräusche), Perikardreiben, ↓ Atemgeräusch, akutes Abdomen?

6.4.4 Diagnostik

- 12-Kanal-EKG innerhalb von 10 Minuten (➤ Tab. 6.2)
  1. *frischer MI*
     - R klein
     - starke ST-Hebung
     - T positiv
  2. *Zwischenstadium*
     - Tiefe Q-Zacke
     - R klein
     - ST-Strecke noch erhöht
     - T negativ
  3. *Folgestadium*
     - Tiefe Q-Zacke
     - R klein
     - ST isoelektrisch
     - T negativ

Tab. 6.2 Myokardinfarkt-Lokalisation in den EKG-Ableitungen

Infarkt	Ableitungen
kompletter Vorderwandinfarkt	V_1–V_6, aVL, I
anteroseptaler Infarkt	V_1–V_4, aVL, I
Lateralinfarkt	I, aVL, V_5–V_6
Posterolateralinfarkt	II, III, aVF, V_{5-6}
Hinterwandinfarkt	V_7–V_9, aVF, III
inferiorer Hinterwandinfarkt	II, III, aVF
rechtsventrikulärer Infarkt	V_{3r}–V_{6r}, V_1

4. *alter MI*
   - Q pathologisch = Pardee-Q > 40 ms oder > ¼ der Amplitude der folgenden R-Zacke
   - R normal
   - ST isoelektrisch
   - T positiv
- Herzenzyme: Gesamt-CK, CK-MB, GOT, LDH
- Myoglobin
- Troponin (*Cave:* falsch positive Ergebnisse!)

LittleDoc meint

Diese Parameter werden Sie auch im Klinikalltag verfolgen – unabhängig von Ihrem Fachbereich!

CAVE!

EKG unauffällig + Labor unauffällig → instabile Angina pectoris
EKG unauffällig + Labor (Troponin) auffällig → NSTEMI
EKG auffällig + Labor auffällig → STEMI

Zusätzlich nach der Revaskularisation:
- Röntgen-Thorax (Herzgröße, Lungenstauung, Pleuraerguss? → Herzinsuffizienz?)
- Echokardiografie (Herzinsuffizienz, Thromben, Herzwandaneurysma)

6.4.5 Differenzialdiagnosen

- Angina pectoris (< 5 min, ↓ Schmerzen in Ruhe und nach Glyceroltrinitrat)
- Perikarditis (Einatmen → ↑ Schmerzen)
- Lungenembolie (Husten, TVT)
- dissezierendes Aneurysma der thorakalen Aorta (Schmerzausstrahlung in den Nacken, den Rücken und die Beine)
- Pneumothorax
- Boerhaave-Syndrom (nach heftigem Erbrechen, z. B. bei Alkoholexzess, Schwangerschaft usw.)

6.4.6 Therapie

- den Patienten hinsetzen (Oberkörper-Hochlagerung), beruhigen
- venösen Zugang legen
- Glyceroltrinitrat-(Nitrolingual-)Spray 2 Hübe (↓ Schmerzen binnen 1–2 min → Angina pectoris)
- Sauerstoff
- Morphin i. v.
- Metoclopramid
- duale Thrombozytenaggregationshemmung: Acetylsalicylsäure + $P2Y_{12}$-Hemmer (Clopidogrel, Prasugrel)
- Heparini. v. bei typischen EKG-Veränderungen → Heparinperfusor oder niedermolekulares Heparin (Enoxaparin)

- bei Bradykardie Atropin i. v., bei Tachykardie β-Blocker mit kurzer Halbwertszeit (z. B. Esmolol) i. v.
- ggf. Diazepam
- ggf. GPIIb/IIIa-Rezeptor-Antagonisten (z. B. Abciximab) → Hemmung der Thrombozytenaggregation
- STEMI → *Rekanalisation* durch Akut-PTCA und Stentimplantation binnen 90 Minuten *ODER Thrombolyse* mit Fibrinolytika (Streptokinase, Urokinase, rekombinanter Gewebeplasminogenaktivator [rt-PA]) – in Regionen ohne rechtzeitig erreichbaren Herzkatheter
- danach:
  - Normalisierung des BZ bei DM
  - Statine, β-Blocker und ACE-Hemmer
  - intensivmedizinische Überwachung

6.5 Globale Herzinsuffizienz

= akutes oder chronisches Unvermögen des Herzens, den Organismus ausreichend mit Blut zu versorgen

6.5.1 Ätiopathogenese

- *hypertensive Herzkrankheit*
  - Hypertrophie-Zeichen
  - Erregungsrückbildungsstörung im EKG
  - arterielle Hypertonie
  - nach links verlagerter hebender Herzspitzenstoß
  - verstärkter 2. Aortenton
- *koronare Herzkrankheit*
- *Vitium*
  - Systolikum bei der Auskultation über der Herzspitze → Mitralinsuffizienz
  - Zeichen der Linksherzhypertrophie im EKG: Sokolow-Lyon-Index (S in V1 + R in V5≥ 3,5 mV) – meistens bei einer gleichzeitigen hypertensiven Herzkrankheit
- *Linksherzinsuffizienz – Ursachen*
  - Hypertonie
  - KHK
  - Herzrhythmusstörungen
  - Perikard Tamponade
  - Endo- oder Myokarditis
  - dilatative Kardiomyopathie Herzklappenfehler
- *Rechtsherzinsuffizienz – Ursachen*
  - chronische Linksherzinsuffizienz
  - durch Lungenembolien → BD ↑ im kleinen Kreislauf
  - chronische Lungenerkrankungen: Lungenfibrose, pulmonale Hypertonie oder COPD usw.

6.5.2 Klinik

- Linksherzinsuffizienz:
  - Leistungsminderung
  - Belastungsdyspnoe
- Bei Chronifizierung:
  - Müdigkeit
  - Flüssigkeitsretention
  - alte arterielle Hypertonie
  - zerebrale Funktionsstörungen
  - periphere Zyanose und zentrale Zyanose
  - kardiales Lungenödem → Dyspnoe
- Rechtherzinsuffizienz:
  - Nykturie durch Rückresorption der Ödeme in horizontaler Lage (nachts)
  - Halsvenenstauung (positiver hepatojugulärer Reflux)
  - Beinödeme bis zu Anasarka
  - Gewichtszunahme
  - Stauungsenteropathie mit Malabsorption (Medikamentenwirkung ↓)
  - stauungsbedingte Leberzirrhose (*Cirrhose cardiaque*)
- Bei Rückwärtsversagen mit Blutrückstau in das Lungengefäßbett:
  - feine Rasselgeräusche
  - Beinödeme
  - zentrale Zyanose
  - bläuliche Verfärbung von Wangen- und Zungenschleimhaut
  - Venenstauung an Zungengrund und Hals
  - Aszites
- *Kompensationsmechanismen*
  - Herzhypertrophie
    - Schlagvolumen ↑
    - Sauerstoffbedarf ↑
    - Koronardurchblutung ↓
  - Sympathikusaktivierung
    - Herzfrequenz und Kontraktionskraft ↑
    - Umverteilung des Blutes zu lebenswichtigen Organen
    - Sauerstoffbedarf ↑
    - Koronardurchblutung ↓
  - Aktivierung des Renin-Angiotensin-Aldosteron-Systems
    - Vorlast und Ventrikelvordehnung ↑ → Schlagvolumen ↑ (Frank-Starling-Mechanismus)
    - Nachlast ↑
    - Blutstau in den Lungen
  - Die Herzinsuffizienz wird in verschiedene Stadien entsprechend der Leistungsfähigkeit des Patienten eingeteilt (➤ Tab. 6.3)

Tab. 6.3 NYHA-Einteilung der Herzinsuffizienz (nach Pottgießer & Ophoven 2015) [W917]

Grad	Klinik
NYHA **I**	ohne körperliche Limitation
NYHA **II**	leichte Einschränkung der körperlichen Leistungsfähigkeit und Beschwerden bei alltäglicher Belastung
NYHA **III**	↑ Beschwerden bei alltäglicher körperlicher Belastung und ↑ Einschränkung der körperlichen Leistungsfähigkeit, Ø Beschwerden in Ruhe
NYHA **IV**	Beschwerden in Ruhe

6.5.3 Diagnostik

- Röntgen-Thorax
  - Lungenerkrankung
  - Vitium (Herzkonfiguration und Größe)
  - Pleuraergüsse
  - Lungenstauung
- Echokardiografie
  - Linksherzhypertrophie
  - Vitiums (Systolikum)
  - Kontraktilitätsstörungen (alter MI?)
- Belastungs-EKG
- Brain Natriuretic Peptide (BNP)
  - wenn normal (< 100 pg/ml), kann eine Herzinsuffizienz ziemlich sicher ausgeschlossen werden
  - wenn > 400 pg/ml → Hinweis Herzinsuffizienz

6.5.4 Therapie

- kochsalzarme Kost
- Flüssigkeitsrestriktion (2–2,5 l pro Tag)
- *NYHA-Stadium I*
  - ACE-Hemmer, wenn MI
  - β-Blocker
- *NYHA-Stadium II*
  - ACE-Hemmer oder AT-II-Rezeptor-Antagonisten
- *NYHA III–IV*
  - Aldosteron-Antagonisten (Spironolacton, Eplerenon)
  - Ivabradin: blockiert If-Kanäle im Sinusknoten
- *bei ausgeprägten Ödemen und ab NYHA-Stadium III*
  - zusätzlich Diuretika
- *bei sehr schlechter Pumpfunktion*
  - Implantation eines Kardioverter-Defibrillators (ICD)
  - kardiale Resynchronisationstherapie mit biventrikulärer Stimulation/Schrittmacher (CRT)

- *Indikationen der kardialen Resynchronisationstherapie*
  - NYHA III, IV wo die Therapie Ø Erfolg hat
  - Ejektionsfraktion < 35 %
  - kompletter Linksschenkelblock (QRS Komplex > als 120 ms)
  - Stimulationsanteil > 40 % bei Schrittmacherversorgung
  - enddiastolische linksventrikuläre Dilatation > 55 mm
- *bei Vorhofflimmern oder -flattern*
  - Herzglykoside

6.6 Periphere arterielle Verschlusskrankheit (pAVK)

= **chronische Einengung des Lumens peripherer Arterien**

- am häufigsten betroffen: Beinarterien (➤ Tab. 6.4)

Tab. 6.4 Die häufigsten Formen der pAVK

Beschwerden	Stenose	Typ
Gesäß, Hüfte, Oberschenkel	A. Aorta, A. iliaca	Beckentyp
Wade	A. femoralis, A. poplitea	Oberschenkeltyp
Fußsohle, Zehen	Unterschenkelarterien, Fußarterien	peripherer Typ

6.6.1 Ätiologie

- obliterierende Arteriosklerose

CAVE!
KHK- und Apoplex-Risiko ↑
Alle Gefäße sind betroffen!

- Gefäßanomalien
- Gefäßspasmen
- Raynaud-Syndrom
- Vaskulitis (z. B. Panarteriitis nodosa)

6.6.2 Klinik

- stadienabhängig (➤ Tab. 6.5), s. *S3-Leitlinie* zur pAVK (DGA 2024)
- *Stadium I*
  - beschwerdefrei
  - trophische Störungen: Hautschuppung, lokaler Haarausfall, Nageldystrophie
- *Stadium II*
  - belastungsabhängiger Schmerz = Claudicatio intermittens – ab 75 % Verschluss des Gefäßes (ergo „*Schaufensterkrankheit*“)

Tab. 6.5 Klinische Stadieneinteilung der pAVK nach Fontaine

Stadium	Klinik
Stadium **I**	Beschwerdefreiheit
Stadium **II**	Claudicatio intermittens: • schmerzfreie Gehstrecke > 200 m • schmerzfreie Gehstrecke < 200 m
Stadium **III**	Ruheschmerz
Stadium **IV**	Ulkus, nekrotische Veränderungen

- *Stadium III*
  - meist nächtliche Ruheschmerzen
- *Stadium IV*
  - Nekrosen bzw. Gangrän (z. B. der Zehen)

LittleDoc meint

Bitte hier auch das Kapitel zu „Ulcus cruris" lesen!

6.6.3 Diagnostik

- Lagerungsprobe nach Ratschow: St. I, II, nicht III, IV – schwache hämodynamische Kompensation
  - Beine anheben und Kreise machen
  - bei pAVK Abblassen der Fußsohlen beim Abheben + verzögerte Rotfärbung der Füße nach Absenken der Beine
  - um den Erfolg der Therapie durch Kollateralgefäßbildung zu überprüfen
- DM-Einstellung (HbA1c, BZ, Urineiweiß)
- Bestimmung von Cholesterin, HDL, LDL und Triglyzeriden
- 24-Stunden-Blutdruckmessung
- Laufbandtest zur Objektivierung der Gehstrecke
- Messung des Doppler-Verschlussdrucks an beiden Füßen und Armen in Ruhe und bei Belastung → Arm-Bein-Index → Durchblutungsstörung?
  - ABI: normal > 1 (0,9–1,2)
  - Wenn < 0,9 → pAVK
    - leicht: 0,9–0,75
    - mittelschwer: 0,75–0,5
    - schwer: < 0,5 (kritische Ischämie)
- Bei DM: Hydroxylapatitkristalleinlagerung in den Gefäßwänden → ↓ Elastizität = *Mönckeberg-Mediasklerose* → falsche Messungen (ABI ↑)
  - transkutaner Sauerstoffpartialdruck: normal ~ 60 mmHg, pathologisch < 30 mmHg
  - Doppler-Sonografie: Lokalisation und Schweregrad der Gefäßstenose
  - Farbduplexsonografie: Lokalisation, Ausdehnung, Morphologie und Schweregrad der Gefäßstenose
  - MR-Angiografie (oder CT-Angiografie)
  - arterielle digitale Subtraktionsangiografie (DSA)

6.6.4 Differenzialdiagnosen

- Phlebothrombose
- Gelenkarthrose
- degenerative Wirbelsäulen-Erkrankungen

6.6.5 Therapie

- *Stadium I*
  - ASS
  - Verminderung der Risikofaktoren
  - regelmäßige Bewegung
- *Stadium II*
  - Gehtraining 1–2 Stunden/d
  - passendes Schuhwerk
  - regelmäßige Fußpflege
  - ggf. Revaskularisation (Katheter-Angioplastie oder Operation)
- *Stadium III*
  - Revaskularisation: perkutane transluminale Angioplastie (PTA), oder Rotablation oder Laser-Angioplastie
  - große Gefäße (A. iliaca, A. femoralis): Thrombendarteriektomie oder Bypass-OP
  - ggf. i. v. Prostanoiden zur Bildung von Kollateralen
- *Stadium IV*
  - Revaskularisation (s. oben)
  - Wund- und Infektbehandlung: Nekrosen Sanierung
  - Amputation

6.7 Akuter peripherer Arterienverschluss

= plötzlicher Verschluss einer peripheren Arterie

6.7.1 Ätiologie

- Embolie – die häufigste Ursache
  - kardial: Herzrhythmusstörungen, am häufigsten Vorhofflimmern, Klappenfehler z. B. Mitralklappenstenose, MI, Aneurysma
  - Atheromatose (Atheroembolie)
  - andere Typen von Embolien (Thrombus, Luft, Fruchtwasser, Fremdkörper, Fett usw.)
- lokale arterielle Thrombosen + Atherosklerose
- Tumoren → Kompression
- Verletzungen

6.7.2 Klinik

- Spezifisch sind die 6 P:
  - Pain (Schmerz)
  - Parasthesia (Parästhesie)
  - Pulselessness (Pulslosigkeit)
  - Palor (Blässe)
  - Paralysis (Lähmung)
  - Prostration (Entkräftung)

6.7.3 Diagnostik

- Duplexsonografie
- Angiografie, ggf. mit Lyse

6.7.4 Therapie

- Tieflagerung des Beins
- Analgetika – Opioide
- Infusionstherapie
- Vollheparinisierung
- bei komplettem Verschluss: sofort Revaskularisation
- bei inkomplettem Verschluss: Untersuchung, dann Lyse oder Thrombektomie

TIPP
Bitte keine i. a. oder i. m. Spritzen (Fibrinolyse nötig!)

6.8 Tiefe Venenthrombose (TVT)/ Phlebothrombose

= **akuter Verschluss einer tiefen Vene durch einen Thrombus**
- 90 % Becken- oder Beinvenen
- links häufiger – A. iliaca überkreuzt die V. iliaca
- in den Armen (Paget-von-Schroetter-Syndrom) – i. d. R. iatrogen nach einer ZVK-Anlage oder beim Thoracic-outlet-Syndrom

6.8.1 Ätiologie

- angeborene Gerinnungsstörung: Faktor-V-Leiden-Mutation, Fibrinolyse-Defekte, Hyperhomocysteinämie, Protein-C- oder -S-Mangel, AT-III-Mangel usw.
- lange, große Operationen, z. B. TEP

- Östrogen, orale Kontrazeptiva
- Nikotin
- Medikamente, Noxen
- aHT
- Immobilisierung, wegen Krankheit oder z. B. bei langen Reisen („Flugthrombose", „Economy Class Syndrome")
- Strahlenbelastung
- Malignome
- starke Dehydrierung → erhöhte Zellzahl → erhöhte Blut-Viskosität → Hyperkoagulabilität
- immunologische Reaktionen, z. B. nach Transplantaten
- Antiphospholipid-Syndrom (Antikörperbildung gegen Thrombozyten und Gerinnungsfaktoren)
- *Virchow-Trias:* Gefäßwand-/Endothelschädigung + Stase + Hyperkoagulabilität

6.8.2 Klinik

- Schwellung der Extremität (Seitenvergleich!)
- lokale Zyanose, Glanzhaut
- lokale Schmerzen
- körperliche Untersuchung: auf Meyer-Zeichen (➤ Abb. 6.1), Homans-Zeichen (➤ Abb. 6.2), Payr-Zeichen (➤ Abb. 6.3) achten

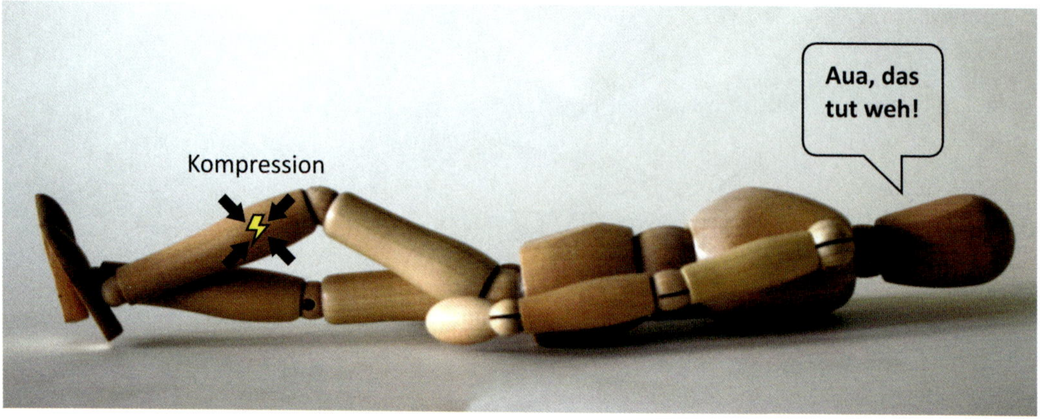

Abb. 6.1 Meyer-Zeichen: Wadenkompressionsschmerz [M1025]

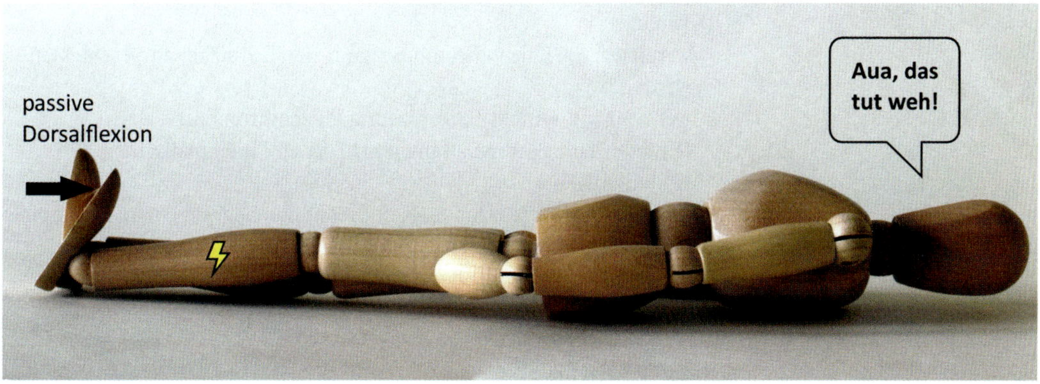

Abb. 6.2 Homans-Zeichen: Wadenschmerz bei Dorsalflexion im Sprunggelenk [M1025]

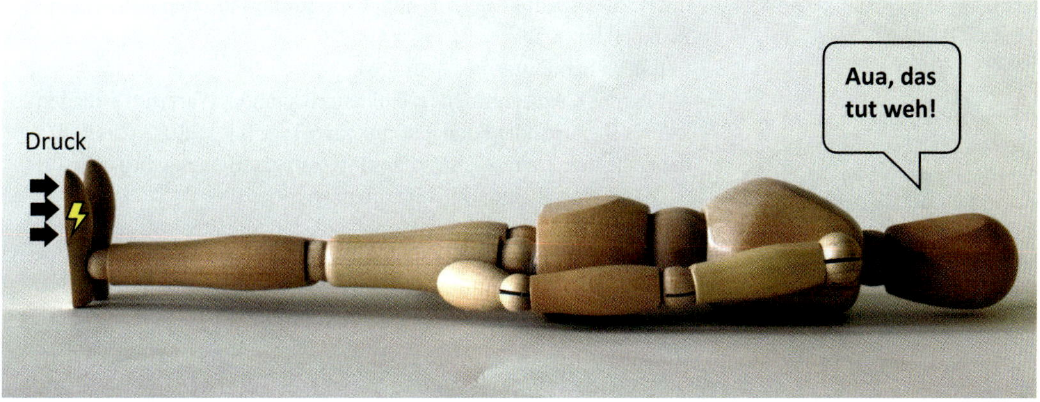

Abb. 6.3 Payr-Zeichen: Schmerz bei Druck auf die Fußsohle [M1025]

6.8.3 Diagnostik

- Wells-Score (nach Wells et al. 2003) – 1 Punkt für jeden Parameter:
  - aktives Malignom
  - Lähmung/Immobilisation der unteren Extremitäten
  - Bettlagerigkeit > 3 Tage oder eine große OP in den letzten 12 Wochen
  - Schmerzen/Verhärtung entlang der tiefen Venen
  - Schwellung im gesamten Bein
  - Unterschenkelumfang-Unterschied > 3 cm
  - eindrückbares Ödem, aber nur am betroffenen Bein
  - sichtbare Kollateralvenen (und nicht im Rahmen vorbekannter Varizen)
  - TVT in der Anamnese
    → bei Verdacht auf eine andere Diagnose, die mindestens genauso wahrscheinlich wie TVT ist, werden am Ende 2 Punkte abgezogen
- Auswertung:
  - < 2 Punkte: TVT-Wahrscheinlichkeit nicht hoch
  - ≥ 2 Punkte: TVT-Wahrscheinlichkeit hoch

- D-Dimere
  - wenn negativ, Phlebothrombose kann ziemlich sicher ausgeschlossen werden
  - wenn positiv → nicht 100-prozentig Phlebothrombose (Differenzialdiagnosen: Malignom? Z. n. OP? Rheumatische Erkrankungen?)
- Phlebosonografie (Farbduplex-Kompressionssonografie): man merkt eine unvollständige Komprimierbarkeit der Venen – *Goldstandard*
- ggf. Angio-CT oder MRT: Beckenvenenthrombose?

6.8.4 Therapie

LittleDoc meint

Für die FSP sind hier nur die „Basics" genannt. Die Therapie wird komplexer bei Patienten mit Nieren- oder Leberfunktionsstörungen, hohen Blutungsrisiken, Lungenembolie, hämodynamischer Instabilität usw. Mehr Infos: *S2k-Leitlinie* zur Diagnostik und Therapie der Venenthrombose und Lungenembolie (DGA 2023).

- Akuttherapie
  - die Wahl des Antikoagulans hängt von Komorbiditäten und Risikofaktoren ab
  - initiale Behandlung:
    - Vitamin K Antagonisten (z. B. Phenprocoumon, Warfarin) + niedermolekures Heparin oder Fondaparinux für 5 Tage (bis INR > 2, Ziel 2–3), dann alleinige Therapie mit Vitamin-K-Antagonisten möglich *oder*
    - DOAK Apixaban und Rivaroxaban
- Erhaltungstherapie: meist 3–6 Monate; nach 6 Monaten soll eine fachliche Reevaluation bzgl. Beendigung oder Fortführung des Antikoagulans stattfinden.

6.9 Chronisch venöse Insuffizienz (CVI)

= Symptome einer chronischen venösen Abflussstörung

6.9.1 Ätiopathogenese

- Venenklappeninsuffizienz (↑ Varikose)
- TVT in den Vorerkrankungen → postthrombotisches Syndrom
- genetische Disposition
- Adipositas
- Abflussstörung → ↑ p(h) → Extravasat → Ödem
- wenn p(h) ↑ ↑ → Extravasat + Erythrozyten → Hämosiderose
- wenn Ödem ↑ ↑ → Ø O2 → Atrophie ± Depigmentierung (Atrophie blanche) → Dermatitis ggf. Liposklerose → Ulzeration

6.9.2 Klinische Klassifikation

Einteilung in Stadien nach Widmer (nach Protz 2012)
- *Stadium I*
  - Erweiterung der Hautvenen (Corona phlebectatica) am medialen und lateralen Fußrand
  - leichte perimalleoläre Ödeme (reversibel)
- *Stadium II*
  - ↑ Ödeme
  - Purpura, Hämosiderose oder Atrophie blanche ± Dermatitis
  - (Lipo-)Dermatosklerose
  - Stauungsekzem mit Juckreiz und allergischen Reaktionen
- *Stadium III*
  - Ulcus-cruris-Narbe oder florid

6.9.3 Diagnostik

- Duplexsonografie
- Farbduplexsonografie: Thrombus-Morphologie
- Phlebografie – selten nötig

6.9.4 Therapie

- regelmäßige Bewegung → ↑ Muskelpumpe und Ø längeres Sitzen oder Stehen
- Kompressionsstrümpfe
- Varikose: Varizenstripping
- Ulzera: lokale Behandlung ± Wickel (ohne Wickel keine Heilung!)

6.9.5 Differenzialdiagnose Beinödeme

- Rechtsherzinsuffizienz
  - beidseits
  - dunkel, hart
  - ↓ beim Beinehochlegen
- Eiweißmangelödem (Leber-/Niereninsuffizienz)
  - beidseits
  - weiß, weich, eindrückbar (Delle bleibt)
- Lymphödem
  - teigig
  - Stemmer-Zeichen: Hautfalte über der zweiten und dritten Zehe verbreitert, tief, Haut nicht abhebbar
- Lipödem
  - Ober- und Unterschenkel bds., ohne Fuß

  - nicht eindrückbar
- Gelenkerguss
  - Schmerzen
  - Bewegungseinschränkung

6.10 Thrombophlebitis

= Entzündung des oberflächliches Venensystems

6.10.1 Klinik

- Schmerzen
- Rötung
- harter Venenstrang palpabel
- ggf. Fieber

6.10.2 Therapie

- falls thrombotisches Material da → entfernen
- pflegende Maßnahmen, Bewegung
- Pat. immobilisiert → ggf. Heparinisierung

6.11 Ulcus cruris

= ein bis in das Corium reichender Hautdefekt

6.11.1 Ätiologie

- meistens Venenerkrankung
- Arterienerkrankung
- rheumatoide Arthritis
- DM, Gicht
- Hautmalignome
- Vaskulitiden
- eine Kombination mehrerer Faktoren

6.11.2 Pathogenese

- venöse Ätiologie: TVT → Klappenschädigung → tiefe Venenektasie und Insuffizienz → Varikose → Blutstauung → ↑ p(h) → Ödem, Hyperpigmentierung, Atrophie, Gefäß-Sklerosierung → trophische Störungen → Ulkus
- arterielle Ätiologie: Verschluss einer Beinarterie → Nekrose (meist trockene Gangrän, Raucherbein) → Ulkusbildung
- Ulcus cruris mixtum: chronisch venöse Insuffizienz + pAVK
- DM: Polyneuropathie + Mikro- und Makroangiopathie + Stoffwechselstörungen + viel Zuckergehalt im Interstitium → bakterielle Infektion → feuchte Gangrän → Malum perforans, meistens auf der Planta (Druckulkus)

6.11.3 Klinik

- tiefer Substanzdefekt im Bereich des Unterschenkels
- Lokalisation
  - venös – meist retromalleolär am Innenknöchel
  - arteriell – meist Zehen, Fußrücken, Malleolus lateralis, Tibiakante
  - arteriovenös – meist prätibial, Fuß
  - DM – meist plantar
- arteriell: schmerzhaft!

6.11.4 Diagnostik

- Fotodokumentation + Wundbeschreibung (s. Kap. „Wundbeschreibung")
- (Farb-)Dopplersonografie
- Phlebografie
- Angiografie
- Röntgen, wenn V. a. Knochenbeteiligung
- Abstrich zur mikrobiologischen Untersuchung, wenn V. a. Infektion
- ggf. Biopsie, Gewebe entnehmen, wenn atypisch (Malignom?)

6.11.5 Therapie

- Sanierung erkrankter Venen, chirurgische Abtragung von Nekrosen und Fibrinbelägen, Spülung
- Lokale Pflege, verschiedene Verbände und Präparate, am liebsten in Absprache mit oder durch Wundmanager
- Kompressionstherapie bei venöser Ätiologie
- ggf. Rheologika (Pentoxyfillin) oder PG bei pAVK
- DM: BZ-Einstellung

- Antibiose bei Infektzeichen, Penicillin V oder Cephalosporinen bei V. a. beginnendes Erysipel
- ggf. Mesh-Graft-Transplantation
- Amputation als Ultima Ratio
- **Prognose**
  - abhängig von der Compliance des Patienten
  - ¾ venöser Ulzera heilen

Formulierungsbeispiele

Patient	Arzt
Mir ist schwindelig und ich habe ein Summen in den Ohren.	Die Patientin beklagte Schwindel und Tinnitus.
Ich kann keine zwei Stockwerke hochlaufen und schon kriege ich keine Luft mehr.	Der Patient beschrieb Belastungsdyspnoe.
Ich kriege so heftige Schmerzen hinter dem Brustbein.	Die Patientin gab starke retrosternale Schmerzen an.
Mensch, ich kann einfach nicht stillsitzen! Ich glaube, ich sterbe gleich!	Herr X zeigte sich psychomotorisch unruhig, mit Todesangst.
Ich habe blaue Finger.	Frau X beschrieb eine Akrozyanose.
Meine Hausärztin hat einen Bauchultraschall bei mir gemacht und es hieß, ich hätte Wasser im Bauch.	Laut Angaben der Patientin habe die Hausärztin nach einer Abdomensonografie den V. a. Aszites geäußert.
Ich habe richtig dolle Beinschmerzen bekommen, und schauen Sie mal: Das Bein ist echt dick und rot geworden!	Herr X stellte sich wegen (linksseitiger/ rechtseitiger) Beinschmerzen sowie lokaler Schwellung und Rötung vor.
Mein ganzes rechtes Bein ist auf einmal irgendwie kalt und blass geworden, und es tut höllisch weh!	Frau X beschrieb plötzlich aufgetretene starke Schmerzen, Palor (Blässe) und Kältegefühl im rechten Bein.
Die Beinwunde hab ich schon seit – weiß ich nicht –, auf jeden Fall lange. Die wird immer größer und es fließt ständig was Wässriges raus. Weh tut sie aber nicht.	Frau X habe eine vermutlich chronische, nicht dolente Hautläsion am rechten/ linken Unterschenkel, mit zunehmendem Umfang und serösem Exsudat.

6

KAPITEL

7 Atmungssystem und HNO

7.1 Sinusitis

= Nasennebenhöhlenentzündung = akute oder chronische Entzündung der Nasennebenhöhlen

- *Sinusitis maxillaris:* Entzündung der Kieferhöhlen
- *Sinusitis frontalis:* Entzündung der Stirnhöhlen
- *Sinusitis ethmoidalis:* Entzündung der Siebbeinzellen
- *Sinusitis sphenoidalis:* Entzündung der Keilbeinhöhlen
- *Pansinusitis:* Kombi oder alle Entzündungen

7.1.1 Einteilung

- *akute Sinusitis:* < 12 Wochen
- *chronische Sinusitis:* > 12 Wochen
- *rezidivierende akute Sinusitis:* ≥ 4 Mal innerhalb 12 Monaten

7.1.2 Ätiologie

- *Viren:* Rhino-, Influenza-, Parainfluenzaviren
- *Bakterien:* Pneumokokken, Haemophilus influenzae, Chlamydophila pneumoniae, Mykoplasmen, Staphylococcus aureus
  - Zahnentzündungen der Oberkieferzähne
  - rhinogene Sinusitis
  - Allergien
  - Barosinusitis

7.1.3 Klinik

- Schmerzen beim Vorbeugen des Kopfes
- Gesichtsschmerzen
- Ohrenschmerzen
- Augenschmerzen
- Fieber
- Stauungsgefühl
- Nasenkongestion
- eitriger Schnupfen

- Anosmie, Hyposmie oder Kakosmie
- Foetor
- Zahnschmerzen
- Husten

Rhinoskopie

- ↑ Schmerzen beim lokalen Drücken, Perkussion
- Schleimstraße an der Rachenwand
- Nasenpolypen
- Schwellung der Nasenmukosa

7.1.4 Diagnostik

- Anamnese
- Rhinoskopie
- bildgebende Verfahren
  - CT, MRT besonders für die Weichteile
  - Sonografie: A-, B-Scan

7.1.5 Komplikationen

- Osteomyelitis (Stirnbein!)
- Sinusthrombose
- Augenlid-Ödem
- Chronifizierung
- Orbital- und Periorbitalphlegmone (Kinder!)
- Dacryocystitis
- Meningitis, Abszessbildung, Enzephalitis
- Pott's Puffy Tumor bei Sinusitis frontalis = Osteomyelitis + subperiostaler Abszess (Kinder und Jugendliche!)

7.1.6 Therapie

LittleDoc meint
Hier sind die Allgemeinmaßnahmen sehr wichtig!

- *konventionell*
  - Dampfbad (Kamillentee), heiße Duschen, Nasenspülungen mit isotonen oder hypertonen Lösungen
  - nicht schnäuzen, sondern hochziehen
  - kein Tauchsport
  - viel Flüssigkeit zu sich nehmen
  - Ruhe
- *medikamentös*
  - abschwellende Nasentropfen (Xylometazolin)
  - lokale Steroide
  - Sekretolytika, Mukolytika auf pflanzlicher Basis (umstritten)

  - Antihistaminika
  - Antibiotika: Amoxicillin/Cephalosporinen usw. bei starken Beschwerden und Fieber oder Risikopatienten (COPD, Immunodefizienz usw.)
- *operativ*
  - bei Komplikationen
  - bei Polypen

7.2 Tonsillitis

= **Mandelentzündung**

7.2.1 Einteilung

- akut
- chronisch
- rezidivierend

7.2.2 Ätiologie

- *Viren* (z. B. Adenoviren)
- *Bakterien* (besonders bei der chronischen Mandelentzündung)
  - Beta-hämolysierende Streptokokken, meistens S. pyogenes
  - Staphylokokken, Pneumokokken, Haemophilus influenzae usw.
  - Mundflora

7.2.3 Klinik

- Schwellung und Rötung der Gaumenmandeln
- Schluckbeschwerden
- Eiter- oder Fibrinbelag, Detritus
- Foetor
- Lymphknotenschwellung
- Fieber
- scarlatiniformes Exanthem

Aspekte

- katarrhalisch – typisch
- follikulär: Stippchen auf den Krypten
- lakunär: mit Belägen
- eitrig
- nekrotisierend

7.2.4 Komplikationen

- Abszess
- Sepsis
- rheumatisches Fieber
- Endokarditis, Myokarditis, Perikarditis
- Glomerulonephritis

7.2.5 Diagnostik

- Abstrich + Kultur + ggf. Antibiogramm
- Streptokokken-Schnelltest
- Antistreptolysin-Titer (später im Verlauf!)

7.2.6 Differenzialdiagnosen

- Diphtherie
- Mononucleosis infectiosa
- Scharlach
- Herpangina
- Angina Plaut-Vincent
- Karzinom

7.2.7 Therapie

- Antibiotika (Penicillin), Analgetika
- lokale Spülungen und Gurgeln mit Desinfektionsmitteln
- Antiseptika-Pinselung
- ggf. Tonsillektomie bei chronischem Verlauf/Komplikationen

7.3 Akute Pneumonie

= **Lungenentzündung**

7.3.1 Ätiologie

LittleDoc meint

Ruhig bleiben, Sie brauchen nicht alle Keime auswendig zu lernen!

- Bakterien, Viren, Pilze, Parasiten
  - ambulant erworbene alveoläre Pneumonie: Streptococcus pneumoniae
  - ambulant erworbene interstitielle Pneumonie: Mycoplasma pneumoniae
  - Neugeborene: Chlamydia trachomatis und B-Streptokokken

  - Kinder: Respiratory Syncytial Virus (RSV), Mycoplasma pneumoniae, Haemophilus influenzae
  - beatmete Patienten: gramnegative Keime
  - Aspirationspneumonie: anaerobe Keime
  - DM: Pneumokokken, Staphylococcus aureus
  - C2-Abusus: Klebsiella pneumoniae
  - COPD: Haemophilus influenzae, Moraxella catarrhalis
  - Splenektomie: Pneumokokken, Haemophilus influenzae
  - Immunsuppression: Koch-Bazillus, Pneumocystis jirovecii, Cryptococcus neoformans
- Aspiration von Magensaft
- Einatmen von ätzenden Dämpfen oder Gasen

Risikofaktoren

- Alter über 60 Jahre oder unter 1 Jahr
- Immunschwäche
- DM
- Herzinsuffizienz
- COPD, Alpha-1-Antitrypsinmangel
- Malignom
- C_2-Abusus
- lange Bettlägerigkeit
- eingeschränkte Zilienfunktion (Zigarettenrauchen, Mukoviszidose)
- Aspiration
- Bronchitis
- Splenektomie

7

7.3.2 Einteilung

- *nach Lokalisation*
  - alveoläre Pneumonie – häufig bakteriell
  - interstitielle Pneumonie – häufig viral oder wegen Noxen-Inhalation (z. B. Rauch)
- *nach dem Röntgenbild*
  - Bronchopneumonie – multifokal, diffus
  - Lobärpneumonie – auf einem Lappen begrenzt
  - Pleurapneumonie – mit Pleuritis
- *nach Verlauf*
  - akut
  - chronisch
- *nach Ätiologie*
  - ambulant erworbene Pneumonie: Community Acquired Pneumonia (CAP)
  - nosokomial erworbene Pneumonie: Hospital Acquired Pneumonia (HAP)
  - beatmungsassoziierte Pneumonie: Ventilator Associated Pneumonia (VAP)

- *nach klinischem Verlauf*
  - typisch, i. d. R. alveolär
  - atypisch, i. d. R. interstitiell

7.3.3 Klinik

LittleDoc meint
Eine unkomplizierte akute Pneumonie verursacht i. d. R. keine lokalen Schmerzen! Die Entzündung der Pleura bzw. Pleuritis ist schon eine Komplikation.

- Atemnot
- Fieber
- Husten
  - bei alveolären Pneumonien produktiv
  - bei interstitiellen Pneumonien trocken
- Herpes labialis oder nasalis
- Pleuritis: ↑ ↑ Schmerzen beim Einatmen
- akuter Beginn bei typischen Pneumonien und subakuter, langsamer Beginn mit Subfebrilität bei atypischen Pneumonien
- Auskultation: feuchte Rasselgeräusche
- Perkussion: Klopfschalldämpfung
- Stimmfremitus und Bronchophonie ↑ ↑

7.3.4 Diagnostik

- Sputumkultur
- Bronchialsekret
- Blut- und Urin-Serologie
- Röntgen-Thorax, ggf. CT bei unklaren Befunden
- ggf. Blutkultur
- ggf. Pleurapunktion
- CRB-65-Index = Confusion, Respiratory Rate (≥ 30/min), BD (d ≤ 60 mmHg oder s < 90 mmHg), Patient ≥ 65 Jahre
  - 0 Punkte = ambulante Behandlung
  - 1–2 Punkte = stationäre Aufnahme
  - 3–4 Punkte = intensivstationäre Aufnahme

7.3.5 Therapie

Allgemeine Maßnahmen

- Bettruhe, ggf. mit Thromboseprophylaxe
- Infusionstherapie
- Antipyretika
- Mukolytika
- Inhalation, ggf. O_2
- physikalische Therapie und Atemübungen

Gezielte Therapie

- *bei bakteriellen Pneumonien* breit wirksame Antibiotika, ggf. mit Umstellung nach Antibiogramm, wenn es Ø Verbesserung gibt
- *bei viralen Pneumonien* allgemeine Maßnahmen und symptomatische Behandlung; bei ↑ ↑ ↑ Entzündungsparametern kann eine prophylaktische Antibiotherapie eingeleitet werden

7.3.6 Differenzialdiagnosen

- TB
- Bronchialkarzinom
- atypische Pneumonie
- grippaler Infekt

7.4 Chronisch obstruktive Lungenerkrankung (COPD)

- **chronische Bronchitis** = Husten und Auswurf ≥ 3 Monate, 2 aufeinanderfolgende Jahre + permanente Bronchialobstruktion = chronisch obstruktive Bronchitis
- **COPD** = progrediente, nicht vollständig reversible Bronchialobstruktion auch nach Gabe von Bronchodilatatoren oder GKK, mit chronisch obstruktiver Bronchitis und/oder Lungenemphysem

7.4.1 Ätiologie

- Nikotinabusus
- Noxen im Beruf, z. B. Getreidestäube
- rezidivierende Atemwegsinfektionen
- Atemwegsstenose oder -kompression
- Antikörpermangelsyndrome, α_1-Antitrypsinmangel, angeborene Störung der mukoziliären Clearance

7.4.2 Klinik

- AHA-Symptome: Atemnot, Husten, Auswurf
- Husten: produktiv; Auswurf: zäh, weißlich; Belastungsdyspnoe
- Lippenzyanose
- entweder exspiratorisches Giemen oder Silent Chest
- verlängertes Exspirium
- Atemwegsinfekte

7.4.3 Komplikationen

- Exazerbation: akute, ≥ 2 Tage anhaltende Verschlechterung der respiratorischen Symptome durch eine entzündungsbedingte ↑ Bronchokonstriktion +/- ↑ Schleim + Überblähung → ↑ Husten, ↑ Dyspnoe, ↑ Sputum, ggf. Sputumpurulenz
- Lungenemphysem
- Pneumothorax
- Cor-pulmonale-Hypertrophie und/oder Dilatation des rechten Ventrikels
- pulmonalarterielle Hypertonie ≥ 25 mmHg in Ruhe durch Euler-Liljestrand-Mechanismus = reflektorische Verengung der Pulmonalarterien
- Endothelin ↑, Prostazyklin ↓ → Endothelzellen Hyperplasie in den Pulmonalarterien → pulmonalarterielle Hypertonie
- respiratorische Globalinsuffizienz (pO_2 ↓ und pCO_2 ↑) bis zu Hyperkapnie und Koma

7.4.4 Einteilung

2 Typen von Patienten

1. **„Emphysematiker"** oder „Pink Puffers" oder „Fighters"
   - kachektisch, blass
   - Reizhusten, trocken
   - ↑ ↑ ↑ Dyspnoe (ergo Fighters)
   - respiratorische Partialinsuffizienz (pO2 ↓ und pCO2 normal oder ↓)
   - häufigste Komplikation: Cor pulmonale
   - Silent Chest = keine Atemgeräusche
2. **„Bronchitiker"** oder. „Blue Bloaters" oder „Non-Fighters"
   - Übergewicht
   - Husten, produktiv
   - leichte Dyspnoe (ergo Non-Fighters)
   - ↑ ↑ Zyanose und Polyglobulie
   - respiratorische Globalinsuffizienz (pO2 ↓ und pCO2 ↑)
   - Giemen, feuchte Rasselgeräusche
   - Polyglobulie, Digiti hippocratici, Cor pulmonale

LittleDoc meint

Es wäre hier sinnvoll, wenn Sie die Parameter wie FEV1, FVC, TV, MEFxx usw. (aus der Spirometrie) wiederholen.

COPD-Schweregrade nach GOLD-Klassifikation

- *Obstruktion:* $FEV_1/FVC < 0{,}7$
- *Parameter*
  - Symptomatik:
    - CAT-Score (COPD Assessment Test-Score) = Fragebogen bzgl. COPD-Symptomatik
    - mMRC = Einteilung der Dyspnoe (Atemnot) von COPD-Patienten; 4 mögliche Grade, je nachdem wie viel Belastung die Patienten ertragen können, ohne dass sie Dyspnoe bekommen
  - Anzahl der Exazerbationen und stationäre Aufenthalte pro Jahr

- Daraus ergeben sich nach GOLD-Klassifikation (vgl. GOLD 2024, 2025) drei COPD-Risikogruppen:
  - *Risikogruppe A:* Symptome: mMRC 0–1, CAT < 10; Exazerbation: 0–1 moderate Exazerbationen ohne Krankenhausbehandlung in der Anamnese
  - *Risikogruppe B:* Symptome: mMRC ≥ 2, CAT ≥ 10; Exazerbation: 0–1 moderate Exazerbationen ohne Krankenhausbehandlung in der Anamnese
  - *Risikogruppe E:* Symptome: mMRC 0–1, CAT < 10 oder mMRC ≥ 2, CAT ≥ 10; Exazerbation: > 2 moderate Exazerbationen oder > 1 krankenhauspflichtige Exazerbation in der Anamnese
- je nach FEV_1 nach der Applikation eines Bronchodilatators: 4 COPD-Schweregrade nach GOLD – von *mild* (≥ 80 %) über *mittelgradig* (50–79 %), *schwer* (30–49 %) bis *sehr schwer* (< 30 %) (vgl. GOLD 2024, 2025)

7.4.5 Diagnostik

- Anamnese – ausführliche Konsumanamnese bei Nikotinabhängigkeit, Risikofaktoren, körperliche Untersuchung
- BGA: p_aO_2 < 72 mmHg p_aCO_2 > 45 mmHg, respiratorische Azidose; CO-Hb ↑ bei Rauchern
- α_1-Antitrypsinmangel?
- Lungenfunktionstest
  - Bronhospasmolysentest: Gabe von SABA zur Differenzierung von Asthma bronchiale und COPD; FEV1-Messung vor und nach SABA-Gabe:
    - FEV1 steigt < 200 mL oder < 12 % vom Ausgangswert: Irreversibilität → COPD wahrscheinlich
    - FEV steigt > 200 mL oder > 12 % vom Ausgangswert, erreicht aber die Normwerte nicht (≥ 70 % von FVC): Teilreversibilität → COPD möglich
    - FEV1 normalisiert sich: Reversibilität → Asthma bronchiale
  - MEF_{25-75} ↓: Obstruktion der kleinen Atemwege
  - CO in Ausatemluft: < 5 ppm bei Nichtrauchern, > 50 ppm bei Rauchern
- Röntgen-Thorax in 2 Ebenen: Lungenemphysem, Bronchial-Ka, Cor pulmonale
- Bodyplethysmografie: Lungenüberblähung, Atemwegsobstruktion

7.4.6 Therapie

Allgemeinmaßnahmen

- Basis: *S3-Leitlinie* „Nationale VersorgungsLeitlinie COPD" (BÄK, KBV & AWMF 2021)
- Risikofaktoren ↓, v. a. Tabakkarenz
- Patientenschulung
- Schutzimpfungen: Influenza, Pneumokokkenschutzimpfung

MERKE

Je nach Schweregrad und Vorbehandlungen (s. aktuelle *Leitlinien*!):
von kurzwirkenden Beta-2-Sympathomimetika oder kurzwirkenden Anticholinergika bei Bedarf → langwirkende Beta-2-Sympathomimetika oder langwirkende Anticholinergika → ggf. Eskalation auf Kombination mit inhalativen Coticosteroiden, ggf. Roflumilast

- Sekretolytika
- ggf. mit Antibiotikum bei Exazerbationen
- Antitussiva
- In manchen Fällen operative Verfahren (Ventilsystemenimplantation, Bullektomie, Lungentransplantation usw.)

7.4.7 Differenzialdiagnosen

- Asthma bronchiale: anfallsartige Dyspnoe; Husten hinein (bei COPD hinaus)
- Asthma-COPD Overlapping Syndrome
- TBC
- Bronchiektasen
- Lungenembolie
- Refluxkrankheit
- Bronchialkarzinom
- Fremdkörperaspiration

7.5 Asthma bronchiale

= **anfallsartige Atemnot wegen obstruktiver Ventilationsstörung bei einem hyperreagiblen Bronchialsystem**

7.5.1 Ätiologie

- extrinsisch/allergisch: Nachweis von IgE + Allergiesymptomatik meistens gegen Umweltallergene (Pollen, Tiere, Waschmittel)
- intrinsisch/nicht allergisch:
  - Atemwegsinfektionen
  - pseudoallergische Reaktion (Analgetikaintoleranz), z. B. gegen ASS (NSAR); häufig neben Asthma auch Polyposis nasi und Rhinopathie → Samter-Trias
  - Refluxkrankheit
  - somatische oder psychische Anstrengung
  - Tabakrauch
  - Ozon oder Nitrosegase
  - kalte Luft oder Nebel
- Pathogenese – 3 Säulen: bronchiale Entzündung, bronchiale Hyperreaktivität und endobronchiale Obstruktion

7.5.2 Klinik

- Dyspnoe oder Orthopnoe, die in Anfällen auftreten
- Tachykardie und RR-Erhöhung während des Anfalls
- Giemen (Keuchen, Wheezing) und Brummen
- ggf. allergische Rhinokonjunktivitis
- ggf. Urtikaria
- entscheidend sind das Therapieansprechen und damit die Asthmakontrolle
  - Einteilung von Asthma bronchiale nach Schweregrad der Erkrankung, der Asthmaanfälle, Graden der Asthmakontrolle usw. haben nach den aktuellen *S3-Leitlinien* (vgl. BÄK, KBV & AWMF 2021) keinen Stellenwert mehr in der Diagnostik)

7.5.3 Diagnostik

- Anamnese, charakteristische Symptome und Lungenfunktionsprüfungen: Atemwegsobstruktion mit
  - Reversibilitätsnachweis oder
  - gutem Ansprechen auf Corticosteroid-Therapie + typischen Biomarkern (z. B. Bestimmung des Stickstoffmonoxids in der Ausatemluft FeNO) und/oder
  - bronchialer Hyperreagibilität bzw. PEF-Variabilität
- allergologische Diagnostik, globale Hauttestung: Intrakutantest, Prick-Test, Karenzversuch mit Reexpositionstest
- Labor: BB (↑ Eosinophilen!), IgE, IgE gegen spezifische Stoffe via RAST (Radioallergosorbent-Test), Histaminfreisetzungstest aus basophilen Granulozyten
- Ggf. Bestimmung des exhalierten NO (FeNO)

7.5.4 Differenzialdiagnosen

- COPD: negativ bei Metacholin-Provokationstest, Bronchospasmolysentest
- Asthma cardiale: Zeichen der Linksherzinsuffizienz (feuchte RG, bräunliches Sputum mit Herzfehlerzellen, Röntgen-Thorax auffällig: ↑ vergrößertes Herz und Lungenstauung, EKG)
- Lungenembolien
- Stimmbanddysfunktion (Vocal Cord Dysfunction)

LittleDoc meint

Wenn Sie in der Prüfung COPD/Asthma bronchiale „bekommen", dann sind die Unterschiede in der Differenzialdiagnose zwischen den beiden sehr wichtig! Hinweis: Lungenfunktionstest :-)

7.5.5 Therapie

Stufentherapie

- Basis: *S2k-Leitlinie* zur Diagnostik und Therapie von Asthma (DGP 2023)
- *Stufe I:* Kombination aus inhalativen Corticosteroiden (ICS) niedrig dosiert/Formoterol b. B. (*Cave!* Bislang als Bedarfstherapie nicht

zugelassen, aber von *GINA* und *NVL Asthma* empfohlen) *oder* ICS niedrig dosiert als Langzeittherapie + kurz wirksame β_2-Sympathomimetika (SABA) b. B. *oder* nur SABA b. B. (seitens der Prävention von Exazerbationen den anderen Schemata aber unterlegen);
- *Stufe II:* ICS niedrig dosiert als Dauermedikation + SABA b .B. oder Kombination aus ICS niedrig dosiert/Formoterol b. B.; in begründeten Fällen Leukotrienrezeptorantagonisten (LTRA) Langzeittherapie + SABA b. B.
- *Stufe III:* ICS niedrig dosiert + lang wirksame β_2-Sympathomimetika (LABA) als Dauermedikation *oder* ICS mitteldosiert; in begründeten Fällen ICS niedrig dosiert + lang wirksame Anticholinergika (LAMA) *oder* ICD niedrig dosiert + LTRA;
- *Stufe IV:* ICS mittel bis hoch dosiert + lang wirksame β_2-Sympathomimetika (LABA) *oder* ICS mittel bis hoch dosiert + LABA + LAMA; in begründeten Fällen ICS mittel bis hoch dosiert + LABA + LTRA *oder* ICS mittel bis hoch dosiert + LAMA;
- *Stufe V:* ICS in Höchstdosis + LABA +/- LAMA; je nach Phänotyp additive Therapie mit Biologika; bei fehlender Indikation oder Versagen der Biologika: orale Corticosteroide (OCS)
- ggf. Allergen-Immuntherapie
- Patientenschulung, Rehabilitation, Sport, Behandlung der Komorbiditäten

Asthmaanfall

- den Patienten beruhigen, sitzende Körperhaltung
- kurz wirksames inhalatives β_2-Sympathomimetikum (2–4 Hübe)
- bei schweren Anfällen O_2 2–4 l/min über eine Nasensonde
- Prednisolon p. o., bei schweren Anfällen i. v. ggf. Ipratropiumbromid bei schweren Anfällen
- Selbsthilfetechniken zur Atemerleichterung

7.6 Bronchialkarzinom (Lungenkrebs)

7.6.1 Ätiologie

- Rauchen 90–95 %: Nikotin + die anderen kanzerogenen Substanzen
- genetische Prädisposition
- Passivrauchen
- Umweltnoxen, Industrie- und Verkehrsabgase
- berufliche Exposition auf Karzinogene (z. B. Asbest)
- Radon
- Lungennarben

7.6.2 Histopathologie

- kleinzelliges Bronchialkarzinom (*SCLC* = Small Cell Lung Cancer; Oat Cell Carcinoma – die Zellen ähneln Haferkörnern)
  - die schlechteste Prognose
  - schnelle Fernmetastasierung
  - meistens zentral
  - paraneoplastische Phänomene
- nicht-kleinzelliges Bronchialkarzinom (*NSCLC* = Non Small Cell Lung Cancer)
  - 85 % der Fälle
    - Plattenepithelkarzinom
    - Adenokarzinom
    - großzelliges Karzinom

LittleDoc meint

Wie immer bei solchen Fällen in der FSP: Empathie zeigen! Bitte niemals so etwas wie „YIPPIE, ich weiß, was Sie haben!" ausrufen. O.o

Einteilung

- *zentral* – meist kleinzelliges Karzinom oder Plattenepithelkarzinom
- *peripher*
- *diffus* – Alveolarzellkarzinom → Krebspneumonie; meist inoperabel; Reizhusten + schleimig-wässriger Auswurf

7.6.3 Klinik

- Husten + Hämoptysen
- Atemnot
- atemabhängiger Pleuraschmerz (Invasion) → Pleuraexsudat + Pleuritis carcinomatosa
- Müdigkeit
- Gewichtsverlust
- rezidivierende Pneumonien
- Rekurrenzparese → Heiserkeit
- Phrenikuslähmung

7

7.6.4 Paraneoplastische Syndrome

CAVE!

Den Serumnatriumspiegel um nicht mehr als max. 1 mmol pro Stunde in den ersten Stunden und maximal um 10 mmol in 24 h anheben – Gefahr pontine Myelinolyse!

- Pancoast-Syndrom: Bronchialkarzinom der Lungenspitze
  - Claude-Bernard-Horner-Syndrom (Miosis, Ptosis, Enophthalmus, hemifaziale Hypohidrose) und ggf. Arm-Lymphödem
  - Pourfour-du-Petit-Syndrom (reverses Horner-Syndrom): Mydriasis, obere Augenlidretraktion, hemifaziale Hyperhidrosis

- Syndrom der inadäquaten ADH-Sekretion: Sekretion ADH-ähnlicher Substanzen = SIADH = Schwartz-Bartter-Syndrom
  - Wasserretention und Verdünnungshyponatriämie
  - erniedrigtes Serumnatrium
  - hyperosmolarer Urin
  - Übelkeit und Kopfschmerzen → Koma
  - **Therapie**
    - Therapie der Grunderkrankung
    - Flüssigkeitsrestriktion
    - Vasopressin-Antagonisten (Vaptane)
    - Bei einer lebensbedrohlichen Wasserintoxikation: hypertone NaCl-Infusion und Furosemid
- Sekretion parathormonähnlicher Substanzen → Hyperkalzämie
- ACTH-ähnliche Substanzen → Cushing-Syndrom
- Pierre-Marie-Bamberger-Syndrom – eher beim nicht-kleinzelligen Bronchialkarzinom = Schwellungen im diaphysären Bereich der langen Röhrenknochen + Digiti hippocratici (Trommelschlegelfinger, Kolbenfinger)

7.6.5 Diagnostik

- Anamnese
- Röntgen-Thorax
- CT-Thorax-Abdomen + CCT/CMRT
- Bronchoskopie mit Bronchiallavage und Biopsie oder Ultraschall- oder CT-gesteuerte transthorakale Punktion oder Mediastinoskopie oder VATS oder Thorakotomie
- zytologische Untersuchung des Sputums (Tumorzellen?)
- Labor: BB, Leber-, Nierenwerte, Elektrolyte, ADH, ACTH, PTH usw.
- Lungenfunktionstests, BGA, EKG → Operabilität?
- Pleurapunktion
- Tumormarker
  - NSE bei SCLC
  - CEA bei Adenokarzinom
  - CYFRA 21–1 bei Plattenepithelkarzinom
  - proGRP
- Lungenszintigrafie und Skelettszintigrafie
- PET-CT
- genetische Diagnostik bei NSCLC: EGFR Mutation, EML4-ALK Fusionsonkogene
- Metastasen
  - Leber
  - Gehirn
  - Nebennieren
  - Wirbelsäule

7.6.6 Therapie

TIPP
Die Therapie-Entscheidung fällt immer interdisziplinär im Rahmen einer Tumorkonferenz!

- Resektion
- Chemotherapie
- Radiotherapie
- Radiochirurgie
- *SCLC*
  - CHT ± prophylaktische Herd- und Schädelbestrahlung
  - Ggf. Resektion, außer wenn ↑ ↑ Begleiterkrankungen oder anatomische Inoperabilität oder ↑ Fernmetastasen
- *NSCLC*
  - Lobektomie, Pneumektomie oder Segmentresektion
  - adjuvante CHT
  - wenn inoperabel: RT
- *Prognose*
  - negativ
  - bei neu diagnostiziertem Bronchialkarzinom: 5-Jahres-Überlebensrate ca. 25 %
  - ⅔ schon bei der Diagnostik inoperabel

TIPP
Psychologische Unterstützung empfehlen!

7.7 Lungenembolie

7.7.1 Ätiologie

LittleDoc meint
Notfall! Siehe Kapitel „Handlungsplan im Notfall".

= **der Verschluss der arteriellen Lungenstrombahn** durch
- einen Thrombus (TVT – meistens)
- Zellen, Tumorzellen
- Luft (Taucherkrankheit)
- Fetttropfen (Operationen, Frakturen, Trauma)
- Knochenmark
- Fruchtwasser
- Fremdkörper
- Herzklappenvegetationen (Endokarditis)

7.7.2 Risikofaktoren

LittleDoc meint
Bitte hier auch das Kapitel „TVT" lesen.

- längere Immobilität (Krankheit, Operationen, Flugreise)
- ♀ Schwangerschaft, Östrogene, orale Kontrazeptiva

- Rauchen
- Adipositas
- Lebensalter ↑
- Varikose
- Exsikkose
- Tumoren
- Thrombophilie
- + s. o. *Ätiologie TVT*
- Virchow-Trias!

7.7.3 Klinik

- oft keine Symptome
- Dyspnoe, Tachypnoe
- akuter Thoraxschmerz
- Husten ± Hämoptoe
- Todesangst, Schweiß, Schwindel
- Zyanose
- Jugularvenenstauung
- ggf. Schock
- TVT – nicht immer nachweisbar!

7.7.4 Diagnostik

- Basisdiagnostik: Vitalparameter, EKG (Zeichen der Rechtherzbelastung?), Labor und BGA, Röntgen-Thorax in 2 Ebenen
- *bei hämodynamisch stabilen Patienten:*
  - Klinik beurteilen – ggf. anhand von Scores, z. B. Geneva oder Wells-Score (aus didaktischen Gründen die vereinfachte Version des Wells-Score in ➤ Tab. 7.1)

Tab. 7.1 Vereinfachte Wells-Kriterien (Wells-Score) zur Diagnose der Lungenembolie [F993-001]

Kriterium	Punkte
Klinische Zeichen einer tiefen Beinvenenthrombose (TVT)	1
Andere Diagnosen unwahrscheinlich	1
Immobilisation > 3 Tage oder operativer Eingriff in den letzten 4 Wochen	1
Herzfrequenz > 100/min	1
Lungenembolie oder Venenthrombose in der Vorgeschichte	1
Hämoptyse	1
Malignom/Neoplasie	1
0–1 Punkt: Lungenembolie unwahrscheinlich **≥ 2 Punkte:** Lungenembolie wahrscheinlich	

- Labor - D-Dimere: wenn negativ, Lungenembolie unwahrscheinlich, aber nicht ausgeschlossen; kardiale Biomarker (z. B. Troponin, NT-proBNP → rechtsventrikuläre Dysfunktion, Myokardnekrose?), Gerinnungsparameter;
- CT-Pulmonalisangiografie (CTPA) oder Ventilations-Perfusions-(V/Q-) Szintigrafie;
  wenn
  nicht verfügbar oder durchführbar: Sonografie – Echokardiografie, Beinvenensonografie und Lungenultraschall (*Cave!* Bei hohem klinischen V. a. LE reicht die Sonografie für den Ausschluss einer LE nicht aus. Es muss dann eine CTPA oder V/Q-Szintigrafie erfolgen)

- *bei hämodynamisch instabilen Patienten:*
  - intensivmedizinische Überwachung
  - wenn CTPA nicht möglich (instabile Kreislaufsituation, hohe Lebensgefahr) → Sonografie am Patientenbett:
    - transthorakale Echokardiografie – Rechtsherzbelastung? Transitthrombus? *oder* differenzialdiagnostisch Linksherzversagen? Perikardtamponade? Akute Klappeninsuffizienz?
    - Sonografie der Extremitätenvenen
    - Lungensonografie
  - In lebensbedrohlichen Situationen kann im Einzelfall der Nachweis einer Rechtsherzbelastung ausreichen, um eine LE anzunehmen und eine Therapie einzuleiten!

7.7.5 Differenzialdiagnosen

- akutes Koronarsyndrom
- Pneumonie mit Pleuritis
- Perikardtamponade
- Asthmaanfall/COPD-Exazerbation
- Spontanpneumothorax
- Aortendissektion usw.

7.7.6 Therapie

- *Risikostratifizierung:* Während hämodynamisch instabile Patienten (mit hohem Mortalitätsrisiko) intensivmedizinisch überwacht und behandelt werden sollen, ist bei hämodynamisch stabilen Patienten nach Bestätigung der LE eine Risikostratifizierung indiziert (➤ Tab. 7.2, ➤ Tab. 7.3).

Tab. 7.2 sPESI (Simplified Pulmonary Embolism Severity Index) zur Risikostratifizierung von hämodynamisch stabilen Lungenembolie-Patienten (nach S2k-Leitlinie der DGA 2023) [W888-004]

Parameter	Punkte
Alter > 80 Jahre	1
Aktive Tumorerkrankung	1
Chronische Herz- oder Lungenerkrankung	1
Herzfrequenz ≥ 100/min	1
Systolischer Blutdruck < 100 mmHg	1
Arterielle Sauerstoffsättigung < 90 %	1
0 Punkte: niedriges Risiko (30-Tages-Mortalität ca. 1 %) **≥ 1 Punkt:** intermediäres Risiko (30-Tages-Mortalität ca. 11 %)	

Tab. 7.3 Risikostratifizierung bei nachgewiesener Lungenembolie und früher Sterblichkeit (nach S2k-Leitlinie der DGA 2023) [W888-004]

Frühmortalität (innerhalb von 30 Tagen)	Schock oder Hypotension	sPESI ≥ 1	Rechtsventrikuläre Dysfunktion in Echokardiografie oder CTPA	Kardiale Biomarker
hoch (> 20 %)	ja	ja	ja	ja
intermediär	intermediär-hoch	nein	ja	RV-Dysfunktion *und* Biomarker erhöht
	intermediär-niedrig	nein	ja	Normale RV-Funktion und Biomarker *oder* RV-Dysfunktion *oder* erhöhte Biomarker
niedrig (< 1 %)	nein	nein	nein	nein

- *hohes Risiko* bzw. hämodynamische Instabilität → Reperfusionstherapie, vorzugsweise Thrombolyse (mehrere Schemata, z. B. mit Alteplase, Streptokinase, Urokinase oder Tenecteplase)
  - bei Kontraindikationen oder fehlender Kreislaufstabilisierung trotz systemischer Thrombolyse → endovaskuläre bzw. chirurgische Thrombektomie? (➤ Tab. 7.4)
- *intermediäres Risiko* → therapeutische Antikoagulation und die ersten Tage stationäre Überwachung
  - bei Verschlechterung → Therapieeskalation s. o.
- *niedriges Risiko* (sPESI negativ, keine Zeichen einer Rechtsherzbelastung, kardiale Biomarker normwertig): ambulante Behandlung oder frühzeitige Entlassung aus der stationären Behandlung, wenn therapeutische Antikoagulation gewährleistet ist
- Nachsorge: 3–6 Monate → Post-Lungenembolie-Syndrom? Chronische thromboembolische pulmonale Hypertonie?

Tab. 7.4 Absolute und relative Kontraindikationen gegen eine Thrombolyse (nach S2k-Leitlinie der DGA 2023) [W888-004]

Absolute Kontraindikationen	Relative Kontraindikationen
intrakranielle Blutung in der Vorgeschichte	TIA innerhalb der letzten 6 Monate
ischämischer Schlaganfall innerhalb der letzten 6 Monate	orale Antikoagulation
ZNS-Neoplasie mit erhöhtem Blutungsrisiko	Schwangerschaft oder Entbindung innerhalb der letzten 7 Tage
schweres Trauma, Operation oder Kopfverletzung innerhalb der letzten 3 Monate	Reanimation mit Herzdruckmassage
hämorrhagische Diathese	unkontrollierte Hypertonie (RRsyst > 180 mmHg)
aktive, nach Lyse potenziell bedrohliche Blutung	schwere Lebererkrankung
Allergie gegen Thrombolytikum	infektiöse Endokarditis oder Perikarditis
	Ösophagusvarizen
	aktive gastroduodenale Ulzera
	akute Pankreatitis
	arterielle Aneurysmata
	kürzlich erfolgte Punktion an nicht komprimierbarer Punktionsstelle

7.8 Pneumothorax

= Luftansammlung im Pleuraspalt → Kollaps der Lunge (partiell oder komplett)

7.8.1 Ätiologie

- *primärer Pneumothorax*
- *sekundärer Pneumothorax*
  - *Spontanpneumothorax* bei Lungenerkrankungen: COPD, TB, Asthma bronchiale, Lungenabszess, Lungentumoren, Pleuratumoren, Lungenfibrose, Lungenemphysem, Mukoviszidose
  - *traumatischer Pneumothorax* entweder iatrogen oder nach Thoraxtrauma, Rippenfraktur (manchmal Hämothorax)

Risikofaktoren für primären Spontanpneumothorax

- ♂
- Alter: 20–40 Jahre
- schlank, groß
- häufiger rechts

7.8.2 Pathogenese des Spannungspneumothorax

- Ventilmechanismus = bei der Inspiration tritt Luft in den Pleuraspalt ein, kann aber bei der Exspiration nicht mehr austreten → die intrapleurale Luftansammlung ↑ immer mehr → der intrapleurale Druck ↑ → Mediastinum wird kontralateral verschoben → Kompression auch der anderen Lunge + der V. cava

7.8.3 Klinik

- manchmal symptomlos: „Mantelpneumothorax“
- akute einseitige, stechende, atemabhängige Thoraxschmerzen
- Dyspnoe, Zyanose
- Halsvenenstauung
- Schockzeichen
- Klopfschall ↑ + Atemgeräusch ↓

7.8.4 Diagnostik

- Röntgen-Thorax in 2 Ebenen

7.8.5 Therapie

- *kleiner Pneumothorax*
  - Bettruhe
  - O_2
  - Analgetika ggf. Antitussiva
  - Röntgen-Thorax
- *großer Kollaps*
  - idem 1
  - Pleurakatheter zur Dauerabsaugung (Thorax- oder Bülau-Drainage = Saug-Drainage) – Medioklavikularlinie, 2.–3. ICR, Oberrand der unteren Rippe (*Cave:* Nerven und Gefäße!) → Röntgen zur Kontrolle
- *Rezidiv*
  - idem 1
  - Saug-Drainage bleibt ein paar Stunden → wieder Röntgen-Kontrolle, dann ggf. Ziehen der Drainage.
  - ggf. Operation (Emphysemblasenresektion)
- *Spannungspneumothorax*
  - Pleurapunktion notfallmäßig, dann Saug-Drainage
  - idem 1
- *Thoraxtrauma*
  - Thorax-Drainage (Hämothorax?)
  - ggf. Operation

7

Formulierungsbeispiele

Patient	Arzt
Ich kriege keine Luft!	Die Patientin beklagte eine akute Dyspnoe.
Ich habe so ein Stechen hinter den Rippen, hier links.	Herr X berichtete von stechenden Schmerzen im linken Hemithorax.
Ich huste den ganzen Tag, habe dabei auch viel Auswurf.	Frau X gab produktives Husten an.
Mein Vater war ja Kettenraucher. Ich glaube, deswegen kommt er so schnell aus der Puste. Es reicht schon, wenn er den Müll rausbringt und schon muss er eine Pause machen. Auch wenn er jetzt gar nicht mehr raucht.	Laut der Tochter des Patienten sei dieser früher nikotinabhängig gewesen. Nun leide er unter starker belastungsabhängiger Dyspnoe. Derzeit bestehe kein Tabakabusus.
Ich war plötzlich außer Atem.	Der Patient beschrieb eine akute Dyspnoe.

KAPITEL

8 Gastroenterologie, Hepatologie und Infektiologie

8.1 Akute gastrointestinale Blutung

8.1.1 Begriffe

- **Hämatemesis** = Bluterbrechen = manchmal „Kaffeesatzerbrechen"
  - *Diagnostik:* ÖGD (+ ggf. Blutstillung, Biopsie usw.)
  - *Differenzialdiagnose:* Hämoptoe (Blut hellrot und schaumig), Epistaxis, Gingivorrhagie
- **Meläna** = „Teerstuhl" = nach 6–10 Stunden vom Beginn der Blutung = übel riechender, weicher und glänzender dunkler, schwarz gefärbter Stuhl wegen Blutbeimengungen → das Blut wurde in diesem Fall verdaut; wenn Hämoglobin in Kontakt zur Magensäure kommt → Oxidation des Eisens → schwarze Farbe + bakterieller Abbau von Blut im Kolon
  - *Diagnostik:*
    - Guajak(-Harz)-Test (Hämoccult-Test) = Guajak fäkaler okkulter Bluttest = gFOBT (*Cave:* falsch positiv nach dem Verzehr von rohem Fleisch, Blumenkohl, Rettich; falsch negativ nach Vitamin-C-Einnahme) *oder*
    - immunochemischer fäkaler okkulter Bluttest = iFOBT (weniger Verfälschung, reagiert nur mit menschlichem Blut), Koloskopie, selten Doppelballon-Enteroskopie, selektive Arteriografie, Kapselendoskopie
  - *Differenzialdiagnose:* Rote-Bete-, Blaubeeren-Verzehr, Eisen- und Wismutpräparate, Kohletabletten-Einnahme
- **Hämatochezie** = frisches Blut im Stuhl; bräunlich vom re. Kolon, rötlich vom li. Kolon
  - *Diagnostik:* Koloskopie (+ ggf. Blutstillung, Biopsie, Polypenresektion usw.)
- **Rektorrhagie** = Blutung aus dem Rektum, entweder als große Mengen im Stuhl oder ohne Stuhlgang
  - *Diagnostik:* rektale Fingeruntersuchung, Prokto-Rektoskopie
- vgl. Vavricka & Wilhelmi (2014)

8.1.2 Ätiologie

- **obere Gastrointestinalblutung (OGIB)** = oberhalb der Flexura duodenojejunalis (Treitz-Flexur): Hämatemesis ± Meläna oder okkultes Blut im Stuhl; wenn die OGIB stark ist, kann man eine gleichzeitige Hämatochezie bekommen (➤ Tab. 8.1)
  - Refluxösophagitis
  - rupturierte Ösophagusvarizen

  - rupturierte Fundusvarizen
  - Dieulafoy-Läsion
  - Boerhaave-Syndrom
  - Mallory-Weiss-Syndrom
  - Gastritis oder Ulcus ventriculi/duodeni
  - Angiodysplasien
  - Magenkarzinom
  - Fremdkörper
- **untere Gastrointestinalblutung (UGIB)** = unterhalb der Flexura duodenojejunalis (Treitz-Flexur): Hämatochezie oder Rektorrhagie
  - Analfissur
  - Hämorrhoiden
  - Divertikel
  - Polypen
  - infektiöse und ischämische Kolitis
  - Mesenterialinfarkt
  - Rektokolitis ulcerosa
  - Karzinom
  - Proktitis
  - Angiodysplasien
  - Fremdkörper

8.1.3 Forrest-Klassifikation bei OGIB

Tab. 8.1 Forrest-Klassifikation der Aktivität oberer gastrointestinaler Blutungen (nach Laursen & de Muckadell 2013) [F210-007]

Forrest I: Läsion mit aktiver Blutung	
Ia	arterielle (spritzende) Blutung
Ib	venöse Sickerblutung
Forrest II: Läsion mit Zeichen der stattgehabten Blutung	
IIa	sichtbarer Gefäßstumpf
IIb	Läsion von Koagel bedeckt
IIc	Läsion von Hämatin bedeckt
Forrest III: Läsion ohne Blutungszeichen	

8.1.4 Glasgow-Blatchford-Bleeding-Score bei OGIB

- 0 Punkte = Low-Risk → kann ambulant behandelt werden (Komplikationen 0,5 %)
- > 0 Punkte → stationäre Aufnahme, Bluttransfusion, Endoskopie, OP (➤ Tab. 8.2)

Tab. 8.2 Glasgow-Blatchford-Bleeding-Score zur Bestimmung, ob der Patient eine Bluttransfusion, OP oder endoskopische Hämostase braucht (stationäre Aufnahme möglich?) (nach Budimir et al. 2017) [F210-020]

Harnstoff im Serum (mmol/l)	Punkte
≥ 6,5 < 8	2
≥ 8 < 10	3
≥ 10 < 25	4
≥ 25	6
Hämoglobin (g/l) Männer	
≥ 12 < 13	1
≥ 10 < 12	3
< 10	6
Hämoglobin (g/l) Frauen	
≥ 10 < 12	1
< 10	6
Systolischer Blutdruck (mmHg)	
100–109	1
90–99	2
< 90	3
Sonstige	
Puls ≥ 100 (per min)	1
Meläna	1
Synkope	2
Lebererkrankung	2
Herzinsuffizienz	2

8.1.5 Therapie bei OGIB im Notfall

- Anlage von 2 großlumigen peripheren Venenzugängen
- Kreislaufsituation: Hypotonie? Tachykardie? Schwindel? (ca. 10–20 % Blutverlust) hämorrhagischer Schock?
- Patient nüchtern lassen (OP? Endoskopie?)
- Volumensubstitution: kristalloide Lösungen
- PPI hoch dosiert i. v.
- Vasokonstriktoren, z. B. Terlipressin (senkt den Pfortaderdruck und den Blutzufluss in die Varizen)
- Labor: Hb (sofort!), Blutgruppe, Kreuzbluttest, Krea, Gerinnung, Thrombozyten, Elektrolyte
- ggf. Bluttransfusion
- Ösophagogastroduodenoskopie: Diagnostik ± Therapie
  - Unterspritzung mit Adrenalin
  - lokale Kompression mit Hämoclips
  - Fibrinkleber

 - Varizen-Gummibandligatur oder -sklerosierung/Kompression für 24–48 Stunden mit der Sengstaken-Blakemore-Sonde für Ösophagusvarizen
 - Linton-Nachlas-Sonde für Fundusvarizen
 - OP
- Propranolol, Carvedilol oder Terlipressin als Prophylaxe bei Ösophagusvarizen die durch portale Hypertension (Pfortaderdruck > 12 mmHg, Normal 3–6 mmHg) verursacht wurden.

EURO-Konzept

- **E**ndoskopieren
- **U**nterspritzen/Fibrinkleber/Clipping
- **R**ezidivgefahr abschätzen
- **O**perieren

8.2 Achalasie

= funktionelle Obstruktion des Ösophagus = neuromuskuläre Krankheit der glatten Ösophagusmuskulatur
- keine reflektorische Erschlaffung des unteren Ösophagussphinkters beim Schlucken
- keine propulsive Peristaltik

8.2.1 Ätiologie

- Degeneration der Plexus-myentericus-Neuronen (immunologisch) – 90 % Fälle
- Ösophaguskarzinom
- Chagas-Krankheit
- Triple-A-Syndrom (Achalasie-Addisonismus-Alakrimie-Syndrom, Allgrove-Syndrom)

8.2.2 Klinik

- Dysphagie (Schwierigkeit beim Schlucken) – am Anfang nur für Flüssigkeit (feste Nahrung ist „hart genug", um den Ösophagus zu „dilatieren"), im Verlauf aber auch für feste Nahrung (Differenzialdiagnose Tumor – zuerst feste Nahrung Dysphagie, dann Flüssigkeit – es gibt am Anfang noch genug „Platz" für Flüssigkeit)
- häufiges Verschlucken
- Regurgitation unverdauter Nahrung

- nächtliche Aspirationen → Aspirationspneumonie bis zum Mendelson-Syndrom
- (Reiz-)Husten
- Odynophagie (Schmerzen beim Schlucken)
- Gewichtsabnahme
- rezidivierende Ösophagitiden

8.2.3 Diagnostik

- Endoskopie ± Biopsie → Ausschluss Ösophaguskarzinom, Ösophagitis, Divertikel, Tonsillitis, Hypopharynxkarzinom, Mundbodenphlegmone
- Endosonografie → Ausschluss intraparietal wachsender Tumor
- Ösophagusmanometrie
  - unzureichende Erschlaffung des unteren Ösophagussphinkters
  - pathologische simultane Kontraktionen in der Speisröhre → keine Peristaltik
- Ösophagusbreischluck
  - Sektglasform
  - keine Magen-Luftblase

8.2.4 Differenzialdiagnosen

- diffuser Ösophagusspasmus: die Funktion des unteren Ösophagussphinkter ist nicht gestört
- Nussknackerösophagus: die Kontraktionen laufen peristaltisch ab, sind aber deutlich verstärkt
- Sklerodermie (Glasrohr-Ösophagus, klaffender Ösophagus)
- Polymyositis
- Dermatomyositis
- Myastenia gravis
- Apoplex

8.2.5 Therapie

- endoskopische Ballondilatation und Myotomie
- Botulinumtoxininjektion in den unteren Ösophagussphinkter
- Operation

8.3 Refluxkrankheit

= symptomatischer Rückfluss des Mageninhalts in den Ösophagus wegen einer unteren Ösophagussphinkterinsuffizienz

- GERD = Gastroesophageal Reflux Disease – mit erosiven Veränderungen = Refluxösophagitis
- NERD = ohne erosive Veränderungen

8.3.1 Ätiopathogenese

= gestörter Verschluss des unteren Ösophagussphinkters

Risikofaktoren

LittleDoc meint

Zum (hier: ersten und) letzten Mal: Refluxösophagitis und Ösophagusvarizen sind ganz verschiedene Sachen! So unterschiedlich wie Lakritz und Schokolade! ;-)

- ↑ intraabdomineller Druck: Adipositas, Schwangerschaft, Tumor, Husten – COPD!, Obstipation
- Nikotin-, Alkoholabusus
- fettreiche, säurereiche Nahrung, Gewürze
- Medikamente, die den UÖS-Druck ↓: Kalziumantagonisten, Nitrate, Anticholinergika
- Hiatushernie
- Ösophagus- und Magenmotilitätsstörungen

8.3.2 Klinik

- retrosternales Brennen („Sodbrennen“), besonders im Liegen und nachts
- Odynophagie
- manchmal auch pektanginöse Beschwerden: refluxbedingte Reizung des Vagus → Ösophagus-Spasmus
- Reizhusten → Aspirationspneumonie → Mendelson-Syndrom
- Warnsymptome: Schluckstörungen, Gewichtsverlust, Inappetenz, Foetor oris

8.3.3 Diagnostik

- probatorische Therapie mit PPI
- Nitratgabe – Differenzialdiagnose Angina pectoris
- Gastroösophagoskopie: Refluxösophagitis
  - Einteilung in mehrere Stadien je nach Schweregrad der Schleimhautschädigung (nach Savary und Miller, ➤ Tab. 8.3)
  - Unterteilung in vier Schweregrade (A–D), basierend auf der Größe und Ausdehnung der Erosionen (Los-Angeles-Klassifikation, ➤ Tab. 8.4)
- Langzeit-pH-Metrie – für NERD
- pH ↓ ≤ 4 während $> 3\,\%$ der Messungszeit beim Liegen und $> 3\,\%$ der Messungszeit in aufrechter Haltung

Tab. 8.3 Stadieneinteilung der Refluxösophagitis nach Savary und Miller (nach Vigneri et al. 1995)

Stadium	Befund
0	normale Mukosa
I	vereinzelte Schleimhautläsionen, nicht konfluierend
II	längsgestellte, zum Teil konfluierende, aber nicht komplett zirkuläre Erosionen
III	zirkulär konfluierende Schleimhautläsionen
IV	Strikturen, Ulzera, Verkürzungen
V	Barrett-Ösophagus

Tab. 8.4 Los-Angeles-Klassifikation der Refluxösophagitis (nach Arajmand et al. 2019) [F813-007]

Stadium	Befund
A	≥ 1 Läsion < 0,5 cm; Läsionen greifen nicht über die Spitzen von 2 Mukosalängsfalten
B	≥ 1 Läsion ≥ 0,5 cm; Läsionen greifen nicht über die Spitzen von 2 Mukosalängsfalten
C	Läsionen überschreiten mehrere Mukosalängsfalten, aber ≤ 75 % des Gesamtumfangs des Ösophagus = nicht zirkulär
D	Läsionen überschreiten ≥ 75 % des Gesamtumfangs des Ösophagus

Differenzialdiagnosen (Beispiele)

- MI, besonders bei ♀
- Soorösophagitis: durch den Pilz Candida albicans
- Herpesösophagitis: durch Herpes simplex
- eosinophile Ösophagitis: Trachealisierung des Ösophagus; > 5 Eosinophile pro Gesichtsfeld bei Histologie; Therapie: Budenosid lokal
- chemische oder idiopatische (durch Sonde) Ösophagitis
- Karzinom

MERKE

Das Plattenepithelkarzinom ist die wichtigste Komplikation und gleichzeitig die wichtigste DD!

8.3.4 Therapie

- Allgemeinmaßnahmen
- Tabak- und Alkoholkarenz
- Gewichtsreduktion, mehr Bewegung
- nicht zu viel essen, sich nicht hinlegen nach dem Essen
- 2 Kissen beim Schlafen (Oberkörper hoch)
- PPI 4–6 Wochen, ggf. langfristig in reduzierter Dosis, ggf. + Prokinetika
- Ultima Ratio oder bei ↑ Hiatushernie: operative Verfahren, z. B. Fundoplikatio nach Nissen

8

8.3.5 Komplikationen

- Strikturen
- Barrett-Ösophagus = Endobrachyösophagus = Zylinderepithelmetaplasie im Ösophagus (Ersatz des Plattenepithels durch Zylinderepithel) – besonders bei Patienten mit Long-Segment-Barrett (> 3 cm) und High-Grade-Dysplasien!
- Short-Barrett-Ösophagus = zungenartige Ausläufer der Magenschleimhaut im Ösophagus
- **Risiko:** Adenokarzinom → alle Patienten mit einem Barrett-Ösophagus: mindestens 1/Jahr Endoskopie + Biopsie und Langzeittherapie mit PPI; Chromoendoskopie: Auftragen von Essigsäure oder Methylenblau auf die Schleimhaut → dysplastische Areale sichtbar → gezielte Biopsien möglich

8.4 Ösophaguskarzinom

= Malignom von den Ösophagusdrüsen oder vom Plattenepithel des Ösophagus

8.4.1 Ätiologie und Pathogenese

- Barrett-Ösophagus
- Alkohol- und Tabakabusus
- Folsäure- oder Eisenmangel (→ Plummer-Vinson-Syndrom?)
- extrem heiße Getränke oder Nahrung (chronisch), nitrosaminhaltige Nahrung
- Häufigste Lokalisation
  - Ösophaguseingang
  - Trachealbifurkation
  - Hiatusenge

8.4.2 Klinik

- Dysphagie = ⅔ des Lumens schon verlegt; zuerst feste Nahrung und dann auch Flüssigkeit
- Odynophagie
- rascher Gewichtsverlust
- Inappetenz
- Foetor oris

8.4.3 Diagnostik

- Ösophagoskopie mit Biopsie
- Endosonografie: intramurale Ausbreitung oder intramukös wachsende Tumoren, die bei der Endoskopie nicht sichtbar sind.

Staging

- CT-Thorax-Abdomen: lokale Infiltration, Metastasen?
- Endosonografie: lokale Ausbreitung, Lymphknotenstatus?
- Abdomensonografie: Metastasen? Leber
- Skelettszintigrafie: Metastasen?
- Röntgen-Thorax: Metastasen? Lungen

8.4.4 Therapie

- Stadienabhängig; von endoskopischer Mukosaresektion mit anschließender Radiofrequenzablation,Ösophagusresektion mit Lymphadenektomie, Radiochemotherapie,
- bis palliativ – Chemotherapie, Metallstents, endoskopische Bougierung, Lasern von Tumoranteilen → Aufrechterhaltung oder Wiederherstellung des Schluckvermögens; alternativ: perkutane endoskopische Gastrostomie (PEG)

TIPP
Psychologische Unterstützung empfehlen!

8.5 Ulcus ventriculi et duodeni

- Ulkus = Schleimhautdefekt über die Muscularis mucosae
- Erosion = nur die Mukosa ist betroffen, die Muscularis mucosae ist intakt
- Ulcus duodeni häufiger als Ulcus ventriculi – besonders Bulbus duodeni – Hinterwand (wenn HW + AW = „kissing ulcer")
- Ulcus ventriculi: i. d. R. kleine Kurvatur, Antrum, Angulusfalte; falls Korpus/Fundus: Karzinom? → Wiederholung der Endoskopie nach 6 Wochen
- rezidivierende Ulzera = Ulkuskrankheit

8.5.1 Ätiopathogenese

Ungleichgewicht

1. **zwischen protektiven Faktoren …**
   - Durchblutung
   - Tight-Junctions-Mukosabarriere

  - PG
  - Bikarbonat-Ionen
2. **... und schädigenden Faktoren**
  - H. pylori
  - Säure
  - Gallenreflux
  - Schleimhauthypoxie

Risikofaktoren

- Gastritis
- H.-pylori-Infektion
- NSAR
- „Stress“ → Mikrozirkulationsstörung (OPs, Polytrauma, Verbrennungen = Curling Ulcera, Schädel-Hirn-Trauma = Cushing Ulcera)
- ↑ Vagustonus
- Zollinger-Ellison-Syndrom

8.5.2 Einteilung der chronischen Gastritiden

- **A** = Autoimmungastritis → Autoantikörper gegen magenspezifische Schleimhautzellen
  - häufig auch megaloblastäre Anämie durch Autoantikörper gegen Parietalzellen und Intrinsic-Faktor
  - atrophische Areale → intestinale Metaplasie → Dysplasie → Entartung → Adenokarzinom
  - selten Ulkus, weil Atrophie → Ø Belegzellen → Achlorhydrie → Ø Säure → Ø Ulkus
- **B** = bakterielle Gastritis – Helicobacter pylori → Ulkuskrankheit, Morbus Ménétrier (Riesenfaltengastritis), gastrale MALT-Lymphome, idiopathische thrombozytopenische Purpura, selten Karzinom
- **C** = chemisch induzierte Gastritis-NSAR

8

8.5.3 Klinik

- epigastrische Schmerzen: bei UD „Hungerschmerzen“ – nach ca. 3–4 Stunden nach dem Essen und nachts; bei UV gleich nach dem Essen, manchmal verbessern sich die Schmerzen nach dem Erbrechen
- Übelkeit, Erbrechen
- Inappetenz
- bei Komplikationen: Hämatemesis, Meläna, akutes Abdomen

8.5.4 Komplikationen

- Blutung
- Penetration (in benachbarte Organe → Pankreatitis, Einbruch in die Aorta?)
- Perforation (in die Bauchhöhle → Röntgen-Abd.: Luft?)
- Stenose
- Magenkarzinom

8.5.5 Diagnostik

- Medikamentenanamnese – NSAR? Früher solche Beschwerden?
- Endoskopie ggf. mit Biopsie (auch vom „gesunden“ Gewebe!)
- für HP:
  - Biopsie + histologische Untersuchung
  - Urease-Schnelltest – Bedside-Test bei Gastroskopie
  - C13-Atemtest
  - IgG-AK-Nachweis im Serum (*Cave:* falsch positive Ergebnisse nach Eradikation)
  - HP-Antigenbestimmung im Stuhl

8.5.6 Differenzialdiagnosen

- MI, besonders bei ♀
- Gastritis
- Refluxkrankheit
- Reizmagensyndrom (eigentlich eine Ausschlussdiagnose)
- Magenkarzinom
- Achalasie
- symptomatische Cholezystolithiasis
- Pankreatitis
- Ileus
- Mesenterial-Infarkt
- Zollinger-Ellison

LittleDoc meint
Hier auf die Unterschiede in den Differenzialdiagnosen zwischen den Formen Ulcus ventriculi vs. Ulcus duodeni aufpassen!

8.5.7 Therapie

- Eradikation – immer wenn HP positiv
  - bei Ulkuskrankheit
  - bei MALT-Lymphom
  - bei Gastritis B
  - bei M. Ménétrier
  - bei NSAR-Langzeittherapie
  - bei Blutungen

- *französisches Quadruples-Schema – 7 Tage*
  - PPI (Pantozol 40 mg, Lansoprazol 30 mg, Omeprazol 20 mg): 2× Standarddosis
  - Clarithromycin 2× 500 mg
  - Amoxicillin 2× 1000 mg
  - Bismuth
- *italienisches Quadruples-Schema – 7 Tage*
  - PPI 2× Standarddosis
  - Clarithromycin 2× 250 mg
  - Metronidazol 2× 400 mg
  - Bismuth
- *Pylera® (Metronidazol, Bismuth, Tetracyclin) – 10 Tage und PPI 2x Standarddosis*
- Step-down-Therapie
  - PPI × vierfache Standarddosis für 6 Wochen → PPI × zweifache Standarddosis für 6 Wochen → PPI × 1 Standarddosis für 6 Wochen → PPI × 1 Standard-Tagesdosis alle 2 Tage → PPI b. B.
- Ultima Ratio: selektive proximale Vagotomie

8.6 Magenkarzinom

8.6.1 Ätiologie

- chronische Gastritis A (s. Pathogenese bei Ulcus ventriculi et duodeni)
- HP-Infektion, ggf. bei Gastritis B
- Ménétrier
- Magenpolypen
- Magenresektion

Risikofaktoren

- geräucherte Nahrung → ↑↑ Nitratgehalt → Nitrit (durch Bakterien) → Nitrosamine
- Alkohol
- Rauchen

8.6.2 Einteilung

- Adenokarzinome (papillär, tubulär, muzinös)
- Siegelringzellkarzinome
- Plattenepithelkarzinome
- undifferenzierte Karzinome
- selten:
  - MALT-Lymphom
  - Sarkom (z. B. Kaposi-Sarkom bei AIDS)
  - Metastasen

8.6.3 Klinik

- fehlt i. d. R. oder tritt zu spät auf
- diffuse epigastrische Schmerzen
- Abgeschlagenheit
- Übelkeit
- Appetitlösigkeit
- frühes Sattigungsgefühl oder rezidivierendes Erbrechen (wegen einer Stenosierung)
- Gewichtsabnahme
- Lokalisation
  - Antrum
  - Korpus
  - Kardia

8.6.4 Diagnostik

Gastroskopie mit Biopsie

- **Histologie**
  - Carcinoma in situ = rein epithelial, Basalmembran intakt → kann nicht metastasieren
  - Magenfrühkarzinom = unter Mukosa und Submukosa = nicht mehr intakt → kann metastasieren
- **Klassifikation nach Laurén**
  - *intestinaler Typ:* die beste Prognose, häufig heilbar; Aspekt: polypös, gut begrenzt; späte Metastasierung
  - *diffuser Typ:* schlechte Prognose, i. d. R. keine Heilung; Aspekt: diffus infiltrativ, schlecht abgegrenzt. LK-Metastasen früh
  - *Mischtyp*

Endosonografie für die lokale Ausbreitung (Infiltration)

- **Staging**
  - Sonografie Abd. – Lebermetastasen
  - CT Abdomen – Metastasen (Leber, LK usw.), Infiltration
  - MRT des Schädels: Hirnmetastasen
  - Röntgen-Thorax: pulmonale Metastasen
  - Skelettszintigrafie: Knochenmetastasen
- **Tumormarker:** CEA, CA 72–4 oder CA 19–9 – nur für Restaging, nicht für Diagnostik
- **Metastasierungswege**
  - lymphogen: LK der großen und kleinen Kurvatur, paraaortal und mesenterial Truncus coeliacus, Ductus thoracicus → linke supraklavikuläre Lymphknotenstation = *Virchow-Drüse*
  - lokale Infiltration: Ösophagus, Duodenum, Kolon, Pankreas und Peritoneum (Nabelmetastase: *Sister-Mary-Joseph-Knoten*)
  - hämatogen: Leber, Lunge, Skelett, Gehirn

8

- Abtropfmetastasen: Ovarien = Krukenbergtumoren beim Siegelringkarzinom

8.6.5 Therapie

- laparoskopische Mukosaresektion: nicht metastasiertes, intramukosales Magenfrühkarzinom
- Gastrektomie und Lymphadenektomie (ggf. + Omentektomie und Splenektomie) ± Chemotherapie
- palliative Resektion von Tumorteilen
- endoskopisch: Laserkoagulation von Stenosen, Anlage von Ernährungssonden

TIPP
Psychologische Unterstützung empfehlen!

8.6.6 Komplikationen

- **Früh-Dumping-Syndrom**
  - kleiner Magen → der hyperosmolare Nahrungsbrei erreicht den Darm zu schnell → Hyperosmolarität → Flüssigkeit tritt in den Darm ein → Hypovolämie → nach 30 Minuten nach dem Essen:
    - starker Schweißausbrüch
    - Herzrasen
    - Schwindel
    - Übelkeit
- **Spät-Dumping-Syndrom**
  - kleiner Magen → schnelle Passage der Kohlenhydrate → ↑ ↑ ↑ Insulin wird freigesetzt → Hypoglykämie → nach 2–4 Stunden nach dem Essen:
    - Schwitzen
    - Schwäche
    - Akathisie
    - Heißhunger

8.7 Chronisch entzündliche Darmerkrankungen

LittleDoc meint
Meine „Lieblings-Quäl-Quelle" für die FSP-Kandidaten ^_^

= Colitis ulcerosa, Morbus Crohn

- intestinale TB, mikroskopische Kolitis (Kollagenkolitis, lymphozytäre Kolitis), Diversion-Kolitis (nach Ileostoma, Kolostoma, Neovagina über Kolo-Kolpopoese), Morbus Behçet, Colitis indeterminata

8.7.1 Ätiopathogenese

- Ätiologie: unbekannt. Autoimmunerkrankungen?
- M. Crohn: genetische Prädisposition – Variationen im NOD2-Gen

8.7.2 Klinik

Colitis ulcerosa

TIPP

Bei der FSP: Wenn Sie „Blut im Stuhl" hören, sagen Sie bitte eher „Colitis ulcerosa", wenn Sie einen V. a. chronisch entzündliche Darmerkrankung haben. Bei Crohn ist Blut im Stuhl eher nicht so spezifisch. Sonst wäre Kolonkarzinom die erste Wahl.

- Diarrhö mit Schleim und Blut – bis zu 20 Mal pro Tag!
- Tenesmen
- krampfartige Abdominalschmerzen – meistens diffus
- extraintestinale Manifestationen
  - Gelenke: asymmetrische Oligoarthritis, vor allem großer Gelenke, Differenzialdiagnose Morbus Bechterew, weil sehr ähnlich (Sakroiliakalgelenke + Wirbelsäule, HLA-B27 +)
  - Augen: Episkleritis, Iridozyklitis
  - Haut: Erythema nodosum, Pyoderma gangraenosum
  - Leber: primär-sklerosierende Cholangitis
  - Lunge: fibrosierende Alveolitis
  - Herz: Perimyokarditis
  - Blut: autoimmunhämolytische Anämie
  - systemisch: Amyloidose
- Aktivitätsindex (nach Truelove & Witts 1955, ➤ Tab. 8.5) für einen schweren akuten Schub: ≥ 6 Stuhlgänge mit Blut/24 h und folgenden Symptomen: Temperatur > 37,8 °C, HF > 90 bpm, Hb ≤ 7,5 g/dL, BSG > 30 mm/h

Tab. 8.5 Schweregrad der Colitis ulcerosa nach Truelove & Witts 1955 (nach Andus & Messmann 2012)

	mild	mittelgradig	schwer
Stuhlgänge/d	< 4	4–6	> 6
Blut im Stuhlgang	intermittent	häufig	bei jedem Stuhlgang
Temperatur	< 37,5 °C	≤ 37,8 °C	> 37,8 °C
Herzfrequenz	< 90/min	≤ 90/min	> 90/min
Hämoglobin	> 11,5 g/dL	≥ 7,5 g/dL	< 7,5 g/dL
BSG	< 20 mm/h	≤ 30 mm/h	> 30 mm/h

Morbus Crohn

- Diarrhö – manchmal Schleim oder Eiter, aber ohne/sehr selten Blut! (➤ Tab. 8.6)
- krampfartige Abdominalschmerzen – manchmal Differenzialdiagnose Appendizitis wegen Lokalisation (Fossa iliaca dextra)
- tastbare abdominelle Resistenzen

8

Tab. 8.6 Crohn's Disease Activity Index (nach Best 1976) [F813-002]

	Einschätzung des Patienten	Multiplikationsfaktor
Durchfälle (in den letzten 7 Tagen)	(Anzahl)	× 2
Abdominalschmerzen (in den letzten 7 Tagen)	0 = keine 1 = leichte 2 = mittelschwere 3 = schwere	× 5
Allgemeinzustand (in den letzten 7 Tagen)	0 = gut 1 = leicht beeinträchtigt 2 = schlecht 3 = deutlich schlecht 4 = extrem schlecht	× 7
extraintestinale Symptome oder Zeichen	0 = nein 1 = ja	× 20 je Symptom
Antidiarrhoikum (in den letzten 7 Tagen)	0 = nein 1 = ja	× 30
	Einschätzung des Arztes (und Laborwerte)	**Multiplikationsfaktor**
Abdomen-Resistenz	0 = nein 2 = fraglich 5 = sicher	× 10
Hämatokrit (Normwert)	♂ 47 % ♀ 42 %	× 6
Gewicht (% unter Standard)	(Standardgewicht – Patientengewicht)/ (Standardgewicht × 100)	× 1

*CDAI < 150 Remission; CDAI > 450 schwere Krankheit (schwerer Schub)

8

- Fieber
- extraintestinale Manifestationen
  - Gelenke: asymmetrische Oligoarthritis
  - Augen: Episkleritis, Iridozyklitis
  - Haut + Schleimhäute: Pyoderma gangraenosum (meistens Beine), Aphten, Fisteln Darm-Haut oder Darm-Blase, Darm-Vagina, perianal, Anal-Fissuren, Abszesse
  - Lunge: fibrosierende Alveolitis
  - Herz: Perimyokarditis
  - Blut: autoimmunhämolytische Anämie
  - systemisch: Amyloidose

LittleDoc meint

Die Differenzialdiagnose ist in der FSP sehr wichtig! Die Tabelle „Colitis ulcerosa versus Morbus Crohn" sollte gut gelernt werden!

8.7.3 Colitis ulcerosa versus Morbus Crohn

- Colitis ulcerosa und Morbus Crohn weisen Ähnlichkeiten, aber auch Unterschiede auf (➤ Tab. 8.7, vgl. auch Stoica & Scripcariu 2016).

Tab. 8.7 Colitis ulcerosa und Morbus Crohn im Vergleich

	Colitis ulcerosa	Morbus Crohn
Lokalisation	Rektum, Kolon, terminales Ileum („Backwash Ileitis“)	ganzer Gastrointestinaltrakt
Ausbreitung	kontinuierlich vom Rektum nach Ileum	diskontinuierlich, beginnt an verschiedenen Stellen im Gastrointestinaltrakt
Sonografie, ggf. mit KM	*Alle Befunde sind kontinuierlich!* • Verdickung der Darmwand • Entzündung, besonders links: entspricht dem Schweregrad der Krankheit	*Alle Befunde sind diskontinuierlich, nicht homogen!* • Verdickung der Darmwand • Entzündung, besonders rechts, Fossa iliaca dextra • totaler oder partialer Verlust des Mehrschichtmusters der Darmwand • Stenosen, Fisteln, Abszesse • entzündliche Massen, LK ↑
Endoskopie	• kontinuierliche Schleimhautentzündung • Kontaktvulnerabilität (d.h., die Mukosa blutet, wenn man sie leicht mit dem Endoskop stößt) • unscharf begrenzte Ulzerationen • Pseudopolypen	• diskontinuierlicher Befall • Aphthen • „Pflastersteinrelief“, Aspekt der Wand • längliche, gut begrenzte Ulzera, sehen wie „Schneckenspuren“ aus • kleine Einblutungen (Pinpoint-Lesions) • Abszesse, Stenosen, Fisteln
Röntgen	• ↓↓ Haustren (Darm sieht wie ein „Fahrradschlauch“ aus)	• Stenosen • Pflastersteinrelief
Histologie	• Entzündung der Darmwand: *nur* Schleimhaut • Kryptenabszesse • Becherzellverlust • später im Verlauf: Atrophie + Epitheldysplasie → Karzinom	• Entzündung der Darmwand: transmural (also alle Schichten, sogar Fisteln zur Haut möglich) • Epitheloidzellgranulome • mehrkernige Riesenzellen • Wand-Fibrosierung • LK-Hyperplasie
extraintestinale Manifestationen (häufiger bei M. Crohn)	• Augen • Gelenke • Haut • Schleimhäute • Lunge • Herz • Leber • Blut: autoimmunhämolytische Anämie • systemisch: Amyloidose	• Augen • Gelenke • Haut • Schleimhäute • Lunge • Herz • Blut: autoimmunhämolytische Anämie • systemisch: Amyloidose
Komplikationen	• toxisches Megakolon • Blutungen • kolorektales Karzinom	• Ileus wegen Stenosen • Malabsorptionssyndrom • Fisteln, Abszesse

8

8.7.4 Diagnostik

s. oben +

- Labor
  - Enzündungsparameter: CRP, BSG
  - Stuhl: Calprotectin und Lactoferrin – Entzündung? (*Cave:* falsch negative Befunde, wenn nur der Dünndarm betroffen ist)
  - ggf. Stuhlprobe + Kultur
- Doppelballon-Enteroskopie
- Hydro-MRT – Dünndarm?
- Kapselendoskopie – Dünndarm? Bei Crohn: Gefahr Ileus wegen Stenosen!
- bei V. a. toxisches Megakolon:
  - Röntgen-Abd: dilatierte Darmschlingen > 6 cm, keine Haustren
  - *Cave:* Perforationrisiko → keine KM-Gabe, keine Koloskopie

8.7.5 Differenzialdiagnosen

- Enterokolitis → die Dauer der Symptomatik passt nicht
- Pseudomembranose Kolitis → keine Clostridium-difficile-Toxine im Stuhl
- Andere chronisch entzündliche Darmerkrankungen (s. oben) → Ausschluss durch Endoskopie + Biopsie
- Appendizitis → die Dauer der Symptomatik passt nicht
- (Meckel-)Divertikulitis → Ausschluss durch Endoskopie
- Polyp → Ausschluss durch Endoskopie
- Tumor → Ausschluss durch Endoskopie + Biopsie
- glutensensitive Enteropathie → Ausschluss durch Endoskopie + Biopsie

8

8.7.6 Therapie

Colitis ulcerosa

- *unkomplizierte Colitis ulcerosa*
  - leichte bis mäßig aktive Proktitis: 5-ASA (z. B. Mesalazin) als Suppositorium, Schaum oder Einläufe; bei unzureichendem Ansprechen auf Therapie: Kombi mit topischen Steroiden oder 5-ASA p. o.; bei weiterem Therapieversagen: systemische Steroidtherapie
  - leichte bis mäßig schwere linksseitige Colitis ulcerosa: 5-ASA als Schaum oder Einläufe + 5-ASA p. o.; bei unzureichendem Ansprechen auf Therapie oder bestätigter schwerer Form der Colitis ulcerosa: systemische Steroidtherapie
  - Remissionserhaltung: 5-ASA – Applikationsweg vom Befallsmuster abhängig – bei Proktitis und linksseitiger Colitis ulcerosa primär rektal; alternativ: der apathogene Escherichia(E.)-coli-Stamm Nissle 1917; bei unzureichendem Ansprechen auf Therapie: Dosiseskalation einer oralen/rektalen Therapie; bei Nichtansprechen: JAK-Inhibitoren, TNF-Antikörper, Thiopurinen, Mirikizumab usw.

- *komplizierte/schwere Colitis ulcerosa*
  - Behandlung soll stationär erfolgen
  - systemische Steroidtherapie; bei unzureichendem Ansprechen auf Therapie/KI für Steroide: u. a. Calcineurininhibitoren, JAK-Inhibitoren, TNF-Antikörper; ggf. Proktokolektomie
  - Thromboseprophylaxe
  - Remissionsprophylaxe: u. a. JAK-Inhibitoren, TNF-Antikörper, Thiopurinen, Mirikizumab

MERKE

Für die Praxis: Die Therapie soll sich immer nach den neuesten *Leitlinien* richten („Aktualisierte S3-Leitlinie Colitis ulcerosa", DGVS 2024)!

Morbus Crohn

- Nikotinkarenz!
- akuter Schub
  - *leichte Krankheitsaktivität:* 5-ASA
    - Befall der Ileozökalregion und/oder des rechtsseitigen Colons: Budesonid
  - *hohe Krankheitsaktivität:* systemische Glukokortikoide
    - bei distalem Befall können Suppositorien, Einläufe oder Schäume mit 5-ASA eingesetzt werden
    - bei Befall des oberen GIT: systemische Steroide oder immunosuppressive Therapie oder Therapie mit TNF-α-Antikörpern, Risankisumab, Upadacitinib, Ustekinumab oder Vedolizumab
    - steroidrefraktärer Verlauf: TNF-α-Antikörpern, Risankisumab, Upadacitinib, Ustekinumab oder Vedolizumab
    - bei einem isolierten Befall der Ileozökalregion, kurzer Vorgeschichte und keinem Ansprechen auf Steroide ggf. Resektion
- Remission
  - milder Verlauf: abwartendes Verhalten ohne remissionserhaltende Therapie erwägen
  - Azathioprin/6-Mercaptopurin, MTX, Risankizumab, TNF-α-Antikörpern, Upadacitinib, Ustekinumab oder Vedolizumab
  - Rehamaßnahmen notwendig?
  - unter Thiopurinen: Risiko für Nicht-Melanom-Hautkrebs; unter TNF-α-Antikörpern Risiko Melanome → Hautkrebsscreening!
- Fisteln: häufig medikamentös *und* chirurgisch; nach Abszessausschluss oder -drainage: Infliximab (1. Wahl); Antibiotika können bei Bedarf angesetzt werden
- Anämie: Substitution mit Eisen bei Eisenmangelanämie; bei refraktärer Anämie trotz Substitution und Optimierung der Grundtherapie ggf. Erythropoietin-Derivaten
- Vitamin-B_{12}- und Folsäure-Mangel: entsprechende Substitution; bei Befall oder Resektion des terminalen Ileums: parenterale Substitution mit B12

- Augenbeteiligung: ophthalmologische Mitbehandlung
- Gelenkbeteiligung: Analgesie, periphere Arthritiden: Sulfasalazin, MTX oder TNF-α-Antikörper; axiale Spondylarthritiden: TNF-α-Antikörpern oder Upadacitinib
- Erythema nodosum: primär Intensivierung der Grundtherapie; Pyoderma gangraenosum: systemische Steroidtherapie, bei fehlendem Ansprechen Calcineurin-Inhibitoren oder TNF-α-Antikörper
- bestätigte primär sklerosierende Cholangitis: Ursodesoxycholsäure

TIPP
Die Behandlung von Komplikationen sowie extraintestinalen Manifestationen ist vielschichtig. Für eine umfassende Darstellung der Therapiemöglichkeiten bitte die aktuellen *Leitlinien* heranziehen („Diagnostik und Therapie des Morbus Crohn", DGSV 2024).

8.7.7 Prognose

Colitis ulcerosa

- kolorektales Karzinom-Risiko ↑
- „Heilung" möglich durch Proktokolektomie

Morbus Crohn

- chronische Erkrankung + Komplikationen
- lebenslange immunsuppressive Therapie → Nebenwirkungen
- keine Heilung möglich

TIPP
Psychologische Unterstützung empfehlen!

8

8.8 Sprue (glutensensitive Enteropathie)

8.8.1 Begriffe

- **Zöliakie,** früher **Sprue** bei Erwachsenen
- **Malassimilationssyndrom** = Maldigestion + Malabsorption
- **Maldigestion** = Störung bei Vorverdauung im Mund und Magen und/oder enzymatischer Aufspaltung und/oder Fettemulgierung
- **Malabsorption** = Störung bei der Aufnahme der Nahrungsspaltprodukte aus dem Darmlumen und/oder des Abtransports über die Blutbahn oder die Lymphe

8.8.2 Ätiopathogenese

- chronische Intoleranz gegen Klebereiweiß (Gluten) und seine Proteinfraktion Gliadin
- Antigen-Quellen: Weizen, Roggen, Hafer, Gerste, Dinkel, Grünkern usw.

- Autoimmunerkrankung
- im Dünndarm: Gliadin + Gewebetransglutaminase → stabile Komplexe → neue Antigene → neue Antikörper = Anti-Gliadinantikörper, aber auch IgA gegen Gewebetransglutaminase
- Gewebetransglutaminase: Gliadin → Glutamat: ↑ ↑ Affinität MHC-Klasse-II-Komplexe (HLA-DQ2, HLA-DQ8) auf antigenpräsentierenden Zellen → einfaches Erkennen von T-Zellen
- chronische Entzündung, besonders in Jejunum

8.8.3 Klinik

- Malabsorption →
  - Gewicht ↓, Ø Wachstum
  - ↑ Durchfälle (> 250 g/d), ggf. Steatorrhö (Stuhlfettgehalt > 8 g/d)
  - Ø Eisen, Folsäure, Vitamin B_{12} → Anämie, Polyneuropathie
  - Ø Vitamin D_3, ↓ Kalzämie → Rachitis
  - Ø Vitamin A → Nachtblindheit

LittleDoc meint
Hier wäre es vielleicht sinnvoll, die Avitaminosen noch mal zu lesen … Ich sag's nur :-P

8.8.4 Diagnostik

- Dünndarmbiopsie + Histologie: Zottenatrophie, verlängerte Krypten ↑ ↑ Lymphozyten in der Lamina propria
- Serologie: IgA-Antikörper gegen Gewebetransglutaminase, Endomysium und Gliadin
- glutenfreie Diät → Verbesserung der Symptomatik
- D-Xylose-H2-Atem-Test: Xylose wird nicht resorbiert → ↑ Dickdarmflora → ↑ ↑ H2-Konzentration in der Ausatemluft
- Laktasemangel? – häufig assoziiert → H2-Atemtest nach Laktosegabe

8.8.5 Therapie

- glutenfreie Kost
- stattdessen Kartoffeln, Mais, Reis, Hirse
- Vitaminsubstitution
- ggf. (falls eine glutenfreie Kost nicht reicht): immunsuppressive Therapie

8.9 Reizdarm

8.9.1 Ätiologie

- zurzeit unklar (2024)
- Faktoren, die gleichzeitig auftreten können: u. a. gestörter Gallensäuremetabolismus, veränderte enterale Immunantworten oder

Innervation der Darmwand, veränderte Signalverarbeitung in verschiedenen Hirnarealen
- möglicherweise auch genetische Prädisposition, psychische Faktoren: Patienten nehmen Stimuli verstärkt wahr, empfinden sie als sehr unangenehm; erlerntes Krankheitsverhalten (Learned Illness Behaviour), psychiatrische Komorbiditäten, Stress.
- oft in Kombination mit anderen funktionellen GIT-Beschwerden

8.9.2 Klinik

- Beschwerden anhaltend/rezidivierend > 3 Monate, sowohl vom Patienten als auch vom Arzt auf den Darm bezogen + i. d. R. Stuhlgangsveränderungen + Lebensqualität dadurch beeinträchtigt + keine andere Krankheit vorhanden, die die Beschwerden erklären könnte
- intestinale Motilitätsstörungen, hauptsächlich im Kolon
- Abdominalschmerzen
- Blähungen
- Völlegefühl
- Diarrhöen, Obstipation oder auch wechselnd

8.9.3 Diagnostik

- Anamnese körperliche Untersuchung, Labor Blut+Stuhl → Ausschluss intestinale Entzündungsmarker, Erreger, Zöliakie; Abdomensonografie
- ÖGD + Koloskopie mit Biopsien
- ggf. Funktionstests, z. B. Darmprovokationstest per Endoskop = durch konfokale Laser-Endo-Mikroskopie → Spritzen mit Nahrungsbestandteilen → Epithelium-Reaktion binnen Sekunden, mit histologischen Veränderungen

TIPP

Sehr interessant und lesenswert zur Reaktion der Darmschleimhaut auf verschiedene Stimuli ist eine Studie von A. Fritscher-Ravens et al. (2014).

8.10 Akute Diarrhö

- normale Stuhlentleerung = dreimal pro Woche bis dreimal pro Tag
- Diarrhö = mehr als s. o.

8.10.1 Einteilung

- akute Diarrhö ≤ 3 Wochen
- chronische Diarrhö > 3 Wochen

8.10.2 Ätiologie

- infektiös (Enteritis): Reisen (meist über Wasser), Kontakt zu angesteckten Personen
  - Bakterien, am häufigsten: Salmonellen, E. coli, Shigellen, Campylobacter jejuni
  - Viren
  - Protozoen
- Lebensmittelvergiftung: bakterielle Toxine
- Medikamente: Laxanzien, Antibiotika
- Nahrungsmittelallergie
- Reizdarmsyndrom
- Süßstoff-Konsum ↑ ↑: Mannit, Sorbit – schlecht resorbierbar
- Malassimilationssyndrome
- chronisch entzündliche Darmerkrankungen
- Tumorerkrankungen

8.10.3 Klinik

- Diarrhö *[I know, who would've thought?!]*
- je nach Ursache: Fieber, Erbrechen, Steatorrhö, Mukus, Eiter, Blut im Stuhl

8.10.4 Diagnostik

- Labordiagnostik: BB, Entzündungsparameter, Gerinnung, Leber, Nieren, Elektrolyte + Serologie?
- Stuhluntersuchung + ggf. Calprotectin + Kultur + ggf. Antibiogramm
- Clostridium-difficile-Toxin – pseudomembranöse Kolitis?
- ggf. Videokapsel

8.10.5 Therapie

- viel Flüssigkeit, ggf. i. v., Elektrolyt- und Glukose-Lösungen
- normalerweise keine Antibiotika (die meisten Enteritiden sind selbstlimitierend) – nur bei Komplikationen
- ggf. Loperamid – aber NICHT bei schweren bakteriellen Darminfektionen mit hohem Fieber und blutiger Diarrhö → Fluorchinolone
- falls Protozoen (Lamblien, Amöben): Metronidazol

8.10.6 Reisediarrhö

- *Ätiologie*
  - kontaminierte Nahrungsmittel oder Getränke

LittleDoc meint

Die Chancen, dass Sie so einen Fall bekommen, sind nicht unbedingt gering!

  - Erreger: am häufigsten enterotoxinbildende E. coli, dann Shigellen, Salmonellen, Campylobacter, Viren und Protozoen (Entamoeba histolytica, Giardia lamblia)
- *Prophylaxe*
  - Wasser vor dem Trinken und Zähneputzen abkochen
  - nur Getränke aus original-verschlossenen Flaschen trinken
  - alle Nahrungsmittel durchgekocht → keine Eissorten, Meeresfrüchte, Mayo, Salate
  - Obst immer selbst schälen
  - Antibiotikaprophylaxe – nicht empfehlenswert → Risiko Resistenz
  - Aktive Impfungen: Salmonella typhi, Vibrio cholerae

CAVE!
Getränke mit Eiswürfeln vermeiden!

8.10.7 Dysenterie (Ruhr)

- *Ätiologie*
  - meistens bakteriell: Salmonellen, Shigellen, E. coli oder durch Amöben
- *Klinik*
  - starke, krampfartige Abdomenschmerzen
  - Diarrhö mit Blut und Mukus
  - Tenesmen
  - Fieber
  - seltener: Erbrechen, Myalgien, Müdigkeit, Gewichtsverlust
- *Diagnostik*
  - Stuhlprobe + Kultur + Antibiogramm + ↑ ↑ Leukos und Erythrozyten im Stuhl
- *Therapie*
  - je nach Antibiogramm (meistens Chinolone, Aminopenicilline, Cephalosporine, Cotrimoxazol) + Allgemeinmaßnahmen

8.10.8 Typhus und Cholera

- *Ätiologie*
  - Übertragung: fäkal-oral
  - Salmonella typhi: mangelnde Hygiene, Körperkontakt mit Menschen mit Typhus
  - Vibro cholerae: verseuchtes Wasser, Körperkontakt mit Menschen mit Cholera, Meeresfrüchte
- *Klinik*
  - erbsenbreiartige Durchfälle bei Typhus
  - ↑ ↑ ↑ Reiswasserstühle bei Cholera
  - Fieber
  - Roseolen der Bauchhaut – Typhus
  - Splenomegalie – Typhus
  - Zunge: graugelb belegt – Typhus

- *Diagnostik*
  - Blut: Erreger, Leukopenie, aber mit Linksverschiebung, absolute Eosinopenie
  - Stuhlprobe, ggf. Erbrechenprobe
- *Therapie*
  - Ciprofloxacin – Typhus
  - Tetracyclin oder Cotrimoxazol – Cholera; ggf. Impfung

8.10.9 Yersiniose

- *Yersinia pseudotuberculosis:* akute Lymphadenitis mesenterica mit terminaler Ileitis (Differenzialdiagnose Appendizitis)
- *Yersinia enterocolitica:* Diarrhö und Abdominalkoliken (Differenzialdiagnose Morbus Crohn)
  - extraintestinale Manifestationen: Erythema nodosum, reaktive Arthritis

8.10.10 Antibiotikaassoziierte Kolitis

- *Ätiologie*
  - Antibiotika (meistens Clindamycin, Cephalosporine, Aminopenicilline) → ↓ Darmflora → ↑ toxinbildendes Clostridium difficile → pseudomembranöse Kolitis (abstreifbare Pseudomembranen durch Fibrinexsudation)
- *Diagnostik*
  - Blut: v. a. BB, Elektrolyte
  - Stuhlprobe
  - keine Koloskopie – Perforationsrisiko!
- *Therapie*
  - Infusionstherapie
  - altes Antibiotikum absetzen; Vankomycin oder Metronidazol oral einsetzen

LittleDoc meint
Bitte auch in der Klinik daran denken!

8.10.11 Botulismus

- *Ätiologie*
  - Clostridium botulinum = anaerobes Bakterium → in anaerob konservierten Nahrungsmitteln = Konservendosen und Gläser
- *Klinik*
  - Brechdurchfall
  - periphere Nervenlähmungen → Doppelbilder, Ptosis, Dysarthrie, Dysphagie → bis zur Lähmung der Atemmuskulatur mit Atemstillstand (in Stunden) – 70 % der unbehandelten Patienten sterben
- *Diagnostik*
  - Serum, Stuhl, Magensaft, Speisereste: Toxinnachweis

- *Therapie*
  - polyvalentes Antitoxin

CAVE!
Vorgewölbte Konservendosen!

8.10.12 Sonstige Durchfallerkrankungen

- *Salmonellenenteritis:* Milch, Fleisch- und Geflügelprodukten – fieberhafter Brechdurchfall; → Sepsis mit Organmanifestationen: Endokard, Pleura, Meningen, Knochen und Gelenke
- *Campylobacter-Enteritis* (häufigster Erreger in Europa): Geflügelfleisch, Eier und Rohmilch → reaktive Arthritis und Guillain-Barré-Syndrom
- *Novoviren, Rotaviren:* akuter, nicht fieberhafter Brechdurchfall (aerogen oder fäkaloral übertragen)
- *Staphylococcus-aureus-Toxin:* Eiprodukte (Mayo), gekühlte Milchprodukte (Pudding, Sahne)
- *Shigella:* ungewaschenes Obst und Gemüse, Wasser, Milchprodukte

8.11 Divertikel

8.11.1 Begriffe

- **Divertikel** = Ausstülpung (Hernie) der gesamten Wand eines Hohlorgans; d. h. Mukosa + Submukosa + Muscularis mucosae/quergestreifte Muskeln + Serosa/Peritoneum viscerale sind betroffen
- **Pseudodivertikel** = Ausstülpung (Hernie) der Mukosa und Submukosa der Wand eines Hohlorgans durch eine Lücke im muskulären Wandanteil
- **Pulsionsdivertikel** = Pseudodivertikel des Hypopharynx und des Ösophagus; Ätiologie: ↑ ↑ intraluminaler Druck; z. B. Zenker-Divertikel
- **Traktionsdivertikel** = oft auch „parabronchiale Divertikel" = Divertikel des Ösophagus; Ätiologie: Ausziehung von außen; z. B. bei mediastinalen Raumforderungen
- **Divertikulitis** = Entzündung eines Divertikels oder Pseudodivertikels
- **Divertikulose** = das Auftreten multipler (Pseudo-)Divertikel des Kolons

8.11.2 Ätiopathogenese

- *Divertikulose*
  - Pathomechanismus: intraluminale Druckerhöhung
  - Risikofaktoren
    - ballaststoffarme Kost
    - Überernährung
    - Altersatrophie der Wand → Muskelschichtschwäche
    - chronisch habituelle Obstipation

→ „Zivilisationskrankheit“
- *Divertikulitis* = Entzündung eines (Pseudo-)Divertikels durch Stuhl

8.11.3 Klinik

- *Divertikulose* = asymptomatisch
- *Divertikulitis* = „Linksappendizitis“ wenn in Sigma – oder „Appendizitis trotz Appendektomie“, wenn im Zäkum →
  - Schmerzen im linken/rechten Unterbauch
  - Übelkeit und Erbrechen
  - ggf. Diarrhö, selten Obstipation, Blutstuhl
  - Palpation: „*Walze*“
  - falls Perforation (gedeckt oder frei), Abszess, Fisteln → akutes Abdomen
  - Ileus

CAVE!
Zäkumdivertikulitis – Differenzialdiagnose Appendizitis!

8.11.4 Diagnostik

- Labor: BB, Entzündungsparameter (CRP, BSG) ↑
- Schnittbildverfahren: Sonografie, CT: Abszess? Perforation? Gedeckte Perforation?
- Röntgen: Abdomen-Übersichtsaufnahme nativ
- ggf. Kolon-Kontrasteinlauf, wenn Ø Perforation
  - Perforation → freie Luft?
  - Divertikel
  - Ileus
- Koloskopie: kontraindiziert im akuten Stadium – Risiko iatrogene Perforation oder falls bestehende Perforation → Risiko Darminhalt in die Peritonealhöhle gepresst → abwarten bis Leukozyten, CRP ↓ → Koloskopie ± *Biopsie*

Einteilung der Divertikelkrankheit

- *Einteilung s. S3-Leitlinie:* „Divertikelkrankheit/Divertikulitis“ (DGVS & DGA 2021)
- *Typ 0:* asymptomatische Divertikulose
- *Typ 1:* akute unkomplizierte Divertikelkrankheit/Divertikulitis
- *Typ 1a:* akute unkomplizierte Divertikulose ohne phlegmonöse Umgebungsreaktion
- *Typ 1b:* akute unkomplizierte Divertikulose mit phlegmonöser Umgebungsreaktion
- *Typ 2:* akute komplizierte Divertikulitis
- *Typ 2a:* akute komplizierte Divertikulitis mit Mikroabszess ≤ 3 cm

8

- *Typ 2b:* akute komplizierte Divertikulitis mit Makroabszess ≥ 3 cm
- *Typ 2c:* akute komplizierte Divertikulitis mit freier Perforation
  - *Typ 2c1:* eitrige Peritonitis
  - *Typ2c2:* fäkale Peritonitis
- *Typ 3:* chronisch rezidivierende Divertikulitis oder anhaltende symptomatische Divertikelkrankheit
- *Typ 3a:* symptomatische unkomplizierte Divertikelkrankheit (SUDD)
- *Typ 3b:* rezidivierende Divertikulitis ohne Komplikationen
- *Typ3c:* rezidivierende Divertikulitis mit Komplikationen
- *Typ 4:* Divertikelblutung

8.11.5 Differenzialdiagnosen

LittleDoc meint

Diese Differenzialdiagnosen könnten Sie in vielen Situationen in der FSP „retten"!

- *gastroenterologisch*
  - Gastroenteritis, Kolitis
  - Appendizitis
  - chronisch entzündliche Darmerkrankungen
  - Meckel-Divertikel
  - symptomatische Cholezystolithiasis
  - Mesenterial-Infarkt
  - Lymphadenitis mesenterialis
  - Tumoren
- *urologisch*
  - Harnwegsinfektion (v. a. Pyelonephritis)
  - Urolithiasis
  - Fehlbildungen
  - Tumoren
- *gynäkologisch*
  - Adnexitis
  - Prämenstruelles Syndrom
  - symptomatische Ovarialzysten
  - rupturierte Ovarialzysten
  - Extrauterin Gravidität – *β-HCG Werte bei Frauen!*
  - Ovarialtorsion
  - Tumoren

8.11.6 Therapie

- *unkomplizierte Divertikulitis*
  - konservative Behandlung: Diät und ausreichende Flüssigkeitszufuhr
  - in Risikofällen ggf. Antibiose
- *komplizierte Divertikulitis:* Antibiose und OP-Indikation
  - je nach Befund: notfallmäßig, frühelektiv oder elektiv
  - ausreichende Flüssigkeitszufuhr, balaststoffarme Diät, aber erst nach Besserung der Symptome
- *rezidivierende Divertikulitis:* je nach bisherigem Verlauf – Sigmaresektion?

8

8.12 Kolonpolypen

= Gewebsvorwölbungen (Einstülpungen) der Darmwand

8.12.1 Einteilung

- entzündliche Polypen
- hyperplastische Polypen
- Adenome – enthalten häufig Dysplasien → Entartung Risiko → Resektion!
- Hamartome
- *Adenome* – Einteilung nach der Morphologie
  - tubulär – deutlich erhöhtes Karzinomrisiko
  - tubulovillös – doppelt so hohe Entartungsfrequenz wie die tubulären Adenome
  - villös – höchste Entartungsfrequenz
- *Polyposis (Syndrom)* = disseminierte Polypen des Kolons und ggf. des ganzen GITs; obligate Präkanzerose bei vielen mit diesem Syndrom → prophylaktische Kolektomie mit Proktomukosektomie und Anlage eines ileoanalen Pouches empfohlen
  - familiäre adenomatöse Polyposis (obligate Präkanzerose)
  - Peutz-Jeghers-Syndrom
  - Turcot-Syndrom
  - familiäre juvenile Polyposis
  - Cronkhite-Canada-Syndrom
  - Cowden-Syndrom

8.12.2 Klinik

- oft asymptomatisch (Zufallsbefunde bei einer Koloskopie)
- peranale Blut- und Schleimabgänge
- Diarrhö
- Abdominalschmerzen
- bei sehr großen Polypen: Ileus (Darmverschluss)

8.12.3 Diagnostik

- Koloskopie bis zur Ileozäkalklappe (Bauhin-Klappe) – ggf. auch therapeutisch (Resektion)

8.12.4 Therapie

- koloskopisch: Abtragung mit Diathermieschlinge
- Kolotomie bei großen Polypen

- transanale endoskopische Mikrochirurgie für anal oder rektal lokalisierte Adenome
- alle werden histologisch untersucht; falls inkomplette Resektion → Resektion des Darmabschnittes

8.13 Kolorektales Karzinom

Rektumkarzinom < 16 cm von der Anokutanlinie

8.13.1 Ätiopathogenese

LittleDoc meint

Bitte vergessen Sie das Thema *Empathie* nicht. Wenn Sie im Gespräch mit dem Patienten die Diagnose erkennen, bitte nicht gleich ein Rad schlagen vor Freude.

- ↑ Konsum an ballaststoffarmen tierischen Fetten und Eiweißen
- Rauchen
- C_2-Abusus
- Adenome (Genmutationen – APC-Gen, k-ras, p53)
- familiäre adenomatöse Polyposis (FAP)
- hereditäres nicht polypöses Kolonkarzinom-Syndrom (HNPCC)
- Colitis ulcerosa
- kolorektales Karzinom in der VE
- genitale Karzinome bei ♀

8.13.2 Ausbreitung

- per continuitatem in der Darmwand
- hämatogen – Leber, Lungen, später andere Organe
- lymphogen
  - erstes Drittel: in die paraaortalen LK
  - zweites Drittel: in die paraaortalen und Beckenwand LK
  - distales Drittel: in die inguinalen und in die Beckenwand LK

8.13.3 Klinik

- erst später im Verlauf
- Obstipation/Obstipation im Wechsel mit Diarrhöen (paradoxale Diarrhöen – explosionsartige, flüssige Diarrhö im Wechsel mit Obstipation)
- Flatulenz, Meteorismus
- Tenesmen
- Hämatochezie oder Rektorrhagie oder okkulte Stuhlblutungen (Guajak-Test!!) → Anämie
- B-Symptomatik
- AZ ↓
- Ileus

8.13.4 Diagnostik und Staging

- Labor: BB, CRP, CEA (wichtig im Verlauf der Therapie), Guajak-Test
- Koloskopie + Biopsie
- Röntgen-Thorax – Lungenfiliae?
- Sonografie Abdomen – Leberfiliae?
- CT Thorax-Abdomen ggf. CCT – Filiae?
- ggf. Szintigrafie – ossäre Filialisierung?
- rektale Endosonografie – Wandinfiltration?

8.13.5 Differenzialdiagnosen

- chronisch entzündliche Darmerkrankungen
- Divertikel, Divertikulose, Divertikulitis
- Polypen
- andere Tumoren in dem Bereich: Weichteilsarkome, Prostatakarzinom, Blasenkarzinom, Ovarial-/Corpuskarzinom, Ovarialzyste

8.13.6 Therapie

- Operation
  - Entfernung des betroffenen Darmabschnitts unter Wahrung eines Sicherheitsabstands im gesunden Gewebe
  - Non-Touch-Technik: Hemikolektomie (rechtseitige, linksseitige, Transversum Resektion), ggf. subtotale/totale Kolonresektion
  - neoadjuvante Radiochemotherapie falls Down-Staging möglich
  - gezielte Resektion der Leber-/Lungenmetastasen
- adjuvante Radiochemotherapie
- palliativ: Kryo-/Lasertherapie, Umgehungsanastomosen
- bei kolorektalen Karzinomen mit Mismatch-Reparatur-Defizienz: PD-1-Hemmer

TIPP
Psychologische Unterstützung empfehlen!

8.13.7 Vorsorge

- FAP: jährliche Koloskopie ab dem 7. Lebensjahr
- HNPCC: jährliche Koloskopie ab dem 25. Lebensjahr
- Koloskopie alle 10 Jahre ab dem 50. Lebensjahr oder fäkaler Okkultblut-Test jährlich
- bei Verwandten 1. Grades mit kolorektalem Karzinom: Koloskopie alle 10 Jahre ab dem 40. Lebensjahr oder fäkaler Okkultblut-Test jährlich
- genetische Diagnostik bei Verwandten mit kolorektalem Karzinom und bekannter Mutation (FAP, HNPCC)

8.13.8 Nachsorge

- Koloskopie nach 3 Monaten, dann alle 6 Monate für 2 Jahre und dann jährlich
- 5 Jahre: alle 6 Monate CEA + Abdomen-Sonografie

8.14 Akute Pankreatitis

= **Bauchspeicheldrüsenentzündung**

8.14.1 Ätiologie

- Gallenwegserkrankungen (Choledocolithiasis, Gallengangstenosen)
- C_2-Abusus (Differenzialdiagnosen akute Pankreatitis vs. akuter Schub bei chronischer Pankreatitis)
- iatrogene Pankreatitis (Post-ERCP, Post-Papillotomie)
- hereditäre Pankreatitis
- Medikamente (Azathioprin, Glukokortikoide, ACE-Hemmer)
- Trauma
- rheumatische Krankheiten: systemischer Lupus erythematodes
- Pankreasfehlbildungen oder Anomalien (Pankreas divisum)
- Malignome (Non-Hodgkin-Lymphom, Karzinome)
- Hyperlipoproteinämie
- Hyperkalzämie und/oder Hyperparathyreoidismus
- Mumpsvirus, HIV

8.14.2 Pathogenese

inkomplett bekannt

- vorzeitige intrapankreatische Aktivierung von Verdauungsenzymen → Schädigung des Bauchspeicheldrüsengewebes und der benachbarten Organe (*Cave:* Aorta und Cava sind da!); weiter Lipase → enzymatische Fettgewebsnekrose
- nekrotisierende Verlaufsformen: eine Dekompensation von Schutzmaßnahmen des Pankreas (gestörte Apoptose geschädigter Zellen, Mangel an Proteaseinhibitoren)

8.14.3 Schweregrad

- ödematöse Pankreatitis – Restitutio ad integrum möglich
- partiell nekrotisierende Pankreatitis – partielle Nekrose des Pankreas + ≤ 2 extrapankreatische Organkomplikationen

- nekrotisierende Pankreatitis – totale Nekrose des Pankreas + mehrere extrapankreatische Organkomplikationen; Letalität ≥ 80 %

8.14.4 Klinik

- starke epigastrische und mesogastrische Schmerzen – gürtelförmige, dorsale Ausstrahlung
- Übelkeit und/oder Erbrechen
- Meteorismus
- Fieber
- Schockzeichen
- AZ ↓ ↓ ↓
- Palpation: prall-elastische Abwehrspannung („*Gummibauch*")
- Ikterus
- paralytischer Ileus
- grünlich-bräunliche Hautverfärbungen an den Flanken – Grey-Turner-Zeichen oder um den Nabel – Cullen-Zeichen → Nekrose

8.14.5 Diagnostik

- Labor
  - Pankreaslipase + α-Amylase: ↑ ↑ × ≥ 3 × Norm, aber ohne Hinweis auf Schweregrad oder Prognose
  - Cholestase-Parameter ↑ (GGT, AP, direktes Bilirubin) → biliäre Pankreatitis?
  - CRP und LDH immer ↑ ↑ → Nekrose?
  - BB
- bildgebende Verfahren
  - Sonografie
    - Gallenblasen- oder Gallengangssteine → biliäre Pankreatitis?
    - Pankreasverkalkungen, Pankreaspseudozysten → akuter Schub bei einer chronischen Pankreatitis?
    - häufig Meteorismus ↑ → Ø Beurteilung möglich
    - freie Flüssigkeit im Abdomen
    - sonografiegesteuerte Punktion möglich → Probeentnahme → Infektion? Antibiotika?
  - Computertomografie
    - CT mit KM → Differenzialdiagnosen ödematöse vs. nekrotisierende Pankreatitis
    - CT-gesteuerte Punktion möglich → Probeentnahme → Infektion? Antibiotika?
  - Endosonografie: Gallengangssteine oder Tumoren → Stenose?
  - ggf. MRT

8.14.6 Differenzialdiagnosen

- Ulcus ventriculi/duodeni ggf. perforiert oder penetrierend
- akute Cholezystitis, Cholangitis
- MI
- Aortendissektion
- Mesenterial-Infarkt
- akute Hepatitis
- Koprostase

TIPP

Eher unwahrscheinlich als Differenzialdiagnosen zur akuten Pankreatitis, aber falls die Prüfer in der FSP weitere hören möchten:

- ulzerierte Hiatus Hernie
- Achalasie
- Magenkarzinom
- Pankreaskarzinom
- Refluxkrankheit
- peptische Ösophagitis
- akute Pneumonie
- Ileus
- akutes Lungenschädigungs-Syndrom (Acute Respiratory Distress Syndrome, ARDS)
- Vater-Ampulle-Karzinom
- Papillom
- Mallory-Weiss-Syndrom
- Boerhaave-Syndrom

8.14.7 Therapie

- Allgemeinmaßnahmen
  - Volumen- und Elektrolytsubstitution: ≥ 3–4 L/24 Stunden (↑ retroperitonealer Flüssigkeitsverlust) – das Wichtigste!
  - Korrektur des Säure-Basen-Haushaltes
  - Diät: *nil per os ist nicht empfohlen;* eigentlich sollten die Patienten schon < 24 Stunden per os Ernährung bekommen; falls nicht möglich, sollte eine enterale Nahrung vor der i. v. Nahrung versucht werden
  - C_2-Karenz
- Beatmung
- Magensonde → Ø Aspiration, Ø paralytischer IleusAnalgesie - *Cave!* Morphinderivate → Papillenspasmus
- Antibiotikaprophylaxe bei Nekrose: Carbapenem/Ciprofloxacin + Metronidazol
- Stressulkus-Prophylaxe – PPI
- Dialyse bei akutem Nierenversagen
- operative Intervention – Indikationen lt. Tang & Markus (2019):
  - biliäre Pankreatitis: bei aszendierender Cholangitis und Obstruktion → früh ERCP mit Sphinkterotomie und Lithotomie; ansonsten früh Cholezystektomie binnen 48 h ist empfohlen.
  - Läsionen des Ductus pancreaticus → Hypokalzämie + freie Flüssigkeit im Retroperitonealraum (CT) + Amylase/Lipase > 10 000 →

transpapilläre Stentimplantation oder nasopankreatischer Katheter durch ERCP; wenn das ERCP erfolglos ist → OP.
  - Pseudozysten, die > 7 cm sind, oder die bluten, infiziert werden oder Schmerzen verursachen → perkutane Aspiration, endoskopische transpapilläre or transmurale Drainage.
  - Infizierte Pankreasnekrose: Nachweis von Keimen bei der CT-assistierten Aspiration → perkutane Drainage.
- vgl. Tang (2021)

8.14.8 Komplikationen

- Pseudozysten
- Hämorrhagien
- Perforation der benachbarten Organe und Gefäße!
- Abszess
- Infektion der Nekroseherde → Sepsis
- falls Sepsis: Schock, Verbrauchskoagulopathie, akutes Nierenversagen, Lungenversagen, Exitus

8.14.9 Prognose

Ranson-Score bei schwerer Pankreatitis

- Ranson-Score (Ranson et al. 1974): wichtiges Instrument zur Beurteilung der Schwere einer akuten Pankreatitis, zur Einschätzung des Risikos von Komplikationen und der Mortalität (➤ Tab. 8.8)

LittleDoc meint
Die Scores brauchen Sie nicht auswendig zu lernen; es reicht, wenn Sie wissen, welche Parameter dafür wichtig sind.

BISAP-Score

- vgl. Studie von Kantly & Medikeri (2018)
- 1 Punkt je vorhandenem Parameter:
  - BUN (Blut-Harnstoff-Stickstoff) > 25 mg/dL bzw.
  - Impaired mental status (Desorientiertheit, Lethargie)
  - SIRS: mindestens 2 Kriterien erfüllt (Temperatur < 36 °C oder > 38 °C; Herzfrequenz > 90/min; Atemfrequenz > 20/min oder $PaCO_2$ < 32 mmHg; Leukozyten < 4000/mm^3 oder > 12000/mm^3 oder > 10 % unreife Leukozyten)
  - Alter > 60 Jahre
  - Pleuraerguss
  - *Auswertung:* Ein BISAP-Score von über 3 innerhalb der ersten 24 Stunden ist ein Prädiktor für einen schweren Verlauf der Pankreatitis.
- weitere Scores
  - Imrie-Score
  - APACHE-2-Score
  - Balthazar-Score

8

Tab. 8.8 Ranson-Score der akuten Pankreatitis (nach Ahmed et al. 2020)

Bei der Aufnahme	
Alter > 55 Jahre bei non-biliärer Pankreatitis, > 70 Jahre bei biliärer Pankreatitis	1 Punkt
Leukozytenzahl > 16000/µl bei non-biliärer Pankreatitis, > 18000/µl bei biliärer Pankreatitis	1 Punkt
LDH > 350 U/l bei non-biliärer Pankreatitis, > 400 U/l bei biliärer Pankreatitis	1 Punkt
GOT > 250 U/l	1 Punkt
Glukose > 200 mg/dl bei non-biliärer Pankreatitis, > 220 mg/dl bei biliärer Pankreatitis	1 Punkt
Innerhalb von 48 Stunden	
Hämatokrit-Abfall um > 10 %	1 Punkt
Harnstoff-Stickstoff Anstieg > 5 mg/dl bei non-biliärer Pankreatitis, > 2 mg/dl bei biliärer Pankreatitis	1 Punkt
Serumkalzium < 2 mmol/l	1 Punkt
PaO_2 < 60 mm Hg	1 Punkt
Basendefizit > 4 mEq/l bei non-biliärer Pankreatitis, > 5 mEq/l bei biliärer Pankreatitis	1 Punkt
Flüssigkeitsbilanz > 6 l bei non-biliärer Pankreatitis, > 4 l bei biliärer Pankreatitis	1 Punkt
Auswertung	
Punktwert	**Schweregrad**
0–4	leicht
5–6	mittel
> 6	schwer

8.15 Pankreaskarzinom

8.15.1 Ätiopathogenese

- *Risikofaktoren*
  - Rauchen
  - Adipositas
  - DM – manchmal auch als Erstmanifestation

- rezidivierende oder chronische Pankreatitis
- Pankreaszysten
- Genmutationen: KRAS2, CDKN2, p53, Smad4, p16, K-ras, BRCA2
- hereditäre Krankheiten: hereditäre Pankreatitis, multiple endokrine Neoplasie (MEN), HNPCC, FAP, Gardner-Syndrom, familiäres atypisches multiples Muttermal- und Melanomsyndrom (FAMM), Von-Hippel-Lindau-Czermak-Syndrom

- *Lokalisation:* 70 % im Pankreaskopf
- *Histologie*
  - duktales Karzinom: 90 %
  - azinäres Karzinom: 10 %

8.15.2 Klinik

- *keine Frühsymptome,* aber manchmal ist DM schon ein Zeichen
- *Spätsymptome*
  - ↑ ↑ Gewichtsverlust
  - Übelkeit, Appetitverlust
  - epigastrische Schmerzen mit dorsaler Ausstrahlung (Nervi splanchnici Invasion?)
  - schmerzloser Ikterus → Pankreaskopfkarzinom
  - Courvoisier-Zeichen (prall gefüllte, tastbare, schmerzlose Gallenblase) → chronischer Gallestau
  - DM
  - Steatorrhoe
  - Aszites
  - Venenthrombosen: Milzvenen (Kompression), in peripheren Venen Blutgerinnungsstörungen, Thrombophlebitis migrans (Trousseau-Syndrom)

8.15.3 Diagnostik

- Labor
  - BB, CRP, Gerinnung, GOT, GPT, GGT, AP, Bilirubin
  - Tumormarker CA 19–9 und CEA – nicht für die Diagnostik, sondern für den Verlauf
  - Mesothelin (MSLN) – auch für den Verlauf
- bildgebende Verfahren
  - CT: primärer Tumor, Infiltration, Metastasen
  - Sonografie: primärer Tumor, Gallengänge-Obstruktion?
  - Endosonografie: Tumor-Ausdehnung
  - ERCP: Diagnostik – Gallen- und Pankreasgänge Beurteilung; ggf. Therapie: Stentimplantation
- Feinnadelpunktion
- genetische Diagnostik: K-ras, HER2/neu, AKT 2, MYB
- ggf. explorative Laparotomie

8.15.4 Differenzialdiagnosen

- chronische Pankreatitis
- Inselzelltumor (Adenom oder Karzinom)
- Gallengänge-Tumoren oder -Zysten, Vater-Ampulle-Karzinom, Papillom
- Cholangitis, Cholezystolithiasis
- Gastrinom
- Magenkarzinom
- hepatozelluläres Karzinom

8.15.5 Therapie

- Tumorresektion + LK – mit *kurativer* Zielsetzung, nur im Frühstadium; bei Pankreaskopftumoren: Duodenopankreatektomie (Kausch-Whipple-Operation)
- Chemotherapie – neoadjuvant *(kontrovers)* oder adjuvant
- Lokalablation – palliativ; z. B. stereotaktische Radiotherapie (Stereotactic Body Radiation Therapy, SBRT), Radiofrequenzablation (RFA), Mikrowellenablation (MWA)
- endoskopische Stent-Einlage – palliativ
- biliodigestive Anastomose – palliativ
- Analgesie, Infusionstherapie – adjuvant, palliativ
- vgl. Dragovich et al. (2024)

TIPP
Psychologische Unterstützung empfehlen!

8.15.6 Prognose

- Resektion: nur 10–20 % der Fälle möglich, und auch dann beträgt die 5-Jahres-Überlebensrate max. 40 % bei < 2 cm Tumoren
- Pankreaskörper und Pankreasschwanz: besonders negative Prognose

8.16 Symptomatische Cholezystolithiasis

= Gallenkolik

8.16.1 Begriffe

- **Cholezystolithiasis** – Gallensteinen in der Gallenblase
- **Cholangiolithiasis** = Gallensteine in den Gallenwegen
- **Choledokolithiasis** = Gallensteinen im Ductus choledochus
- **Cholelithiasis** = Cholezystolithiasis oder Choledokolithiasis

- **Cholezystitis** = Gallenblasenentzündung
- **Cholangitis** = Entzündung der Gallenwege
- **Cholagoga** = Substanzen, die die Sekretion der Galle ↑
- **Cholekinetika** = ↑ die Kontraktion der Gallenblase
- **Choleretika** = ↑ die Sekretion der Galle in den Hepatozyten

8.16.2 Ätiopathogenese

- „6 × F-Regel“: **F**emale, **F**air, **F**at, **F**orty, **F**ertile, **F**amily
  - ♀ doppelt so häufig wie ♂ (*female*)
  - helle Haut (*fair*)
  - Adipositas (*fat*)
  - Alter > 40 Jahre (*forty*)
  - Fertilität (*fertile*), das heißt: Östrogen ↑ ↑; zusätzliche Risiken: die Einnahme von Östrogenpräparaten (Kontrazeptiva) und Schwangerschaft
  - hereditäre Faktoren (*family*)
- parenterale Ernährung
- cholesterinreiche Kost

LittleDoc meint

Vergessen Sie bitte nicht: Die Symptome treten selten alle gleichzeitig auf!

8.16.3 Klinik

- wellenförmige, kolikartige Schmerzen im rechten Oberbauch, die in die rechte Schulter und dorsal ausstrahlen können
- die meisten Patienten kennen schon die Auslöser der Schmerzen: fettige und/oder gebratene Speisen, Schokolade, Kaffee, Sahne (wirken als Cholekinetika)
- Übelkeit, Erbrechen
- die Episode dauert i. d. R. ca. 20 min
- Gallenstau → Ikterus, dunkler Urin, heller Stuhl

TIPP

Murphy-Zeichen: Palpation unter dem rechten Rippenbogen während tiefer Inspiration → die entzündete Gallenblase drückt gegen die Finger des Arztes und der Patient verspürt Schmerzen.

Courvoisier-Zeichen: Palpation unter dem rechten Rippenbogen während tiefer Inspiration → Gallenblase ist palpabel, vergrößert, aber der Patient verspürt keine Schmerzen → Gallenstau, meistens bei Pankreaskarzinom, Cholangiokarzinom, Papillom, primär sklerosierender Cholangitis.

8.16.4 Komplikationen

- *Gallenblasenhydrops* = Gallenstau → Vergrößerung der Gallenblase durch Cholestase → Palpation: prall-elastischer Tumor unter dem rechten Rippenbogen
- *akute Cholezystitis:* ↑ Druck durch Stase → Durchblutungsstörungen der Gallenblasenwand + Bakterien → Schmerzen und Fieber

- *Empyem*
- *Peritonitis*
- rezidivierende Entzündungsschübe → Kalkeinlagerung in die Gallenblasenwand und Narben = „Porzellangallenblase" oder „Schrumpfgallenblase" → Dysplasie → *Gallenblasenkarzinom*
- *Cholangitis:* Charcot-Trias – Oberbauchschmerzen, Ikterus, Fieber und Schüttelfrost
- Migration der Steine oder Einklemmung im distalen Ductus choledochus → Pankreasstau → *biliäre Pankreatitis*
- Steinmigration → Duodenum → *Gallensteinileus* (selten)

8.16.5 Diagnostik

- Anamnese, körperliche Untersuchung
- Abdomen-Sonografie
  - Konkremente (Steine) oder ein echoreicher Reflex im Gallenblasenlumen mit dorsalem Schallschatten
  - Steine in den Gallenwegen: Erweiterung des Ductus choledochus (mehr als 7 mm) und erkennbare intrahepatische Gallenwege
  - Gallengrieß *(„Sludge")*
  - Gallenhydrops
  - Empyem
  - Tumoren
- Labor: BB, CRP, GGT, GOT, GPT, AP, Bilirubin, Lipase (Pankreatitis?)
- ERCP: nur bei Choledokolithiasis, nicht bei Cholezystolithiasis; auch *Therapie: Papillotomie und Extraktion der Steine; Risiko: Post-ERCP-Pankreatitis*
- MRCP: *nur diagnostisch,* kein Post-ERCP-Risiko
- CT: bei Komplikationen, z. B. biliäre Pankreatitis, Empyem mit Perforation

8

8.16.6 Therapie

Cholezystolithiasis

- Analgetika – Pethidin (weniger Wirkung auf Oddi-Sphinkter-Spasmus als andere Opioide)
- Spasmolytika – Butylscopolamin
- Nahrungskarenz – bis zur Linderung der Symptomatik
- kleine Steine, nicht rezidivierende Formen: orale Litholyse mit Chenodesoxycholsäure/Urodesoxycholsäure oder ESWL (extrakorporale Stoßwellenlithotrypsie)
- i. d. R. keine Indikation für Cholezystektomie, außer bei chronischen Cholezystitisformen/Porzellangallenblase bzw. Schrumpfgallenblase, Gallenblasenpolypen > 1 cm, Gallensteine ≥ 3 cm, im Rahmen anderen Onko-Resektionen, im Rahmen onkologischer Resektionen (z. B.

Gastrektomie bei Magenkarzinom, Whipple-Operation bei Pankreaskarzinom), Schwangerschaft

Symptomatische Cholezystholithiasis

- laparoskopische Cholezystektomie (Therapie der Wahl) nach Nahrungskarenz, Analgetika und Antibiotika, binnen 24 Stunden: Frühcholezystektomie

Symptomatische Choledocholithiasis und Cholezystolithiasis

- zunächst endoskopische Intervention (ERCP), dann Cholezystektomie innerhalb von 72 Stunden

Akute Cholezystitis

- frühzeitige Cholezystektomie binnen 24 Stunden

Cholangitis

- ohne Lithiasis: Antibiotika, z. B. Ciprofloxacin
- mit Lithiasis: ERCP/Papillotomie, ggf. OP

Akute Cholezystitis und Cholangitis

- Antibiotika + Intervention durch Operation (Cholezystitis) oder ERCP (Choledocholithiasis)

Biliäre Pankreatitis

- Papillotomie + Steinextraktion (aus dem Ductus choledochus)

8.17 Hepatitis

8.17.1 Ätiologie

Einteilung nach Ätiologie

- virale Hepatitis: A, B, C, D, E + CMV, GB-Viren, Epstein-Barr, Herpes-Viren, Parvovirus-B19
- alkoholische Hepatitis: 100 g Alkohol täglich, 20 Jahre
- Autoimmunhepatitis
- toxische Hepatitis
- ischämische Hepatitis (Schock-Leber)

LittleDoc meint

Die Lebererkrankungen werde ich nur kurz vorstellen. Weil sie (zumindest im Frühstadium) keine pathognomonische Symptomatik haben, würde ich sie bei der Prüfung nur als Differenzialdiagnose erwähnen (oder als Ultima Ratio, wenn Sie keine Ahnung haben, was es sonst sein könnte).

Autoimmune Hepatitis

- Ausschlussdiagnose
- Diagnostik durch Therapie-Probe mit Glukokortikoiden; Autoantikörper: antinukleäre, gegen die Aktinfilamente der glatten Muskulatur (Anti-SMA), gegen Mikrosomen in Niere und Leber (Anti-LKM)
- häufig assoziiert mit: Lupus (→ lupoide Hepatitis), chronisch entzündlichen Darmerkrankungen, Hashimoto, rheumatoider Arthritis

Hepatitis-A-Virus (HAV)

- RNA
- fäkal-oral übertragen
- häufig nach Reisen in Endemiegebiete
- Inkubationszeit: i. d. R. 2–3 Wochen (bis 6 Wochen)
- Klinik: Abgeschlagenheit, Oberbauchbeschwerden, Ikterus + Reiseanamnese
- heilt vollständig aus
- Chronifizierung: nein
- Impfung: ja, aktiv und passiv – aktiv: Rappel 4 Wochen – 6 Monate, dann Erfrischung nach 10 Jahren; passiv: Ig. bei Patienten mit Immunsuppression
- Labor: IgM Anti-HAV = akut; IgG Anti-HAV = entweder Impfung durchgeführt oder Hepatitis A in den Vorerkrankungen
- Therapie: symptomatisch

Hepatitis-E-Virus (HEV)

- RNA
- fäkal-oral und vertikal übertragen
- Inkubationszeit: 2–8 Wochen
- Klinik: Abgeschlagenheit, Oberbauchbeschwerden, Ikterus
- heilt vollständig aus *(nicht immer bei Schwangeren,⊠ fulminant, davon 20 % tödlich)*
- Chronifizierung: selten, Genotyp 3 HEV, i. d. R. bei Risikopatienten, kann auch Zirrhose verursachen
- Impfung: keine
- Labor: IgM Anti-HAV = akut; IgG Anti-HAV = entweder Impfung durchgeführt oder Hepatitis E in den Vorerkrankungen oder Chronifizierung (Genotyp 3)
- Therapie (akut): symptomatisch

MERKE

Vertikal: von Mutter zu Kind: pränatal, perinatal, postnatal.
STORCH: **S**yphilis, **T**oxoplasmose, **O**ther, **R**öteln, **C**ytomegalievirus (CMV), **H**erpes simplex 2/neonataler Herpes simplex.
CHEAPTORCHES: **C**hickenpox, **H**epatitis C, D und E, **E**nteroviren, **A**IDS, **P**arvovirus-B19, **T**oxoplasmose, **O**ther (Listeria, Candida, Borreliose, Gruppe-B-Streptokokken), **R**öteln, **C**MV, **H**erpes simplex, **E**verything (sexuell übertragbare Krankheiten), **S**yphilis.

Hepatitis-B-Virus (HBV)

LittleDoc meint
Ich weiß, dass die meisten Kandidaten diese Serologie hassen; ich bemühe mich, alles einfach zu erklären – und danach spielen wir zusammen damit …

- DNA
- parenteral, sexuell, vertikal (perinatal) übertragbar
- Inkubationszeit: 1–6 Monate
- Klinik: meistens asymptomatisch; führt in ca. ⅕ der Fälle zu Zirrhose → ca. ⅙ Patienten mit Zirrhose → HCC
- Impfung: ja, aktiv und passiv
- **Labor**
  - **Antigene**
    - **HBs** = der Patient *hat jetzt die Krankheit,* entweder akut oder chronisch (AgHBs > 6 Monate anwesend); er ist *infektiös*
    - **HBc** = Kernprotein („core") des Virus → nur in Hepatozyten, *nicht im Blut* → man braucht für den Nachweis eine *Leberbiopsie;* die extrazelluläre Form ist HBe
    - **HBe** = die extrazelluläre Form des HBc; findet man im Blut = *die Viren vermehren sich* → aktive, hochvirämische Hepatitis B
  - **Antikörper**
    - **Anti-HBs**
    Die erste Möglichkeit: Patient wurde angesteckt und sein Körper hat Antikörper gebildet → Zeichen der Immunität, der Körper versucht eine Ausheilung; *das heißt nicht unbedingt, dass er die Krankheit jetzt auch noch hat;* dafür braucht man HBsAg; Serokonversion (HBsAg → Anti-HBs Atk) = Ausheilung
    Die zweite Möglichkeit: der Patient wurde mit inaktiviertem HBsAg geimpft; sein Körper hat Antikörper gebildet: Anti-HBs; er ist geschützt und braucht keine Auffrischung, solange Anti-HBs-Titer > 100 IE/l
    - **Anti-HBc** = *Seronarben;* werden bei einer akuten Hepatitis gebildet; bleiben lebenslang im Blut; zeigen nicht den Versuch zur Heilung; zeigen auch nicht, wann genau die Infektion war – i. d. R. zeigen IgG eine alte Infektion, und IgM eine relativ frische Infektion
    - **Anti-HBe:** wenn wir die finden, freuen wir uns: eine Serokonversion (HBeAg → Anti-HBe Atk) ist geschehen – das ist etwas Gutes! Es bedeutet, dass man Antikörper gegen HBe produziert; es gibt eine Immunantwort; zeigt an, dass es eine akute Infektion gab; wenn es nach 6 Monaten nach der Infektion keine Anti-HBe gibt → Chronifizierung; ihr Titer ist besonders wichtig während einer antiviralen Therapie
  - **HBV-DNA**
    - hochvirämisch: > 2000 IE/ml + HBeAg ↑
    - niedrigvirämisch oder inaktiv: ≤ 2000 IE/ml + Ø HBeAg
    - okkulte Hepatitis-B-Infektion: > 20 IE/ml + Ø HBsAg + Ø Anti-HBs + (bei Biopsie wäre) HBcAg ↑
    - Therapie (akut): symptomatisch, bei einem fulminanten Verlauf ggf. Nukleosid- oder Nukleotidanaloga.

Hepatitis-D-Virus (HDV)

- = Hepatitis-delta-Virus
- 1 RNA Moleküle
- nie allein, nur mit HBV
- 2 wichtige Begriffe:
  - **Simultaninfektion/Koinfektion:** gleichzeitige Infektion mit HBV und HDV → schwere akute Hepatitis → 95 % der Fälle Ausheilung; Serologie: *IgM Anti-HBc,* HDV-RNA (= Vermehrung des HDV), ggf. HDV (verschwindet schnell)
  - **Superinfektion:** der Patient ist schon HBV-Träger und bekommt nachträglich eine HDV-Infektion → fulminante akute Hepatitis → Chronifizierung → Zirrhose; Serologie: *keine IgM Anti-HBc,* nur IgG und IgG Anti-HBs

Hepatitis-C-Virus (HCV)

- RNA
- parenteral, sexuell übertragen
- Inkubationszeit: 2–16 Wochen
- Klinik: ca. 50 % Chronifizierung → Zirrhose → HCC (die Entartung ist aber nicht so häufig wie bei HBV)
- Labor: HCV-RNA (akut) und Genotyp des Virus per RT-PCR, Atk Anti-HCV-IgG (späte Serokonversion, nach Monaten)

8.17.2 Diagnostik

Akute Hepatitis

- Übelkeit
- ↑ Leber → ↑ Druck auf die Glisson-Kapsel → Schmerzen oder Beschwerden im Oberbauch re.
- ggf. Splenomegalie und Lymphadenopathie
- Sklerenikterus + allg. Ikterus
- Transaminasen ↑ × 10 Norm.; GPT > GOT
- ↑ Bilirubin
- vgl. Huzly (2012)

Chronische Hepatitis

- asymptomatisch oder Müdigkeit, Leistungsknick, Inappetenz
- Leber ↑ → Fibrose → Leber ↓ (Schrumpfung, Zirrhose)
- Transaminasen ↑ 2–5 × Norm., GPT > GOT
- Bilirubin normal
- AP normal
- besonders bei C-Virus: Ferritin ↑ (unspezifisch, Akut-Phase-Protein)

Extrahepatische Manifestationen

- grippale Symptome mit Arthralgien, Myalgien – besonders bei den akuten Formen
- Glomerulonephritis (+ nephrotisches Syndrom) – chronisch HCV: Ablagerung von Immunkomplexen, membrano-proliferative Glomerulonephritis – chronisch HBV
- Hashimoto-Thyreoiditis + chronisch HCV
- Sicca-Symptomatik – chronisch HCV: Ablagerung von Immunkomplexen
- Porphyria cutanea tarda + chronisch HCV
- Kryoglobulinämie + chronisch HCV
- Panarteriitis nodosa + chronisch HCV

TIPP

HCV und Diabetes mellitus Typ 2:
- Patienten mit HCV haben ein höheres Risiko, DM 2 zu bekommen.
- Patienten, die DM 2 bekommen, haben auch ein höheres Risiko für einen schweren Verlauf der Leberkrankheit bzw. ein höheres Risiko zur Entartung (HCC).

Sehr lesenswert ist die Studie von U.A. Ashfaq und H. Khalid (2017): „Mechanism of Hepatitis C Virus-Induced Diabetes Mellitus".

8.17.3 Therapie

HBV

- Indikation: chronisch aktive Hepatitis, Leberzirrhose
- Ziel: Serokonversion HBsAg → Atk Anti-HBs
- Nukleosid- und Nukleotidanaloga, Interferon-alpha

HCV

- je nach Genotyp, Stadium der Erkrankung und Vorbehandlungen – Kombination: Wirkstoffkombinationen aus NS3-Proteasehemmern, NS5B-Polymerasehemmern und NS5A-Hemmern

8.17.4 HBV-Serologie – kleine Übungen

LittleDoc meint

Und jetzt spielen wir mal mit der bösen HBV-Serologie ;-)
Danke für die Ideen @ Dr. Joy Papingi!

1. Fall: Herr Albus Percival Wulfric Brian Dumbledore, 40 Jahre alt, wohnhaft Hogwarts, Zauberstraße 9¾, Lehrer, verheiratet, wohnt mit seinem Ehemann und den 2 adoptierten Kindern in einem Schloss. Sie haben ein Huhn.

- Serologie:
  - HBs Ag negativ
  - Anti-HBs Atk positiv, Titer 50 IE/l
  - Anti-HBc Atk negativ
- *Was sind Ihre Empfehlungen?*
  - Der Patient hatte keine Hepatitis. Er wurde geimpft, aber er ist nicht mehr richtig geschützt. Die Empfehlung wäre eine Auffrischung der Impfung.

2. Fall: Herr Salvad Ordalí, 24 Jahre alt, wohnhaft Figueres, Surrealismusstr. 2, Student, ledig, wohnt allein in einer Wohnung, 1. OG, mit Aufzug. Er habe einen Ameisenbär. Der Patient ist seit 10 Jahren drogenabhängig. Er konsumiert Heroin und Crack.

- Serologie:
  - HBs Ag negativ
  - HBe Ag negativ
  - Anti-HBs Atk positiv. Titer: 500 IE/l
  - Anti-HBc Atk positiv
- *What's your guess?*
  - Er hatte Hepatitis B in der VE, ist aber nicht mehr infektiös (es gab eine Ausheilung, Serokonversion). Man sollte aber die Transaminasen einmal beurteilen und nach anderen Infektionen suchen (HIV, CMV, HCV, VDRL).

3. Fall: Katyus Zamolodchikova, 30 Jahre alt, wohnhaft Moscow, Matryoshkastr. 898, Meeresbiologe und Travestie-Künstler, in einer Partnerschaft lebend, wohnt mit seiner Lebensgefährtin und seiner Tochter in einem Haus. Sie haben eine Fledermaus.

- Serologie:
  - HBs Ag negativ
  - Anti-HBs Atk negativ
- *Was meinen Sie?*
  - Er hat keine Immunität gegen Hepatitis B und sollte die Impfung bekommen.

4. Fall: Frau Frie Dakahlo, 39 Jahre alt, wohnhaft Coyoacán, Casa-Azul-Straße 17, Künstlerin, geschieden, wohnt mit ihrer Lebensgefährtin und ihren 2 Söhnen in einem Haus. Die Patientin habe eine Reise in ein Dritte-Welt-Land gemacht, wo sie eine Appendektomie bekam. Nach der Operation gab es eine starke Blutung, wobei die Patientin 2 Konserven Blut bekam. Sie kommt zu Ihnen mit Oberbauch-rechts-Schmerzen – und weil ihre Haut gelb geworden sei.

- Serologie:
  - HBs Ag positiv
  - AgHBe positiv
  - ADN-HBV ↑
  - IgM Anti-HBs positiv
  - IgM Anti-HDV positiv
  - Anti-HBe Atk negativ
- *Whatcha think?*
  - Akute Koinfektion HBV + HDV, es gibt keine Serokonversion zu Atk HBe, der armen Frau Dakahlo geht es schlecht.

5. Fall: Herr Jon Snow, 50 Jahre alt, wohnhaft in Winterfell, Wallstraße 1, Nachtwächter, verheiratet mit einer Wildling, wohnt mit ihr in einem Studio-Apartment, 44. OG, ohne Aufzug. Er habe einen Drachen und noch 2 Dracheneier. Er sei Aegon Targaryen und *The Rightful Heir to the Iron Throne.* Der Patient wurde vor einem Jahr mit akuter viralen Hepatitis B diagnostiziert. Heute wurde eine neue serologische Untersuchung durchgeführt.

- Serologie:
  - HBs Ag positiv
  - HBe Ag positiv
  - Anti-HBs Atk negativ
  - Anti-HBe Atk negativ
- *So what's the deal with him?*
  - HBs Ag noch positiv über > 6 Monate → Chronifizierung. Anti-HBs Atk negativ, es gibt noch keine Immunreaktion. HBe Ag positiv → Krankheit noch aktiv, die Viren vermehren sich. Keine Serokonversion. Ich würde eine Virenlast und die Leberwerte bestimmen lassen.

8.18 Leberzirrhose

8.18.1 Begriffe

- **Leberfibrosierung** = Vermehrung des Bindegewebes in der Leber
- **Regeneratknoten** = Pseudolobuli = knotige Gewebeveränderungen = Versuch der Leber, sich zu regenerieren
- **Zirrhose** = Fibrosierung + Regeneratknoten + Zerstörung der Läppchen- und Gefäßarchitektur = Leberinsuffizienz + portale Hypertension
- Je nach Größe der Knoten:
  - *mikronoduläre* Zirrhose: Knoten < 3 mm
  - *makronoduläre* Zirrhose: Knoten 3 mm–3 cm
  - *gemischtknotige* Zirrhose: Knoten variabel

8.18.2 Ätiologie

- chronischer C_2-Abusus
- chronische Virushepatitiden
- sonstige Ursachen:
  - andere Hepatitiden: autoimmun, toxisch, Fettleber oder bakterielle und parasitäre Infektionen der Leber
  - Kupferspeichererkrankung (M. Wilson)
  - Eisenspeichererkrankung (Hämochromatose)
  - kardiale Zirrhose (Stauungsleber) und Budd-Chiari-Syndrom
  - $\alpha 1$-Antitrypsinmangel

8.18.3 Klinik

- hängt vom Stadium ab
  - kompensierte Zirrhose: unklare Beschwerden – Leistungsknick, Inappetenz, Oberbauch-Beschwerden; Spider naevi (Gefäßspinnen), Palmarerythem, vergrößerte Leber und ggf. Splenomegalie

  - dekompensierte Zirrhose: idem oben + vergrößertes Abdomen durch Aszites, Ikterus, Oligurie
- *hepatozelluläre Insuffizienz*
  - AZ ↓
  - Inappetenz, Gewichtsverlust
  - Leberhautzeichen:
    - Ikterus + Kratzspuren
    - Spider naevi
    - Palmar- und Plantarerytheme, dann auch an Oberkörper und Gesicht
    - Lacklippen und -zunge
    - Weißnägel
    - Dupuytren-Kontrakturen (an den Handinnenflächen)
  - endokrine Veränderungen: ↓ Libido, Impotenz, Sterilität, Amenorrhoe, Uterus und Mamma-Atrophie, ↓ Behaarung an der Achselhöhle und Brust bei Männern, Gynäkomastie
  - Gerinnungsstörungen
  - Foetor hepaticus (Geruch nach Obst, Azeton, manchmal Fäzes)
  - Hepatomegalie am Anfang, dann Atrophie (Schrumpfleber) im Verlauf
- *metabolische Leberinsuffizienz*
  - ↓ Entgiftungsfunktion → Ikterus, hepatische Enzephalopathie (➤ Tab. 8.9)

LittleDoc meint

Die Stadien der hepatischen Enzephalopathie sind sehr wichtig! Vergessen Sie bitte nicht, den Ammoniak-Wert im Blut zu beurteilen!

MERKE

Cruveilhier-Baumgarten-Syndrom = Rekanalisation der Umbilikalvene und Paraumbilikalvenen (Sappey-Venen) bei portaler Hypertension.
Cruveilhier-Baumgarten-Krankheit = persistierend offene Vena umbilicalis bei angeborener Hypoplasie/Thrombose der Pfortader-Äste → bei Kindern und jungen Menschen.
Klinisch: Brummen bei der Auskultation, Schwirren bei der Palpation.

- *portale Hypertension:* Druck in der Pfortader > 12 mmHg (normal 3–6 mmHg)
  - 2 Mechanismen: mechanisch: Fibrose und Knoten → Kompression der zentrolobulären Vene; Kreislauf-Veränderungen:

Tab. 8.9 West-Haven-Klassifikation der hepatischen Enzephalopathie (nach Wolf 2020)

Stadium	Klinik
0	subklinisches Stadium; leichte Konzentrations-, Koordinations- und Gedächtnisstörungen, kein Asterixis/Flapping tremor (grobschlägiger Tremor = plötzliche Flexionsbewegungen im Handgelenk nach einer passiven Hyperextension der Finger)
1	Aufmerksamkeitsstörungen, Hypersomnie ggf. Umkehrung des Schlafmusters, Konfusion, Depression oder leichte Reizbarkeit
2	Lethargie, Apathie, Sprachstörungen, Zeit-Desorientierung, Verhaltensänderungen, Asterixis
3	Somnolenz, Zeit- und Ort-Desorientierung, Konfusion, Amnesie, unverständliche Sprachstörung, Wutanfälle
4	Koma

Gefäßmuskelschichtkontraktion, ↓ NO intrahepatisch, ↑ Endothelin, Angiotensin, Leukotriens und Vasopressin
  - Aszites, ggf. Hydrothorax, Ödeme (↑ durch hepatozelluläre Insuffizienz → Hypoproteinämie): Punktion > 500 ml → 4–8 g Albumin/l zur Ersetzung (je nach Eiweißkonzentration im Punktat)
    - Transsudat: Eiweißgehalt < 30 g/l, spezifisches Gewicht < 1,106 g/l, Serum/Aszites-Albuminquotienten > 1,1
  - Splenomegalie (Milzvergrößerung) → Hypersplenismus (Milzüberfunktion) → Zytopenie
  - Stauungsgastritis und Stauungsenteropathie
  - portokavale Anastomosen (Kollateralen):
    - Bauchwandvarizen (Caput medusae) → Pégot-Cruveilhier-Baumgarten-Syndrom
    - Ösophagusvarizen → OGI Blutung: > 5 mm = „Red Colour Sign" → ↑ Rupturgefahr
    - Fundusvarizen → OGI Blutung
    - anorektale Varizen
- hepatorenales Syndrom – *Cave:* Aszites-Punktion
- spontan bakterielle Peritonitis – Bakterien im Darm penetrieren durch die Wand in die Peritonealhöhle → infizierte Aszites: Granulozyten > 250/µl in Aszites → Cephalosporine 3. Generation, Fluorchinolon
- bei C_2-Lebererkrankung: Zieve Syndrom: Trias alkoholische Fettlebererkrankung, Hyperlipidämie und hämolytische Anämie
- bei V. a. HCC: *Cave:* AFP-Werte > 200–300 ng/ml
- Child-Pugh-Klassifikation (vgl. Child & Turcotte 1964) wird für die Prognose und Therapiemaßnahmen der Leberzirrhose verwendet (➤ Tab. 8.10); 1-Jahres-Überlebensrate im
  - Stadium Child A: knapp 100 %
  - Stadium Child B: ca. 85 %
  - Stadium Child C: ca. 35 %
- *Alternativ:* **MELD-Score** (**M**odel for **E**nd-stage **L**iver **D**isease): Priorisierung bei der Organzuteilung (Lebertransplantation)

Tab. 8.10 Child-Pugh-Klassifikation der Leberzirrhose (nach Tsoris & Marlar 2023)

Punkte	1	2	3
Albuminkonzentration im Serum in g/dl	> 3,5	2,8–3,5	< 2,8
Bilirubinkonzentration im Serum in mg/dl	< 2,0	2,0–3,0	> 3,0
INR	< 1,7	1,7–2,2	> 2,2
Aszites (sonografisch)	nicht/gering	mäßig	massiv
hepatische Enzephalopathie (Grad)	**0**	**I** oder **II**	**III** oder **IV**

Child A: 5–6 Punkte; *Child B:* 7–9 Punkte; *Child C:* 10–15 Punkte

8.19 Hämochromatose

= Eisen-Stoffwechselstörung

8.19.1 Ätiopathogenese

- ↑ intestinale Eisenresorption
- pathologisch ↑ Eisenspeicherung in Organen + lokale Schädigung
- Organe: Leber, Milz (besonders bei Hämosiderose) Haut, Pankreas, Gelenke, Herz
- hereditäre (primäre) Hämochromatose: HFE-Genmutation (AR Vererbung) → ↑ Eisenresorption im Dünndarm
- sekundäre Hämochromatose (Hämosiderose): langzeitige Transfusionstherapie (z. B. bei hämolytischen Anämien) → Häm von Hämoglobin wird abgebaut → ↑ Eisen

8.19.2 Klinik

- Trias
  - Leberzirrhose
  - insulinpflichtiger DM
  - melaninbedingte dunkle Hautpigmentierung = Bronzediabetes
- Arthropathie, Kardiomyopathie, endokrine Störungen je nach Ablagerungen

8.19.3 Diagnostik

- Eisen ↑
- Ferritin ↑
- Transferrinsättigung > 70 %
- LDH ↑ + Haptoglobin ↓ + Retikulozyten ↑ → Hämolyse
- MRT Leber
- Leberbiopsie
- genetische Diagnostik: HFE-Genmutation

8.19.4 Therapie

- Aderlasstherapie: 1/Woche: 500 ml (bis Transferrinsättigung < 50 % oder Ferritin 50 µg/l zu erreichen)
- Eisenchelatoren: Deferoxamin
- Lebertransplantation falls ↑ Zirrhose

8.19.5 Krankheiten mit ähnlichen Symptomen

Morbus Wilson

- Kupfer-Ablagerung
- AR Vererbung, Gendefekt Chr. 13
- Ausscheidungsstörung über die Galle
- meistens Leber, Kornea, Kleinhirn, Basalganglien Ablagerung
- neurologische Störungen, Kayser-Fleischer-Kornealringe (pathognomonisch), Nierenversagen, Kardiomyopathie
- ↑ Kupfer im Urin und Serum, ↓ Coeruloplasmin im Serum, Leberbiopsie, Spaltlampenuntersuchung für die Kornea
- D-Penicillamin, Zink (↓ Kupfer Darmabsorption), Trientin, Lebertransplantation

Saturnismus (Bleivergiftung)

- berufliche Exposition, Salben, Bleiwasserpfeifen
- Enzephalopathie
- Bleisaum am Zahnfleisch
- Polyneuropathie
- Bleianämie
- Fallhand (Extensorenschwäche + Radialislähmung)
- Blei im Blut (norm. < 100 µg/l und Urin < 10 µg/l)
- basophile Tüpfelung der Erythrozyten
- ↑ Delta-Aminolävulinsäure in Urin
- Penicillamin, Äthylendiamintetraessigsäure

8

8.20 Echinokokkose

Achtung, meldepflichtig!

8.20.1 Ätiologie

- Echinococcus granulosus (Hundebandwurm)
- Echinococcus multilocularis (Fuchsbandwurm)

8.20.2 Pathogenese

- Darm der Endwirte (Hund, Fuchs) → orale Aufnahme der Eier → Mensch = Zwischenwirt → Bandwurmeier im menschlichen Darm → Larven (Skolizes) → penetrieren durch die Darmwand ins Pfortadersystem → Leber, Lunge, ZNS usw.

8.20.3 Klinik

- manchmal asymptomatisch
- Inappetenz, Gewichtsverlust
- Leberbefall: Druckgefühl und Schmerzen im rechten Oberbauch, ggf. Ikterus
- Lungenbefall: Luftnot, Husten, Thoraxschmerz, Cholangitis, Leberabszesse, portale Hypertension
- Zystenruptur: Schmierinfektion, anaphylaktischer Schock
- lymphogene und hämatologische Streuung: Nieren, ZNS

8.20.4 Diagnostik

- Labor: Eosinophilen ↑, GOT, GPT, GGT, AP ↑, Cholinesterase ↓
- Sonografie: Zysten, ggf. mit Septierung, kindskopfgroße beim Hundebandwurm; Wandverkalkungen: Wandreflex mit dorsalem Schallschatten
- CT: Zysten = hypodens, Zystenwand dichter als das Lebergewebe (besonders bei Verkalkung), ggf. KM-Gabe → ringförmiges Enhancement der äußeren Zystenwand
- Serologie: Antikörper

CAVE!
Keine diagnostische Punktion! Gefahr Streuung der Larven in die Peritonealhöhle → allergischer Schock

8.20.5 Therapie

- *Echinococcus granulosus:* Instillation von hypertoner 20 % NaCl-Lösung/Silbernitratlösung → Zystektomie + Perizystektomie, Albendazol (1. Wahl) oder Mebendazol (Vermox) 3 Monate
- *Echinococcus multilocularis:* Leberteilresektion oder Mebendazol als Dauertherapie, wenn OP unmöglich

8

8.21 Pfeiffer-Drüsenfieber (infektiöse Mononukleose)

aka „Kissing Disease“

8.21.1 Ätiologie

- Epstein-Barr-Virus (EBV)
- Tröpcheninfektion, i. d. R. durch Küssen

8.21.2 Klinik

- Fieber
- Foetor ex oris, orale Haarleukoplakie
- Angina tonsillaris, Pharyngitis
- zervikale Lymphadenopathie
- Gliederschmerzen
- Exanthem, Ikterus
- Hepatomegalie, Splenomegalie (Gefahr Milzruptur)
- Virusenzephalitis
- Pneumonie
- Myokarditis
- Nephritis
- später: Burkitt- und Hodgkin-Lymphome, Nasopharynxkarzinome

LittleDoc meint
Ich finde es sehr interessant, dass eine Krankheit „Kissing Disease" heißt und man dazu Foetor ex oris beschreibt … O.o

8.21.3 Diagnostik

- EBV-Antikörper, z. B. durch EBV-Schnelltest (Paul-Bunnell-Reaktion)
- Leukozytose mit mononukleären Zellen, Atypie der Lymphozyten-Transaminasen ↑ ↑

8.21.4 Differenzialdiagnosen

- Lymphom, akute Leukämie, Agranulozytose
- CMV, HIV, virale Hepatitis, bakterielle Infektionen

8.21.5 Therapie

- symptomatisch: Paracetamol oder NSAR
- *noch* keine Impfung (Stand: Februar 2025)

8.22 HIV/AIDS

- eine der bekanntesten HIV-Klassifikationen ist die von CDC (Centers for Disease Control and Prevention), die auch eine Übersicht über die Begleitsymptome bietet – anbei ein Teil davon (➤ Tab. 8.11)

TIPP
Psychologische Unterstützung empfehlen!

8

Tab. 8.11 CDC-Klassifikation bei HIV (nach CDC 1993)

Stadium	Befunde (unter anderem)
Stadium A: akute HIV-Infektion = LAS	• asymptomatisch • akutes HIV-Syndrom: Lymphadenopathie, Fieber und Splenomegalie (ähnelt Pfeiffer-Drüsenfieber) • persistierende Lymphadenopathie (LAS)
Stadium B: symptomatische HIV-Infektion	• Subfebrilität • opportunistische Infektionen • Diarrhö (chronisch) • Pneumonien • Zervix-Dysplasie oder Carcinoma in situ • Neuropathie
Stadium C: AIDS	• Wasting-Syndrom • Enzephalopathie: HIV-Demenz • opportunistische Infektionen • Kaposi-Sarkom • Non-Hodgkin-Lymphome • invasives Zervixkarzinom
Je nach CD4 + -T-Helferzellanzahl: **A1, B1, C1:** T-Helferlymphozyten > 500/µl **A2, B2, C2:** T-Helferlymphozyten 200–499/µl **A3, B3, C3:** T-Helferlymphozyten < 200/µl	

Formulierungsbeispiele

Patient	Arzt
Ich musste mich übergeben./Ich habe gespuckt./Ich habe gebrochen.	Die Patientin berichtete von Erbrechen.
Mein Stuhl war sehr dunkel, fast wie Teer, und hat komisch gerochen. Eigentlich hatte ich auch Durchfall.	Laut Beschreibung des Patienten besteht der V. a. Meläna.
Ich bekomme beim Schlucken Schmerzen hinter dem Brustbein.	Die Patientin beklagte Odynophagie.
Ich habe so ein Stechen unter dem rechten Rippenbogen.	Herr X gab stechende Schmerzen im rechten Hypochondrium an.

KAPITEL

9 Rheumatologie

9.1 Rheumatoide Arthritis (RA)

9.1.1 Begriffe

- **Arthritis** = entzündlich bedingte Gelenkschwellung
- **Arthrose** = degenerative Gelenkerkrankung (das heißt nicht entzündlich)
- **Arthralgie** = Gelenkschmerz (ohne Schwellung)
- **RA** = chronisch entzündliche Entzündung der Synovialmembran der Gelenke, Sehnenscheiden und Schleimbeutel
- Schmerzcharakter
  - Arthritis: Ruheschmerz oder Nachtschmerz
  - Arthrose: Anlaufschmerz oder Belastungschmerz
- Steifigkeit
  - Arthritis: Morgensteifigkeit > 30 min
  - Arthrose: löst sich ≤ 15 min Aktivität
- Trauma (auch Gelenkpunktionen): infektiöse Arthritis
- Immunschwäche: HIV, DM, GKK-Therapie, C2-Abusus: infektiöse Arthritis
- Vorerkrankungen: Atemwegsinfektion, Urethritis, Enteritis? Fieber? Hyperurikämie? Hautausschlag? Visusprobleme?

9.1.2 Ätiologie

- Autoimmunerkrankung
- genetische Disposition: fast ¾ der Patienten: HLA-DR4 positiv
- ♀ > ♂

9.1.3 Klinik

- Polyarthritis, symmetrisch, besonders kleine Gelenke: Hand → im Verlauf: Deformierung + ulnare Deviation der Finger + Fingermuskelatrophie + Schwanenhals- und Knopflochdeformitäten + Thenaratrophie
  - Bewegungs- und Ruheschmerz, Querdruckschmerz – Gaenslen-Zeichen = Schmerzen z. B. beim kräftigen Händedruck
  - Morgensteifigkeit > 30 min
- Tendovaginitis, Bursitis, Synovialzyste (z. B. Baker-Zyste), Karpaltunnelsyndrom

- subkutane Rheumaknoten (Granulome) an den Streckseiten der Gelenke: indolent, derb
- Abgeschlagenheit, Appetitlosigkeit
- Subfebrilität, Nachtschweiß
- Vaskulitis
- Lungenfibrose, Pleuritis, Myokarditis, Perikarditis
- Augen-Beteiligung

9.1.4 Diagnostik

- Labor
  - Rheumafaktor (RF) – geringe Spezifizität
  - Anti-CCP-Antikörper (spezifisch)
  - BB, BSG, CRP ↑
  - Serumeiweißelektrophorese: ↑ α_2-, γ-Globulin
  - NA
- Röntgen
  - beidseitige Aufnahmen zum Vergleich
  - Osteoporose
  - Erosionen
  - Zysten
  - Verschmälerung des Gelenkspalts
- Arthrosonografie
- ggf. Gelenkpunktionen mit Synovia-Diagnostik
- MRT

9.1.5 Differenzialdiagnosen

LittleDoc meint
Bouchard – proximal,
Heberden – distal.
Weil B vor H kommt :-D

- Bouchard- oder Heberden-Arthrose
- Psoriasisarthritis
- Felty-Syndrom: RA + Neutropenie + Splenomegalie + Anti-G-CSF-Antikörper
- Gichtarthropathie
- Hämochromatose
- Kollagenosen und Vaskulitiden
- Caplan-Syndrom: RA + Silikose
- reaktive Arthritis
- akute lokale Infektion
- Morbus Still: i. d. R. bei Jugendlichen: Exanthem + Serositis + Polyarthritis; oder LORA (Late Onset Rheumatoid Arthritis)
- rheumatisches Fieber

9.1.6 Therapie

- langfristige Therapieregime mit DMARD (Disease-Modifying Anti-Rheumatic Drug, krankheitsmodifizierendes Antirheumatikum, progressionsverlangsamendes Antirheumatikum):
  - synthetisch (sDMARDs): Methotrexat, Azathioprin, Ciclosporin A etc.
  - Biologika (bDMARDs): Anti-TNF-α (Adalimumab, Infliximab, Etanercept), Interleukin-Blocker (Anakinra, Tocilizumab), Rituximab etc.
- orale + intraartikuläre Glukokortikoide 1. Wahl im akuten Anfall
- Analgetika, NSAIDs

9.2 Morbus Bechterew (Spondylitis ankylosans)

9.2.1 Spondyloarthritiden

= Morbus Bechterew zusammen mit Psoriasisarthritis, reaktiven Arthritiden, enteropathischer Arthritis und undifferenzierter Spondyloarthritis

- „seronegative Spondyloarthritiden", weil Rheumafaktoren, Anti-CCP-Antikörper und ANA meist negativ sind
- typisch assoziiert:
  - Wirbelsäulenbeteiligung: Spondylitis, Sakroiliitis
  - asymmetrische Oligoarthritis
  - Enthesiopathien
  - Psoriasis
  - chronisch entzündliche Darmerkrankungen
  - reaktive Arthritis
  - genetische Disposition: 90 % HLA-B27 positiv

9

9.2.2 Ätiologie

- unbekannt
- 90 % HLA-B27 positiv
- familiäre Häufung der Krankheit

9.2.3 Klinik

- *Kreuzschmerzen* = *Leitsymptom* (sakroiliakale Beteiligung ist obligat), > 3 Monate, ↑ ↑ ↑ in Ruhe, morgens, ↓ ↓ bei Bewegung (die Patienten wollen manchmal auch nicht Platz nehmen), auch Klopfschmerzen in den SI-Gelenken

- Verknöcherung der Wirbelgelenke, Bandscheiben, Ligamente → ↓ ↓ *Wirbelsäulenbeweglichkeit*
- Hyperkyphose der Thoraxwirbelsäule + ↓ ↓ Beweglichkeit → restriktive Ventilationsstörung
- Oligoarthritis, besonders in den Beinen
- entzündliche Insertionstendopathie
- extraosteoartikulare Beteiligung: einseitige Iridozyklitis, Uveitis, Kardiomyopathie, Aortitis, Lungenfibrose usw.

Thorax-Umfangmessung

- normal: Thoraxumfang bei maximaler Inspiration – Thoraxumfang bei maximaler Exspiration > 6 cm; bei Morbus Bechterew < 6 cm

Schober-Manöver

- Markierung 10 cm über den Dornfortsatz S1
- Patient beugt sich maximal nach vorn
- normal: der Abstand zwischen Dornfortsatz S1 und Markierung ≥ 14 cm; bei Morbus Bechterew ≤ 14 cm (➤ Abb. 9.1)

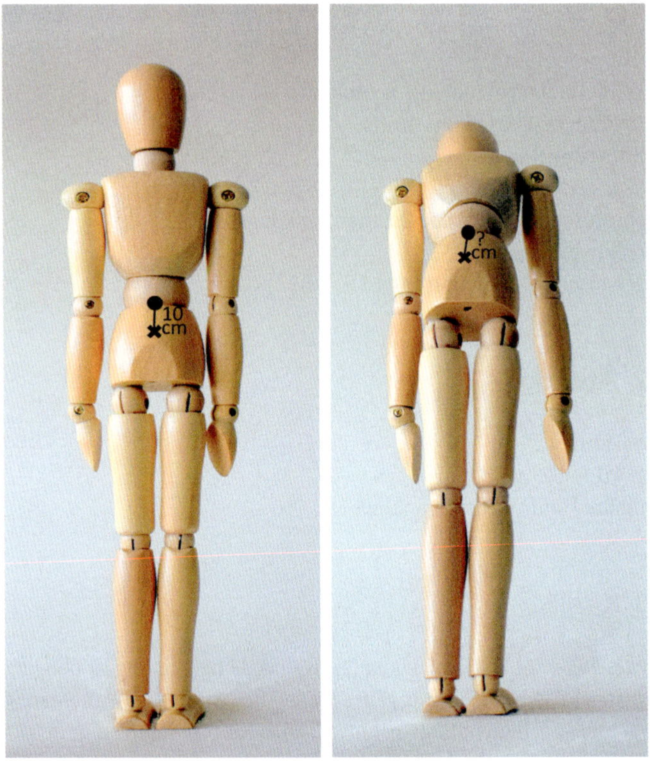

Abb. 9.1 Schober-Manöver [M1025]

Ott-Manöver

- Markierung 30 cm unter den Dornfortsatz C7
- Patient beugt seine Thoraxwirbelsäule maximal nach vorn
- normal: Abstand zwischen Dornfortsatz C7 und Markierung ≥ 33 cm; bei Morbus Bechterew ≤ 33 cm (➤ Abb. 9.2)

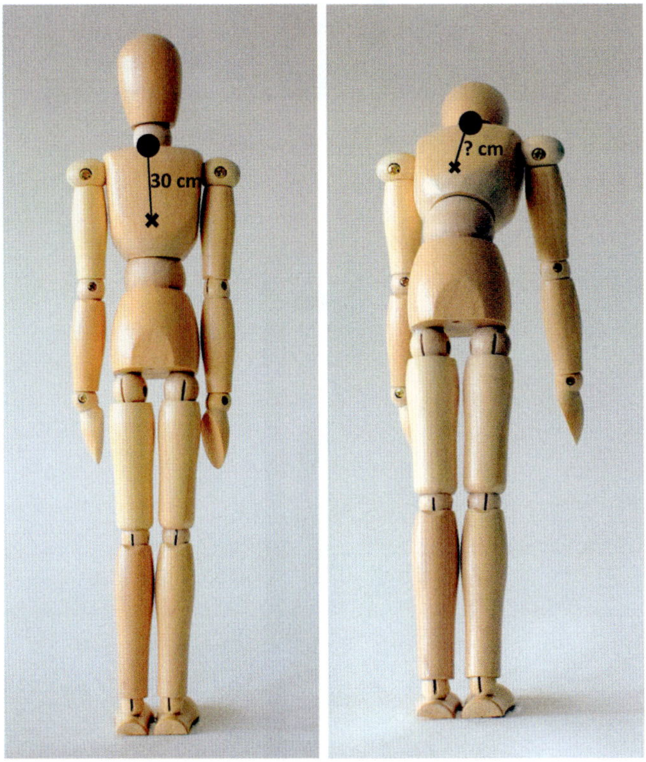

Abb. 9.2 Ott-Manöver [M1025]

Mennell-Manöver

- Patient in Bauchlage
- Oberschenkel-Hyperextension während Fixierung der Sakroiliakal-Gelenke → Sakroiliakal-Gelenkschmerzen = Arthritis (➤ Abb. 9.3)

Flèche-Maß (Hinterkopf-Wand-Abstand)

- ↑ (normal = 0 cm) (➤ Abb. 9.4)

Kinn-Jugulum-Abstand

- ↑ (normal = 0–2 cm) (➤ Abb. 9.5)

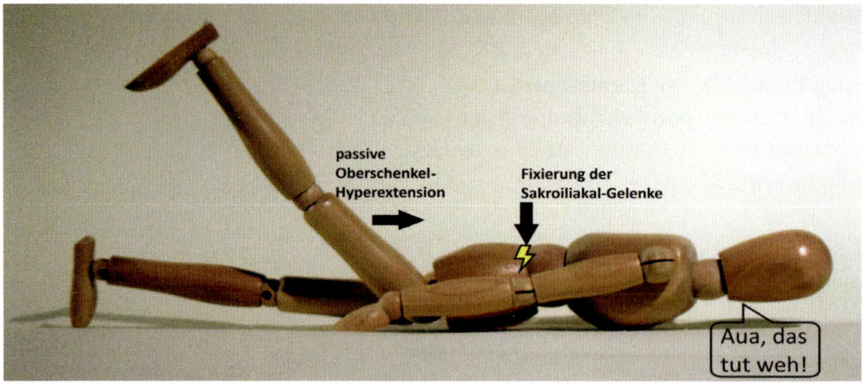

Abb. 9.3 Mennell-Manöver [M1025]

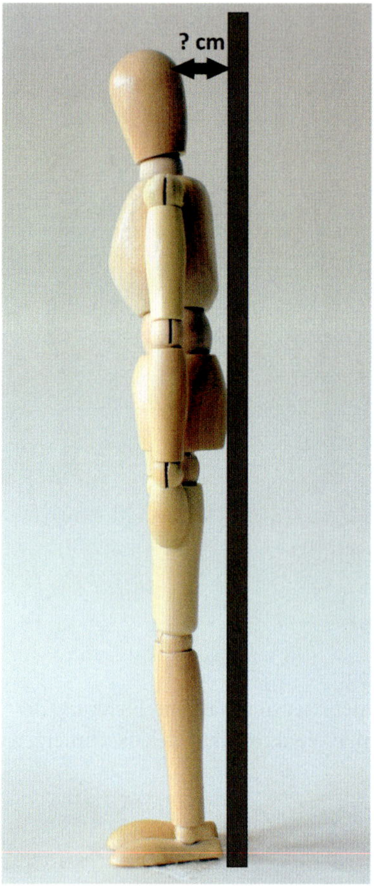

Abb. 9.4 Flèche-Maß (Hinterkopf-Wand-Abstand) [M1025]

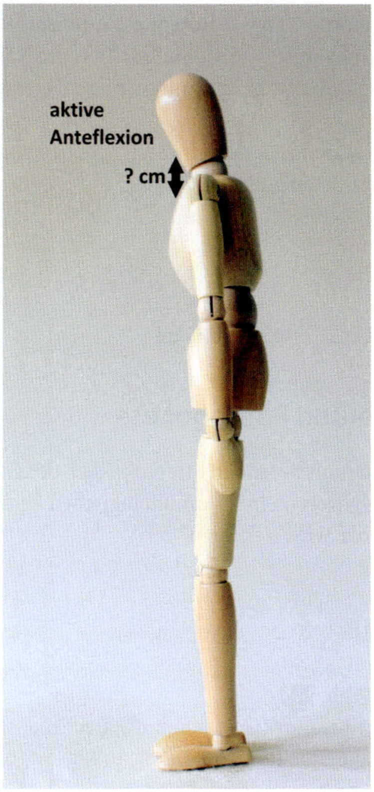

Abb. 9.5 Kinn-Jugulum-Abstand [M1025]

9.2.4 Diagnostik

- *Labor:* HLA-B27
- *Röntgen SI-Gelenke:*
  - Pseudoerweiterung des Gelenkspaltes
  - im Verlauf: Randsklerosen und lokaler Substanzverlust ↑ subchondrale Sklerosierung, Erosionen („Rosenkranz-Bild", „Perlschnurbild", „buntes Bild")
  - Spondylitis anterior = Romanus-Läsionen = „glänzende Ecken" = Usur der Wirbelkanten → Kasten- und Tonnenwirbel
  - Syndesmophyten = Verknöcherungen des Anulus fibrosus, die mit der Zeit die Zwischenwirbelräume überbauen → „Bambusstabwirbelsäule"; bei Verschmelzung der benachbarten Syndesmophyten → Ankylose
  - sterile Spondylodiszitis = Anderson-Läsionen
- *MRT:* Standard für die Diagnosestellung

LittleDoc meint
Dies ist eine meiner „Lieblingskrankheiten". Es gibt sie leider auch nicht so selten. Hier ist die Diagnostik sehr wichtig!

9.2.5 Therapie

- Physiotherapie: Atem- und Bewegungsübungen – allerwichtisgte Maßnahme
- Hydrotherapie, Elektrotherapie und Iontophorese
- NSAR: antiphlogistisch, analgetisch, aber nicht als Dauertherapie

- Anti-TNF-α-Antikörper, TNF-α-Rezeptor-Fusionsproteine oder Interleukin-17-Antagonisten (Secukinumab), wenn NSAR Ø Effekt
- Sulfasalazin und MTX: nur bei chronischer *peripherer* Krankheit; kein Effekt axial
- Glukokortikoide: systemisch bei schweren Schüben; lokal bei ophtalmologischer Beteiligung
- prothetischer Gelenkersatz

9.3 Rheumatisches Fieber

9.3.1 Ätiologie und Pathogenese

- Infektion mit β-hämolysierenden Streptokokken der Gruppe A → Systemerkrankung wegen einer immunologischen Reaktion → das Punktat des Gelenks wird *steril* sein

9.3.2 Diagnostik

- BSG, CRP ↑ (➤ Tab. 9.1)
- Rachenabstrich mit Kultur (Goldstandard); Rachenabstrich mit Streptokokken-Ag-Schnelltest
- Bestimmung von Antistreptolysin-O-Titer: ↑

Tab. 9.1 Jones-Kriterien des rheumatischen Fiebers: SPECK (nach Pereira et al. 2017). Für die Diagnose müssen 2 Hauptkriterien *oder* 1 Hauptkriterium und 2 Nebenkriterien erfüllt sein.

Hauptkriterien	Nebenkriterien
• **S**ubkutane Knötchen an den Streckseiten der Arme und Beine • **P**olyarthritis: große Gelenke, migrierende Beschwerden (die Gelenkentzündung „springt" von Gelenk zu Gelenk), dauert ca. 3 Wochen, ohne Chronifizierung, ohne Nachfolgen • **E**rythema anulare/marginatum • **C**horea Sydenham • **K**arditis: verruköse Endokarditis, Myokarditis (Arrhythmien, mikroskopische Nekrosen, Aschoff-Knoten)	• Fieber • Entzündungsparameter ↑ • ↑ PQ-Zeit im EKG (nicht gleichzeitig mit Karditis) • Arthralgien • rheumatisches Fieber in der VE
Bei einer aktiven Infektion mit β-hämolysierenden Streptokokken der Gruppe A (z. B. Tonsillitis) selbstverständlich: Keimnachweis im Rachenabstrich, ↑ Antistreptolysin-O-Titer, ↑ DNAase	

9.3.3 Differenzialdiagnosen

- Kollagenosen
- reaktive Arthritis
- Morbus Still

- Vaskukitiden
- Löfgren-Syndrom

9.3.4 Therapie

- Therapie des Streptokokkeninfektes: Penicillin
- ASS: Analgetikum, Antipyretikum
- Rezidivprophylaxe: Penicillin V oder Depotpenicillin 5 Jahre, falls Herzbeteiligung
- Tonsillektomie
- ggf. Klappenersatz bei Endokarditis

9.4 Reaktive Arthritis

= entzündliche Gelenkerkrankung = Reaktion auf eine bakterielle intestinale oder urogenitale Infektion

- das Gelenkpunktat wird *steril* sein
- *Reiter-Syndrom* (bei 60 % der Fälle) = Arthritis + Urethritis + Konjunktivitis und/oder Iridozyklitis; manche Patienten haben auch Hautbeteiligung: Keratoderma blenorrhagicum (meistens an der Fußsohle → Reiter-Tetrade), Balanitis circinata, orale Aphthen usw.

9.4.1 Ätiopathogenese

- Urethritis: Chlamydien, Gonokokken, Ureaplasmen
- Enteritis: Salmonellen, Shigellen, Campylobacter, Yersinien
- genetische Prädisposition: die meisten Patienten HLA-B27 positiv
- molekulare Mimikry zwischen eigenen und fremden Molekülen

9.4.2 Klinik

- Enteritis (Fieber, Vomitus, Diarrhö) oder Urethritis (Dysurie)
- asymmetrischen Oligoarthritis der großen Gelenke nach Tagen oder Wochen
- Insertionstendopathie (Enthesiopathie) – besonders die Achillessehne
- Konjunktivitis und/oder Iridozyklitis
- Reiter-Dermatose: Keratoderma blennorrhagicum, Balanitis circinata, Aphten, Nagelveränderungen, erythematosquamöse Herde

9.4.3 Diagnostik

- bakteriologische Untersuchung des Morgenurins auf Chlamydien-Ag
- Gelenk-Sonografie: Erguss?

LittleDoc meint

Wie muss das Punktat ausfallen – steril oder septisch?

- Gelenkpunktion: Erguss entzündlich oder bakteriell? + therapeutisch: GKK injizieren
- serologische Diagnostik: Antikörper gegen Chlamydien und Yersinien (sind aber kein Beweis für eine aktive Infektion)
- bei Enteritis: Stuhlkultur
- Röntgen der Gelenke: Differenzialdiagnostik andere rheumatische Krankheiten

9.4.4 Differenzialdiagnosen

- bakterielle Arthritiden
- Spondyloarthritiden
- Morbus Behçet
- rheumatisches Fieber

9.4.5 Therapie

- i. d. R. NSAR, Physiotherapie
- falls Chlamydien: Antibiotika (Doxycyclin) + Partnerbehandlung (sonst Gefahr „Pingpong-Infektion")
- falls schwerer Verlauf oder Augenbeteiligung: GKK
- falls Chronifizierung: Sulfasalazin oder Methothrexat oder GKK systemisch

9.5 Granulomatose mit Polyangiitis

= **nekrotisierende Vaskulitis der kleinen Gefäße + granulomatöse Entzündung des Respirationstraktes** *(früher M. Wegener genannt)*

9.5.1 Ätiopathogenese

- unbekannt
- ↑↑ der Serinprotease „Proteinase-3" in den Neutrophilen → wird als Ag betrachtet

9.5.2 Klinik

- Granulom-Stadium
  - Kopf: Schleimhautulzerationen, Sinusitis, blutig-borkige Rhinitis, Sattelnase (Nasenknorpelusur + Septumperforation), Otitis (Hypakusis), retroorbitale Granulome mit Exophthalmus, Keratokonjunktivitis, Hornhautulzerationen, Tränenträufeln usw.
  - Lungen und Atemwege: Kehlkopf und bronchiale Stenosierung → Husten und Nebenatemgeräusche

- generalisierte Vaskulitis
  - allgemeine Symptome ~ Beta-Symptomatik
  - pulmorenales Syndrom: alveoläre Blutungen (→ Hämoptoe) + rapid-progressive Glomerulonephritis
  - ZNS-Beteiligung, Polyneuropathie
  - Arthritis, Myositis

9.5.3 Diagnostik

- cANCA oder PR3-Antikörper
- RF, ANA; CRP, Kreatinin
- Biopsie (Goldstandard) → nekrotisierende, nichtverkäsende Granulome, pauci-immune Vaskulitis (ohne Immunkomplexablagerung), palisadenförmig angeordnete Riesenzellen; auch von Haut, Nasenschleimhaut, Lungen, Nieren: wichtig für die Prognose
- zusätzlich: Nierenwerte + Urinsediment (Erythrozyten?) + Proteinurie
- Bronchoskopie
- bildgebende Verfahren: Röntgen, CT-Thorax (Lungenherde, Raumforderungen und verschiedene andere Zeichen der Krankheit), MRT (meist bei V. a. Hirnbeteiligung)

9.5.4 Differenzialdiagnosen

- Churg-Strauss-Syndrom (eosinophile Granulomatose mit Polyangiitis): Symptome eines allergischen Asthmas + Myokarditis + pulmonale Infiltrate + Polyneuropathie + massive Eosinophilie;
  - Diagnostik: pANCA mit Myeloperoxidase-Spezifität
  - Biopsie: ausgeprägte Gewebeeosinophilie und Vaskulitis der kleinen Gefäße
- Lungenmetastasen oder -abszesse, Tuberkulose, tracheobronchiale Amyloidose

9.5.5 Therapie

CAVE!

Cyclophosphamid hat die Todesrate der Krankheit deutlich reduziert. Trotzdem gibt es auch Nebenwirkungen: Acrolein (in Cyclophosphamid) = urotoxisch → Gefahr: hämorrhagische Zystitis → Harnblasenkarzinom. Prophylaxe: Mesna (2-Mercaptoethansulfonat-Natrium).

- zur Remissionsinduktion: Kombination aus GKK und Rituximab oder GKK und Cyclophosphamid
  - Avacopan: ggf. zusätzlich, um die kumulative GKK-Dosis zu reduzieren
- bei rezidivierendem Verlauf: GKK und Rituximab

- Reserve bei Kontraindikationen oder Nebenwirkungen unter Cyclophosphamid oder Rituximab: Mycophenolat Mofetil
- Plasmapherese (Notfallsituation bei akutem Nierenversagen oder pulmonaler Blutung)
- Remissionserhaltung: entweder Cyclophosphamid oder Rituximab alle 6 Monate i. v.; alternativ Azathioprin und Methotrexat
- rezidiv: i. d. R. Analog Induktion bei Ersterkrankung, bevorzugt Rituximab

9.5.6 Prognose

- je nach Rezidiven und Ansprechen auf die Therapie
- ohne Therapie: schlechte Prognose durch rapide Nierenschädigung

9.6 Systemischer Lupus erythematodes (SLE)

= **eine Kollagenose**

9.6.1 Ätiopathogenese

- unbekannt
- immunologisch vermittelte Bildung von Autoantikörpern
- medikamentös induziert (Procainamid, Hydralazin): Anti-Histon-Antikörper

9.6.2 Klinik

- schubförmiger Verlauf
- Allgemeinsymptome: Fieber, Nachtschweiß, Abgeschlagenheit, Gewichtverlust
- Haut: diskoider Lupus (konfluierende erythematosquamöse Plaques), fotosensibles Exanthem im Gesicht (Schmetterlingserythem)
- Schleimhäute: Enanthem, Ulzera
- Polyarthritis: symmetrisch, nicht erosiv: Jacoud-Arthritis: Luxationsneigung → Z-Daumen mit 90°/90°-Deformität
- Herz: Perikarditis, Endokarditis (Libman-Sacks), Myokarditis
- Gefäße: Atherosklerose, Vaskulitis, Antiphospholipid-Syndrom, Raynaud-Syndrom
- Lunge: interstitielle Lungenerkrankung (Lupus pneumonitis), A. pulmonalis Hypertonie, Pleuraergüsse (besonders rechts)
- Serositis
- neurologisch: Epilepsie, Psychose, Störung des extrapyramidalmotorischen Systems + Polyneuropathie

- Nieren: Lupusnephritis – Klassifikation nach International Society of Nephrology/Renal Pathology Society ISN/RPS 2003 (nach Weening, J. J. *et al.*, 2004)
  - *Klasse I:* minimale mesangiale Lupusnephritis
  - *Klasse II:* mesangiale proliferative Lupusnephritis
  - *Klasse III:* fokale Lupusnephritis
  - *Klasse IV:* diffuse segmentale oder globale Lupusnephritis
  - *Klasse V:* membranöse Lupusnephritis
  - *Klasse VI:* fortgeschrittene sklerosierte Lupusnephritis

9.6.3 Diagnostik

- Thrombozytopenie > 100 000/µl
- Leukozytopenie < 4000/µl, Lymphopenie < 1500/µl
- hämolytische Anämie (Coombs-Test positiv)
- ↓ Komplement
- Antiphospholipid-Syndrom: ↑ PTT, Lupus-Antikoagulans, Anti-β-Glykoprotein-(GP-)2-Antikörper, Anti-Kardiolipin-Antikörper, Anti-Phosphatidylserin-Antikörper → ↑ ↑ Abortrisiko
- Antikörper: antinukleär (ANA – ohne ANA gibt es kein SLE), Anti-Sm, Anti-Doppelstrang(ds) DNA, Antikörper gegen Leukozyten oder Wachstumsfaktoren, gegen Thrombozyten und Erythrozyten
- Nierenbeteiligung: Erythrozyturie, Proteinurie (Glomerulonephritis?), Blut Kreatinin, Harnstoff ↑ (Niereninsuffizienz?) (➤ Tab. 9.2)

Tab. 9.2 ACR- und EULAR-Klassifikationskriterien des SLE nach Johnson (nach Aringer 2019) [F723-019]

Klinik	Punkte
allgemein • Fieber	 2
Haut • Alopezie • orale Ulzerationen • Subakuter oder diskoider Lupus • akuter kutaner Lupus	 2 2 4 6
Arthritis Gelenke betroffen	 6
neurologisch • Delirium • Psychose • epileptische Anfälle	 2 3 5
Serositis • Pleura-/Perikard-Ergüsse • akute Perikarditis	 5 6
Hämatologie • Leukopenie • Thrombozytopenie • hämolytische Anämie	 3 4 4

Tab. 9.2 ACR- und EULAR-Klassifikationskriterien des SLE nach Johnson (nach Aringer 2019) [F723-019] *(Forts.)*

Klinik	Punkte
Nieren • Proteinurie > 0,5 g/24h • Lupusnephritis Klasse II oder V • Lupusnephritis Klasse III oder IV	 4 8 10
Serologisch	
Antiphospholipid-Antikörper • Anti-Kardiolipin Antikörper *oder* Anti-β2GP1 Antikörper *oder* Lupus-Antikoagulans	 2
Komplement • ↓ C3 *oder* ↓ C4 • ↓ C3 *und* ↓ C4	 3 4
spezifische Antikörper Anti-dsDNA *oder* Anti-SM	 6
Diagnose: mind. 10 Punkte + antinukleäre Antikörper positiv (Titer 1:80). Ein Kriterium wird nicht gewertet, wenn eine wahrscheinlichere Ursache als SLE vorliegt. Das Auftreten eines Kriteriums zu mindestens einem Zeitpunkt genügt für die Berücksichtigung. Die Klassifikation von SLE erfordert mindestens 1 klinisches Kriterium und eine Gesamtpunktzahl ≥ 10. Die Kriterien müssen nicht zeitgleich auftreten. Innerhalb einer Kriteriengruppe wird nur das höchstgewichtete Kriterium zur Gesamtbewertung herangezogen.	

9.6.4 Differenzialdiagnosen

- Sklerodermie
- Polymyositis
- Sjögren-Syndrom
- Malignom

9.6.5 Therapie

- Lichtschutz – Sonnenexposition vermeiden
- bei leichten Formen: NSAR, Hydroxychloroquin, bei Schüben: GKK
- bei schweren Formen: GKK und/oder Immunosuppresiva (z. B. Azathioprin, Cyclophosphamid), Belimumab
- Behandlung der Komplikationen/Komorbiditäten: Antiphospholipid-Syndrom: orale Antikoagulation, aHT bei Nierenbeteiligung: ACE-Hemmer, Raynaud-Syndrom: Kalziumantagonisten usw.

TIPP

Psychologische Unterstützung empfehlen!

9.7 Sklerodermie

9.7.1 Klinik

- Verlaufsformen
  - limitiert-kutane systemische Sklerose: Anti-Zentromer-Antikörper
  - diffuse systemische Sklerose: Anti-SCL-70-Antikörper
- CREST-Syndrom (Anti-Zentromer-Antikörper)
  - **C**alcinosis cutis
  - **R**aynaud-Syndrom
  - Ösophagusmotilitätsstörung (engl. **E**sophagus)
  - **S**klerodaktylie
  - **T**eleangiektasien
- Sklerodaktylie (Madonnenfinger) + Raynaud-Syndrom (Nagelfalzmikroskopie)
- Mikrostomie + Tabaksbeutelmund
- Rattenbissnekrosen
- Ösophagus-Wandstarre → Schluckstörungen
- Lungenfibrose, pulmonale Hypertonie
- Myokarditis, Herzinsuffizienz
- Niereninsuffizienz (renale Krise), renaler Hypertonus

LittleDoc meint

In meinem Studium habe ich gelernt, dass Patienten mit Sklerodermie den Menschen in der byzantinischen Kunst ähnlich sehen: ohne Falten, dünne Nase, kleiner Mund. Was meinen Sie?

9.7.2 Therapie

- konservative Maßnahmen: Vermeidung von Kälte
- Glukokortikoide
- immunsuppressiv: z. B. Methotrexat, Azathioprin

TIPP

Psychologische Unterstützung empfehlen!

9.8 Dermatomyositis (DM) und Polymyositis (PM)

9.8.1 DM vs. PM

- **PM** = Befall der quergestreiften Muskulatur und inneren Organe (d. h. ohne Hautbefall)
- **DM** = PM + Hautbefall

9.8.2 Klinik

- langsam beginnende symmetrische Muskelatrophie → Muskelschwäche, besonders in Schulter- und Beckengürtel, manchmal auch Nacken- und

Schlundmuskulatur (Schluckstörungen, Sprachstörungen, Kopf-Aufrechthalte-Störung)
- Muskelschmerzen: nur Hälfte der Fälle
- erythematöse Dermatitis: rötliche, schuppende Papeln (Gottron-Papeln)
  - Handrücken
  - Gesicht
  - Rumpf
- periorbitales Ödem
- rötlich-livide Verfärbung der Augenlider → traurige Fazies („Lilakrankheit")
- Polyarthritis: nicht erosiv
- Raynaud-Syndrom; Finger: rau und rissig → Mechanikerhände
- Myokarditis
- interstitielle Lungenerkrankung
- häufige Komplikation: Malignom – Brust, Ovarien, Lungen, Magen

9.8.3 Diagnostik

- Labor
  - CK ↑
  - Autoantikörper: Anti-Synthetase: Anti-Jo-1, Anti-Mi-2, Anti-Sm, Anti-U1-RNP, Anti-SRP, Anti-ds-DNA, Anti-SS-A, Anti-SS-B
- EMG
- MRT
- Muskelbiopsie: Faserdegeneration mit Lymphozyten-Infiltration
- EKG, Röntgen-Thorax, Lungenfunktionstest
- neurologische Untersuchung

9.8.4 Differenzialdiagnosen

- Medikamentennebenwirkungen: Statine, Fibrate oder Steroide
- Alkoholmyopathie
- Parasiten (Trichinellose)
- Myasthenia gravis, Muskeldystrophien
- Polymyalgia rheumatica

9.8.5 Therapie

- Glukokortikoide, ggf. Immunsuppressiva oder Ig bei schwerem/therapierefraktärem Verlauf
- Osteoporose: Ca^{2+}, Vitamin D_3 ggf. auch prophylaktisch

TIPP
Psychologische Unterstützung empfehlen!

9.9 Sjögren-Syndrom

9.9.1 Begriffe

- **Sicca-Syndrom** = Krankheit der exokrinen Drüsen → Xerophthalmie, Xerostomie, Trockenheit der Genitalorgane, des Respirationstrakts usw.
  - nicht unbedingt wegen einer autoimmunen Ursache; auch bei Strahlentherapie, Hepatitis C, HIV, bestimmten Medikamenten
- **Sjögren-Syndrom** = Sicca-Syndrom + Polyarthritis + schmerzhafte Parotisschwellung bds.

9.9.2 Klinik

- Keratoconjunctivitis sicca → Hornhautulzerationen
- Speichel ↓ → Karies ↑
- Parotisschwellung, seltener Pankreatitis
- Heiserkeit, Hustenreiz, Lungenerkrankungen
- Dyspareunie
- Nephritis
- primär biliäre Zirrhose
- Non-Hodgkin-Lymphom als spätere Komplikation

MERKE

Pankreas = Bauchspeicheldrüse = „die Parotis des Abdomens".
Das Pankreas und die Glandula parotidea synthetisieren Alpha-Amylasen: Pankreas-p-Amylase und Speicheldrüsen-S-Amylase.

9.9.3 Diagnostik

- Schirmer-Test: ↓ Tränenproduktion?
  - man legt einen kleinen Filterpapierstreifen für 5 Minuten in den Lid-Augenwinkel; die Befeuchtung sollte den Streifen anfärben.
    - normal: Farbstrecke ≥ 10 mm
    - wenn < 10 mm → Xerophthalmie
- Labor
  - polyklonale Hypergammaglobulinämie (*Cave!* Monoklonale → Lymphom?)
  - Autoantikörper: Anti-SS-A, Anti-SS-B, Anti-α-Fodrin, ANA
  - Rheumafaktor
- Spaltlampenuntersuchung
- Biopsie: Sialadenitis

9

9.9.4 Therapie

- Allgemeinmaßnahmen
  - Augentropfen
  - Kaugummi,künstlicher Speichel, Parasympathomimetika, Kariesprophylaxe
  - Nasenöl, Inhalationen
  - Dyspareunie: lokale Behandlung mit östrogenhaltigen Mitteln
- Immunsuppressiva: bei Beteiligung der inneren Organe, Arthritis

9.10 Morbus Behçet

LittleDoc meint
Diese Krankheit würde ich nur als Differenzialdiagnose nennen.

= eine autoimmune Vaskulitis

- *Trias:* Aphten im Mund + Aphten im Genitalbereich + Augenbefall (meistens Uveitis)
- Weil alle Gefäße betroffen werden können (egal wie groß), hat die Krankheit auch *vielfältige Symptome.* Zum Beispiel:
  - Gelenke: Knie, Knöchel, Ellenbogen, Hand, Kreuzbein → Differenzialdiagnose Morbus Bechterew & Co
  - Herz-Kreislauf: TVT, Aneurysmen, Herzwandentzündungen (Peri-, Myo-, Endokarditis → auch Herzklappenfehler)
  - neurologische Störungen
  - Gastrointestinaltrakt: ähnelt chronisch entzündlichen Darmerkrankungen
    - MAGIC-Syndrom: **M**outh **A**nd **G**enital Ulcers With **I**nflamed **C**artilage (meistens mit Behçet assoziiert, besonders bei ♂)
    - weitere wichtige Differenzialdiagnose für die Aphten im Genitalbereich: sexuell übertragbare Erkrankungen

9.11 Raynaud-Syndrom

- Akrale
  - Blässe (Ischämie)
  - Zyanose
  - Hyperämie
  - Parästhesien
  - ggf. Schmerzen
- Trikolore-Phänomen
  - weiß: Vasospasmus, *dann*
  - blau: Zyanose wegen eines Sauerstoffmangels, *dann*
  - rot: reaktive Hyperämie

Formulierungsbeispiele

Patient	Arzt
Irgendwas stimmt mit mir nicht. Bis vorgestern lag ich nur im Bett oder hing auf dem Klo, komplett fertig, und das ging mehrere Tage so! So einen krassen Durchfall hatte ich echt noch nie. Vielleicht hab ich's mir ja selbst eingebrockt, weil ich diese Rohe-Eier-essen-Challenge aus dem Internet mitgemacht habe. Ich dachte, jetzt wird's langsam besser – aber nö. Seit gestern ist auch noch mein linkes Fußgelenk total geschwollen, heiß, gerötet und tut mega weh! Ich check's nicht – kann das immer noch von den Eiern kommen? Oder hab ich mir jetzt echt was kaputtgemacht?!	Frau X berichtete über eine seit dem Vortag/seit gestern bestehende Entzündung des linken OSG. Ergänzend gab die Patientin an, in den letzten Tagen unter Diarrhö gelitten zu haben, möglicherweise im Rahmen einer infektiösen Enteritis nach dem Verzehr roher Eier.
Also passen Sie auf, Frau Ärztin. Seit über vier Jahren hab ich Rückenschmerzen. Erst war's nur im Kreuz, da hab ich gedacht: Aha, bestimmt die Bandscheibe – also ab zur Thai-Massage! Hat aber nichts gebracht. Ibus helfen schon, aber nur kurz, und eigentlich hab ich das Gefühl, dass ich mich über die Jahre total verrenkt habe und dass die Schmerzen immer weiter nach oben ziehen. Jetzt sitzt es schon im Nacken, und ich kann mich kaum noch bücken, ich krieg nicht mal mehr meinen Kopf richtig nach vorn! Meine Frau muss mir inzwischen die Schnürsenkel binden. Aber heute bin ich eigentlich wegen was anderem hier – ich hab das Gefühl, ich kann nicht mehr richtig tief einatmen – als ob ich meinen Brustkorb nicht mehr richtig aufkriege. Das ist schon seit ein paar Wochen, vielleicht sogar Monaten so. Und wenn ich schon mal hier bin: Ein Rezept für Ibu 800 wär nicht schlecht.	Der Patient stellte sich wegen einer subjektiven Ventilationsstörung bei uns vor. Er berichtete, dass die Beschwerden seit einem unklaren Zeitraum, möglicherweise seit mehreren Monaten, bestünden. Anamnestisch ergab sich, dass Herr X seit ca. 4 Jahren unter Rückenschmerzen leide, die kurzfristig unter NSAR remittieren würden. Diese hätten einen progredienten Verlauf genommen, anfangs auf die LWS begrenzt, und sich im Verlauf bis zur ZWS ausgedehnt. Des Weiteren gab der Patient an, dass er unter einer den Alltag erheblich beeinträchtigenden Mobilitätseinschränkung mehrerer WBS-Segmente leide.

Patient	Arzt
Ähm … Ich weiß ehrlich gesagt nicht, was ich hier soll. Ich hatte eigentlich eine Überweisung zum Hautarzt gewünscht, aber mein Hausarzt meinte, ich soll zum Rheuma-Doc. Aber mir tun keine Gelenke weh, ich bin ja noch jung! Er meinte, ich soll Ihnen diese Hautänderungen zeigen, das hat doch nichts mit Rheuma zu tun, oder? Rheuma kenne ich von meiner Oma und das ist doch ganz anders! Ich habe halt starken Haarausfall und diese Rötung auf der Nase und den Wangen macht mich fertig. Jetzt habe ich auch noch wunde Stellen im Mund – wahrscheinlich der Stress. Wissen Sie, ich hatte in den letzten zwei Jahren drei Fehlgeburten. Mein Hausarzt sagt nur, meine Anti-Phosphor-Dings sind erhöht und das könnte etwas mit den Fehlgeburten zu tun haben. Jetzt sind wohl auch meine Nierenwerte schlecht … Ich trinke ja auch zu wenig, das hab ich ihm schon gesagt. Er hört aber nie richtig zu! Er hat hier was mit „Lupus" geschrieben, keine Ahnung, rufen Sie ihn an, wenn Sie mehr wissen wollen.	Frau X stellte sich mit einer hausärztlichen Überweisung bei V. a. Lupus erythematodes in unserer Klinik vor. Die Patientin berichtete über starken Haarausfall, ein Gesichtserythem (V. a. Schmetterlingserythem) sowie orale Ulzerationen. Zudem seien laut ihren Angaben in der Hausarztpraxis auffällige Nierenbefunde festgestellt worden. In der Anamnese seien drei Fehlgeburten bekannt; nach Aussage der Patientin sei in diesem Zusammenhang ein V. a. Antiphospholipid-Syndrom geäußert worden. Eine Rücksprache mit dem Hausarzt folgt.

KAPITEL

10 Neurologie

10.1 Schlaganfall

= zerebrovaskulärer Insult = apoplektischer Insult = Apoplex
- Folge einer in der Regel „schlagartig" auftretenden Durchblutungsstörung im Gehirn, die zu einem regionalen Mangel an Sauerstoff (O2) und Nährstoffen (Glukose) und damit zu einem Absterben von Gehirngewebe führt

10.1.1 Ätiopathogenese

LittleDoc meint

Diese Krankheit ist ein *Notfall.*
In der FSP bitte: Name, Geburtsdatum, aktuelle Beschwerden, ggf. kurz Medikation und wichtigste VE. Dann sofort mit dem OA telefonieren.
Protokolle für Notfälle finden Sie am Ende des Kapitels „Anamnese".

Ischämisch

- Hirninfarkt – ca. 85 % (vgl. Rivera-Bou 2021)
- asymptomatische Stenose
- TIA: Rückbildung der Symptome < 24 Stunden und o. p. B. in der Bildgebung; *Cave:* Rezidive!
- Hirninfarkt: partielle oder fehlende Rückbildung der Symptomatik und/ oder pathologische Veränderungen in der Bildgebung → Absterben des Gewebes im Gehirn = Kolliquationsnekrose + Hirnerweichung = Enzephalomalazie
  - Encephalomalacia alba: nur Ischämie, ohne Blutungen
  - Encephalomalacia rubra: hämorrhagische Infarzierung

TIPP

„(P)RIND" – (prolongiertes) reversibles ischämisches neurologisches Defizit – wird nicht mehr benutzt.

Hämorrhagisch

- **Hirnblutung**
  - arterielle Hypertonie
  - Arteriosklerose, DM, Hyperlipoproteinämie
  - Gefäßanomalien bzw. Fehlbildungen
  - Thromboembolie (*Cave:* Vorhofflimmern) oder septische Embolien (*Cave:* Endokarditis)
- Trauma → Subarachnoidalblutung
- Vaskulitiden
- Subclavian-Steal-Syndrom

CAVE!
Eine massive Blutung kann auch als Raumforderung wirken und sich dadurch als Kompression auf die Gefäße auswirken → sekundäre Ischämie.
Es passiert aber manchmal auch, dass auf eine Ischämie eine sekundäre Blutung folgt → hämorrhagische Infarzierung.

Risikofaktoren

- *nicht beeinflussbar*
  - familiäre Belastung
  - Alter ↑
  - Blutgruppe: AB ↑ Risiko, 0 ↓ Risiko
- *beeinflussbar*
  - Nikotinabusus, C_2-Abusus, DM, Adipositas, Immobilisation
  - aHT, Vorhofflimmern, Endokarditis
  - Gerinnungsstörungen, orale Antikoagulation

10.1.2 Klinik

- *plötzlich auftretend; hängt vom betroffenen Gefäßstromgebiet ab;* z. B.:
  - Cephalgie
  - Desorientiertheit, Amnesie bis zur Bewusstlosigkeit
  - Gleichgewichtsstörung, Schwindel
  - abnormale Reflexe
  - Hemiplegie/-parese + Hirnnervenparesen mit den entsprechenden Symptomen/Zeichen
  - motorische Aphasie (Sprachstörungen), sensorische Aphasie (↓ Sprachverständnis)
  - Sehstörungen, Déviation conjuguée (Herdblick)
  - Gangunsicherheit
  - Übelkeit, Erbrechen
  - Alternans-Syndrom: Hirnstamminfarkt

10.1.3 Diagnostik

LittleDoc meint
Es wäre ideal, wenn die Patienten in einer Stroke-Unit behandelt werden.

- multimodale CT-Schlaganfall-Diagnostik = NECT + PCT + CTA
  - Native CT **(NECT):** hämorrhagisch vs. ischämisch? Blutung = hyperdens (weiß), raumfordernd; Ischämie = hypodens (schwarz)
  - Perfusions-CT **(PCT):** Durchblutungsmessung → kompletter Infarkt (Kerninfarkt) vs. Penumbra (die Gewebe könnten vielleicht noch gerettet werden)?
  - CT-Angiografie **(CTA):** Darstellung der Gefäße
    - *DANN: Therapie!* Die anderen Untersuchungen sollten ggf. nach der Therapie zur weiteren Exploration oder bei Fehlschlagen der o. g. Verfahren durchgeführt werden

- multimodale Magnetresonanztomografie (MRT)-Schlaganfall-Diagnostik: sensitiver als CT, man kann auch Mikroangiopathien, Lakunen oder ältere Infarkte sehen; Nachteil: dauert länger und *„time is brain"*
- digitale Subtraktions-Angiografie (DSA): die beste Darstellung der Gefäße
- Doppler-Sonografie: Verkalkungen, Arteriosklerose, Stenose, Thromben
- transkranielle Doppler-/Duplexsonografie (TCD): Gefäße im Schädelinneren
- Echokardiografie (EKG)

10.1.4 Therapie

- Allgemeinmaßnahmen
  - Vitalfunktionen – stabilisieren, ggf. Oberkörperhochlagerung
  - venöser Zugang
  - aHT? → Senkung (nicht > 20 % initiale Werte)
  - Ausschluss Blutung? Wenn ja → ASS
- Ischämie – Thrombus? Thrombolyse i. v. – Lyse-Fenster: *binnen 3–4 Stunden ab Auftritt der Symptomatik*
  - Alternative zur Thrombolyse: Katheter-Intervention oder Entfernung des Thrombus mit einem Stent-Retriever
    - *dann:* ASS/Clopidogrel sekundär prophylaktisch
    - Mannitol i. v. gegen Hirnödem
- Blutung
  - RR systolisch ↓: < 140 mmHg
  - ggf. Senkung des Hirndrucks
  - Trepanation und Hämatomausräumung

10.2 Meningitis

= **Hirnhautentzündung**
= **Entzündung der Pia mater und der Arachnoidea**
- *Achtung, meldepflichtig!*

10.2.1 Ätiopathogenese

- bakterielle Meningitis
  - eitrige Meningitis → Raumforderung → Haubenmeningitis/ Konvexitätsmeningitis: Meningokokken (Neisseria meningitidis), Staphylokokken, Pneumokokken, Haemophilus influenzae usw.
  - nicht eitrig: Borrelia, Mykobakterien, Treponema pallidum usw.
- virale Meningitis: Herpesviren, FSME usw.
- Pilze
- Strahlenschäden

Übertragung

- meistens von Mensch zu Mensch durch Aerosol = Flügge-Tröpfchen (Husten, Niesen etc.)
- bei Listerien (opportunistisch): rohe Milchprodukte

10.2.2 Klinik

- Krankheitsgefühl: hohes Fieber, Cephalgie, Nausea, Vomitus
- Meningismuszeichen: Nackensteifigkeit, Opisthotonus
- Bewusstseinsstörungen: Desorientiertheit zu Bewusstlosigkeit und Koma
- Fotosensibilität
- Stauungspapille
- Petechien
- eingesunkenes Abdomen (Kahnbauch)
- tonisch-klonische Anfälle

10.2.3 Körperliche Untersuchung

LittleDoc meint
Bitte hier die Klinik gut beherrschen!

Inspektion

- Lage des Patienten, Hautveränderungen (s. Klinik)

Brudzinski-Zeichen

- passive Kopfbewegung nach anterior → reflektorisches Anziehen der Beine (➤ Abb. 10.1)

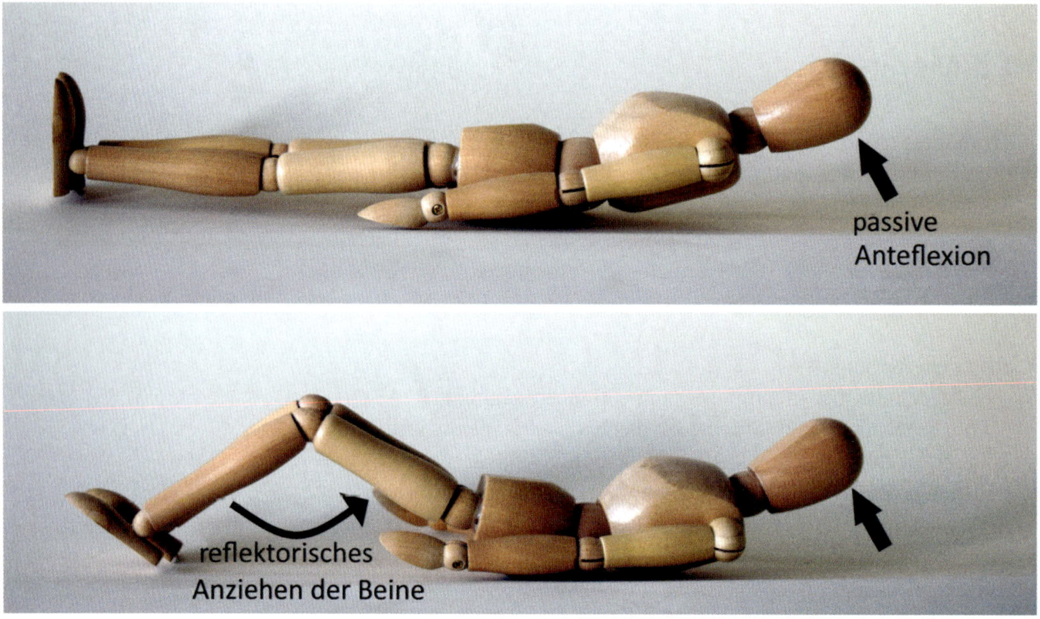

Abb. 10.1 Brudzinski-Zeichen [M1025]

Lasègue-Zeichen

- Anheben des gestreckten Beins → Widerstand und Schmerzen vom Rücken → Wade *(positiv auch bei Diskusprolaps!)* (➤ Abb. 10.2)

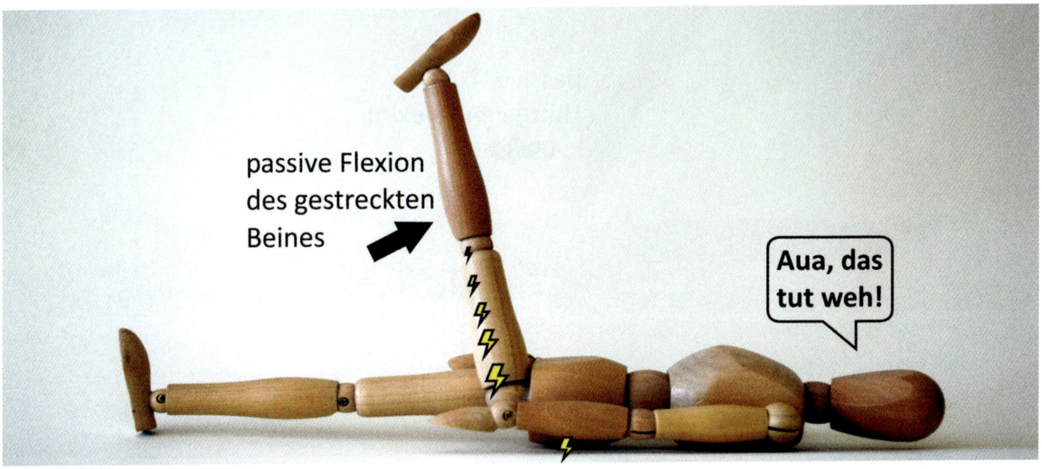

Abb. 10.2 Lasègue-Zeichen [M1025]

Kernig-Zeichen

- Patient liegt flach auf dem Rücken mit gestrecktem Knie → Beine werden im Hüftgelenk gebeugt → Patient beugt das Knie wegen Schmerzen; alternativ: Hüftgelenk und Kniegelenk gebeugt (90°) → passiver Versuch zum Strecken des Kniegelenks → Schmerzen und Widerstand (➤ Abb. 10.3)

TIPP
Das Fehlen dieser Zeichen schließt eine Meningitis nicht aus.

10.2.4 Diagnostik

- Blutbild
- Blutkulturen
- cMRT/cCT
  - Durchführung einer kranialen Bildgebung vor einer Lumbalpunktion ist in besonderen Fällen notwendig: Hirndruckzeichen, fokal-neurologische Defizite, erstmaliger tonisch-klonischer Anfall, Vigilanzstörung, Immunsuppression
  - Durchführung einer kranialen Bildgebung ist bei fehlenden klinischen Hirndruckzeichen nicht erforderlich
- Lumbalpunktion: Nachweis von Bakterien im Liquor mit vermehrten Granulozyten

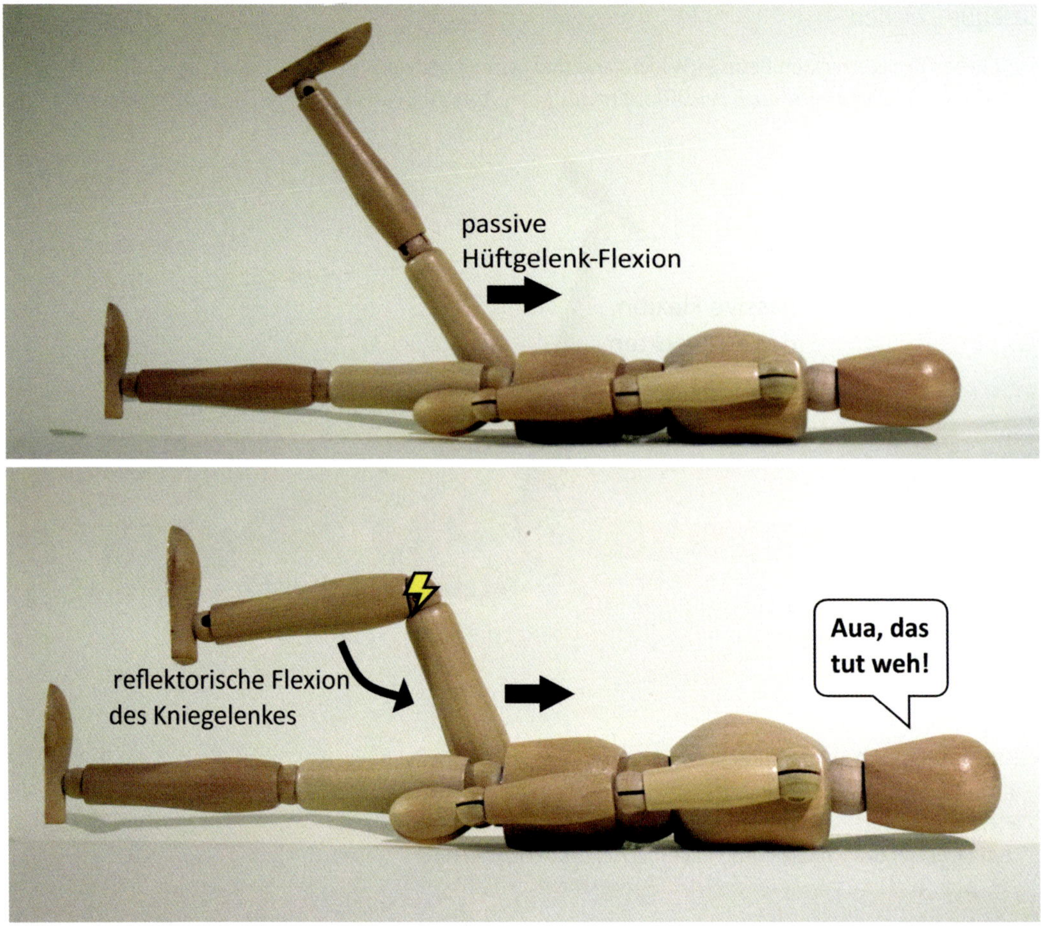

Abb. 10.3 Kernig-Zeichen [M1025]

Liquordiagnostik

- Latexagglutinationstest – Meningokokken, Pneumokokken, H. influenzae?
- mikroskopische Untersuchung: Gram-Färbung: Grampositiv: Pneumokokken (Diplokokken), Listerien (Stäbchen); Gramnegativ: Meningokokken (Diplokokken), H. influenzae (Stäbchen); Ziehl-Neelsen-Färbung: M. tuberculosis (Stäbchen)
  - *normal:* klare Flüssigkeit, Zellzahl < 5/µl, Laktat 1,5–2,1 mmol/l, Eiweiß 150–400 mg/l, Glukose 2,7–4,2 mmol/l (Liquor/Serum Glukose-Quotient > 0,5)
  - *bakterielle Meningitis:* trübe, manchmal eitrige Flüssigkeit, Pleozytose (vorübergehend mit Neutrophilen): > 1000/µl, Laktat ↑, Eiweiß ↑, Glukose ↓, Quotient: < 0,5;
    – Tuberkulose: klare Flüssigkeit, Spinnweben-Gerinnsel, Lymphozytose, Monozytose, Zellzahl < 500/µl, Laktat ↑, Eiweiß ↑, Glukose sehr ↓ ↓; man soll auch ein PCR durchführen

10

- *virale Meningitis:* klare Flüssigkeit, Lymphozytose (manchmal auch Monozyten ↑), Zellzahl ↑ (aber nicht so ↑ wie bei bakterieller Meningitis) < 500/µl, Laktat 1,5–2,1 mmol/l, Eiweiß normal (vielleicht leicht ↑), Glukose normal

10.2.5 Therapie

- stationäre Aufnahme + Isolation!
- kalkulierte Antibiotika i. v., ggf. intrathekal – (z. B. Ceftriaxon/Cefotaxim), bis Antibiogramm + Resistenzbestimmung fertig, dann ggf. Umstellung auf gezielte Antibiotika
- bei nosokomialer Meningitis: Vancomycin und Meropenem/ Ceftazidim+Metronidazol i. v.
- Dexamethason i. v. (Gefahr Meningenverschwartung!)
- bei Meningokokken-Meningitis: Ciprofloxacin oder Rifampicin prophylaktisch bei Kontaktpersonen, ggf. Ceftriaxon bei Schwangeren
- bei V. a. Virusmeningitis: Aciclovir i. v.

10.2.6 Komplikationen

Beispiele:
- neurologische Störungen (motorisch und sensibel)
- Amnesie
- Sehdefizite
- Innenohr-Hypakusis etc.
- Tod

10.3 Lyme-Borreliose

- *Achtung, meldepflichtig!*

10.3.1 Ätiologie

- Borrelia burgdorferi
- Vektor: Zecken
- Sommermonate, im gesamten Bundesgebiet

LittleDoc meint

Sie werden bei der Prüfung vielleicht einen Patienten bekommen, der vor 1 bis 2 Wochen eine Wanderung durch den Wald, durch den Park – wo es viel Gras gibt – gemacht hat …

10.3.2 Klinik

- **Stadium I:** *lokale Infektion:* nach Tagen/Monaten Post-Zeckenstich
  - lokales Hauterythem mit zentrifugaler Ausbreitung vom Stichort → eine anfangs livide Verfärbung im Zentrum des Erythems, welche immer

blasser wird, während die ganze Läsion (Erythem) sich langsam ausdehnt = Erythema (chronisch) migrans
  - rötlich livide Noduli, meistens am Ohrläppchen (ein Lymphozytom) = Lymphadenosis cutis benigna
  - Fieber
- **Stadium II:** *disseminierte Infektion:* nach Monaten Post-Stadium I
  - Lymphadenosis cutis benigna ist manchmal noch anwesend
  - Meningopolyneuritis = lymphozytäre Meningoradikulitis Bannwarth = Fieber + Cephalgie + Nackensteifigkeit + N. facialis Sensibilitätstrübungen = Neuroborreliose
  - Lyme-Arthritis: migrierende nicht-erosive Oligoarthritis der großen Gelenke
  - Myokard-, Perikard-Befall
- **Stadium III:** *chronische Infektion:* nach Jahren
  - Acrodermatitis chronica atrophicans: die Akren sind anfangs livid und geschwollen → im Verlauf: Hautatrophie
  - Lyme-Arthritis: chronisch rezidivierend
  - Enzephalomyelitis
  - Polyneuritis

10.3.3 Diagnostik

- *Serologie*
  - **Stadium I:** IgM anti-Borrelia burgdorferi
  - **Stadium II:** IgM und IgG anti-Borrelia burgdorferi
  - **Stadium III:** IgG anti-Borrelia burgdorferi
- PCR: Borrelien-DNA in Urin, Haut- oder Synovialbiopsien
- *Liquor-Punktion:* Pleozytose mit Lymphozyten ↑

10.3.4 Therapie

- **Stadium I:** Doxycyclin p. o. für 2–3 Wochen (nicht bei Schwangeren)
- **Stadien II, III:** Ceftriaxon/Cefotaxim/Penicillin i. v. für 3 Wochen

10

10.4 Frühsommer-Meningoenzephalitis

- *Achtung, meldepflichtig!*

LittleDoc meint
So wie bei Lyme-Borreliose werden Sie bei der Prüfung wahrscheinlich einen Patienten bekommen, der vor 1 bis 2 Wochen durch den Wald oder Park – wo es viel Gras gibt – gewandert ist.

10.4.1 Ätiologie

- FSME-Virus
- Vektor: Zecken: Ixodes ricinus (Gemeiner Holzbock)
- vor allem in den Sommermonaten

10.4.2 Klinik

Meist *asymptomatisch* – aber wenn *symptomatisch,* dann folgende Phasen:
- *1. Krankheitsphase:* 1–2 Wochen nach dem Zeckenstich, dauert ca. 1 Woche
  - Krankheitsgefühl: Cephalgie, Myalgie, Husten, Fieber – Differenzialdiagnose Grippe
- asymptomatisches Intervall 1–2 Wochen
- *2. Krankheitsphase:* dauert ca. 2 Wochen
  - Meningitis (typische Symptome und Zeichen), Enzephalitis (Konvulsionen, Psychosen, Bewusstseinstrübungen), Myelitis (Parese)

10.4.3 Diagnostik

- IgM Anti-FSME-Virus
- PCR: akute FSME-Virus Infektion soll gesichert werden
- Liquordiagnostik: typisch für eine virale Meningitis

10.4.4 Therapie

- symptomatisch: Analgetika, Antipyretika, Infusionstherapie
- passive Immunisierung mit FSME-Immunglobulinen binnen 96 Stunden nach einem Zeckenstich
- Prophylaxe: aktive Immunisierung nur bei Risiko einer Exposition

10.5 Multiple Sklerose (MS)

aka Encephalomyelitis disseminata

10.5.1 Ätiologie

- chronisch entzündliche Autoimmunerkrankung
- Auftritt mit ca. 25 Jahren
- Risiko- und Umweltfaktoren
  - Genetik: HLADR2(DRB1*1501) Allel
  - Mangel an Sonnenlicht (Vitamin D)
  - Rauchen
  - Ernährung und Darmflora
  - Adipositas
  - Viren (insb. EBV), Bakterien

10.5.2 Klinik

- hängt vom Gehirn- und Rückenmarksbereich ab, wo die Herde auftreten
- Krankheitsbeginn: typischerweise mit Gefühlsstörungen oder Retrobulbärneuritis
- Charcot-Trias-I: Nystagmus, skandierende Sprache und Intentionstremor
- *Sensibilität*
  - Parästhesien, Hyp/Hyperästhesien, Schmerzen
  - epikritische oder protopathische Qualitäten ↓
  - Wärme- oder Kältemissempfindungen
  - Lhermitte-Zeichen = Stromschlag entlang der Wirbelsäule, bei Beugung des Kopfes nach vorn
- *Motorik*
  - Muskeleigenreflexe ↑ = Beteiligung der Pyramidenbahn; später: Atrophien und abgeschwächte Muskeleigenreflexe → Monoparese, Hemiparese, Paraparese bis zur Tetraparese
  - Pyramidenbahnzeichen: Babinski-Zeichen
  - spastischer Hypertonus: Beteiligung der extrapyramidalen Bahnen
  - Ermüdbarkeit, Schweregefühl in den Beinen
  - die Patienten stolpern, können nicht mehr Treppen steigen, klagen über Steifigkeit, besonders in den kaudalen Extremitäten
- *kognitive Störungen*
  - *Kleinhirn*
    - Diadochokinese
    - Ataxie
    - Schwindel, Gleichgewichtsstörungen
    - Gangunsicherheit
    - Dysarthrie
  - *Hirnstamm*
    - Visusstörungen
    - Hörstörungen
    - N. V, VII Beteiligung → Trigeminusneuralgie, Fazialisparese
- *Blasen- und Sexualfunktionsstörungen*

10.5.3 Verlaufsformen

- primär chronisch progredient
- schubförmig-remittierend
- sekundär chronisch progredient

MS-Schub

- episodisches Auftreten neuer Symptome oder die Verschlechterung bestehender Symptome > 24 h
- Intervall zwischen den Schüben: > 30 Tage
- *kein* Bezug zu einer Körpertemperaturerhöhung = Uhthoff-Phänomen

- **primär chronisch progrediente MS**
  - konstante Zunahme der Krankheit, ohne abgrenzbare Schübe, aber mit möglichen Plateau-Phasen
- **schubförmig remittierende MS (relapsing remitting MS)**
  - klare Krankheitsschübe mit Krankheitsprogression
- **sekundär chronisch progrediente MS**
  - beginnt schubförmig remittierend, erst danach klare chronische Krankheitsprogression
  - beiläufige Schübe sind möglich; demzufolge starke Verschlechterung

10.5.4 Differenzialdiagnosen

- rheumatische Erkrankungen: SLE, M. Sjögren, M. Behçet, Granulomatose mit Polyangiitis (Wegener-Granulomatose)
- Vitamin-B_{12}-Mangel
- Susac-Syndrom = Enzephalopathie + arterielle retinale Verschlüsse + Hypakusis
- infektiöse Krankheiten mit möglicher neurologischer Beteiligung: HIV, Borreliose, Syphilis usw.

10.5.5 Diagnostik

- ZNS-MRT: hyperintense Läsionen (*weiß*)
- Liquordiagnostik
  - oligoklonale Banden oder intrathekale IgG-Synthese (Reiber-Diagramm: Schrankenstörung → chronische Entzündung)
  - ↑ Leukozyten, vor allem Lymphozyten und Monozyten
  - Eiweiß: entweder normal oder leicht ↑
  - Laktat: normal
- elektrophysiologische Diagnostik: visuell, motorisch und akustisch evozierte Potenziale; Demyelinisierung → Leitungsverzögerung

10.5.6 Therapie

- *supportive Therapie* (es gibt Ø kausale Therapie)
  - Psychotherapie
  - Botulinumtoxin i. m. oder Baclofen, Tetrazepam, Tolperison, Gabapentin p. o. bei Spastik
  - Physiotherapie, Logopädie
- *akuter* Schub
  - Ausschluss Pseudoschübe (Uhthoff-Phänomen, Grippe usw.)
  - Kortikoide i. v., wenn Ø Erfolg nach 3–5 Tagen →
  - Plasmapherese

- *verlaufsmodifizierend (Beispiele)*
  - Interferon-beta-Präparate + Glatirameracetat ± Teriflunomid ± Dimethylfumarat; Ø Erfolg → IgG1κ-Antikörper Alemtuzumab, CD25-Antikörper Daclizumab, CD20-Antikörper Ocrelizumab
  - ggf. zusätzlich Mitoxantron und Cyclophosphamid

TIPP
Psychologische Unterstützung empfehlen!

10.6 Epilepsie

= **Fallsucht, Krampfleiden**

10.6.1 Begriffserklärung

- **epileptischer Anfall** = isoliertes klinisches Ereignis mit episodenhaften Symptomen wegen einer pathologischen Hyperaktivität oder simultanen Aktivität der ZNS-Nervenzellen
- **Epilepsie** = spontan wieder auftretende Anfälle: ≥ 2, nicht provoziert, mit interiktalem Abstand von > 24 h
- **Status epilepticus** = ein epileptischer Anfall mit einer Dauer von > 5 min bei generalisierten Anfällen > 20–30 min bei fokalen Anfällen oder eine Serie von epileptischen Anfällen, zwischen denen der Patient bewusstlos bleibt

10.6.2 Ätiopathogenese

- Inkoordination zwischen Exzitation und Hemmung der Neuronen, z. B. bei Defekten der Zellenmembranen oder deren Ionenkanäle
- gestörtes Gleichgewicht zwischen Glutamat oder Aspartat (stimulierend) und GABA (hemmend) → Depolarisationsstörungen
- **je nach Ursache**
  - *primäre Epilepsien:* genetische und epigenetische Prädisposition, idiopathisch oder kryptogen
  - *sekundäre Epilepsien:* ZNS-Fehlbildungen, Tumoren, Traumata, Narbenbildung, infektiöse Enzephalitiden, Hippokampussklerose, vaskuläre Läsionen, Hypoxie, Drogen, Hypoglykämie usw.
  - häufige Auslöser bei Patienten: Flackerlicht, Fieber (*Cave:* Kinder), schwerer Schlafentzug, Alkoholkonsum oder -entzug, cerebrale Metastasen
- **je nach Anfällen/Ausbreitung**
  - fokal beginnend – auf eine bestimmte Gehirnregion beschränkt: mit und ohne motorische Störungen

  - generalisiert beginnend: mit motorischen Störungen (tonisch-klonische Anfälle – früher *„Grand mal“*) und ohne motorische Störungen (Absencen – früher *„Petit mal“*)
  - nicht klassifizierbare epileptische Anfälle
- **je nach Epilepsie-Typ**
  - fokal
  - generalisiert
  - kombiniert generalisiert und fokal
  - Epilepsien unbekannten Typs
- **je nach Epilepsie-Syndrom** (= je nach Konstellation der klinischen und paraklinischen Befunde) – Beispiele:
  - Aufwach-Grand-mal-Epilepsie (AGME)
  - fotosensitive Epilepsie
  - benigne Neugeborenenkrämpfe
  - Absence-Epilepsie des Kindesalters
  - Juvenile myoklonische Epilepsie (Janz-Syndrom)

TIPP

Trigger wie Medikamenten-, Drogen-, Alkohol- und Schlafentzug können einen epileptischen Gelegenheitsanfall verursachen – einmalig hervorgerufen.

10.6.3 Klinik

- positive Symptome (durch Erregung): Parästhesien, Nausea, Panik, Halluzinationen, Spasmen in den Extremitäten usw.
- negative Symptome: Hemiparesen, Sprachstörungen – entweder iktal oder postiktal
- Beispiele der Manifestationen während der Anfälle: Initialschrei, Hyperextension aller Extremitäten, Verdrehen der Augen nach oben, Zungenbiss, Urin- oder Stuhlabgang, Schaum vor dem Mund, Tonusverlust → Sturz
- Aura: einfach-fokale Anfälle und nicht Prodromi
- Jackson-Anfälle: fokale klonische Anfälle – wandernd oder sich ausbreitend, z. B. ein Spasmus oder eine Parästhesie in den Zehen breitet sich bis zum Knie aus = „march“
- Todd'sche Parese = postiktale Paresen, Aphasien, Gesichtsfeldausfälle usw., die bis zu Stunden nach der epileptischen Episode anhalten

10.6.4 Diagnostik

- EEG
  - fokaler Anfall: „scharfe Wellen“ (Sharp Waves)
  - generalisierte Anfälle: „Spitze Wellen“-Komplexe (Spikes and Waves): Amplitude wie bei den scharfen Wellen, aber ↑ ↑ ↑ Frequenz, meistens auch simultan ablaufend

10.6.5 Differenzialdiagnosen

- Synkopen
- dissoziativer Anfall
- transitorisch-ischämische Attacken
- Migräne
- Tetanie
- Drop-Attack
- kardiologische Krankheiten
- Stoffwechselstörungen (insbesondere Hypoglykämie)

10.6.6 Therapie

- **Akutversorgung**
  - Freihalten der Atemwege
  - nur schauen, dass sich der Patient nicht verletzt: „Finger weg von den Zähnen, sonst sind die Finger weg", aber Entfernung von Zahnersatz und sonstigen Gegenständen
  - Vitalparameterüberwachung
  - Antikonvulsivum-Gabe, z. B. Diazepam
- **AED (Anti-Epilepsy Drugs),** Beispiele:
  - klassisch:
    - Barbiturate
    - Phenobarbital
    - Carbamazepin
    - Valproinsäure
  - neu:
    - Gabapentin
    - Levetiracetam
    - Oxcarbazepin
    - Lamotrigin
    - Topiramat
- **Therapieresistenz:** Felbamat (*Cave* Nebenwirkungen: Nausea, Vomitus, kognitive Störungen, Schwindel, Gleichgewichtsstörungen, Cephalgie, aplastische Anämie, Hepatotoxizität)
- **sonstige Therapien**
  - Psychotherapie – zur Unterstützung
  - Kallosotomie
  - Läsionektomie
  - tiefe Hirnstimulation

10.7 Kopfschmerzerkrankungen

10.7.1 Allgemeine Informationen

- **Anamnese**
  - Lokalisation?
  - Dauer?
  - Intensität?
  - Schmerzcharakter?
  - Frequenz?
  - Begleitsymptome?
  - bekannte Vorerkrankungen?
  - Medikamenten-Anamnese (Analgetika-induzierte Kopfschmerzen)
  - nächtliches Zähneknirschen?
  - arterieller Hypertonus?
  - Schnarchen?
- **Indikationen für eine kraniale Bildgebung (CT oder MRT)**
  - schon bekannte lange chronische primäre Kopfschmerzerkrankungen erfordern normalerweise keine Bildgebung
  - folgende Situationen benötigen jedoch eine bildgebende Diagnostik:
    - neue neurologische Symptome
    - zunehmende Schmerzintensität bei einer schon bekannter Kopfschmerzkrankheit
    - Veränderung des Schmerzcharakters bei einer schon bekannten Kopfschmerzkrankheit
    - abnormaler Charakter neuer Kopfschmerzerkrankungen
    - Angst der Patienten (z. B. V. a. Tumoren)

LittleDoc meint
Die Indikationen, die eine kraniale Bildgebung erfordern, sind sehr wichtig für die Prüfung!

10.7.2 Attackenartige Kopfschmerzen

Migräne

- 5 Attacken nötig für die Diagnose
- einseitig, sie können die Seite wechseln, können auch frontal oder okzipital sein
- pulsierend, pochend
- mittelstark
- Nausea, Vomitus, Schwindel
- Fotophobie, Phonophobie, manchmal Osmophobie
- Attackendauer: 4–72 Stunden
- belastungsabhängig (nehmen bei Bewegung zu)
- **Aura (fakultativ)**
  - 20–40 Minuten vor der Attacke: Lichtblitze, Linien oder Flimmerskotome
  - periorale Parästhesien, selten motorische Ausfälle

- familiäre hemiplegische Migräne (FHM): erbliche Form der Aura: sensomotorische Hemisymptomatik (Hemiplegie) für 1–2 Tage vor der Attacke; Differenzialdiagnose Apoplex; die Aura breitet sich aus, wandert („march“), beim Schlaganfall treten die Symptome hingegen schlagartig auf; fokale Epilepsie

- **Therapie**
  - *Attacke*
  - Sauerstoff-Gabe
  - Migränemittel: Triptane, Ergotamine oder Lidocain 4 % intranasal oder NSAR/Paracetamol/Metamizol
  - MCP, Domperidon
  - Triptane; nicht mehr als 10 Tage im Monat; Sumatriptan p. o., Supp. Nasenspray, s. c. (Autoinjektor), Zolmitriptan; p. o., Nasenspray, Rizatriptan p. o., Almotriptan p. o., Eletriptan p. o., Frovatriptan p. o.; Erfolg = nach 2 Stunden: schmerzfrei oder leichtere Schmerzen, es muss bei ≤ 2 von 3 Migräneattacken funktionieren
  - *Migräneprophylaxe*
    - progressive Muskelentspannung nach Jacobson
    - Akupunktur
    - Sport
    - Betablocker: Metoprolol, Propranolol
    - Antiepileptika: Valproinsäure, Topiramat
    - Kalziumkanalblocker: Flunarizin
    - trizyklische Antidepressiva: Amitriptylin
    - CGRP-Antikörper (Calcitonin-Gene-Related Peptide-Antikörper): Erenumab, Galcanezumab, Fremanezumab (vgl. Bichay 2019)

Trigeminoautonome Kopfschmerzen

- Cluster-Kopfschmerzen
- paroxysmale Hemikranie
- SUNCT-Syndrom (**S**hort-lasting **U**nilateral **N**euralgiform Headache with **C**onjunctival Injection and **T**earing)
- Hemicrania continua
- typisch sind kurze Attacken mit: Lakrimation, Rhinorrhö oder nasaler Kongestion, Konjunktiva und Augenlid-Rötung (autonome Symptome)

LittleDoc meint
Sicher haben viele von Ihnen vom Fall des Familienvaters aus Belgien gehört, 32 Jahre alt, verheiratet, 2 Kinder, der an Cluster-Kopfschmerzen litt. Aktive Sterbehilfe ist in Belgien legal – der Mann hat diese beantragt, weil die Schmerzen einfach nicht mehr auszuhalten waren …
Bei Kopfschmerzen ist die Intensität für die Diagnose sehr wichtig. Bitte fragen Sie Ihren Patienten: „Und wie stark tut es weh?“

Cluster-Kopfschmerz

- einseitige Kopfschmerzen mit retroorbitalem Punctum maximum
- extrem stark
- Dauer: 15 Minuten bis 3 Stunden
- die Attacken beginnen häufig nachts, dann wiederholt zur selben Stunde und dann auch tagsüber – bis zu 8 Attacken/Tag, treten in Cluster-Perioden auf; dann einige Monate Pause
- ipsilateral: Lakrimation, Rhinorrhö oder nasale Kongestion, Konjunktiva und Augenlid-Rötung, Horner-Syndrom
- keine vegetativen Beschwerden

- Patienten sind während der Attacken ruhelos und verspüren den Reiz, sich viel zu bewegen („pacing around")
- **Therapie**
  - *Attacke*
    - Sauerstoff
    - Sumatriptan s. c./Zolmitriptan oder Sumatriptan-Nasenspray
    - Lidocain intranasal
  - *Prophylaxe*
    - Verapamil (EKG-Kontrolle vorher)
    - Kortikosteroide
    - Lithium
    - Topiramat
    - Melatonin
  - operative Verfahren, Anästhesie der Nerven oder Ganglia, Radiation, tiefe Hirnstimulation usw.

TIPP
Psychologische Unterstützung empfehlen!

Chronische paroxysmale Hemikranie

- frontoorbital oder hemikraniell + autonome Symptome
- Dauer: 2–45 Minuten, mehrere Attacken pro Tag
- C_2 kann ein Trigger sein
- **Therapie:** Indometacin – auch für die Diagnose wichtig

Hemicrania continua

- kontinuierlich, einseitig, stechend + autonome Symptome
- **Therapie:** Indometacin – auch für die Diagnose wichtig

SUNCT-Syndrom

- vernichtend, einseitig, periorbital + autonome Symptome
- SUNCT = **S**hort-lasting **U**nilateral **N**euralgiform Headache with **C**onjunctival Injection and **T**earing → Differenzialdiagnose Trigeminusalgie (Ast II oder III ist beteiligt, ausgelöst durch lokale Stimulation – Kauen, Sprechen, keine autonomen Symptome)
- Dauer: 15 s bis 2 min, bis zu 50–60 Mal pro Tag, manchmal mehr
- **Therapie:** Indometacin, Antiepileptika

10.7.3 Chronic Daily Headache

- 15 Tage pro Monat, > 3 Monate nacheinander
- Beispiele:
  - New Daily Persistent Headache

- chronische Kopfschmerzen vom Spannungstyp medikamenteninduzierte Dauerkopfschmerzen,
- Transformed Migraine

Spannungskopfschmerzen

- episodisch < 15 Tagen im Monat – *häufigster Typ*
- chronisch > 15 Tagen im Monat
- drückend, dumpf
- bifrontal, okzipital oder holokraniell
- keine Nausea oder Vomitus, keine anderen vegetativen Beschwerden
- ggf. Fotosensibilität oder Phonophobie
- nicht belastungsabhängig (keine Zunahme bei Bewegung)
- **Therapie**
  - *episodisch:* NSAR, PCM; prophylaktisch: trizyklische Antidepressiva (z. B. Amitriptylin), Topiramat, Onabotulinumtoxin A, körperliche Bewegung, Psychotherapie, progressive Muskelrelaxation nach Jacobson
  - *chronisch:* Antidepressiva (z. B. Amitriptylin) 3–6 Monate mit Wechsel der Medikation nach 2 Monaten; wenn Ø Wirkung, Analgetika vermeiden oder nicht länger als 10 Tage pro Monat

Medikamenteninduzierte Dauerkopfschmerzen

LittleDoc meint
Bitte die Angabe „10 Tage im Monat" merken!
Die Dosierung ist für die FSP nicht so wichtig, entscheidend ist: *wie viele Tage im Monat?*

- Ursache: Einnahme von Analgetika oder Triptanen > 10 Tage im Monat über Jahre
- dumpf-drückend
- diffus
  - (fast) jeden Tag, den ganzen Tag
  - keine vegetativen Beschwerden
  - belastungsabhängig (nimmt bei Bewegung zu)
- **Therapie**
  - Entzug, ggf. stationär und prophylaktisch mit Betablocker
  - gegen die Kopfschmerzen: Naproxen oder Kortikosteroide, ggf. Neuroleptika zur leichten Sedierung

Formulierungsbeispiele

Patient	Arzt
Irgendwie habe ich mir heute Nacht einen Wirbel eingeklemmt, seit dem Aufwachen habe ich kein richtiges Gefühl mehr in der Hand und im Bein. Zwar habe ich versucht, sie zu bewegen, aber das ging nicht richtig. Ich bin dann auf dem rechten Bein zum Auto gehumpelt, meine Frau hat mich hierhergefahren. Und verzeihen Sie bitte den Fleck auf dem Shirt, mir ist Kaffee aus dem Mund gelaufen.	Herr X beschrieb eine plötzlich aufgetretene Hemiparese links, a.e. mit Fazialis-Beteiligung. *Die Anamnese wird sich zunächst (d.h. bis zur Abklärung und ggf. Therapie) auf Namen, Geburtsdatum, Allergien, Vorerkrankungen, Voroperationen und aktuelle Medikation begrenzen. Bei V.a. Schlaganfall wird sofort die Stroke-Unit informiert. Wenn die Zeit es erlaubt, sind Kontaktdaten der Ehefrau ebenso wichtig.*
Ich habe so was wie einen Kater, der nicht aufhört. Also gestern war ich nach der Prüfung mit meinen Kommilitonen im Biergarten. Wir hatten vor, feiern zu gehen, aber ich habe nur ein kleines Bier getrunken, weil es mir da schon nicht so gut ging. Ich hatte keinen Hunger, weder gestern noch heute früh. Tatsächlich wird mir schon flau im Magen, wenn ich nur an Essen denke. Außerdem wird mir alles zu viel, schon wenn ich an einer Bäckerei vorbeigehe und den Duft rieche. Dann die Sonne und das Licht und überhaupt … Und ich hab Kopfweh. Ich will mich eigentlich nur verkriechen und meine Ruhe haben. Ich weiß einfach nicht, was los ist.	Die Patientin beschrieb eine seit gestern bestehende Übelkeit. Seit heute Morgen leide sie unter Fotosensibilität und Geruchsempfindlichkeit. Außerdem gab sie Cephalgien an.

KAPITEL

11 Blut und lymphatisches System

11.1 Begriffe

- **Blut** = ein Gewebe; nach Zentrifugation = Blutzellen (45 % = Hämatokrit) + Blutplasma (häufig nur „Plasma" genannt; 55 %)
- **Blutplasma** = 90 % Wasser + 10 % gelöste Substanzen; die wichtigsten sind (u. a.):
  - Elektrolyte
  - Proteine + Glukose + Lipide
  - Abbauprodukte
  - Säuren
  - Hormone
- **Blutserum** *(aka „Serum"):* nach Blutgerinnung → Koagulum (mit Blutzellen und Fibrinogen) + eine klare Flüssigkeit (Serum)

TIPP

Die Beziehung zwischen Blutserum und Blutplasma ist:
Blutplasma = Fibrinogen + Blutserum.

11.2 Anämien

11.2.1 Ätiopathogenese

Hyperregeneratorische Anämien

- wegen einer Blutung – in der Regel kleinere Menge in einem längeren Zeitraum
- hämolytische Anämien
  - korpuskulär: Membrandefekte, z. B. Sphärozytose, Hämoglobinopathien z. B. Thalassämie, Glukose-6-Phosphat-Dehydrogenase-Defizit
  - extrakorpuskulär: mechanisch z. B. bei künstlichen Herzklappen, Autoantikörper, Alloantikörper, hämolytisch-urämisches Syndrom, medikamenteninduziert
- → ↑ *Erythropoese im Knochenmark + periphere Retikulozytose*

Hyporegeneratorische Anämien

- Hämoglobinbildungsstörungen: Eisenmangelanämie (wegen erhöhtem Eisenbedarf: Gravidität, Stillzeit, Wachstum, wegen Ernährung, Malabsorption usw.); Eisenbedarf: ♂ 10 mg/Tag; ♀ 15 mg/Tag

- DNA-Bildungsstörung: ↓ Folsäure und/oder ↓ Vitamin B_{12}: megaloblastäre Anämie
- Stammzellendefekte: myelodysplastisches Syndrom, aplastische Anämie
- Erythropoetinmangel: renale Anämie
- → ↓ *Erythropoese*, ↓ *Retikulozyten*
- je nach *MCV (mittleres korpuskuläres Volumen)* sind Anämien
  - mikrozytär: Eisenmangelanämie, Entzündungsanämie, TB, Malignome, Hämoglobinopathien
  - normozytär: bei chronischen Erkrankungen, aplastische Anämie, posthemorrhagisch, B2, B6 Mangel
  - makrozytär: Vitamin-B_{12}-Mangel, Folsäuremangel
- je nach *MCH (mittlerer korpuskulärer Hb-Gehalt)* sind Anämien
  - hypochrom
  - normochrom
  - hyperchrom

11.2.2 Eisenmangelanämie

LittleDoc meint
Dieses Kapitel ist sehr wichtig für die FSP!

Anamnese

- Vorerkrankungen
- Voroperationen
- Blutungen
- familiäre Belastung
- Essgewohnheiten – Folsäuremangel, Vitamin-B_{12}-Mangel?
- Noxen – Alkoholabusus? – Folsäuremangel?
- Menstruation
- Schluckstörungen (Plummer-Vinson?)
- Appetit, Gewichtsverlust, Fieber, Nachtschweiß (Malignom?)

Körperliche Untersuchung

- Facies, Größe (Beta-Thalassämie?)
- Blässe
- Mundwinkelrhagaden
- Nägel: Brüchigkeit und Rillenbildung
- Splenomegalie
- rektale bzw. vaginale Untersuchung zwecks Suche nach einer Blutungsquelle (*Cave* bei älteren Patienten – leichte Blutungen werden manchmal nicht bemerkt)

Diagnostik

- *Labor*
  - Blutbild, Differenzialblutbild
  - Entzündungsparameter
  - Retikulozyten

  - MCH
  - Eisen ♀ < 12 g/dl ♂ < 13 g/dl
  - Ferritin < 15 µl/l: Eisenmangelanämie; normal oder ↑: Entzündungsanämie, Tumoren, aber auch Schwangerschaft!
  - Transferrinkonzentration: ↑: Eisenmangelanämie; ↓ bei Thalassämie und Entzündungsanämie → Transferrinsättigung ↑
  - Transferrinrezeptor ↑: Eisenmangelanämie
  - DD-Hämolyse: CH50-hämolytisches Gesamtkomplement, indirekte Bilirubin ↑, LDH ↑ und Haptoglobin ↓
  - Mentzer-Index = MCV/Erythrozytenzahl; > 13 = Eisenmangel; < 13 = Thalassämie
  - Urinuntersuchung (Blut?)
- *Hämoccult-Test, ggf. Stuhlausstrich* – Parasiten? (vor allem Hakenwürmer)
- *Gastroduodenoskopie und Koloskopie* – Blutung?
- *Kapselendoskopie*
- *gynäkologisches und urologisches Konsil*
- *Hämoglobinelektrophorese:* Thalassämie?
- *Eisenresorptionstest – Cave* atrophische Gastritis, Z. n. Magenresektion
- *Knochenmarkpunktion:* Myelodysplasie, Ringsideroblasten?

TIPP

Ferritin- und Transferrin-Serumwerte sind immer gegensätzlich.

Therapie

- Fe^{II} p. o. für 3–6 Monaten
  - gut mit Fruchtsaft (wegen Vitamin C)
  - nicht mit Kaffee, Tee, Milch, Antazida usw.
- Eisenresorptionsstörung → Fe^{III}-Gabe i. v.
- Retikulozytenanstieg (nach ca. 1 Woche): 20–40 ‰
- nach der Therapie: Ferritinwerte → zeigen die Eisenspeicher
- Entzündungsanämie: Grunderkrankungs-Therapie im Vordergrund
- vgl. Santiago (2012)

11.2.3 Megaloblastäre Anämie

Ätiologie

LittleDoc meint

Ein sehr wichtiges Kapitel für die FSP!

- Vitamin-B_{12}-Mangel
  - Vitamin B_{12} kann im Körper nicht synthetisiert werden → von der Nahrung abhängig; wenn ↓ → Störung der DNA-Synthese
  - täglicher Bedarf: 2–10 µg, die körperlichen Reserven reichen für 1–2 Jahre
  - bei perniziöser Anämie (Morbus Biermer) = Autoimmunerkrankung mit Autoantikörpern Anti-Parietalzellen, ggf. auch Anti-Intrinsic-Faktor = Autoimmungastritis vom Typ A (= atrophische Korpusgastritis mit Anazidität und Intrinsic-Faktor-Mangel)

11.2.5 Sphärozytose

- Anämie
- Splenomegalie
- Bilirubingallensteine
- Ikterus
- falls Parvovirus-B_{19}-Infektion → Ringelröteln → aplastische Krise

Diagnostik

- Blutausstrich: Erythrozyten: klein, kugelig, ohne zentrale Aufhellung → frühzeitiger Abbau in der Milz = extravasale Hämolyse
- Verdünnungsreihe mit zunehmend hypotoner Kochsalzlösung: normale Erythrozyten hämolysieren bei 0,46 %, die deformierten Erythrozyten früher

11.2.6 Thalassaemia major

= **Hämoglobinopathie mit fetalem Hämoglobin HbF und HbA2 +**

- Serumeisen ↑ + Ferritin ↑ + Transferrin ↓ = mikrozytäre, hypochrome, ggf. hämolytische Anämie
- Wachstumsstörungen
- deformierte Knochen wegen Knochenmarkshyperplasie
- Infektionen
- Blutausstrich: Targetzellen
- Röntgen: Turm- oder Bürstenschädel
- Therapie: Erythrozytenkonzentrate (Nachfolge: Hämosiderose – Kelation mit Deferoxamin)

11.2.7 Sichelzellkrankheit

= **Hämoglobinopathie mit HbS: präzipitiert im desoxygenierten Zustand**

- klinisch-manifest nur bei homozygoten Anlageträgern (besonders in der dunkelhäutigen Bevölkerung)
- Gefahr: Mikrozirkulationsstörungen → Knochen- und Organ-Infarkte mit Schmerzkrisen → *Cave:* besonders beim Fliegen oder Bergsteigen

11.2.8 Kleine Übungen

LittleDoc meint
Achtung! Sehr wichtig für die FSP!

1. Fall: Yuval Nio Hara, 43 Jahre alt, Professor und Historiker, wohnt in Jerusalem, stellt gute Fragen – und gibt noch bessere Antworten.

- MCH, MCV ↓
- Eisen ↓
- Ferritin ↓

  - Transferrinsättigung ↓
  - Transferrin ↑
- *Verdacht?*
  - Eisenmangelanämie

2. Fall: Dani Kahnemensch, 85 Jahre alt, Psychologe und Ökonom, denkt schnell und langsam.
  - MCH, MCV ↑
  - Retikulozyten normal
  - Anti-Parietalzell-Antikörper
- *Verdacht?*
  - megaloblastäre Anämie

3. Fall: Georg Norwell, geboren 1948 (laut *Non-Connaisseurs* 1984), besitzt eine Farm der Tiere in Katalonien. Die Legende besagt, er sei einer der Lieblings*bauern* von LittleDoc.
  - MCH, MCV ↓
  - Eisen ↑
  - Ferritin ↑
  - Transferrinsättigung ↑
  - Transferrin ↓
  - HbA2, HbF
- *Verdacht?*
  - Thalassaemia major

4. Fall: Ria Nocher, verkauft feinste Schokospeisen in La Céleste Praline, Lansquenet-sous-Tannes. Sie vergisst manchmal, dass manche auch einfach nur eine heiße Schokolade mögen.
  - MCH, MCV normal
  - Retikulozyten ↓
- *Verdacht?*
  - aplastische oder renale Anämie

5. Fall: Heinrich Tudorando ist der 8. und wird nach Anne, Katharina und Catherine immer noch an Jane denken.
  - MCH, MCV ↑
  - Retikulozyten ↓
- *Verdacht?*
  - myelodysplastisches Syndrom

6. Fall: Alex Fleminger bekam den Nobelpreis. Er meinte, man sollte mehr schimmeliges Brot essen …
  - MCH, MCV normal
  - Retikulozyten ↑
- *Verdacht?*
  - hämolytische oder Blutungsanämie

11.3 Akute Leukämien

- = maligne Transformation einer hämatopoetischen Stammzelle mit klonaler Expansion → Knochenmarksinsuffizienz und Blasten-Ausschwemmung ins periphere Blut
- **ALL:** akute lymphatische Leukämie – mit Vorläufern der Lymphozyten: meistens Kinder
- **AML:** akute myeloische Leukämie – mit Vorläufern der Granulozyten: meistens Erwachsene (vgl. ACS 2018)

11.3.1 Ätiopathogenese

- unbekannt
- prädisponierende Faktoren
  - myelodysplastisches Syndrom
  - Zytostatika
  - Strahlung
  - Benzol
  - chromosomale Defekte, wie z. B. Trisomie 21, Fanconi-Anämie
  - HTLV-1-Infektion und andere Virus-Infektionen

11.3.2 Einteilung

ALL

- CALL (common ALL)
- T-ALL
- B-ALL
- Null-ALL

AML

LittleDoc meint

Selbstverständlich sollen Sie alles auswendig lernen …!? Nein, nein, keine Sorge, nur einige Beispiele :D

- zytomorphologisch, je nach Vorläuferzellentyp (French-American-British Classification): M0 bis M7
- WHO-Klassifikation
  - AML mit spezifischen chromosomalen Aberrationen z. B. [t(8;21)], [t(9;11)], [t(1:22)], [t(16;16) oder inv(16)] usw.
  - AML mit myelodysplastischen Veränderungen
  - Chemo- oder Strahlentherapie-bedingte AML
  - nicht weiter klassifizierbare AML z. B. AML mit minimaler Differenzierung (FAB-Typ M0), AML ohne Ausreifung (FAB-Typ M1), AML mit Ausreifung (FAB-Typ M2), akute myelomonozytäre Leukämie (FAB-Typ M4), akute monoblastische/monozytäre Leukämie (FAB-Typ M5), rein erythroide Leukämie (FAB-Typ M6), akute megakaryoblastäre Leukämie (FAB-Typ M7), akute Basophilenleukämie, akute Panmyelose mit Myelofibrose

- myeloides/granulozytäres Sarkom (auch „Chlorom", weil es Myeloperoxidase enthält, was ihm eine grünliche Farbe gibt)
- Myeloid-Proliferationen bei Down-Syndrom
- undifferenzierte und biphänotypische akute Leukämie
- Promyelozytenleukämie (Typ M3): Auer-Stäbchen im Zytoplasma der Blasten = Fagott-Zellen

11.3.3 Klinik

- Knochenmarksinsuffizienz →
  - Blässe, Müdigkeit, Cephalgien, Belastungsdyspnoe, Tachykardie (wegen Anämie)
  - Infektanfälligkeit (wegen Neutropenie)
  - blaue Flecke, Hämatome, Epistaxis, Zahnfleischbluten (wegen Thrombozytopenie)
- Lymphadenopathien, Splenomegalie (wegen Blastenabsiedlung)
- Meningeosis leucaemica
- Leucemia cutis – Hautknoten und/oder rötlich-livide Verfärbungen der Haut
- Sweet-Syndrom – akute febrile neutrophile Dermatose
- hypertrophische Gingivitis (wegen Zahnfleischinfiltration)

11.3.4 Diagnostik

- Differenzialblutbild: Thrombozytopenie, Anämie, *Blasten im peripheren Blut*
  - bei AML > 100 000/µl Leukozyten bei ⊠ Patienten; knapp ⊠ Patienten können sogar eine Leukopenie haben
  - „Hiatus leucaemicus" = unreife Blasten + reife Zellen, aber keine mittleren Entwicklungsstufen der Granulopoese
- Labor: AML: unspezifische Marker eines erhöhten Zellumsatzes: LDH, BSG, Harnsäure – *Cave:* Hyperurikämie, besonders nach Chemotherapie → ↑ ↑ Zellturnover → Allopurinol und Urin-Alkalisierung prophylaktisch (↑ Risiko Uratnephropathie, Gicht)
- Knochenmarkspunktion (ggf. Knochenmarksbiopsie bei Punctio sicca): Blasteninfiltrate, geringe bis zu keiner physiologischen Hämatopoese
  - AML: Blasten ≥ 20 % und Erythropoese < 50 % (Ausnahme Erythroleukämie > 50 %); stäbchenförmige Granula: Auerstäbchen = Faggot-Zellen
  - myelodysplastisches Syndrom, Blasten < 20 %
- Zytochemie: Myeloperoxidase? – AML
- Immunphänotypisierung: Subtypen?
- Genetik: Genmutationen?
- Staging: Abdomensonografie, Röntgen-Thorax, CT/MRT Thorax-Abdomen + CCT/C-MRT
- Liquorpunktion

11.3.5 Therapie

- ALL
- Chemotherapie, monoklonale Antikörper, bei BCR-ABL-Mutationen Tyrosinkinaseinhibitor (Imatinib)
- hochdosierte Stammzellen, Knochenmark- und Stammzelltransplantationen
  - Graft-versus-Host-Reaktion
    - T-Lymphozyten des Spenders infiltrieren das lymphatische Empfängergewebe → zelluläre Immunreaktion auf die fremden Wirtsantigene des lymphatischen Systems des Empfängers
    - akute Graft-versus-Host-Reaktion: ≤ 3 Monate nach der Transplantation: Beteiligung Leber, Gastrointestinaltrakt und Haut; Panzytopenie und Fieber
    - chronische Graft-versus-Host-Reaktion: ≥ 100 Tage nach der Transplantation: Beteiligung Haut, Schleimhäute, Lungen usw. (systemisch)
    - Therapie = Immunsuppression: Glukokortikoide, monoklonale Antikörper gegen T-Lymphozyten, Azathioprin usw.
    - der Graft-versus-Host-Reaktion steht die Graft-versus-Leukemia-Reaktion (= die erwünschte Reaktion) gegenüber
- AML
- Chemotherapie: 3 Phasen – Induktion → Konsolidierung → Erhaltung
- allogene Stammzelltransplantation
- akute Promyelozytenleukämie: auch Vit.-A-Präparate
- kurativ: < 75 J und wenig Komorbiditäten, sonst palliativ

TIPP

Psychologische Unterstützung empfehlen!

11.3.6 Prognose

- *gute Prognose*
  - AML < 100 000 Leukozyten/µl
  - ALL < 30 000 Leukozyten/µl
  - ALL: erste Remission < 4 Wochen
- *schlechte Prognose*
  - ↑ ↑ Alter wegen schlechterer Therapie-Toleranz
  - AML > 100 000 Leukozyten/µl
  - ALL > 30 000 Leukozyten/µl
  - ALL: Philadelphia-Chromosom
  - ALL: erste Remission > 4 Wochen
  - ZNS-Beteiligung
- Vollremission = Reduktion der Tumorzellen unter die Nachweisgrenze, NICHT HEILUNG. *Kriterien der Vollremission:*
  - komplette Normalisierung des peripheren Blutbilds

- Blasten im Knochenmark < 5 %
- Ø extramedulläre Manifestation

11.4 Myeloproliferative Neoplasien

11.4.1 Ätiopathogenese

= autonome Proliferation der myeloischen Stammzellen → betrifft alle hämatopoetischen Linien

- Polycythaemia vera
- essenzielle Thrombozythämie
- chronisch myeloische Leukämie (CML)
- Osteomyelosklerose
- unklassifizierte myeloproliferative Erkrankungen

Gruppencharakteristika

- Leukozytose (mit Basophilie), Erythrozytose und Thrombozytose
- Knochenmarksfibrose
- Splenomegalie + extramedulläre Hämatopoese
- ↑ LDH
- ↑ alkalische Leukozytenphosphatase (mit Ausnahme von CML: ↓)
- ↑ Harnsäure
- genetische Mutationen

11.4.2 Chronisch myeloische Leukämie (CML)

Klinik

LittleDoc meint
Dieses Kapitel bitte ganz genau lesen. Sehr wichtig für die FSP!

- B-Symptomatik
- Splenomegalie – manchmal bis ins Becken; kann Schmerzen verursachen; ein Milzinfarkt wegen einer leukämischen Thrombose ist auch möglich → Auskultation: Reibegeräusch
- keine schweren Anzeichen einer Infektion oder Sepsis
- Leukostasesyndrom → Mikrozirkulationsstörungen (Milz, Lunge, Nieren, ZNS) + ♂: leukämischer Priapismus

Diagnostik

LittleDoc meint
Und was war noch mal die Linksverschiebung?

- Blutbild: ↑ ↑ ↑ Leukozytose + Linksverschiebung = ↑ stabkernige Neutrophile oder ihre Entwicklungsstadien wie Metamyelozyten, Myelozyten, Promyelozyten, Blasten im peripheren Blut; eine Blastenkrise ist auch möglich, wobei Granulozytenzahlen > 500 000/μl sein können
- Leberwerte
- Nierenretentionswerte

- alkalische Leukozytenphosphatase ↓
- zytogenetisch: Philadelphia-Chromosom: reziproke Translokation zwischen den langen Armen der Chromosomen 9 und 22 → bcr-abl-Fusionsgen → gestörte, permanent aktivierte Tyrosinkinase: ↑ Zellproliferation und ↓ Apoptose
- molekularbiologisch: bcr-abl-Rearrangements (auch für Therapiekontrolle)
- Knochenmark: ↑ Promyelozyten und Myelozyten = ↑ Granulopoese und Megakaryopoese
- Abdomen-Sonografie: Hepato-, Splenomegalie?

Phasen

- chronisch stabile Phase: Blasten im Blut ca. 10 %.
- Akzelerationsphase: ↑ Blastenzahl im Blut und Knochenmark, aber < 30 %.
- Blastenkrise: Blasten im Blut > 30 %

Differenzialdiagnosen

- akute Leukämien: ↑ Blasten im peripheren Blut, ↑ Blasten im Knochenmark, ↑ Infektanfälligkeit
- Osteomyelofibrose: alkalische Leukozytenphosphatase ↑

Therapie

- Tyrosinkinasehemmer
- Tyrosikinaseinhibitoren (Nilotinib, Dasatinib)
- allogene Stammzelltransplantation
- Formen der Remission (vollständig oder gut):
  - molekulare Remission = Fehlen von BCR-ABL1-Transkripten
  - zytogenetische Remission = Verschwinden der Philadelphia-Chromosom-positiven Zellklone
  - hämatologische Remission = Normalisierung des Blutausstrichs + ↓ klinische Symptomatik

TIPP
Psychologische Unterstützung empfehlen!

11.4.3 Polycythaemia vera

= autonome Proliferation der Zellen der Erythro-, Granulo- und Thrombopoese

Ätiologie

- erworbene JAK-2-Mutation, aber Ätiopathogenese inkomplett bekannt

Klinik

- ↑ η des Blutes + Hypervolämie → aHT, Cephalgie, Vertigo, Plethora, Erythromelalgie, Lippenzyanose usw.
- Thromboembolien
- hämorrhagische Diathese – dysregulierte Funktion der Thrombozyten
- kann Osteomyelofibrose als Komplikation haben → akute Leukämie

Diagnostik

- Blutbild: Erythrozytose, Leukozytose, Thrombozytose
- Harnsäure ↑
- BSG ↓
- Erythropoetin ↓ (negatives Feedback)
- pO_2 normal
- ALP ↑
- Genetik: JAK-2-Mutation
- Knochenmark: hyperzellulär, ↑ Erythropoese (überwiegend), Thrombopoese und Granulopoese

Differenzialdiagnose – sekundäre Polyglobulie

- nur Erythrozyten ↑
- EPO-Spiegel ↑
- bei Leben in großen Höhen, chronischen Lungenerkrankungen, Rechts-Links-Herzshunt, Nierenzellkarzinom mit ↑ Erythropoetinproduktion, exogener EPO-Zufuhr bei Doping, Steroiden oder Androgene-Einnahme

Therapie – symptomatisch

- bei Hämatokriten > 55 % (Ziel < 45 %), Thrombozytose > 800 000/µl + Thromboembolie oder Blutungen, symptomatischer Splenomegalie
  - wiederholter Aderlass (300–500 ml) + Hämodilution mit NaCl 0,9 % + ASS
- bei Patienten mit niedrigem Risiko, aber mit häufigen Aderlässen, ↑ Splenomegalie, ↑ Leukozytose, ↑ Symptome sowie bei Patienten mit hohem Risiko: zytoreduktive Therapie mit Interferon α oder Hydroxyurea und als Zweitlinientherapie Ruxolitinib (JAK1/JAK2-Inhibitor)
- Anagrelid: ⊗ zyklische cAMP-Phosphodiesterase III: keine Monotherapie, nur für die ↓ der Thrombozytenproduktion
- Milzbestrahlung und Splenektomie: meist nur bei Patienten mit Übergang in Myelofibrose
- Allopurinol: Prophylaxe Gichtanfall oder Uratnephropathie
- vgl. Lengfelder et al. (2023)

11.4.4 Essenzielle Thrombozythaemie

Klinik

- Leistungsknick
- kalte Extremitäten
- blaue Flecke, die spontan auftreten
- Vertigo
- Cephalgie
- Komplikationen: Thrombembolie → Myokardinfarkt, Apoplex

Diagnostik

- ausgeprägte Thrombozytose (bis zu Millionen/µl)
- Funktionsstörung der Thrombozyten wegen Bindung am Von-Willebrand-Faktor → Ø Aggregation möglich → Ø Blutstillung möglich
- Genetik: JAK-2/V617F-Mutation

Therapie

- ab > 1 000 000 Blutplättchen/µl→ Zytoreduktion mit Anagrelid, Interferon-α, Hydroxyurea
- Thrombozytenapherese im Notfall

11.5 Maligne Lymphome

= maligne Neoplasien des lymphatischen Systems

11.5.1 Hodgkin-Lymphom (Lymphogranulomatose)

= monoklonale maligne Proliferation von B-Lymphozyten des lymphatischen Systems

Ätiologie unbekannt

Spezifik

- Hodgkin-Zellen: einkernige Riesenzellen
- Reed-Sternberg-Riesenzellen: mehrkernige Riesenzellen
  - sind auf dem histologischen Präparat in geringer Zahl und von zahlreichen reaktiven Zellen umgeben

Klinik

- schmerzlose Lymphadenopathie, vor allem im Halsbereich
  - langsame Zunahme der Größe

- hart
- indolent, aber Schmerzen nach Alkohol-Einnahme ist pathognomonisch für diese Krankheit
- mit der Umgebung verbacken → Malignom oder TB
- β-Symptomatik: Fieber, Nachtschweiß, Gewichtsabnahme > 10 % binnen 6 Monaten
- Leistungsknick

TIPP

Konsistenz, Verschiebbarkeit, Schmerzhaftigkeit, Begleitbeschwerden (Dysphagie, Dysphonie, Heiserkeit) und zeitliche Entwicklung der betroffenen Lymphknoten bei der Anamnese nicht vergessen!
Bitte eine gründliche Anamnese der Lymphadenopathie durchführen.

Diagnostik

- Exstirpation vergrößerter Lymphknoten und histologische Untersuchung (lieber nicht inguinal wegen ↑ Artefakten)
- Feinnadelaspiration reicht nicht! (nur ca. 1 / 10 Zellen = malign)
- *histologische Einteilung*
  - klassisches Hodgkin-Lymphom
    - mit nodulärer Sklerose
    - gemischtzellig
    - lymphozytenreich
    - lymphozytenarm
    - nicht klassifizierbar
  - lymphozytenprädominantes noduläres Hodgkin-Lymphom
- *Labor*
  - Differenzialblutbild
  - Entzündungsparameter
  - Leberwerte
  - Kreatinin
  - LDH
  - alkalische Phosphatase
  - CMV, EBV, HIV Serologie
  - Serumelektrophorese
- Röntgen-Thorax
- Abdomen-Sonografie: Leber, Milz
- Lymphknoten-Sonografie: paraaortale, iliakale, zervikale, supraklavikuläre, axilläre, inguinale Lymphknoten
- CT/MRT Abdomen, Mediastinum und Hals
- Knochenmarksbiopsie falls Infiltration

Ungünstige Faktoren

- lymphozytenarmer histologischer Typ
- „Bulky Disease“ = mediastinaler LK-Durchmesser ≥ ⅓ des Thoraxdurchmessers in Höhe des 5. Interkostal-Raums oder Tumordurchmesser > 5 cm

- ≥ 3 Lymphknotenregionen befallen
- extranodale Herde
- ↑ hohe BSG

Differenzialdiagnosen

- Non-Hodgkin-Lymphome (➤ Tab. 11.1)
- Infektionserkrankungen: Lymphadenopathie: schmerzhaft, akut aufgetreten, weiche Konsistenz und gute Verschiebbarkeit
- Lymphknotenmetastasen
- Sarkoidose
- **lymphatische Gewebe** sind: Lymphknoten, Milz, Appendix, Thymus, Waldeyer-Rachenring, Peyer-Plaques

Tab. 11.1 Ann-Arbor-Klassifikation der Hodgkin-Lymphome (nach DGHO 2022)

Stadium	Ausbreitung
I	1 befallene Lymphknotenregion oder 1 Herd außerhalb des lymphatischen Systems (IE)
II	≥ 2 befallene Lymphknotenregionen auf einer Zwerchfellseite oder lokalisierte Herde außerhalb des lymphatischen Systems + befallene Lymphknotenregionen auf der gleichen Seite des Zwerchfells
III	≥ 2 befallene Lymphknotenregionen bzw. zusätzlich befallene Organe außerhalb des lymphatischen Systems auf beiden Seiten des Zwerchfells
IV	disseminierter Befall ≥ 1 extralymphatischer Organe ± Lymphknotenbefall
Bei allen Stadien als Zusatz: A = ohne B-Symptome, B = mit B-Symptomen	

Therapie

- chemo- und strahlensensible Erkrankung → kuratives Therapieziel
- *frühe Stadien:* ABVD (**A**driamycin, **B**leomycin, **V**inblastin und **D**acarbazin)-Schema + Involved-Field-Bestrahlung (nur klinisch manifeste Lymphknotenareale)
- *spätere Stadien:* BEACOPP-Schema: Bleomycin, Etoposid, Adriamycin, Cyclophosphamid, Vincristin, Procarbazin, Prednison + G-CSF Gabe
- PET-positive Restlymphomen nach Chemotherapie → zusätzliche lokale Bestrahlung in den ersten Jahren nach Therapie: Nachsorgeuntersuchungen wegen höherer Rezidivrate
- ↑ Risiko für therapieinduzierte Zweitneoplasien: lymphatisches System, Mamma, Schilddrüse

TIPP

Psychologische Unterstützung empfehlen!

11.5.2 Non-Hodgkin-Lymphome

= Gruppe von Erkrankungen: maligne Proliferation eines Zellklons der Lymphopoese

Ätiologie

- inkomplett bekannt
- immunkompromittierte Patienten – entweder durch eine Krankheit (AIDS) oder durch Therapie (Immunsuppressiva)
- Autoimmunerkrankungen
- chronische Virusinfektion
  - EBV-Infektion: Burkitt-Lymphom
  - HTLV-1-Infektion: T-Zell-Lymphom
- **Einteilung**
  - *NHL der B-Zell-Reihe,* z. B. lymphozytisches Lymphom (Immunozytom)/chronische lymphatische B-Zell-Leukämie (CLL), Haarzell-Leukämie, Plasmazell-Myelom/Plasmozytom, Mantelzell-Lymphom (zentrozytisches Lymphom), Burkitt-Lymphom/Burkitt-Zell-Leukämie
  - *NHL der T-Zell Reihe,* z. B. Mycosis fungoides/Sézary-Syndrom, aggressive NL-Zell-Leukämie, angioimmunoblastisches T-Zell-Lymphom usw.
  - *indolente/niedrigmaligne NHL* und *dolente/hochmaligne NHL*

Ungünstige Faktoren

- > 60 Jahre alt
- schlechter AZ
- ↑ ↑ LDH
- mehrere extranodale Krankheitsherde

Klinik

- meistens bei Älteren
- Männer sind häufiger betroffen als Frauen
- B-Symptome
- hängt auch von der Lokalisation des Lymphoms ab
- Mycosis fungoides
  - Epidermisinfiltrate erythematosquamöse Hautplaques
  - Hepato-, Splenomegalie, Lymphadenopathie
  - Anämie, Neutropenie und Thrombopenie + deren Symptomatik
- Haarzell-Leukämie: lebensbedrohliche Infektionen

LittleDoc meint

Und was ist der Unterschied zwischen Hodgkin- und Non-Hodgkin-Lymphomen?

Diagnostik

- sorgfältige körperliche Untersuchung: alle Lymphknotenregionen palpieren
- Extirpation eines vergrößerten Lymphknotens + histologische Untersuchung
- Blutausstrich: entscheidend für Haarzell-Leukämie
- Fluoreszenzzytometrie: Zelloberflächenmarkerprofil
- *Labor*
  - BSG ↑
  - Differenzialblutbild (Zytopenie?)
- Immunphänotypisierung und Genexpressionsanalyse
- Röntgen-Thorax: Hiluslymphadenopathie?
- Abdomensonografie: Lymphadenopathien?
- CT Hals, Thorax, Abdomen
- Knochenmarkspunktion

Differenzialdiagnosen

- Infektionen
- Metastasen
- Hodgkin-Lymphom
- akute oder chronische Leukämie
- myelodysplastisches Syndrom (dysplastische Zellen im Knochenmark)
- Osteomyelosklerose (Knochenmarkshistologie)

Therapie

- indolente NHL in frühen Stadien: Bestrahlung, ggf. Chemotherapie (kurativ)
- aggressive NHL in frühen Stadien CHOP (Cyclophosphamid, Hydroxydaunomycin/Hydroxydaunorubicin, Vincristin, Prednison), ggf. Radioimmuntherapie
- in späteren Stadien: R(Rituximab)-CHOP, eher palliativ
- Heilungschance bei hochmalignen Lymphomen ca. 50 %; die hochmalignen (aggressiven) NHL sind aufgrund ihrer höheren Zellteilungsrate im Prinzip besser therapierbar als die niedrigmalignen (indolenten) NHL

TIPP

Psychologische Unterstützung empfehlen!

11.5.3 Haarzellleukämie

- Splenomegalie
- Panzytopenie

- im peripheren Blut: lymphoide Zellen mit haarförmigen (fransenartigen) Zytoplasmaausläufern
- auch nach Behandlung mit Tartrat lässt sich saure Phosphatase nachweisen (tartratresistente Saure-Phosphatase-Reaktion)
- Punctio sicca durch eine Fibrosierung des Knochenmarks

Therapie

- Purinanaloga
- fehlendes Ansprechen auf eine konventionelle Chemotherapie
- die Lebenserwartung nach einer Behandlung ist meist nicht eingeschränkt

LittleDoc meint

Bitte auf Deutsch: Was heißt „Punctio sicca"? :-P

11.5.4 Chronisch lymphatische Leukämie (CLL)

= **die häufigste Leukämieform**

- CLL (➤ Tab. 11.2) verläuft asymptomatisch oder mit leichter β-Symptomatik
- später: schmerzlose Lymphadenopathie, Hepatosplenomegalie
- Antikörpermangelsyndrom → ↑ ↑ ↑ Infektanfälligkeit
- Hautbeteiligung: Pruritus, Erythrodermie, Hautknoten (Infiltrate)
- starke Lymphozytose mit ↑ Lymphozytenanteil, Anämie, Thrombozytopenie im peripheren Blut
- Blutausstrich: Fragmente zerstörter Lymphozyten = Gumprecht'scher Kernschatten (charakteristisch, aber nicht beweisend!)
- Knochenmark: > 30 % reife Lymphozyten
- Durchflusszytometrie: monoklonale B-Zellen nachweisen
- Typisierung: Antigenstruktur der monoklonalen B-Zellen weiter klassifizieren
- Smoldering CLL: ↓ Aktivität, Lymphozyten < 30 000/µl, Verdopplungszeit der Lymphozyten > 12 Mon. Therapie ist nicht indiziert

Tab. 11.2 Klassifikation der CCL nach Binet

Stadium	Ausbreitung
A	< 3 Lymphknotenregionen befallen, Hb und Thrombozytenanzahl normal
B	≥ 3 Lymphknotenregionen befallen, Hb und Thrombozytenanzahl normal
C	beliebige Lymphknotenregionen befallen + Anämie (Hb < 10 g/dl) + Thrombozytopenie (Thrombozytenanzahl < 100000/µl)

Therapie

- frühere Stadien: in der Regel Beobachtung, ggf. Antibiotika, Antimykotika, Ig

- Adenopathien vorhanden, Komplikationen: Kombination Chemotherapie und monoklonale Antikörper (verschiedene Schemata), ggf. Strahlentherapie bei größeren Lymphomen
- bisher (September 2024) durch medikamentöse Maßnahmen nicht heilbar, jedoch Symptombesserung und Überleben für viele Jahre möglich (je nach Stadium)

TIPP
Psychologische Unterstützung empfehlen!

11.6 Multiples Myelom

= **Morbus Kahler**
= **Plasmozytom (bei solitärem Tumor)**

11.6.1 Klinik

- AZ ↓
- B-Symptomatik
- Bi- oder Panzytopenie + *deren Folgen*
- Knochenschmerzen, besonders in der Wirbelsäule
- Osteolyse (Plasmozytomzellen stimulieren Osteoklasten und hemmen Osteoblasten) → Osteoporose → ↑ Risiko pathologische Frakturen
- CRAB-Kriterien: Hyper **C**alcemia, **R**enal Failure, **A**nemia and **B**one Lesions

LittleDoc meint
Bitte die CRAB-Kriterien sehr gut beherrschen!

11.6.2 Diagnostik

- Differenzialblutbild: Bi- oder Panzytopenie + deren Folgen
- Serum- und Urin-Immunelektrophorese: Plasmozytomtyp
- freie Leichtketten: Bence Jones in Serum und Urin
- BSG ↑ ↑ = „Sturzsenkung"
- Hyperkalzämie
- β2-Mikroglobulin ↑ in Blut und Urin
- Nierenwerte – Ausschluss Niereninsuffizienz
- Knochenmark: ↑ Plasmazellanteil? Plasmazellnester?
- Röntgen: Pariser Schema: Schädel lateral („Schrotschuss-Schädel"), Wirbelsäule lateral, Humerus, Becken, Femur: osteolytische Knochenherde
- CT: Osteolysen?

Ossermann-Kriterien

- für eine positive Diagnose (mindestens 2)
  - monoklonale Immunglobuline in Plasma und/oder Urin
  - Eiweiß ↑ im γ-Bereich = der *M-Gradient*
  - ≥ 15 % Plasmazellen im Knochenmark oder ein Plasmazelltumor (Knochenmarksbiopsie)
  - radiologischer Nachweis von Osteolysen

11.6.3 International Staging System

Das International Staging System zur Einschätzung der Prognose von Patienten mit multiplem Myelom (nach Shah 2024):

- **Stadium I**
  - β2-Mikroglobulin ≤ 3,5 g/dl und Albumin ≥ 3,5 g/dl
  - CRP ≥ 4 mg/dl
  - Plasmazell-Labeling-Index < 1 %
  - keine del(13)
  - Serum IL-6 Rezeptor ↓
  - initiale Plateau-Phase ↑
- **Stadium II**
  - β2-Mikroglobulin ≥ 3,5 bis < 5,5 g/dl *oder*
  - β2-Mikroglobulin < 3,5 g/dl und Albumin < 3,5 g/dl
- **Stadium III**
  - β2-Mikroglobulin ≥ 5,5 g/dl
- **Überlebenszeit**
  - Stadium I: 62 Monate
  - Stadium II: 44 Monate
  - Stadium III: 29 Monate

11.6.4 Komplikationen

- Hyperviskositätssyndrom
- hyperkalzämische Krisen
- Niereninsuffizienz
- AL-Amyloidose
- Polyneuropathie
- Plasmazellleukämie: Übergang der neoplastischen Zellen in die Peripherie

11.6.5 Therapie

- richtet sich nach den Symptomen, AZ und CRAB-Kriterien
- bisher erfolgreichste Therapie: autologe Stammzelltransplantation
- außerdem verschiedene Chemotherapie Schemata, monoklonale Antikörper

- Anämien, Granulopenien: Eisen, Bluttransfusion, Erythropoetin, G-CSF; bei Infektionen Antibiose, Prophylaxe mit Impfungen gegen Pneumokokken, Grippevirus usw.
- viel Flüssigkeit, ggf. Infusionstherapie, Harnalkalisierung – Prophylaxe Niereninsuffizienz; bei Niereninsuffizienz: Dialyse
- Calcitonin, Glukokortikoide (→ Osteoklastenhemmung) bei Hyperkalzämie
- hyperkalzämische Krise: forcierte Diurese + Flüssigkeitssubstitution + Furosemid i. v.
- Plasmapherese falls Hyperviskositätssyndrom

MERKE

Cave bei Bisphosphonaten! Falls zahnärztliche Eingriffe: Risiko Kieferosteonekrosen → Bisphosphonate sollten bis zum Abheilen der Osteonekrose abgesetzt werden.

Differenzialdiagnose Morbus Waldenström

- monoklonale IgM ↑
- Ø Osteolyse
- Ø Hyperkalzämie
- IgM-Globuline binden Gerinnungsfaktoren → Thrombozytenaggregationshemmung → hämorrhagische Diathese

TIPP

Psychologische Unterstützung empfehlen!

11.7 Myelodysplastisches Syndrom (MDS)

= klonale Stammzellerkrankung → abnormale Hämatopoese

Ätiopathogenese

- primär: unbekannt
- sekundär
  - iatrogene Myelosuppression
  - Strahlung
  - Benzol, Pestizide

Einteilung nach WHO

WHO-Einteilung des MDS (nach ACS 2024):

- *MDS mit genetischen Abnormalitäten*
  - mit niedriger Blastenanzahl und isolierter 5q-Deletion
  - mit niedriger Blastanzahl und SF3B1-Mutation
  - mit biallelischer TP53-Inaktivierung
- *jnach Morphologie und Anzahl der Blasten*

11

- mit niedriger Blastanzahl
- hypoplastisch
- mit hoher Blastanzahl

Klinik

- häufig asymptomatisch
- Zytopenie – die spezifischen Symptome

Diagnostik

- Blut: Panzytopenie
- Knochenmark – ↑ Zellularität
  - Dyserythropoese: Ringsideroblasten, Makrozytose, Kernausreifungsstörungen, ↑ Speichereisengehalt
  - Dysgranulopoese: ↑ Blasten, Pelger-Huët-Anomalie (Laminopathie: Missbildung des Leukozytenkerns: Hyposegmentierung), Ø Peroxidase, Ø Esterase
  - Dysthrombopoese: Mikromegakaryozyten, mononukleäre Megakaryozyten
- molekular-zytogenetische Untersuchung

Differenzialdiagnosen

- megaloblastäre Anämie
- chronisch myeloproliferative Erkrankungen
- medikamentös-toxischer Knochenmarksschaden

Therapie

- allogene Knochenmarkstransplantation = die einzige kurative Therapie
- Erythrozytenkonzentrate
- Wachstumsfaktoren (EPO, G-CSF)
- Behandlung von Infektionen
- Blastenkrisen: Chemotherapie

TIPP
Psychologische Unterstützung empfehlen!

11.8 Agranulozytose

11.8.1 Ätiopathogenese

- allergisch bedingt: Medikamente: Metamizol, NSAR, Cotrimoxazol, Thyreostatika usw.: wirken als Haptene und binden Plasmaproteine → Antigen bei Wiederholung der Einnahme: Autoantikörperbildung
- autoimmune Krankheiten: SLE, Felty-Syndrom

11.8.2 Klinik

- Fieber + Angina tonsillaris + Stomatitis aphthosa
- Infektanfälligkeit → Sepsis

11.8.3 Diagnostik

- Agranulozytose = Granulozyten im Blut < 500/µl → ↑ ↑ ↑ Sepsisrisiko
- Blutkulturen
- Rachenabstrich

11.8.4 Therapie

- Absetzen des Medikaments
- Umkehrisolation
- Breitbandantibiotikum ggf. mit Breitbandantimykotikum
- Filgastrim

11.9 Hämorrhagische Diathesen

11.9.1 Begriffe

Diathese = Prädisposition, Neigung
hämorrhagische Diathese = Blutungsneigung

11.9.2 Ätiologie

- *Thrombozytopathien und Thrombozytopenien:* z. B. bei ASS-Gabe, myelodysplastisches Syndrom, Hypersplenismus, thrombotisch-thrombozytopenische Purpura
- *Koagulopathien:* z. B. bei Hämophilie A und B, Von-Willebrand-Jürgens-Syndrom, Verbrauchskoagulopathie
- *vaskuläre hämorrhagische Diathesen:* z. B. bei Purpura Schönlein-Henoch, Vaskulitis

11.9.3 Diagnostik

MERKE
INR – Kontrolle der Marcumar-Therapie.
aPTT – Kontrolle der Heparin-Therapie.

- *Thrombozyten: normal 150 000–350 000/μl*
- *INR* ↑
  - normal 1; Ziel bei Therapie: 2–3
  - pathologisch ↑ bei
    - Vitamin-K-Mangel: Mangel der Gerinnungsfaktoren II, VII, IX und X (werden normalerweise von Vitamin K aktiviert)
    - gestörte Vitamin-K-Resorption: abhängig von der Fettresorption → Malabsorptionssyndrom, Gallensäuremangel → Vitamin-K-Mangel
    - Vitamin-K-Antagonisten (Phenprocoumon)
    - Leberschädigung: ↓ Faktorsynthese
    - Verbrauchskoagulopathie: ↑ Faktorenbedarf
- **Koller-Test:** Vitamin K i. v.-Gabe
  - INR nach 24 Stunden ↓ = Vitamin-K-Mangel (wahrscheinlich gestörte Resorption)
  - INR nach 24 Stunden unverändert = Faktorensynthesestörung (wahrscheinlich Leberschädigung)
- **PTT** (partielle Thromboplastinzeit) und **aPTT** (aktivierte partielle Thromboplastinzeit)
  - wichtig für die intrinsische Gerinnung; sensitiv für Faktoren V, VIII, IX, X, XI und XII
  - normal 20–40 Sekunden; ↑ bei
    - Heparin-Gabe
    - Verbrauchskoagulopathie
    - plasmatischer Gerinnungsstörung
- **Blutungszeit**
  - wichtig für die primäre Hämostase; sensitiv für den Von-Willebrand-Faktor (Trägerprotein für den aktivierten Faktor VIII)
  - Test: Stich am Ohrläppchen oder Finger → tupfen, bis die Blutung aufhört
  - normal: 2–4 Minuten; ↑ bei:
    - Vaskulopathien, Thrombozytopathien, Thrombozytopenien
    - Von-Willebrand-Jürgens-Syndrom
- **Quick-Test**
  - extrinsischer Teil des Gerinnungssystems + die Thrombinbildung + Prothrombin (II), V, VII und X Faktoren beurteilen
  - normal: > 70 % und umgekehrt proportional zu INR
- **Fibrinogen (Faktor I)**
  - relativ stabil; sehr wichtig bei Verbrauchskoagulopathie (↓); dient auch als Akute-Phase-Protein
  - normal: 200–400 mg/dl
- **Rumpel-Leede-Test**
  - Vaskulopathien: 5-minütige Stauung mit der Blutdruckmanschette → petechiale Blutungen
- *Blutungszeit in der Norm + Rumple-Leed-Test negativ → Koagulopathie*
- **Fibrin-stabilisierender Faktor (Faktor XIII)**
  - normal: 2 mg/l

MERKE
INR – Kontrolle der Marcumar-Therapie.
aPTT – Kontrolle der Heparin-Therapie.

11.9.4 Hämophilien

LittleDoc meint
Was versteht man unter dem „viktorianischen Leiden"? Hat es etwas mit dem Herzog von Albanien oder eher mit Großbritannien zu tun? #ErbkrankheitenbeimAdel :-P

Ätiopathogenese

- Hämophilie A (ca. 90 %): ↓ Faktor VIII
- Hämophilie B (ca. 10 %): ↓ Faktor IX
- ± zusätzliche iatrogene Hemm-Hämophilie: nach Substitution: Alloantikörper gegen die substituierten Faktoren
- X-chromosomal rezessiv →
  - Frauen können entweder krank sein (wenn beide X-Chromosomen beteiligt sind) → können auch Konduktorinnen sein (100 % Chancen, das beteiligte Chromosom an Kinder zu übertragen) oder Trägerinnen (ein X-Chromosom ist beteiligt) → können auch Konduktorinnen sein (50 % Chancen, das beteiligte Chromosom an Kinder zu übertragen)
  - Männer sind immer krank, weil die nur ein X-Chromosom haben → können auch Konduktoren sein (50 % Chancen, das beteiligte Chromosom an Kinder zu übertragen)

Klinik

- Nabelschnurblutungen: 1. Zeichen
- großflächige Einblutungen
- Gelenkeinblutungen → hämophile Arthropathie → frühzeitige Arthrose
- Muskulatureinblutungen (sehr schmerzhaft): häufig Psoas → Differenzialdiagnose Appendizitis?
- Mundbodenblutungen → Erstickungsgefahr
- starke Blutungen nach Verletzungen
- Frauen: starke Regelblutungen

Diagnostik

- *nur* aPTT ↑
- Faktoren VIII/IX ↓

Therapie

- regelmäßige Substitution des fehlenden Faktors bzw. „On Demand"- Substitution bei leichter Krankheit
- Desmopressin: ↑ Faktor-VIII-Freisetzung
- Hemm-Hämophilie: Plasmapherese, Immunadsorption

11.9.5 Von-Willebrand-Syndrom

- AD-Vererbung
- Schleimhautblutungen
- aPTT *und* Blutungszeit ↑
- Faktor-Substitution + Desmopressin

11.9.6 Thrombozytopenien

- ≤ 150 000 Thrombozyten/µl
- < 20 000/µl: Spontanblutungen

LittleDoc meint
Um alle Thrombozytopenien zu besprechen, müsste ich noch ein weiteres Buch schreiben – und das tue ich nicht, auch wenn Sie mir sehr lieb sind :-P

Ätiologie

- Hypersplenismus
- pathologische Thrombozytopoese: z. B.: Knochenmarksschädigung wegen Alkohol, Zytostatika, Strahlen, Chemikalien usw., CMV, Parvovirus, Malignome etc.
- beschleunigter Verbrauch: Autoantikörper gegen Thrombozyten, heparininduzierte Thrombozytopenien 1 und 2, Verbrauchskoagulopathie usw.
- Pseudothrombozytopenie = Agglutination der Thrombozyten im EDTA-Blut → Blutausstrich oder Messung in Zitrat- oder Heparinblut

11.9.7 Disseminierte intravasale Gerinnung (DIC)

= **Verbrauchskoagulopathie**

Ätiopathogenese

- Sepsis
- Schock
- Traumata und Verbrennungen
- Operationen
- Malignome
- vorzeitige Plazentalösung (bei Schwangeren)
  - Freisetzung von Prothrombinaktivatoren (die Prothrombinaktivatoren – *P-Organe:* Pulmones, Pankreas, Plazenta und Prostata)
  - Freisetzung von Endotoxinen, besonders bei Gramnegativen Infektionen
  - Mikrozirkulationsstörungen – bei Traumata oder Verbrennungen
- → Aktivierung verschiedener Gerinnungsfaktoren → systemische Gerinnungsaktivierung → *Mikrothromben* → Ø Gerinnungsfaktoren und Thrombozyten → *Blutungen*
- → multiples *Organenversagen* durch Ischämie

Labor

- ↓: Thrombozyten, Fibrinogen, Faktoren V, VIII und XIII, Quick-Wert
- ↑: aPTT, Fibrinspaltprodukte (D-Dimere, Fibrinmonomeren)
- Blutausstrich: Fragmentozyten

Therapie

- Prä- und Post-DIC: Heparin
- DIC: Frischplasma, Antithrombin III-Substitution, Prothrombin-Substitution und Thrombozytenkonzentrate. *Kein Heparin!!*

11.10 Säure, Basen und Elektrolyte

- Blut-pH: 7,36–7,44; BGA: Azidose/Alkalose – respiratorisch? metabolisch?
- blutspezifisches Gewicht 1,057–1,060 g/cm³
- Urin-pH: schwankt abhängig von der Nahrung: 5–7,5
- urinspezifisches Gewicht 1,016–1,025 g/ml
- Base Exzess (BE) = Menge an Puffersubstanz, die einer Blutprobe zugeführt werden muss, um einen pH von 7,4 zu erreichen → normal = 0 (♀ –2,4 bis +2,3; ♂ –3,3 bis +1,2)
- Formel: –BE × 0,3 × Gewicht = benötigte mmol Puffersubstanz (meistens 8,4-prozentige Natriumbikarbonat-Lösung)
- Total Base: 145–160 mEq/l
- pCO2: 7,36–7,41 mmHg (venös)
- p02: 65–100 mmHg (arteriell), 40–45 mmHg (venös)
- *positive Ionen*
  - Na^+: 145 mmol/l
  - K^+: 3,5–5,5 mmol/l (mehr intrazellulär: 150 mmol/l)
  - Ca^{2+}: 1,1–1,4 mmol/l
  - Mg^{2+}: 0,65–1,05 mmol/l
- *negative Ionen*
  - Cl^-: 95–103 mmol/l
  - HCO_3^-: 21–28 mmol/l
  - PO_4^{3-}: 1–1,5 mmol/l
  - SO_4^{2-}: 0,09–0,63 mmol/l
  - Proteine: 60–80 g/l, davon Albumin 35–55 g/l
  - organische Säure
- **Na+**
  - ↑: Dehydratation, M. Conn, M. Cushing
  - ↓: Verbrennung, Diarrhöe, Erbrechen, M. Addison, Malabsorption, Hyper-ADH, Diuretika
- **K+**
  - ↑: Nieren-Insuffizienz, Chemotherapie, DIC, M. Addison, DM, SLE;
  - ↑ ↑ lebensbedrohlich → Therapie mit 200 ml 40 %-Glukoselösung + 40 IE Altinsulin, Schleifendiuretika, Dialyse

– ↓: Diarrhöe, Erbrechen, Malabsorption, Anorexie, Verbrennungen, Bartter-Syndrom, C_2-Abusus, Hyperaldosteronism

11.11 AB0-System und Rhesus-System

- Zu den wichtigsten Blutgruppensysteme zählen AB0- und Rhesussystem (➤ Tab. 11.3)

LittleDoc meint

Nach „Macaca mulatta" googeln!

Tab. 11.3 AB0-System und Rhesus-System: die beiden wichtigsten Blutgruppensysteme (nach Badea et al. 2011)

Blutgruppe	Antigen	Antikörper	Kompatibilität
0	Ø	A und B	0
A	A	B	A, 0
B	B	A	B, 0
AB	AB	Ø	AB, A, B, 0
Rh negativ	Ø	Ø oder Anti-D (Rhesus-Antikörper, falls früherer Kontakt)	Rh negativ (nur im Notfall +)
Rh positiv	D	Ø	Rhesus positiv, Rhesus negativ
0 negativ = Universalspender; AB positiv = Universalempfänger			

Formulierungsbeispiele

Patient	Arzt
Ich fühle mich so schlapp seit vielen Monaten oder sogar Jahren. Nachts erhole ich mich nicht mehr richtig – ich schwitze so stark, dass ich mein Hemd dreimal wechseln muss. Ich habe viel abgenommen, mindestens 20 Kilo im letzten halben Jahr, und ich habe einfach keine Lust mehr aufs Essen. Meine Frau bekocht mich mit allem, was mir früher geschmeckt hat – aber nee, ich will's nicht sehen! Und jetzt kommt seit Dezember noch dieses blöde Fieber dazu.	Der Patient beklagte eine ausgeprägte Fatigue mit diffusem Beginn vor mehreren Monaten/Jahren. Des Weiteren berichtete er über starken Nachtschweiß, Appetitlosigkeit und einen erheblichen, ungewollten Gewichtsverlust von 20 kg innerhalb der letzten 6 Monate sowie persistierendes Fieber seit Dezember.

Patient	**Arzt**
Es ging los, als ich meine erste Hämorrhoiden-OP Ende vorletzten Jahres hatte. Damals hat es stark geblutet und die Ärzte haben mich operiert und etwas draufgetan. Dann war's auch erst mal besser, aber ich habe ständig Verstopfung und beim Pressen merke ich, dass ich mich ganz schön quälen muss. Vor 7 oder 8 Monaten hat's wieder angefangen zu bluten, viel weniger als damals, dafür aber täglich. Die ganze Zeit über fühle ich mich müde und ich bin so blass. Jetzt habe ich auch noch diese Wunden an den Mundwinkeln bekommen. Im Internet habe ich gelesen, dass das vom Eisenmangel kommt. Was meinen Sie?	Die Patientin stellte sich aufgrund ausgeprägter Tagesmüdigkeit, Blässe und Mundwinkelrhagaden in unserer Sprechstunde vor. Sie berichtete über eine seit 7–8 Monaten persistierende rektale Blutung, a. e. hämorrhoidaler Genese im Rahmen einer chronischen Obstipation. Z. n. Hämorrhoiden-OP vor 2 Jahren.
Ich habe diese komischen Knubbel hier am Hals, tasten Sie mal, die tun nicht weh. Die werden aber langsam immer größer. Sie werden mich für verrückt halten, aber ich hab's beobachtet: Sobald ich mir ein Glas Wein gönne, fangen die an, wehzutun.	Herr X berichtete von einer meist indolenten, langsam progredienten, zervikalen Lymphadenopathie *(in diesem Fall unbedingt um eine genauere Beschreibung bitten).* Der Patient ergänzte, lokale Schmerzen in den betroffenen LK nach Alkohol-Einnahme bemerkt zu haben.

KAPITEL

12 Nephrologie

12.1 Nephrotisches vs. nephritisches Syndrom

Nephrotisches Syndrom

- **Proteinurie** > 3,5 g/24 Stunden
- trüber Urin
- Hypalbuminämie + Ödeme
- Hyperlipidämie – Versuch der Leber, den onkotischen Druck zu normalisieren
- generalisierte Ödeme, manchmal ↑ Serositis → Dyspnoe, Thoraxschmerzen
- *assoziiert:* Minimal-Change-Glomerulonephritis, fokal-segmentale Glomerulosklerose, membranöse Glomerulonephritis, diabetische Nephropathie, Plasmozytom, Nierenvenenthrombose
- *Cave!* Immunglobulinverlust → ↑ Infektanfälligkeit, Antithrombin-III-Verlust → ↑ Thromboserisiko, ↑ RAAS → aHT

Nephritisches Syndrom

- **Hämaturie:** mikroskopisch oder makroskopisch + dysmorphe Erythrozyten (= Zelldeformierung in der Niere) – Anulozyten, Akanthozyten + Erythrozytenzylinder
- *makroskopische Hämaturie* → dunkler Urin, „wie Cola"
- *mikroskopische Hämaturie:* nur durch Teststreifen nachweisbar (*Cave!* Teststreifen differenzieren nicht zwischen Hämoglobin, Myoglobin und Erythrozyturie → Urinausstrich nötig)
- Proteinurie < 3,5 g/24 Stunden
- leichte aHT
- Diurese < 300 ml/24 Stunden
- Ödeme: Augenlid + prätibial
- *assoziiert:* poststreptokokkische Glomerulonephritis – häufig nach einer respiratorischen oder Racheninfektion; IgA Nephropathie, rapid progressive Glomerulonephritis; membranoproliferative Glomerulonephritis; Purpura Schönlein-Henoch; M. Wegener usw.
- vgl. Potter (2010)

Proteinurie

- *prärenale* Proteinurie: Überschreitung der tubulären Rückresorptionskapazität: Leichtketten (z. B. multiples Myelom), Hb (Hämolyse), Myoglobin (Myolyse)

- *selektive glomeruläre* Proteinurie: Albumin → leichte Schädigung
- *unselektive glomeruläre* Proteinurie: Podozyten zerstört und Basalmembran porös: Albumin + IgG → schwere glomeruläre Schädigung
- *tubuläre* Proteinurie: β2-Mikroglobulin → Pyelonephritis
- *gemischte* Proteinurie: alle Fraktionen → glomerulär-tubuläre Schädigung

Generalisierte Ödeme – Ätiologie

- Rechtsherzinsuffizienz → ↑ hydrostatischer Druck
- Niereninsuffizienz → ↓ der Filtrations- und Ausscheidungsfunktionen → Störung des Wasser-, Elektrolyt- und Säure-Basen-Haushalts → Wassereinlagerung
- Leberinsuffizienz → Hypalbuminämie → ↓ intravaskulärer onkotischer Druck → Flüssigkeit übertritt extravaskulär → Ödeme
- exsudative Enteropathie → Durchfälle + Malabsorptionssyndrom → Gewichtsreduktion + Ödeme

12.2 Glomerulonephritis

12.2.1 Einteilung

- **proliferativ**
  - extrakapillär
  - membranoproliferativ
  - mesangioproliferativ: mit IgG-, IgM- *oder* IgG- + IgM-Einlagerung
  - IgA-Nephropathie (Berger-Nephropathie): fokale oder diffuse mesangioproliferative Glomerulonephritis
  - fokal-segmentale Glomerulosklerose
- **non-proliferativ**
  - minimal
  - membranös
- **sklerosierend**

LittleDoc meint

Bitte aufpassen: Glomerulonephritis vs. Pyelonephritis! Wie behandelt man die eine Erkrankung und wie die andere? *Nicht verwechseln!*

12.2.2 Beispiele

- **Poststreptokokken-Glomerulonephritis**
  - ca. 10–14 Tage nach einer Infektion mit β-hämolysierenden Streptokokken der Gruppe A
  - Ablagerung zirkulierender Immunkomplexe an den glomerulären Kapillaren
  - parainfektiöse Hämaturie ist möglich (≠ nephrotisches Syndrom Hämaturie)
  - dann: nephritisches Syndrom + Rückenschmerzen (Nierenkapselspannung)

  - Therapie: Penicillin: 3 Mega IE/d für 2 Wochen
  - Kochsalz- und Eiweiß-, Flüssigkeitsrestriktion
  - ACE-Hemmer, Diuretika bei HTA
- **IgA-Nephropathie (Morbus Berger)**
  - besonders bei Erwachsenen
  - asymptomatisch, nach einem Infekt im Nasenrachenraum
  - Mikrohämaturie, ggf. auch leichte Makrohämaturie
  - Proteinurie
  - Therapie: GKK, Antihypertensiva, aber keine Heilung

12.2.3 Komplizierte Formen (Beispiele)

- *rapid-progressive Glomerulonephritis* = **Notfall**
  - Nierenbiopsie: Nekrose + intra- und extrakapilläre Proliferation + Halbmondbildung
  - Therapie: Immunosuppression
- *pulmorenales Syndrom* bei
  - Goodpasture-Syndrom: Anti-Basalmembran-Antikörpern + Nierenbiopsie
  - M. Wegener: ANCA im Serum
  - SLE

12.3 Infekte der unteren und oberen Harnwege

- Urin ist normalerweise steril
- Bakterien-, Pilz- oder Protozoen-Nachweise = Harnwegsinfekte (vgl. Ostendorf et al. 2025)
  - der unteren Harnwege: Zystitis, Urethritis
  - der oberen Harnwege: Pyelonephritis

TIPP

\> 100 000 Keime/ml im Mittelstrahlurin → Infektion.
Alle Nachweise von Keimen im Punktionsurin → Infektion.

12.3.1 Ätiopathogenese

- **Erreger:** E. coli – am häufigsten, Proteus, Klebsiellen, Pseudomonas, Staphylokokken, Chlamydien und Ureaplasmen
- Prädisponierende Faktoren
  - ♀:
    - kürzere Urethra
    - Schwangerschaft: Obstruktion durch Uterus, Progesteron-bedingte Urethra-Dilatation
    - Menopause: ↓ Östrogen

  - Harnwegsobstruktion
    - Konkrement, Koagel
    - Fehlbildungen
    - Tumor – von innen oder außen
    - Prostatahyperplasie
  - ↓ Flüssigkeitszufuhr → Spüleffekt ↓
  - immunkompromittierte Patienten
  - neurogene Blasenentleerungsstörung
  - vesikoureterorenaler Reflux
  - DM, Gicht
  - NSAR-Abusus → Nierenperfusionsstörung
  - Geschlechtsverkehr – Honeymoon-Zystitis nach den Flitterwochen
- **aszendierende Infektion:** die Erreger (meistens aus dem Darm) → Urethra → Blase → Ureteren → Nieren
- **deszendierende Infektion:** Lymphe/Blut (meistens bei einer Sepsis) → Nieren → Ureteren → Blase

12.3.2 Klinik

- Dysurie
- Algurie
- Pollakisurie
- ± Makrohämaturie
- Urethra-Ausfluss + Jucken beim Wasserlassen → Urethritis
- Fieber + Flankenschmerzen → akute Pyelonephritis

12.3.3 Diagnostik

- Urinuntersuchung:
  - Erreger, Keimzahl, Antibiogramm
  - Leukozytenzahl ≥ 10 Leukozyten/µl Urin
  - Leukozytenzylinder
  - Nitrit
  - ± Erythrozyturie
  - ± Proteinurie
- Harnröhrenabstrich bei V. a. Urethritis
- Blut: BB, Entzündungsparameter, Krea
- Nieren-Sonografie: Harnstau? Lithiasis? Abszess?
- KM-CT falls V. a. Fehlbildungen
- Miktionszystourogramm
- bei steriler Leukozyturie: V. a. Analgetikanephropathie, Tripper oder urogenitale-TB

12.3.4 Komplikationen

- Urosepsis
- Chronifizierung
- aHT
- Hydronephrose
- Pyonephrose, Abszess
- Infektionssteinen: Magnesiumammoniumphosphat und Kalziumphosphat
- Niereninsuffizienz

12.3.5 Therapie

- asymptomatische Bakteriurien werden i. d. R. nicht therapiert; Ausnahmen: Gravidität *(keine Tetrazykline, Chinolone oder Aminoglykoside)*, Harnabflussstörungen, immunkompromittierte Patienten, präoperativ
- bei anwesender Symptomatik:
  - ↑ ↑ Flüssigkeitszufuhr
  - Metamizol
  - Spasmolytika
- unkomplizierte Harnwegsinfekte: Fosfomycin, Nitrofurantoin, Nitroxolin, Pivmecillinam
  - Schwangerschaft: Penicillinderivate, Cephalosporine, Fosfomycin-Trometamol
  - junge Männer: Pivmecillinam, Nitrofurantoin (solange Prostata unbeteiligt)
- Pyelonephritis: Ciprofloxacin, Levofloxacin, Cefpodoxim p. o., bei schweren Formen i. v. Antibiose: Ciprofloxacin, Ceftriaxon, Levofloxacin, Cefotaxim
  - Schwangerschaft: Cephalosporine
  - junge Männer: Chinolone

LittleDoc meint
Wie kommt es hier zum Pingpong-Effekt?

12.4 Nephrolithiasis und Urolithiasis

12.4.1 Harnleiterkolik

Klinik

- krampfartige Flankenschmerzen mit Ausstrahlung:
  - in Mittelbauch und Rücken → Steine im Nierenbeckenkelchsystem
  - in die Leiste → Steine im mittleren Harnleiterdrittel
  - in die Labien/Hoden → Steine im distalen Harnleiterdrittel

- Übelkeit, Erbrechen
- kaltes Schwitzen
- ± makroskopische Hämaturie
- Subileus
- Bewegungsdrang

Diagnostik

- Sonografie: aufgestautes Nierenbecken ± Steine
- Spiral-CT
- i. v. Ausscheidungsurogramm

12.4.2 Urolithiasis

- Pollakisurie
- Dysurie

12.4.3 Therapie

- Metamizol: analgetisch + spasmolytisch
- Metoclopramid
- Spasmolytika (Buscopan)
- ggf. Hydromorphin
- Harnsäuresteine: Zitratsalze, Allopurinol, purinarme Kost
- Steine < 5 mm können ausgeschieden werden
- Steine > 5 mm:
  - proximal: ESWL + Schiene, um den Harnabfluss zu sichern
  - distal: Ureteroskopie + Schlingenextraktion

12.5 Chronische Nierenerkrankung

12.5.1 Begriffe

- **chronische Nierenerkrankung** (früher: chronisches Nierenversagen) = umfasst alle Stadien der Nierenfunktionsstörung – von leichter Nierenfunktionsstörung bis zum Nierenversagen
- **terminale Niereninsuffizienz** = endgültiges, dauerhaftes Nierenversagen → ↑ harnpflichtige Stoffen im Blut
- **Urämie** (Harnvergiftung) = Blutkontamination mit harnpflichtigen Stoffen → alle Systeme werden betroffen → Koma bis zum Exitus
- **GFR** (glomeruläre Filtrationsrate) = filtrierte Volumen in den Glomeruli pro Zeiteinheit (ml/min); ideal > 90 ml/min/1,73 m^2

- **eGFR** (geschätzte glomeruläre Filtrationsrate bzw. **e**stimated **G**lomerular **F**iltration **R**ate) = GFR-Abschätzung abhängig von Serumkreatinin sowie Alter, Geschlecht und Hautfarbe
- zur Berechnung von GFR und eGFR gibt es spezielle Formeln; heutzutage nutzt man dafür Handy- oder Computer-Apps *[because we're doctors, not mathematicians, #joeytribbiani]*

12.5.2 Stadieneinteilung

Stadieneinteilung der chronischen Nierenerkrankung (nach Pradeep 2025):
- *Stadium 1:* Nierenschädigung mit normaler oder leicht erhöhter GFR ≥ 90
- *Stadium 2:* leichte Nierenschädigung mit GFR 60–89
- *Stadium 3a:* mäßige Nierenschädigung mit GFR 45–59
- *Stadium 3b:* mäßige Nierenschädigung mit GFR 30–44
- *Stadium 4:* schwere Nierenfunktionseinschränkung mit GFR 15–29
- *Stadium 5:* Niereninsuffizienz GFR < 15 oder Dialyse

12.5.3 Diagnostik

- Stadium **1–3**
  - meistens asymptomatisch
  - man kann aHT und/oder DM assoziieren
  - Albuminurie > 30 mg/24 h
  - auffälliges Urin-Sediment, Elektrolytwerte im Blut, manchmal sind Nierenfehlbildungen vorhanden
- Stadium **4–5** (u. a.):
  - starke Proteinurie mit Muskelatrophie, Schwäche, Malnutrition
  - Ödeme, Serositis
  - Anämie
  - aHT, Herzinsuffizienz
  - Osteopenie
  - Azidose
  - Enzephalopathie, Neuropathien
  - Xerodermie, Pruritus
  - Thrombozythopathie
  - Amenorrhoe, Impotenz

12.5.4 Therapie

- Prophylaxe!
- Therapie der einzelnen Komplikationen (Anämie, Elektrolytensubstitution, Puffer usw.)
- Hämodialyse, Peritonealdialyse, Nierentransplantation

Formulierungsbeispiele

Patient	Arzt
Beim Wasserlassen brennt es und seit 3 Tagen muss ich ständig um die Ecke, dabei kommen jedes Mal gefühlt nur 10 Tropfen raus. Voll nervig!	Die Patientin berichtete über eine seit drei Tagen bestehende Dysurie mit Pollakisurie.
Ich hab immer wieder ganz stark das Gefühl, dass ich pinkeln muss, aber wenn ich aufs Klo gehe, kommt oft kaum was.	Die Patientin gab vesikale Tenesmen/ imperativen Harndrang mit geringen Urinmengen an.
Schauen Sie sich mal mein Gesicht an, meine Augen – alles geschwollen! Meine Unterschenkel auch! Ich hab das Gefühl, da hat sich Wasser eingelagert. Hat das vielleicht was mit dem Urin zu tun? Der sieht nämlich wie Cola aus.	Herr X beschrieb Augenlid- und Prätibialödeme sowie eine dunkle Verfärbung des Urins.
Boaaah, es tut richtig fies weh! Tun Sie was! Das sind höllische Schmerzen vom Rücken bis in die Hoden, als hätte mich jemand mit einem Messer erwischt – mir läuft schon die Suppe auf der Stirn. Und mir ist so übel, ich glaube, ich muss gleich kotzen.	Der Patient stellte sich mit starken Rückenschmerzen mit kaudaler Ausstrahlung bis in die Hoden vor. Zudem beklagte er vermehrtes Schwitzen sowie ausgeprägte Übelkeit.

KAPITEL

13 Endokrinologie und Stoffwechselerkrankungen

13.1 Schilddrüsenerkrankungen

13.1.1 Begriffe

- **Struma** = Schilddrüsenvergrößerung
  - kann durch Kompression ein Kloßgefühl im Hals, Dysphagie, Dyspnoe, Heiserkeit verursachen
  - kann Knoten oder Zysten assoziieren
- **blande Struma** = Schilddrüsenvergrößerung + normale Struktur + Euthyreose (normale Schilddrüsenfunktion)
  - bei Jodmangel
  - bei ↑ Jodbedarf – Gravidität, Stillzeit, Wachstum
- Struma-Einteilung der WHO:
  - **Grad 0:** klinisch keine Vergrößerung feststellbar, nur sonografisch möglich
  - **Grad 1:** Vergrößerung tastbar
    - **Grad 1a:** tastbar, aber nicht sichtbar, auch bei Reklination des Kopfes
    - **Grad 1b:** tastbar und nur bei Reklination des Kopfes sichtbar
  - **Grad 2:** sichtbar auch ohne Reklination des Kopfes
  - **Grad 3:** lokale Komplikationen (Dyspnoe, Dysphagie, Dysphonie usw.)
- *latente Hyperthyreose* = ↓ TSH + normale fT3, fT4
- *manifeste Hyperthyreose* = ↓ TSH + ↑ fT3, fT4
  - häufig von autonomen Arealen verursacht (diese produzieren Schilddrüsenhormone unabhängig von den TSH-Werten)
  - Diagnostik: Suppressionsszintigrafie: normale Szintigramm → Levothyroxin 2 Wochen → ↓ TSH-Sekretion, aber die autonomen Areale produzieren trotzdem Hormone → beim 2. Szintigramm → Darstellung der autonomen Areale (ggf. zum Vergleich des ersten Szintigramms)
- *immunogene Hyperthyreose* = Morbus-Basedow-Graves: Autoantikörper gegen TSH-Rezeptoren (Thyreotropin-Rezeptor-Autoantikörper, TRAK) in der Schilddrüse

13.1.2 Normale Blutwerte

- *Trijodthyronin (T3)*
  - gesamtes T3: 70–132 ng/dl
  - freies T3: 0,2–0,52 ng/dl

- *Tetrajodthyronin/(Levo-)Thyroxin (T4)*
  - gesamtes T4: 5–12 µg/dl
  - freies T4: 0,7–1,9 ng/dl
- *Thyrotropin/Thyreoidea stimulierendes Hormon (TSH)*
  - 0,27–4,2 µIU/ml
  - in der Schwangerschaft: ideal ≤ 1,5–2 µIU/ml

13.1.3 Hyperthyreose

- *allgemeine Symptome*
  - Gewichtsverlust trotz Polyphagie (Heißhungerattacken)
  - warme, gerötete Haut
  - Hyperhidrose → Polydipsie
  - Hyperthermie und Wärmeintoleranz
  - Unruhe, Reizbarkeit, Konzentrationsstörungen
- *Herz-Kreislauf*
  - Tachykardie
  - Vorhofflimmern
- *neurologisch*
  - Tremor in den Akren
  - thyreotoxische Enzephalopathie → Koma, Exitus (während einer thyreotoxischen Krise)
- *dermatologisch*
  - dünne Haut
  - Pruritus
  - Alopezie
  - Onycholyse
- *gastroenterologisch*
  - Diarrhö
- *gynäkologisch und sexuell*
  - Impotenz ♂
  - Gynäkomastie ♂
  - Spaniomenorrhö, Oligo- bis Amenorrhö ♀
  - Infertilität ♀, ♂
- *lokomotorisch*
  - Myopathie, Muskelatrophie
  - Osteopathie
- *Stoffwechsel*
  - Hypocholesterinämie
  - ↑ Kalzämie
  - pathologische Glukosetoleranz
- *Orbithopathie*
  - Antikörper gegen TSH-Rezeptoren in der Orbita → chronische Entzündung + Lymphozyten-, Kollagen- und Glykosaminoglykanen-Infiltration
  - okuläres Fremdkörpergefühl

- Exophthalmus + „fixierter Blick“ wegen Augenmuskellähmungen → ↓ Augenbeweglichkeit, Doppelbilder
- Lidretraktion → Cornea-Ulzerationen
- Chemose
- Visuseinschränkung bis zur Amaurose (wenn N. opticus beteiligt ist)
- Lichtempfindlichkeit
- *Hyperthyreose + endokrine Orbitopathie = typisch für Morbus-Basedow-Graves*

- *Merseburger Trias* der M.-Basedow-Graves = Struma + Exophthalmus + Tachykardie
- *wichtige Zeichen des Exophthalmus*
  - Dalrymple-Zeichen: Retraktion des Oberlidretraktion + Exophtalmus → sichtbare Sklera zwischen Oberlidunterkante und Limbus corneae als weißer Streifen
  - Stellwag-Zeichen: ↓ Lidschlagfrequenz
  - Von-Graefe-Zeichen: Augenlid bleibt bei Blicksenkung zurück
  - Möbius-Zeichen: Konvergenzschwäche der Augen

Labor

- TSH ↓
- periphere Schilddrüsenhormone ↑
- TSH-Rezeptorautoantikörper (TRAK) – nicht bei jeder Hyperthyreose!
- Sonografie: echoarme Areale
- Szintigrafie: ↑ Speicherung der Radionuklide:
  - heiße Knoten: ↑ Speicherung
  - kalte Knoten: ↓ Speicherung; V. a. Zyste, Malignom

Therapie

- Allgemeinmaßnahmen
  - Nikotinkarenz!
  - keine jodhaltigen Kontrastmittel oder Medikamente wie Amiodaron – falls jodhaltiges KM nötig: vor der KM-Gabe und 2 Wochen danach: Thyreostatika
- Thyreostatika für 1 Jahr: Perchlorat, Thiamazol, Carbimazol, Propylthiouracil
  - falls Rezidiv: thyreoablative Radiojodtherapie
- progrediente Orbitopathie: Steroidtherapie, retrobulbäre Bestrahlung, Resektion der Orbita-Bindegewebe zur Dekompression des N. opticus

Thyreotoxische Krise

- Herzrhythmusstörungen, Tachykardie
- Fieber
- Hyperhidrose
- ↑ ↑ ↑ Nervosität

LittleDoc meint

Eine thyreotoxische Krise ist ein *Notfall!*
Es kann manchmal sogar sein, dass sich die Patienten mit V. a. Psychose vorstellen.

- Bewusstseinstrübungen
- Koma
- Therapie:
  - intensivstationäre Behandlung
  - Volumen- und Elektrolytsubstitution
  - hoch dosierte Thyreostatika
  - β-Blocker
  - Fiebersenkung: Wadenwickel, extrakorporaler Kreislauf
  - Plasmapherese
  - Glukokortikoide – prophylaktisch; Gefahr: Nebennierenrindeninsuffizienz
  - Notfall: Schilddrüsenresektion

13.1.4 Hypothyreose und Hashimoto-Thyreoiditis

LittleDoc rätselt

Bei den Porträts von John de Critz dem Älteren (1605) und Marcus Gerards dem Jüngeren (1612) handelt es sich wahrscheinlich um *Anna von Dänemark*. Die Zeichen der Hypothyreose kann man sehr gut darauf erkennen – auch wenn es keinen klaren Beweis gibt, dass sie daran erkrankt war. Andere vermuten, dargestellt sei Anne Boleyn, Anne de Beaujeu oder Anna von Kleve.
Meines Erachtens hätte Anne Boleyn nie an Hypothyreose leiden können :-) und das Gleiche würde ich dank ihrer Kraft und Beharrlichkeit von Anna von Kleve sagen. Auf gar keinen Fall bin ich der Meinung, dass Madame la Grande Hypothyreose hatte.
Ich bleibe also bei Anna von Dänemark. Was meinen Sie?

2 Stadien: subklinisch und klinisch

- Apathie, Abgeschlagenheit, verlangsamte Sprache mit rauer Stimme, Konzentrationsstörungen
- Gewichtszunahme, Myxödem
- seltenere Stuhlgänge bis zur Obstipation
- Kälteintoleranz
- trockene, teigige Haut
- Haarausfall und Hertoghe-Zeichen oder *Queen-Anne-Zeichen* (Zurückweichen der seitlichen Augenbrauen)
- Bradykardie
- Hypertriglyzeridämie

Labor

- ↑ TSH
- ↓ periphere Schilddrüsenhormone
- *aber:* bei Hashimoto – am Anfang: zerstörte Thyreozyten → ↑ Schilddrüsenhormone werden freigesetzt → Hyperthyreose
- ggf. Tg-, TPO-Autoantikörper

Einteilung

- *primäre Hypothyreose:* Autoimmunthyreoiditis (Morbus Hashimoto), nach Strumektomie, Thyreostatika, Radiojodtherapie, Lithium usw. (iatrogen)
- *sekundäre Hypothyreose:* ↓ TSH (Hypophysen-Krankheiten, -Defekte usw.)
- *tertiäre Hypothyreose:* Pickardt-Fahlbusch-Syndrom, Hypothalamus-Krankheiten oder -Defekte, Schilddrüsenhormonresistenz

Hashimoto-Thyreoiditis

= autoimmune Erkrankung
- familiäre Prädisposition
- kleine Schilddrüse, echoarm, homogen oder mit Knoten
- Autoantikörper gegen Thyreoglobulin (Tg-Antikörper) und gegen thyreoidale Peroxidase (TPO-Autoantikörper), HLA-Merkmale
- lymphozytäre Infiltration
- kann mit folgenden Krankheiten assoziiert werden: Schilddrüsenlymphom, DM Typ I, Sprue, SLE, Sklerodermie, rheumatoide Arthritis, Sjögren, Biermer-Anämie, Nephrolithiasis usw.

Therapie

- lebenslange L-Thyroxin-Substitution, schon seit dem subklinischen Stadium (TSH erhöht + normale periphere Schilddrüsenhormone): am Anfang 25–50 µg für 3 Monate mit TSH Kontrolle → wenn TSH normalisiert: weiter mit der gleichen Dosierung; wenn TSH noch unter der Norm → 75 µg usw.

13.1.5 Schilddrüsenkarzinome

- häufig stellen sich die Patienten wegen eines Knotens am Hals vor
- Palpation des Knotens: indolent, derb, verbacken, lässt sich schwer (oder nicht) verschieben, gleitet nicht, wie normalerweise zu erwarten wäre, während des Schluckens mit dem Kehlkopf nach kranial; wächst schnell
- Sonografie: unscharf begrenzt, echoarmes, häufig nicht homogenes Areal
- Szintigrafie: kalter Knoten, Infiltration der Umgebung
- gezielte Feinnadelpunktion nötig – negative Zytologie schließt ein Malignom nicht aus, deswegen Resektion häufig indiziert
- klinisch: Kompression/Invasion der benachbarten Organe: Dyspnoe, Dysphagie, Dysphonie, Heiserkeit, Claude-Bernard-Horner-Syndrom (*Cave:* N. laryngeus recurrens, auch bei der OP!)

Histologische Einteilung

- *papilläres* Karzinom: Marker Thyreoglobulin – wichtig nach Thyroidektomie: wenn ↑ → Metastasen; gute Prognose
- *follikuläres* Karzinom: Marker Thyreoglobulin – wichtig nach Thyroidektomie: wenn ↑ → Metastasen; mäßige Prognose
- *anaplastisches* (undifferenziertes) Karzinom: schlechte Prognose
- *medulläres* Schilddrüsenkarzinom: Marker Calcitonin: mäßige Prognose

Therapie

Je nach histologischem Typ:
- totale Thyroidektomie mit Lymphadenektomie: bei allen Typen

- adjuvante thyreoablative Radiojodtherapie, falls Reste nachweisbar: papillär und follikulär, weil die beiden anderen histologischen Typen ohnehin kein Jod speichern
- Post-OP Levo-Thyroxin: papillär und follikulär, sodass ein ↑ TSH eventuelle Metastasen nicht reizt
- adjuvante Strahlentherapie: anaplastisch
- Tyrosinkinaseinhibitoren (palliativ): medullär

TIPP
Psychologische Unterstützung empfehlen!

13.2 Hyperkortisolismus (Cushing-Syndrom)

13.2.1 Ätiologie

- iatrogen/exogen: Therapie mit Glukokortikoiden
- Nebennierenrindentumoren mit ↑ Kortisolproduktion
- zentrales Cushing-Syndrom = Morbus Cushing = autonome ACTH-Produktion (Hypophysenadenom) oder ektopes ACTH-Syndrom (paraneoplastisch, z. B. bei einem kleinzelligen Bronchialkarzinom)

13.2.2 Klinik

- psychisch: Depression, Angstattacken
- Vollmondgesicht, Gesichtsrötung
- zentripetale Adipositas („Lemon on Toothpicks") mit verbreitertem Nacken
- livide breite Streifen (Striae distensae), besonders im abdominalen Bereich
- Akne, Furunkel, Wundheilungsstörungen (ähnelt hier DM), Hirsutismus
- Menstruationsstörungen
- Impotenz
- aHT, DM
- Myopathie, Osteoporose
- gastrointestinale Beschwerden (Ulkus)
- Osteoporose

13.2.3 Diagnostik

- Labor: K ↓ und Na ↑
- Dexamethason-Suppressionstest (Kurztest): Verabreichung von Dexamethason um Mitternacht → um 8 Uhr am nächsten Tag: Serumkortisol-Spiegel? Normal < 3 µg/dl; bei Cushing-Syndrom ↑ ↑ (Ø Suppression)

- hoch dosierter Dexamethason-Hemmtest: 8 mg Dexamethason → normal: ↓ Serumkortisol-Spiegel um > 50 %; ektopisches und adrenales Cushing-Syndrom: Ø Suppression
- beim *zentralen* Morbus Cushing können die Adenomzellen auf CRH reagieren, die ACTH-Konzentration steigt nach CRH-Gabe an
- beim *ektopen und adrenalen* Cushing-Syndrom ist die hypophysäre ACTH-Produktion durch die chronisch erhöhte Kortisolkonzentration vollständig unterdrückt, der ACTH-Anstieg nach CRH-Gabe bleibt aus
- Kortisol im 24-Stunden-Urin: ↑
- Kortisol im Serum im Tagesprofil: ↑
- ACTH basal
  - ↑ → zentral (Morbus Cushing)
  - ↓ → adrenal
- CRH-Test: CRH einspritzen → ACTH-Spiegel nach 15, 30, 60 und 90 min: ↑ ↑ ↑ ACTH → zentral
- Nebennierensonografie
- CT-/MRT Abdomen

13.2.4 Differenzialdiagnosen

- Iatrogene Ursachen
- andere Ursachen der aHT
- metabolisches Syndrom
- Nierenarterienstenose
- Hyperaldosteronismus, Pseudohyperaldosteronismus
- Hyperparathyreoidismus
- Phäochromozytom

13.2.5 Therapie

- Operation: Adrenalektomie, transsphenoidale Adenomektomie usw.
- paraneoplastisches ACTH-Syndrom: adrenostatische Medikation, z. B. Ketoconazol

13.3 Hyperaldosteronismus (Morbus Conn)

13.3.1 Ätiopathogenese

- **primärer Hyperaldosteronismus**
  - Nebennierenrindenadenom
  - bilaterale Nebennierenrindenhyperplasie
- **sekundärer Hyperaldosteronismus:**
  - ↓ Nierenperfusion: Nierenarterienstenose, maligne aHT, Herzinsuffizienz usw.

- Leberzirrhose → ⊗ Aldosteronabbau → tubulärer Na-Verlust → ↓ Serum-Na

13.3.2 Diagnostik

- aHT + ↓ Serum-K + metabolische Alkalose
- Aldosteron-Renin-Quotient im Plasma > 200 bei primärem Hyperaldosteronismus (und normal bei sekundärem Hyperaldosteronismus)
- Kochsalzbelastungstest: Kochsalzzufuhr → normal: ↓ Aldosteronproduktion; bei primärem Hyperaldosteronismus: Ø Suppression
- Orthostasetest: Plasmaaldosteronspiegel morgens vor dem Aufstehen und nach Bewegung (nach ein paar Stunden): Nierenperfusion wird erniedrigt und Aldosteron sollte ansteigen
  - bei einem Aldosteron-produzierenden Adenom: Ø Aldosteronanstieg
  - bei Nebennierenrindenhyperplasie bds.: Aldosteronanstieg
- Fludrokortisonhemmtest
  - Gabe von Mineralokortikoiden (unter Substitution von NaCl und Kalium) → physiologischer Aldosteronabfall < 50 ng/L; bei primärem Hyperaldosteronismus bleiben die Aldosteron-Werte > 60 ng/L
- Abdomen-MRT oder -CT

TIPP

14 Tage vor der Diagnostik: Diuretika, β-Blocker, ACE-Hemmer, Aliskiren und AT1-rezeptor-Blocker absetzen! Die beeinflussen das Renin-Angiotensin-Aldosteron-System!

13.3.3 Therapie

- Nebennierenrindenadenome: Exzision mit vorheriger Spironolacton-Gabe (BD ↓ und K ↑)
- bilaterale Nebennierenrindenhyperplasie: Aldosteronantagonisten wie Spironolacton, Eplerenon, Maxrenon

13.4 Nebennierenrindeninsuffizienz (Morbus Addison)

13.4.1 Ätiopathogenese

- Nebennierenrindenerkrankung → ↓ Kortisol und ↓ Aldosteron
- autoimmun: allein oder in Kombinationen z. B. Schmidt-Syndrom = primäre Nebennierenrindeninsuffizienz + M. Hashimoto
- Nebennieren-Metastasen

- infektiös (z. B. TB)
- **Differenzialdiagnose** mit sekundärer Nebenniereninsuffizienz (Hypothalamus- oder Hypophysen-Störungen), wo auch die Schilddrüsenhormone bzw. die Sexualhormone ↑ sind + keine Hauthyperpigmentierung

13.4.2 Klinik

- Allgemeinsymptome: Abgeschlagenheit, Kraftlosigkeit, Gewichtsverlust, Übelkeit, Cephalgie, Kollapsneigung
- arterielle Hypotonie
- Hyperpigmentierung der Haut (besonders an den Handfurchen) und Schleimhäute
- Achsel- und Pubesbehaarung ↓ ↓

Addison-Krise

LittleDoc meint

Lassen Sie uns kurz an die Oktober-Überraschung von 1960 denken :-) Hinweis: JFK.

- *Ursachen*
  - akute Belastungen ohne Erhöhung der GKK-Dosis
  - plötzliches Absetzen der GKK- und Mineralkortikoidtherapie
  - Antikoagulanzien → Nebennierenrinden-Hämorrhagie
  - Waterhouse-Friderichsen-Syndrom: entweder bei Neisseria meningitidis, Pneumokokken, Hämophilus influenzae, Staphylokokken-Infektion oder bei OPSI-Syndrom (**O**verwhelming **P**ost-**S**plenectomy **I**nfection) → Sepsis und DIK → Nebennierenrindeninfarkt oder Hämorrhagie
- Dehydratation + trotzdem Hyponatriämie *(typisch!)*
- Bewusstseinsstörung
- Fieber
- starke arterielle Hypotonie
- Hypoglykämie
- Schock
- Oligurie
- Pseudoperitonitis

13.4.3 Diagnostik

- hyponatriämie Hyperkaliämie
- ↓ Serumaldosteronspiegel
- ACTH basal – indirekt: ↑ bei Hypokortisolismus
- ACTH-Kurztest: ACTH-Gabe → Ø Kortisolanstieg; falls 21-Hydroxylasemangel bei einem adrenogenitalen Syndrom → ↑ ↑ Steroidpräkursoren
- Plasmarenin sowie Urinrenin im 24-Stunden-Sammelurin: ↑

- Kortisol- und Aldosteron im 24-Stunden-Sammelurin: ↓
- Kortisol- und Aldosteron im Serum: nicht so aussagekräftig wegen Tagesschwenkungen

13.4.4 Therapie

- Hydrokortison und Fludrokortison p. o.
- GKK (Hydrokortison): gesamte Dosis zwischen 6–8 Uhr morgens; falls abends auch unbedingt nötig: minimale Dosis
- bei Operationen, Stress oder Infektionen: doppelte Dosierung von Hydrokortison
- *Addison-Krise:* Hydrokortison Bolus, dann kontinuierlich i. v. + Flüssigkeitssubstitution mit Glukoselösung + NaCl 0,9 %

13.5 Phäochromozytom

= **Tumor, der Katecholamine produziert; meist im Nebennierenmark**

13.5.1 Klinik

- entweder therapieresistent aHT oder paroxysmale BD-Krisen
- Tachykardie, Palpitationen
- plötzliche Gesichtsblässe
- Hyperhidrose
- Nervosität
- Gewichtsverlust
- *Cave* bei der Palpation des Abdomens: auch ein leichter Druck auf den Tumor kann eine starke Katecholaminausschüttung verursachen

13.5.2 Diagnostik

- Noradrenalin, Adrenalin, Metanephrin, Normetanephrin in 24-Stunden-Sammelurin: ↑
- Clonidinhemmtest: normal: ↓ Katecholaminproduktion und Plasmakatecholamine ↓; bei Phäochromozytom Ø Senkung
- Abdomensonografie
- MRT/CT Abdomen
- Meta-Jod-Benzyl-Guanidin-Szintigrafie

TIPP

Vor dem Clonidinhemmtest: Clonidin, Reserpin, MAO-Hemmer und/oder α-Methyldopa absetzen!

13.5.3 Therapie

- Tumorexzision
- keine β-Blocker ohne α-Blocker, Gefahr ⊗ Vasodilatation → ↑ ↑ BD

MERKE

Gefahr: negatives Feedback auf die präoperative Vasokonstriktion (mit Flüssigkeitsmangel) → postoperative Vasodilatation → starke BD-Senkung!
Vor der Tumorexzision, α-Blocker (Phenoxybenzamin)-Gabe + viel Flüssigkeit!

13.6 Adrenogenitales Syndrom

13.6.1 Ätiopathogenese

- 21-Hydroxylase *defekt* → ↓ oder gestörte Kortisolsynthese → ↑ ACTH → Nebennierenrindensynthese von zu vielen Kortisolvorstufen → in Androgene umgewandelt
- 21-Hydroxylase *komplett defekt* → auch Ø Aldosteronsynthese → Salzverlustsyndrom mit ↓ Na und arterieller Hypotonie

13.6.2 Klinik

- **XX**
  - beschleunigtes Größenwachstum im Kindesalter durch einen Androgenüberschuss
  - Kleinwuchs im Erwachsenenalter, weil ↑ Androgene → frühzeitiger Verschluss der Epiphysenfugen
  - primäre Amenorrhö
  - Pseudohermaphroditismus femininus: Gonade weiblich, Aussehen männlich = Virilisierung: tiefe Stimme, Hirsutismus, Klitorisvergrößerung
- **XY**
  - Pseudopubertas praecox mit spezifischer männlicher Behaarung durch einen Androgenüberschuss
  - sekundärer Hypogonadismus, weil Androgene ↑ → ↓ Gonadotropinen

13.7 Diabetes mellitus

= Zuckerkrankheit, Blutzuckerkrankheit

13.7.1 Ätiopathogenese

- ein relativer oder absoluter Mangel an Insulin oder eine verminderte Insulinwirkung

13

- **BZ** = 70–100 mg/dl
  - ↓ von Insulin
  - ↑ von Glukagon, Kortisol, Katecholaminen, STH
- **Insulin** = 6–25 mU/l (μU/ml) nach 12-stündigem Fasten; ≤ 200 mU/l (μU/ml) nach Stimulation (Glukose oder Glukagon-Gabe)
- Abspaltung des C-Peptids von Proinsulin → Insulin
  - ↑ von: ↑ Glukose, Aminosäuren, Fettsäuren, Ketonkörper, β-Stimulation, Azetylcholin, GIP, CCK, Sekretin, Gastrin, GLP1
  - ↓ von: Insulin, Noradrenalin, Adrenalin, α2-Stimulation, BZ ↑, Somatostatin

Einteilung

- **DM Typ 1**
  - autoimmune oder idiopathische Zerstörung der β-Zellen des Pankreas → absoluter Mangel an Insulin
  - genetische Prädisposition, familiäre Belastung, HLA-DR3 oder HLA-DR4
  - Auftreten: meist bei Kindern und Jugendlichen, selten bei Erwachsenen: LADA (**L**atent **A**utoimmune **D**iabetes in **A**dults)
  - klinisch nachweisbar, wenn 80 % der Zellen schon zerstört sind
- **DM Typ 2**
  - Überernährung + Bewegungsarmut → Insulinresistenz (↓ Wirkung an den peripheren Insulinrezeptoren)
  - gestörte Insulinsekretion → relativer Insulinmangel

LittleDoc meint
Nein, Sie brauchen nicht alle Typen von Typ 3 auswendig zu lernen!

- **DM Typ 3:** von a bis h
  - **Typ 3a:** MODY (**M**aturity **O**nset **D**iabetes of the **Y**oung): AD-vererbter genetischer Defekt → β-Zellfunktionsstörung
  - **Typ 3b:** Insulinrezeptor-Gendefekte
  - **Typ 3c:** Störung der exokrinen Funktion → endokrine Insuffizienz (z. B. Pankreatitis, Pankreasresektion, Pankreastumoren, Trauma, Mukoviszidose usw.)
  - **Typ 3d:** endokrine Krankheiten, die eine Zuckerstoffwechselstörung verursachen (z. B. Hyperthyreose, Morbus Cushing, Phäochromozytom, Adenome die Somatostatin, Glukagon, Aldosteron usw. sekretieren)
  - **Typ 3e:** iatrogen – durch Medikamente (GKK, Levo-Thyroxin, Thiazide; *Cave!* IFN-α kann die Bildung von Autoantikörpern gegen Inselzellen verursachen)
  - **Typ 3f:** infektionsbedingt: CMV, Röteln
  - **Typ 3g:** autoimmunbedingt
  - **Typ 3h:** genetische Syndrome, die DM assoziieren können (Trisomie 21, Monosomie X oder XXY-Syndrom)
- **Schwangerschaftsdiabetes**
  - Gravidität-induzierte periphere Insulinresistenz und reduzierte Insulinsekretionskapazität
  - häufig Normalisierung des Glukosestoffwechsels nach der Entbindung

13.7.2 Klinik

- **Diabetes mellitus Typ 1**
  - Polyurie
  - Polydypsie
  - Gewichtszunahme
  - Leistungsschwäche
  - ggf. Pruritus, Hautinfektionen, Schmerzen und Missempfindungen in den Extremitäten
  - manchmal die Erstmanifestation: Coma diabeticum
- **Diabetes mellitus Typ 2**
  - oftmals assoziiert mit Hypertonie und Hypertriglyzeridämie
  - Polyurie
  - Polydypsie
  - Gewichtszunahme
  - Leistungsschwäche
  - ggf. Pruritus, Hautinfektionen, Schmerz und Missempfindungen in den Extremitäten
  - meist adipöser EZ
  - „gesunde" Gesichtsfarbe: Rubeosis diabetica

13.7.3 Diagnostik

- Blutglukose
  - spontan (nicht nüchtern) > 200 mg/dl oder wiederholter Nüchtern-Blutzucker > 125 mg/dl →Diagnose gesichert
  - Nüchtern-Blutzucker > 100 mg/dl, aber < 125 mg/dl → „gestörter Nüchtern-Blutzucker"
- oraler Glukosetoleranztest (oGTT) bei Vorliegen eines gestörten Nüchtern-Blutzuckers indiziert
  - 2-h-Wert > 200 mg/dl → Vorliegen eines DM
  - 2-h-Wert > 140 mg/dl, aber < 200 mg/dl → gestörter Nüchtern-Blutzucker
- Bestimmung des C-Peptids: Typ 1 oder Typ 2?
  - Typ 1: Ø oder sehr ↓
  - Typ 2: normal oder ↑
- HbA1c-Bestimmung (glykosyliertes Hämoglobin) – objektive Feststellung der durchschnittlichen Glukosekonzentration in den letzten 2–3 Monaten, die nicht beeinflusst werden kann
  - Grenzwert ≤ 6,5 %
- BZ am Abend (22 Uhr): Bedarf an Langzeitinsulin am Morgen
  - Zielwert 110–135 mg/dl
- BZ-Tagesprofil
  - zeigt, ob auch Hypoglykämien unter der Therapie auftreten
- serologische Marker für DM Typ 1
  - Inselzell-Antikörper (ICA)

  - Insulin-Autoantikörper (IAA)
  - Autoantikörper gegen Glutamatdecarboxylase (GADA)
  - Tyrosinphosphatase-verwandte Proteine (IA-2)
  - HLA-Typisierung
- BD-Messung an beiden Armen bzw. 24-h-BD-Messung zum Ausschluss einer aHT
- Bestimmung des LDL-Cholesterins
  - Zielwert < 70 mg/dl
- Glukosurie
  - Normalerweise: komplette tubuläre Glukose-Resorption aus dem Primärfiltrat
  - Es gibt aber ein tubuläres Transportmaximum bei Plasmaschwellenkonzentration von ca. 180 mg/dl; wenn es überschritten wird → Glukosurie
- Albuminurie/Proteinurie
- EKG, Echokardiografie
- Elektrophorese – Dysproteinämie?
- Augenhintergrund und Visus
- neurologische Untersuchung
- Karotidsonografie

MERKE

Falsch positive Werte des oGTT bei
- Z.n. längerem Fasten
- kohlenhydratarmer Kost
- Einnahme von bestimmten Medikamenten, z.B. Steroiden, Furosemid, Phenytoin

HOMA-Index

HOMA = **Ho**meostasis **M**odel **A**ssessment
- zur Abschätzung einer Insulinresistenz (➤ Tab. 13.1)
- wird aus Nüchterninsulin und Nüchternglukose berechnet

$$\text{HOMA-Index} = \frac{\text{Nüchterninsulin}\ {}^{\mu U}\!/_{ml} \times \text{Nüchternblutzucker}\ {}^{mg}\!/_{dl}}{405}$$

Tab. 13.1 HOMA-Index zur Abschätzung der Insulinresistenz

Stadium	HOMA-Index	Insulinresistenz?
1	< 2,0	unwahrscheinlich
2	2,0–2,5	es gibt Hinweise darauf
3	2,5–5,0	wahrscheinlich
4	> 5,0	ja

13.7.4 Akute Komplikationen

LittleDoc meint
Bitte alle Komplikationen – akut und spät – gut beherrschen!

Ketoazidotisches Coma diabeticum

= **Hyperglykämie mit Azidose durch Ketonkörper**

- **Ätiopathogenese**
  - absoluter Insulinmangel → fast nur bei *DM Typ 1* (bei ¼ der Fälle auch die Erstmanifestation) → nur kontrainsulinäre Hormone (wie Glukagon)
    - Hyperglykämie mit vermindertem Transport in die Zelle → intrazelluläre Dehydratation durch Osmose (außer ZNS: dort befinden sich *Osmole* in den Zellen, die den Wasserfluss in die Zelle antreiben und sich danach sehr langsam auslösen)
    - osmotische Diurese → Exsikkose
    - ↑ Lipolyse → ↑ Ketogenese → metabolische Azidose
    - ↑ Glukoneogenese → Hyperglykämie
- **Klinik**
  - Hyperglykämie mit osmotischer Diurese: Polyurie → Polydipsie
  - Antriebsschwäche
  - Bewusstseinstrübung
  - Ketoazidose: Nausea, Vomitus, Kußmaul-Atmung, Azetongeruch, Pseudoperitonitis diabetica
  - Elektrolytverschiebungen: Herzrhythmusstörungen
  - Exsikkose:
    - Xerodermie
    - Puls ↑, Riva-Rocci ↓
    - Erregung, Delirium, Somnolenz, Koma
    - Nierenfunktionsstörung
- **Labor**
  - Ketone im Urin
  - Blutzucker: 400–800 mg/dl
  - Blut-pH ↓
  - Elektrolyte?
  - Nierenwerte: Kreatinin, Harnstoff?
  - Bluttfette ↑
- **EKG**
  - Rhythmusstörungen und andere Ausweise der Elektrolytstörungen
- **Therapie**
  - intensivmedizinische Überwachung
  - Infusionstherapie: isotone NaCl-Lösung
  - Kalium substituieren, auch bei normalem Serumkalium; Natrium kontrollieren
  - Insulin-Dauerinfusion → langsame Blutzuckersenkung (50 mg/dl/Stunde); ab Glukose 250 mg/dl: weiterhin Insulin + 10 % Glukose und K
  - pH < 7,1: Pufferlösungen wie Natriumbicarbonat
  - ggf. Magensonde

TIPP
K^+ kann die Gefäße reizen → bei höherem Bedarf, bitte ZVK!

Hyperosmolares Coma diabeticum

- **Ätiopathogenese**
  - relativer Insulinmangel → vor allem bei *DM Typ 2*
    - falsche Ernährung
    - orale Antidiabetika vergessen oder inkorrekt eingenommen
    - ↑ Bedarf, Infekte
    - GKK-Einnahme
  - Hyperglykämie bis > 1000 mg/dl
  - Lipolyse ist noch ↓ ↓ → auch die Ketogenese ist ↓ → Ø Azidose
  - starke Exsikkose
- **Klinik**
  - Polyurie → Polydipsie
  - starke Dehydratation
  - Bewusstseinstrübung
- **Therapie**
  - intensivmedizinische Überwachung
  - Infusionstherapie (intensiver als bei Ketoazidose), Elektrolyte
  - Insulin zur langsamen BZ-Senkung

Laktatazidotisches Koma

- **Ätiopathogenese**
  - mitochondriale Transportstörungen → ↑ Laktat
  - häufige Auslöser:
    - Biguanide
    - C_2
    - Fruktose, Süßstoffe
    - Hypoxie
- **Klinik**
  - Azidosezeichen (s. ketoazidotisches Koma)
- **Diagnostik**
  - Blut-Laktatspiegel > 5 mmol/l
  - Blut-pH < 7,25
- **Therapie**
  - forcierte Diurese → Laktat ↓
  - Hämodialyse → Biguanide ↓

Hypoglykämie

= BZ < 45 mg/dl + Symptomatik

- *Hypoglykämie + Schockzeichen = hypoglykämischer Schock*
- **Ätiopathogenese**
  - Hyperinsulinämie
    - Insulinom
    - ↑ Insulin-Gabe
    - Fisch und Fleisch (mit viel Leucin) → ↑ Insulin
    - Inselzellhypertrophie (z. B. bei chronischer Pankreatitis)
  - paraneoplastisch

- plötzliche und übermäßige Insulinsekretion, wie beim Spätdumping-Syndrom (nach Magenresektion) oder bei ↓ Glukosetoleranz
- ↓ Nahrung trotz Insulin-Einnahme
- ↑ Glukosebedarf, wie bei Sepsis oder Leberinsuffizienz (Glukoneogenese und Glykogenbildung sind gestört)
- C_2: ↓ Glykogenabbau in der Leber
- β-Blocker: ↓ Glykogenabbau in den Muskeln

• **Klinik**
- *vegetative Reaktionen*
  - Zuerst parasympathisch:
  Hunger, aber auch leichte Nausea bis zum Vomitus
  Harn- und Stuhldrang
  Schwäche
  - Dann sympathisch:
  Nervosität, Tremor
  Hyperhidrose
  Puls ↑, RR ↑
  Mydriasis
- *ZNS-Reaktionen*
  - Aufmerksamkeitsstörung, Verhaltensstörungen
  - Cephalgie
  - Visusminderung (Linsen-Schrumpfung wegen osmotischer Flüssigkeitsverschiebung bei Schwankungen der Glykämie)
  - später: Krampfanfälle, Dyspnoe, Koma bis zum Exitus
  - *Cave!* DD Schlaganfall – bei Pat. mit neurologischen Auffälligkeiten immer BZ messen!

• **Therapie**
- Glukose p. o. (nicht bei Vigilanzminderung – Aspirationsgefahr!)
- Glukagon s. c. oder i. m. (wirkt bei C_2-Abusus nicht)
- anhaltende Ohnmacht: Glukose i. v.
- Therapie der Ursache

13.7.5 Späte Komplikationen

Mikroangiopathie

= chronische Hyperglykämie → Verdickung der Kapillären-Basalmembrane

Mikroangiopathie – diabetische Nephropathie

• **Ätiopathogenese**
- Ablagerung von Glykoproteinen in der Basalmembran → Verdickung der Basalmembran der Glomeruli bis zur Glomerulosklerose (Kimmelstiel-Wilson-Glomerulosklerose) → Störung der glomerulären Filtration

- falls aHT-assoziiert: ↑ Glomerulosklerose
- DM: Immunität ↓ → rezidivierende akute Pyelonephritiden → ↑ Nierenschädigung

- **Stadieneinteilung**
  - Nierenschädigung mit *normaler Nierenfunktion = Stadium 1*
    - **Stadium 1a** (Mikroalbuminurie): Albuminausscheidung ♀ 20–300 mg/l, ♂ 20–200 mg/l, Kreatinin-Clearance > 90 ml/min
    - **Stadium 1b** (Makroalbuminurie): Albuminausscheidung ♀ > 300 mg/l, ♂ > 200 mg/l, Kreatinin-Clearance > 90 ml/min
  - Nierenschädigung mit *Niereninsuffizienz*
    - **Stadium 2** (leichtgradig): Albuminausscheidung ♀ > 300 mg/l, ♂ > 200 mg/l, Kreatinin-Clearance 60–89 ml/min
    - **Stadium 3** (mäßiggradig): Albuminausscheidung ♀ > 300 mg/l, ♂ > 200 mg/l, Kreatinin-Clearance 30–59 ml/min
    - **Stadium 4** (hochgradig): Albuminausscheidung ↓, Kreatinin- Clearance 15–29 ml/min
    - **Stadium 5** (terminal): Albuminausscheidung ↓, Kreatinin-Clearance < 15 ml/min
- **Klinik**
  - aHT
  - Ödeme wegen eines nephrotischen Syndroms
  - ↑ Infektanfälligkeit wegen Proteinurie → Ig-Mangel
  - Niereninsuffizienz/Urämie
- **Therapie**
  - Eiweißzufuhr ↓: 0,8 g/kg/d
  - Nikotinkarenz
  - Blutzucker- und Blutdruckeinstellung < 140/80 mmHg (mit ACE-Hemmer oder Angiotensin-II-[AT1-]Rezeptor-Antagonist)
  - LDL < 70 mg/dl (ggf. Statine)

Mikroangiopathie – diabetische Retinopathie

- häufigste Erblindungsursache
- nicht-proliferative Retinopathie
  - Mikroaneurysmen
  - punktförmige Hämorrhagien
  - harte Exsudate (scharf begrenzte weißliche Flecke)
  - weiche Exsudate
- proliferative Retinopathie
  - Gefäßproliferationen
  - Glaskörperblutungen
  - Mikroinfarkte = Cotton-Wool-Herde (unscharf begrenzte weißliche Flecken)
  - Amotio retinae (Netzhautablösung) wegen Kapillaren-Verschluss

Diabetische Makroangiopathie

- Atherosklerose der großen und mittleren Gefäße
  - KHK
  - pAVK
  - zerebrale Perfusionsstörung

Diabetische Neuropathie

- symmetrische distale sensomotorische Neuropathie
  - besonders an den Beinen
  - Parästhesie, Hypästhesie und Algesie („Burning Feet") → Vibrations-, Temperatur- und Schmerz-Missempfindung
  - Muskeleigenreflexe können auch beteiligt sein
  - ↑ typischerweise nachts (in Ruhe)
- autonome Neuropathie
  - schmerzlose Myokardinfarkte
  - gestörte Pupillenreflexe – aufgehaltene Mydriasis
  - Augenmuskellähmung
  - Fazialislähmung
  - Blasenatonie
  - Impotenz
  - Gastroparese
  - ↓ Thermoregulation wegen ↓ Schweißproduktion und ↓ Vasodilatation

Diabetisches Fußsyndrom

- entweder wegen Makroangiopathie oder Neuropathie oder deren Kombination

TIPP
Häufige Ulzera an der Fußsohle = *Malum perforans.*

- *wegen Ischämie (Makroangiopathie, pAVK)*
  - belastungsabhängiger Beinschmerz, Claudicatio, dann Ruheschmerz
  - Haut blass, atrophisch-livid, evtl. zyanotisch
  - schmerzhafte Nekrosen und Ulzera, Fuß kalt
  - Reflexe sind nicht betroffen
  - Fußpulse ↓
  - Doppler-Verschlussdruck < 60 mmHg
  - ABI < 0,9
  - epikritische Sensibilität normal
  - transkutanes O_2 ↓
- *wegen Neuropathie*
  - Parästhesie, Hypästhesie
  - ohne Schmerzen oder selten, in Ruhe
  - Fuß warm, voluminös trocken, mit Hyperkeratosen

LittleDoc meint
An dieser Stelle bitte das Kapitel „pAVK" wiederholen!

13

- Drucknekrosen oder Ulzera
- Haut normal oder rosig, ggf. mit Hyperkeratosen (Callus, Schwielen)
- epikritische Sensibilitäts-, Temperatur-, Nozizeptions- und Propriozeptions-Missempfindungen mit „sockenartiger Begrenzung"
- Achillessehnenreflex und/oder Patellarsehnenreflex sind betroffen
- Fußpulse normal
- Doppler-Verschlussdruck > 60 mmHg
- ABI > 0,9
- transkutanes O_2 normal
- *wegen einer Kombination (am häufigsten)*
  - Parästhesie, Hypästhesie
  - Haut blass, evtl. zyanotisch, schmerzlose Nekrosen und Ulzera, Fuß kalt
  - epikritische Sensibilitäts-, Temperatur- und Propriozeptions-Missempfindungen
  - Reflexe sind betroffen
  - Fußpulse ↓
  - Doppler-Verschlussdruck < 60 mmHg
  - ABI < 0,9
  - transkutanes O_2 ↓

13.7.6 Therapie

LittleDoc meint
Es ist bekannt und mir auch bewusst, dass viele die Patientenschulungen ignorieren oder Akupunktur, Psychotherapie, Ergotherapie oder Kunsttherapie usw. gar nicht mehr erwähnen.
Man sollte verstehen, dass Medizin auch Prophylaxe und psychische Unterstützung involviert, auch wenn man mit diesen Formen der Patientenbehandlung früher vielleicht nicht gearbeitet hat oder dazu nichts gelernt hat. Sie sind aber wichtig und sollten in Betracht gezogen werden, auch wenn es manchen am Anfang schwerfällt.

- Ziele:
  - Nüchtern-Blutzucker 90–120 mg/dl
  - postprandialer Blutzucker < 160 mg/dl
  - HbA1c < 6,5 %
- **Patientenschulung:** Ernährung, Insulin oder orale Antidiabetika, Wunden-Vermeidung und -Pflege, spezielles Schuhwerk, Komplikationen der Krankheit usw.
- Proteine : Lipide : Kohlenhydrate = 15–20 % : 30 % : 45–55 %

DM Typ 1: Insulintherapie

- morgens und abends: lang wirksame Verzögerungsinsuline
- bei den Mahlzeiten: schnell wirksames Normalinsulin
  - je nach geplanter Nahrungsaufnahme (BE-Faktor)
  - je nach dem aktuellen Blutzuckerwert
- *oder* kontinuierliche s. c. Insulininfusion + Bolusgabe über eine Insulinpumpe bei den Mahlzeiten

TIPP
BE-Faktor = Broteinheiten-Faktor → zur Berechnung der benötigten Insulindosis pro BE.
BE-Faktor = 0,5–5; 1 BE = 12 g Kohlenhydrate.
Beispiel: BE-Faktor = 3 → die Insulindosierung (in IE) vor einer Mahlzeit beträgt mit 4 Broteinheiten = 12 IE.

DM Typ 2: Diät + körperliche Bewegung + orale Antidiabetika

- Biguanide: Metformin = die Erstlinientherapie
  - ↓ intestinale Glukoseresorption
  - ↓ hepatische Glukosefreisetzung und Glukoneogenese
  - ↑ steigern die Glukoseaufnahme in den Muskeln
  - Ø Gewichtszunahme
  - Ø Hypoglykämie
  - *Nebenwirkung:* Laktazidose, gastrointestinale Beschwerden
- Glukosidase-Hemmer (Acarbose)
  - ⊗ Glukoseaufnahme im Darm
  - ⊗ postprandialer Blutzuckeranstieg
  - *Nebenwirkung:* gastrointestinale Beschwerden
- SGLT-2-Hemmer (Sodium-dependent-Glucose-Co-Transporter-2-Hemmer), Gliflozine (Dapagliflozin)
  - ↓ renale Glukose-Reabsorption
  - *Nebenwirkung:* Harnwegsinfektionen
- Sulfonylharnstoffe (Glibenclamid)
  - ↑ Insulinsekretion der β-Zellen
  - *Nebenwirkung:* Hypoglykämie, Gewichtszunahme
- Sulfonylharnstoff-Rezeptoragonisten (Repaglinid)
  - ↑ Insulinsekretion der β-Zellen
  - *Nebenwirkung:* Hypoglykämie, Gewichtszunahme
- Insulin-Sensitizer (in Deutschland nur Pioglitazon)
  - ↑ Insulinsensitivität
  - *MI-Gefahr* → Glitazone wurden vom Markt genommen
- Inkretinmimetika (Exenatid)
  - glukoseabhängige Insulinsekretion ↑ (wie z. B. GLP-1)
  - *Nebenwirkung:* Hypoglykämie, Cephalgie, Nausea
- Dipeptidyl-Peptidase-4 Inhibitoren (Sitagliptin)
  - Inkretinabbau
  - *Nebenwirkung:* Nausea, Ödeme

13.8 Metabolisches Syndrom

= „das tödliche Quartett": Adipositas, aHT, Hyperglykämie und Hypertriglyzerdämie (mit HDL ↓)

- kann von Hyperurikämie, Hyperkoagulabilität und ↑ OB-Hormon (Leptin) begleitet sein
- Diagnostik des metabolischen Syndroms (➤ Tab. 13.2) und BMI-Einteilung (➤ Tab. 13.3)

$$\text{BMI} = \frac{\text{Gewicht (kg)}}{\text{Körpergröße}^2\ (\text{m}^2)}$$

13

Tab. 13.2 Diagnostik des metabolischen Syndroms

Pflicht-Kriterium: stammbetonte (zentripetale) Adipositas mit Taillenumfang	♀ ≥ 80 cm; ♂ ≥ 94 cm
+ 2 der folgenden Kriterien	Nüchtern-Blutzucker ≥ 100 mg/dloder DM Typ 2
	Triglyzeride ≥ 150 mg/dl
	systolischer Blutdruck ≥ 130 mmHg bzw. diastolischer Blutdruck ≥ 85 mmHg
	HDL ♀ < 50 mg/dl; ♂ ≤ 40 mg/dl

Tab. 13.3 BMI-Einteilung

BMI (kg/m^2)	Stadium
18,5–24,9	Normalgewicht
25,0–29,9	Übergewicht (Präadipositas)
30,0–34,9	Adipositas Grad I
35–39,9	Adipositas Grad II
≥ 40	Adipositas Grad III
Die Werte können nach Alter und Geschlecht leicht variieren.	

MERKE

- Cholesterin: ideal < 200 mg/dl
- HDL (HDL-Cholesterin): ideal > 40 mg/dl
- LDL (LDL-Cholesterin): ideal < 160 mg/dl bei gesunden Menschen, Ø Risikofaktoren; < 130 mg/dl bei Risikofaktoren und < 100 mg/dl bei schon vorhandenen Gefäßkrankheiten (KHK, Atherosklerose usw.)
- Dyslipoproteinämie: LDL > 130 mg/dl + HDL < 35 mg/dl oder $^{LDL}/_{HDL}$ > 5
- Triglyzeride: < 150 mg/dl

13.9 Gicht

13.9.1 Begriffe

- **Hyperurikämie** = Harnsäure im Blut > 6,4 mg/dl
- **Gicht** = Hyperurikämie + Uratablagerung in den Geweben; kann chronisch oder akut (*akuter Gichtanfall*) sein
- **Arthritis urica** = Gelenkentzündung wegen einer Uratkristallenablagerung in der Gelenkflüssigkeit mit allen Entzündungszeichen nach Galen anwesend
- **chronische Uratarthropathie** = Gelenkerkrankung, ggf. mit Arthrose (degenerative Erkrankung der Gelenke) wegen Uratablagerung in den Gelenken – das heißt, Entzündung ist nicht unbedingt vorhanden.

- **Gicht-Tophus** (Plural: -Tophi) = Uratablagerung im Weichteil- oder Knorpelgewebe
- **Uratnephrolithiasis** = Harnsäuresteine in den Harnwegen
- **akute Uratnephropathie** = schnell progrediente Nierenfunktionsstörung bis zur Niereninsuffizienz wegen erhöhter Harnsäurenwerte im Urin (Hyperurikosurie)

13.9.2 Ätiopathogenese

- Abbau der Nukleinsäuren Adenin und Guanin → Purine
- Endstoffwechsel von Purinen = Harnsäure
- *primäre Hyperurikämie*
  - ↓ Harnsäureausscheidung: genetisch bedingt
  - Harnsäure-Hypersynthese: Lesch-Nyhan-Syndrom, Kelley-Seegmiller-Syndrom
- *sekundäre Hyperurikämie*
  - Überproduktion: Tumorlyse-Syndrom, Chemotherapie, Strahlentherapie, myelo- oder lymphproliferative Erkrankungen
  - verminderte Harnsäureausscheidung: bei Nierenerkrankungen, Thiaziden, Ciclosporin A, strenger Fastenkur oder hyperproteischer Kost
  - ♂ > ♀
  - Bei ♀: nach den Wechseljahren wegen Östrogene ↓ (sie hatten einen urikosurischer Effekt)
- **akuter Gichtanfall**
  - plötzlicher Anstieg des Harnsäurewerte und/oder eine Abwandlung der Solubilitätsgrenze der Harnsäurekristalle in der Synovia → Harnsäurekristalle bauen sich → werden phagozytiert → ↑ Entzündungsmediatoren → akute Synovialitis
  - Auslöser: C_2, purinreiches Essen, pH ↓, Temperatur ↓

13.9.3 Klinik

- **Stadien**
  1. asymptomatische Hyperurikämie
  2. akuter Gichtanfall
  3. symptomloses Intervall zwischen Anfällen
  4. chronische Gicht – nach Jahren Hyperurikämie
- **Arthritis urica**
  - Monoarthritis mit Dolor (sehr starken Schmerzen, auch die Berührung ist manchmal unerträglich), Calor, Rubor, Tumor und Functio laesa (alle Zeichen nach Galen)
  - Fieber
  - Hauptlokalisation: Zehen (Podagra), Daumen (Chiragra)

- **chronische Gicht**
  - Kristallarthropathie
  - Tophi: besonders in Sehnen und Knorpel (Ohrmuschel häufig betroffen)
  - Uratnephrolithiasis und/oder Uratnephropathie
  - Uratarthropathie

13.9.4 Diagnostik

- Labor: Harnsäure in Blut und Urin ↑ oder normal (selten), Entzündungsparameter ↑, Krea, Harnstoff?
- Röntgen Gelenke
- Gelenkpunktion: phagozytierte Uratkristalle im Punktat

13.9.5 Differenzialdiagnostik

- **Pseudogicht (Chondrokalzinose)**
  - Ablagerung von Kalziumpyrophosphat-Dihydrat
  - Kniegelenk häufig betroffen
  - Harnsäure normal
  - Röntgen Gelenke: Verkalkungen des Faserknorpels
  - Gelenkpunktat: Kalziumpyrophosphat-Dihydrat-Ablagerungen

13.9.6 Therapie

- Allgemeinmaßnahmen: purinarme Kost, kein C_2-Abusus, ggf. Gewichtsabnahme
- Urikostatika: Allopurinol
- Urikosurika: Benzbromaron oder Probenecid
- Ureolytikum: Rasburicase (besonders bei Tumorlyse-Syndrom, Chemotherapie, Strahlentherapie, myelo- oder lymphproliferativen Erkrankungen)
- akuter Gichtanfall: Ruhigstellung der Gelenke, Kühlen, Stoßtherapie mit Glukokortikoiden 1. Wahl (oder NSAR, aber die Patienten haben oft auch schlechte Nierenwerte); Reservemedikament: Colchicin

Formulierungsbeispiele

Patient	Arzt
Ich weiß nicht, wie Sie das aushalten – es ist echt warm hier drin! Oder liegt es an mir? Mir geht es seit einer Weile nicht wirklich gut. Ich stehe ständig unter Strom, bin total aufgekratzt, streite mich mit meiner Tochter. Irgendwie spielt auch mein Körper verrückt: Meine Augen sind größer geworden, oder? Ich habe Haarausfall, nehme nicht zu, obwohl ich viel esse. Ich habe meine Tage nicht mehr, mir ist ständig heiß und meine Hände zittern manchmal so sehr, dass ich kaum noch schreiben kann. Manchmal habe ich sogar Herzrasen.	Frau X beklagte eine ausgeprägte Wärmeintoleranz, innere Unruhe und Reizbarkeit, Haarausfall, Amenorrhoe sowie einen Tremor in den Akren. Des Weiteren berichtete die Patientin über eine subjektiv empfundene Orbithopathie und Tachykardie.
Ich fühle mich in letzter Zeit irgendwie so kraftlos. Mein Hausarzt meinte, meine Blutdruckwerte seien zu niedrig. Aber schauen Sie sich mal meine Haut an: Ich sehe aus, als ob ich den ganzen Tag im Solarium sitze!	Herr X beklagte ausgeprägte Abgeschlagenheit und Kraftlosigkeit sowie eine Hyperpigmentierung der Haut. Laut Patientenangabe seien in der Hausarztpraxis arterielle Hypotonien festgestellt worden.

KAPITEL

14 Chirurgie

14.1 Begriffe

Für einen schnellen Überblick vgl. Aktuerk & Karim (2012). Hier die wichtigsten Begriffe:

- **Entzündung** = Inflammation = lokale oder systemische Reaktion mit Dolor (Schmerzen) + Calor (Überwärmung) + Rubor (Rötung) + Tumor (Schwellung) + Functio laesa (eingeschränkte Funktion) = Galen-Zeichen; kann infektiös oder nicht-infektiös sein; das Ziel ist Heilung; das heißt:
  - Eine Schwellung ist kein Synonym für eine Entzündung!
  - Eine Entzündung ist nicht immer eine Infektion!
- **Infektion** = Ansiedlung und Proliferation von Mikroorganismen in einem Organismus
- **Ödem** = Flüssigkeitsansammlung aus den Gefäßen im interstitiellen Raum; das heißt, eine Schwellung ist nicht immer ein Synonym für ein Ödem!
- **Neoplasie** = Neubildung; das heißt:
  - Eine Neoplasie kann entweder benign (gutartig) oder malign (bösartig) oder borderline sein!
  - Neoplasie ist nicht Krebs! Maligne Neoplasie ist Krebs!
- **Tumor** = Raumforderung; eine Zyste, eine Hernie, eine Neoplasie, ein Ödem können alle als „Tumor" beschrieben werden
- **Abszess** = Ansammlung von Eiter in einem neu gebildeten Hohlraum → ein Abszess hat eine Kapsel!
- **Phlegmone** = diffuse, sich ausbreitende Ansammlung von Eiter im interstitiellen Raum des Bindegewebes; die Phlegmone kann weiterhin Muskeln, Sehnen und Faszien, Serosen infiltrieren → nekrotisierende Fasziitis, Empyeme, Sepsis; eine Phlegmone hat keine Kapsel!
- **Erysipel** = Infektion der Haut, meistens mit β-hämolysierenden Streptokokken (Streptococcus pyogenes); man sagt, das Erysipel sei eine Sonderform der Phlegmone, aber mit einer Abgrenzung zum gesunden Gewebe; trotzdem können Subkutis, Faszien und Muskeln infiltriert werden – dann spricht man von einer echten Phlegmone
- **Empyem** = Eiteransammlung in einem vorbestehenden Hohlraum (Pleura, Perikard, Peritoneum und Synovia usw.)
- **Lymphangitis** = Entzündung der intra- und subkutanen Lymphbahnen
- **Lymphadenitis** = Entzündung der Lymphknoten
- **Lymphadenose** = Lymphknotenschwellung = Lymphknotenvergrößerung; diese kann entzündlich (infektiös oder nicht infektiös) oder neoplastisch sein

LittleDoc meint

Diese Begriffe werden Sie auch im Klinikalltag brauchen – unabhängig von Ihrer Fachrichtung!

- **Lymphadenopathie** = Erkrankung der Lymphknoten, Lymphadenitis oder Lymphadenose
- **Bakteriämie** = Nachweis von Bakterien im Blut
- **Septikämie** = Bakterien und ihre Toxine im Blut; die Bakterien vermehren sich schon im Blutgewebe
- **Sepsis** = lebensbedrohliches Multiorganversagen wegen einer systemischen Infektion
- **Septikopyämie** = metastasierende Sepsis = Ausbildung multipler Abszesse in verschiedenen Organen durch hämatogene Verbreitung und Absiedelung der Erreger bei einer Sepsis
- **SIRS** = systemisches inflammatorisches Response-Syndrom; Kriterien:
  - Körpertemperatur < 36 °C oder > 38 °C
  - Herzfrequenz > 90/min
  - Tachypnoe > 20/min + $pCO_2 \leq 33$ mmHg oder Horovitz-Index < 200 mmHg (Oxigenierungsindex)
  - Leukozyten < 4000/mm^3, > 12 000/mm^3 oder Linksverschiebung: > 10 % Leukozyten-Vorstufen im peripheren Blut
- **Asepsis** = Maßnahmen zur Beseitigung von Krankheitserregern; *Ziel = totale Keimfreiheit*
- **Antisepsis** = Maßnahmen zur Verminderung von infektiösen Keimen auf verschiedenen Oberflächen (Desinfektion der Instrumente, der Hände, der Wunden usw.) und damit zur Verhinderung einer Infektion, z. B. vor einer Operation; eine totale Keimfreiheit ist bei Antisepsis aber nicht erreichbar

14.2 Akute Appendizitis

= Entzündung des Wurmfortsatzes (Appendix vermiformis)

TIPP

Viele Patienten sagen „Blinddarmentzündung" – das ist aber Typhlitis. Genauer wäre es „Wurmfortsatzentzündung".

14.2.1 Ätiopathogenese

- meistens: Koprolithen (Kotsteine), Abknickungen, Parasiten (Wurmbefall), Fremdkörper → Obstruktion des Wurmfortsatzlumens → Entleerungsstörung → Entzündung → Appendizitis
- GIT-Infekte
- hämatogene Infekte

Stadien

- katarrhalisch
- phlegmonös/eitrig-fibrinös

- gangränös (nekrotisierend)
- perithyphlitischer Abszess
- perforierte Appendizitis mit lokaler oder diffuser Peritonitis

14.2.2 Klinik

- Abdominalschmerzen entweder direkt im Unterbauch rechts oder zuerst periumbilikal/im Epigastrium → in den rechten Unterbauch
- Übelkeit und Erbrechen
- Abwehrspannung
- Kinder: Durchfälle, hohes Fieber, ↓ AZ
- Ältere: ↓ Symptomatik
- Schwangere/Patienten mit retrozäkaler Appendix: atypische Stelle der Schmerzen – manchmal im rechten Oberbauch (Differenzialdiagnosen Cholezystitis)

Körperliche Untersuchung

- McBurney-Punkt: Druckschmerz: Mittelpunkt einer Linie zwischen Nabel und Spina iliaca anterior superior rechts
- Lanz-Punkt: Druckschmerz: Punkt beim Übergang rechtes zu mittlerem Drittel einer Linie zwischen Spinae iliacae anteriores superiores
- Psoas-Zeichen: bei Anheben des rechten Beines → Schmerzen im rechten Unterbauch
- Blumberg-Zeichen: Loslassschmerz
- Rovsing-Zeichen: Schmerzen in der Appendixregion beim retrograden Ausstreichen des Kolonrahmens
- Douglas-Schmerz: bei der rektal-digitalen Untersuchung
- Erschütterungsschmerz beim Gehen oder Springen
- Temperaturdifferenz axillär-rektal von 0,5–1 °C (normal 0,5 °C)

14.2.3 Diagnostik

- Labor
  - BB (mäßige Leukozytose 11 000–14 000/µl), Entzündungsparameter ↑, Nieren, Leber, U-Status, β-HCG
- Sonografie
  - freie intraabdominelle Flüssigkeit, insbesondere im Douglas-Raum (Excavatio rectouterina) – manchmal
  - falls Wandverdickung: „Kokarde" im Querschnitt: Wand – Lumen – Koprolith
  - wichtig für Differenzialdiagnosen-Ausschluss

14.2.4 Differenzialdiagnosen

- *gastroenterologisch*
  - Gastroenteritis, Kolitis
  - Divertikulitis
  - chronisch entzündliche Darmerkrankungen
  - Meckel-Divertikel
  - symptomatische Cholezystolithiasis
  - Mesenterial-Infarkt
  - Lymphadenitis mesenteriales
  - Tumoren
- *urologisch*
  - Harnwegsinfektion
  - Urolithiasis
  - Fehlbildungen
  - Tumoren
- *gynäkologisch*
  - Adnexitis
  - prämenstruelles Syndrom
  - symptomatische Ovarialzysten
  - rupturierte Ovarialzysten
  - Extrauterin-Gravidität – *β-HCG Werte bei Frauen!*
  - Ovarialtorsion
  - Tumoren

14.2.5 Therapie

- konservative Behandlung mit Bettruhe, Nahrungskarenz, Analgesie, Flüssigkeit i. v. und Antibiotika unter Klinik- und Laborbeobachtung → vermeidet unnötige OPs, birgt aber das Risiko einer Verschlechterung der Erkrankung
- Appendektomie – meist laparoskopisch
- Kostaufbau ab dem 1. Tag post OP

14.2.6 Post-OP-Komplikationen

- Wundheilungsstörungen
- Stumpfinsuffizienz
- Zökalfistel
- Verwachsungen und Briden → mechanischer Ileus
- Bauchdecken- oder intraabdomineller Abszess

14.3 Leistenhernie

14.3.1 Anatomische Basics

Canalis inguinalis = Leistenkanal

- Leistenkanal durchzieht die vordere Bauchwand
  - von dorsal, kranial und lateral nach ventral, kaudal und medial
  - 4–6 cm lang
  - Öffnungen:
    - Anulus inguinalis profundus (innerer Leistenring): ca. 1 cm über den Ligamentum inguinalis (Leistenband)
    - Anulus inguinalis superficialis (äußerer Leistenring): ca. 1 cm lateral zur Arteria epigastrica inferior
  - Dach: kaudale Ränder der Musculus obliquus internus abdominis und transversus abdominis
  - Boden: Leistenband (lateral) und Ligamentum reflexum von Fasern der Aponeurose des Musculus obliquus externus (medial)
  - Vorderwand: Aponeurose des Musculus obliquus externus abdominis und Fasern des Musculus obliquus internus abdominis (lateral)
  - Hinterwand: Fascia transversalis
- *enthält bei ♂:*
  - Nervus ilioinguinalis
  - Funiculus spermaticus mit:
    - Ductus deferens (Samenleiter)
    - Arteria und Vena testicularis, Plexus pampiniformis, Arteria und Vena ductus deferentis, Arteria und Vena cremasterica, Ramus genitalis des Nervus genitofemoralis, Plexus testicularis und Plexus ductus deferentis, vegetative Nervenfasern
  - Lymphbahnen
  - Processus vaginalis peritonei
  - Fasern des Musculus cremaster
- *enthält bei ♀:*
  - Nervus ilioinguinalis
  - Ligamentum teres uteri
  - Arteria ligamenti teretis uteri
  - Lymphbahnen
  - Ramus genitalis des Nervus genitofemoralis

14.3.2 Ätiopathogenese

Prädisponierende Faktoren

- ↑ intraabdomineller Druck: COPD, Adipositas, Tumoren, Gravidität, häufig schwere Gewichte tragen
- Bindegewebsschwäche: entweder angeboren oder langzeitige Therapie mit GKK, Immunsuppressiva

Formen

- *indirekte* Leistenhernie: Eintritt am Anulus inguinalis profundus *lateral* der epigastrischen Gefäße; Austrittspunkt Anulus inguinalis superficialis; kann angeboren oder erworben sein
- *direkte* Leistenhernie: Eintritt *medial* der epigastrischen Gefäße in die musculo-aponeurotische Lücke – Hesselbach-Dreieck; Austrittspunkt Anulus inguinalis superficialis; kann nur erworben sein

14.3.3 Diagnostik

LittleDoc meint

In der FSP fragen Sie den Patienten: „Wird diese Schwellung größer, wenn Sie husten oder stehen? Können Sie sie zurückschieben?"

- Schwellung in der Leistenregion, idealerweise reponierbar
- nicht reponierbarer Leistenbruch + evtl. Zeichen eines akuten Abdomens + Nausea, Vomitus → Einklemmung (Inkarzeration) einer Darmschlinge → Notfall-OP, ideal innerhalb 4–6 h; Gefahr Peritonitis, Darmischämie, Darmgangrän, Ileus
- nicht sichtbar → positiver Hustenanprall?
  - Patient ist im Stehen → der Untersucher führt den kleinen Finger durch das Skrotum und den äußeren Leistenring in den Leistenkanal ein → der Patient soll husten → Hustenanprall?
- immer beide Leistenregionen untersuchen!
- ggf. Auskultation: Darmgeräusche im Tumor?
- Sonografie der Leistenregion bds. + Gefäßbeurteilung
- ggf. MRT Becken

14.3.4 Differenzialdiagnosen

- Schenkelhernie
- Lymphadenopathie
- Weichteiltumor, z. B. Lipom
- Lymphozele
- Hydrozele
- Varikozele
- Varixknoten der V. saphena magna oder Aneurysma der A. femoralis

14.3.5 Therapie

- Ziele: Verschluss der Bruchpforte und Verstärkung der Leistenregion
- konventionell oder minimalinvasiv, mit oder ohne Kunststoffnetz
- OP-Verfahren (Beispiele):
  - OP nach Shouldice: konventionelle OP + Doppelung der Transversalisfaszie
  - OP nach Lichtenstein: konventionelle OP + Implantation eines Kunststoffnetzes auf die Transversalisfaszie

- OP nach Rutkow: Verschluss der Bruchlücke durch einen Kunststoff-Plug
- TEP und TAPP: Laparoskopie: totalextraperitoneale Netzimplantation oder transabdominelle präperitoneale Netzimplantation

14.4 Hämorrhoiden

14.4.1 Ätiopathogenese

- knotenförmige Erweiterungen und Hyperplasien des arteriellen Plexus haemorrhoidalis
- Risikofaktoren:
  - viel Sitzen
  - Thrombosen
  - Obstipation → verstärktes Pressen
  - Gravidität

14.4.2 Klinik

- häufig asymptomatisch
- peranale Blutabgänge
- Nässen
- Pruritus
- thrombosiert → druckdolent, verhärtet
- ausdrückbar (Differenzialdiagnostik mit Marisken)

14.4.3 Gradeinteilung

- Stadien von Hämorrhoiden werden nach Schweregrad eingeteilt (➢ Tab. 14.1)

Tab. 14.1 Schweregradeinteilung bei Hämorrhoiden (nach Goligher 1980)

Schweregrad	Befund
Grad **I**	nicht tastbar, nur proktoskopisch darstellbar
Grad **II**	nur bei Defäkation prolabierend
Grad **III**	dauerhaft prolabiert, aber manuell reponierbar
Grad **IV**	nicht reponibel

14.4.4 Diagnostik

- Inspektion
- rektal-digitale Untersuchung

- Rektoskopie
- Koloskopie zum Ausschluss eines gleichzeitigen kolorektalen Karzinoms, falls der Patient Blutungen angibt, ggf. Gastroskopie, Kapselendoskopie, Push-Enteroskopie, selektive Angiografie

14.4.5 Differenzialdiagnosen

- Angiodysplasien
- Divertikulose, Divertikulitis
- kolorektales Karzinom
- Polypen
- ischämische Kolitis

14.4.6 Therapie

- *keine Beschwerden* → keine Therapiemaßnahmen nötig; gesunde Ernährung, viel Flüssigkeit, regelmäßige Bewegung.
- *Grad I:* Analtampons, Salben
- *Grad I, II:* Sklerosierung
- *Grad II:* Gummibandligatur
- *Grad III, IV:* Hämorrhoidektomie

Formulierungsbeispiele

Patient	Arzt
Ich habe eine Schwellung in der Leiste, die tut eigentlich nicht weh und ich kann sie verschieben. Aber es zieht ein bisschen, wenn ich schwere Sachen trage, viel Sport treibe oder wenn ich huste.	Der Patient beschrieb eine reponierbare Schwellung in der Leistenregion und lokale Schmerzen bei körperlicher Belastung oder beim Husten.
Ich habe so starke Bauchschmerzen! Seit gestern ist mir übel, ich habe mich übergeben und dann fingen diese Schmerzen an – erst mal im Bauch rechts unten und dann im ganzen Bauch. Jetzt habe ich auch Temperatur.	Die Patientin beschrieb eine seit dem Vortag bestehende Übelkeit (/Nausea) und Erbrechen (/Vomitus). Anschließend seien Schmerzen in rechten Unterbauch (/ in der Fossa iliaca re.) aufgetreten, die mittlerweile als diffus im gesamten Abdomen beschrieben wurden. Zudem gab die Patientin Fieber an.
Ah, diese Schwangerschaft macht mir zu schaffen. Ich weiß nicht, wie ich das am besten beschreiben kann, aber ich habe seit einigen Wochen immer mal wieder Schmerzen im Po und Juckreiz. Sind das etwa Hämorrhoiden?	Die schwangere Patientin gab Pruritus und Schmerzen im analen Bereich an.

KAPITEL

15 Orthopädie und Traumatologie

TIPP

Bei allen orthopädischen, rheumatologischen und ggf. neurologischen Fällen: periphere **D**urchblutung, **M**otorik und **S**ensibilität (DMS) überprüfen und dokumentieren!

15.1 Begriffe

- **Diarthrose** = *echte* Gelenke mit einer Diskontinuität zwischen den Knochen = Gelenkspalt; Beweglichkeit ↑
  - Gelenkkapsel
  - Gelenkinnenhaut
  - Gelenkspalt
  - Gelenkfläche
  - Gelenkhöhle
  - ggf. Bänder
  - ggf. Gelenkzwischenscheiben
  - ggf. Gelenklippen
  - ggf. Schleimbeutel
  - ggf. Gelenktaschen
- **Synarthrosen** = *unechte* Gelenke: kontinuierliche Verbindungen zwischen Knochen; Ø Gelenkspalt; Beweglichkeit ↓
  - *Synostose* = knöcherne Verbindung zwischen Knochen (z. B. Beckengürtel, Kreuzbein, Steißbein)
  - *Sutur* (bei den Schädelknochen), *Gomphosis* (Einkeilung eines Knochens in einen anderen Knochen z. B. Zähne in der Maxilla), *Syndesmose* (Bindegewebsfasern, die zwei Knochen verbinden z. B. Membrana interossea antebrachii) = Knochenverbindungen durch Bindegewebe
  - *Symphyse, Synchondrose* = Verbindung zwischen zwei Knochen durch hyalinen Knorpel

15.2 Frakturen

15.2.1 Ätiopathogenese

- **Fraktur** = Unterbrechung der Kontinuität eines Knochens
- **Fissur** = Spalt = unvollständige Unterbrechung der Kontinuität eines Knochens

- *je nach Mechanismus*
  - direkte Frakturen: durch äußere Gewalteinwirkung auf den Knochen (Kollision, Schlag)
  - indirekte Frakturen: interne Gewalteinwirkung (Biegung, Abriss, Stauchung) oder die Läsion ist von der Kontaktstelle entfernt
  - Stressfrakturen: persistierende mechanische Einwirkung (aka Ermüdungsfraktur)
  - pathologische Frakturen: bei Knochen, die schon erkrankt sind, entweder durch Metastasen, durch Osteoporose oder durch Osteogenesis imperfecta
- *je nach Dislokation*
  - nicht-dislozierte Frakturen
  - dislozierte Frakturen: laterale Fragmentdislokation, Achsabknickung (anterior, posterior, varus, valgus), Rotation, Verkürzung oder Verlängerung-Fehlstellung
- *je nach Verteilung*
  - Etagenfrakturen: mehrere Frakturen an einem Knochen
  - Serienfrakturen: mehrere Frakturen an einer Extremität
  - Polyfrakturen: Frakturen an mehreren Extremitäten
- *je nach Gewalteinwirkungsform*
  - durch Biegung
  - durch Kompression
  - durch Torsion
  - durch Abriss oder Avulsion
  - durch Abscherung
  - Trümmerfrakturen (Splitterfrakturen, mit Berstung und Zerstörung des Knochens)
  - unvollständige Frakturen (Grünholzfrakturen bei Kindern)

LittleDoc meint
Wieso sind Grünholzfrakturen spezifisch für Kinder?

15.2.2 Frakturzeichen

- *sichere Zeichen*
  - Fehlstellung
  - abnormale Bewegung
  - Krepitation (Differenzialdiagnose Hautemphysem!)
  - Knochenfragmente (bei offenen Frakturen)
- *unsichere Zeichen*
  - Schmerzen
  - Schwellung
  - Funktionsstörung
  - Hämatombildung und/oder Hämorrhagie

15.2.3 Formen der Knochenheilung

- primär (direkt): ohne Kallusbildung → Restitutio ad integrum nach ca. 1–2 Jahren
- sekundär (indirekt): Frakturhämatom → bindegewebiger Kallus → Härtung → knöcherner Kallus → Remodelling

Komplikationen der Frakturheilung

- Pseudarthrose: Ø knöcherne Überbrückung nach 6 Monaten; kann atrophisch oder hypertrophisch sein
- verzögerte Heilung: Ø richtige Konsolidierung nach 6 Monaten
- Refrakturen: zu frühe Belastung, zu frühe Metallentfernung

15.2.4 Frakturkomplikationen

Akute Komplikationen

- Weichteilschäden → DMS überprüfen!
- Hämorrhagien → Schock
- Verletzung innerer Organe
- Embolie (Fettembolie Risiko ↑)
- Kompartmentsyndrom (Logensyndrom)
  - ↑ Druck in einem Kompartiment (wie eine Muskelloge: Tibialis-anterior-Syndrom, Volkmann-Kontraktur) → Muskeln, Gefäße und Nerven werden komprimiert → Funktionsstörung
  - z. B. nach Anpralltrauma im Fußball, sehr enge Verbände
  - schmerzhafte, pralle Schwellung mit DMS-Störungen
  - Kompartmentdruck 30–40 mmHg (normal < 5 mmHg)
  - *Therapie:* Fasziotomie und Entfernung der Verbände
  - Komplikation: Muskelnekrose, ischämische Muskelkontraktur

LittleDoc meint

DMS „überprüfen" Sie in der FSP mit Fragen: Parästhesien? Kältegefühl? Abnormale Bewegung? Keine Bewegung möglich?

Späte Komplikationen

- Heilungsstörungen
- Refrakturen
- Pseudarthrose
- Osteomyelitis
- posttraumatische Arthrose
- Myositis ossificans
- komplexes regionales Schmerzsyndrom (CRPS), Morbus Sudeck

15.2.5 Behandlung

TIPP

Bevor und nachdem man etwas behandelt, muss DMS (**D**urchblutung, **M**otorik und **S**ensibilität) überprüft werden. Bitte auch im Arztbrief und bei der Fallvorstellung nicht vergessen!

- *Reposition:* Wiederherstellung der anatomischen Lage nach dem Prinzip „Zug und Gegenzug"
- *Retention:* Ruhigstellung + Schienung und/oder operative Stabilisierung
  - äußere Schiene: Gips, Brace, Fixateur externe usw.
  - innere Schiene: Nägel, Schrauben, Fixateur interne, Drähte
- *Rehabilitation:* Nachbehandlung
- Osteosynthese: chirurgische Behandlung der Frakturen anhand Implantaten (s. innere Schiene)
- Gelenkersatz oder Versteifung
- ggf. *Resektion*

Komplikationen

- Infektionen
- Nerven: Einklemmung oder Läsion → Reintervention zur Befreiung oder zum Nähen
- Gefäßverletzung → Durchblutungsstörungen → Reintervention

15.3 Osteoporose

15.3.1 Begriffe

- **Osteoporose** = *Knochenschwund* = pathologisch verminderte Knochenmasse und veränderte Knochenstruktur; T-Score bei Osteodensitometrie ≤ –2,5
- **Osteopenie** = verminderte Knochenmasse; T-Score bei Osteodensitometrie zwischen –1 und –2,5; nicht immer pathologisch, gehört manchmal zu einem höheren Lebensalter; kann aber auch eine Vorstufe der Osteoporose sein
- **Osteomalazie** = Demineralisation und Erweichung der Knochen → nur die Knochenmineralisierung wird gestört, die Knochengrundsubstanz bleibt normal
- **Osteochondrose** = aseptische Nekrose von Knochen wegen Ischämie (bei GKK, SLE, Chemo- und/oder Strahlentherapie, C2-Abusus, Tauchen)
- **Osteopetrose** = *Marmorknochenkrankheit* = Erbkrankheit: Störung des Knochenabbaus → pathologische Ablagerung von Knochenmatrix im Körper
- **Ost(e)itis** = Knochenentzündung = Entzündung (septisch oder aseptisch) des Knochengewebes – Kompakta, Spongiosa oder beide, aber *nicht das Knochenmark!*
- **Osteomyelitis** = akute oder chronische Entzündung des Knochens und Knochenmarks (meist bakteriell)

15.3.2 Ätiologie

- *primäre Osteoporose* – meist bei Älteren
  - postmenopausale Osteoporose (↓ Östrogen)
  - senile Osteoporose
  - idiopathische juvenile Osteoporose
- *sekundäre Osteoporose*
  - endokrinbedingt: Hyperkortisolismus, Hyperthyreose, Hyperparathyreoidismus, Akromegalie, Hypogonadismus
  - Stoffwechselstörungen: DM, Malabsorbtion (oder Diarrhö-Krankheiten), Vitamin-D-Mangel
  - medikamentös bedingt: GKK, Schilddrüsenhormone, Heparin
  - autoimmun
  - Malignome
  - mechanisch bedingt: lange Immobilisation
  - chronische Niereninsuffizienz (renale Osteopathie)
  - Osteoporosis circumscripta cranii

LittleDoc meint
Welche Rolle spielt eigentlich Östrogen in der Pathogenese der Osteoporose?

Risikofaktoren

- ♀: Menopause + Knochenmasse < ♂
- familiäre Belastung
- hohes Alter

15.3.3 Klinik

- Rückenschmerzen
- Körpergröße ↓
- thorakale Hyperkyphose
- Spontanfrakturen

15.3.4 Diagnostik

- Labor
  - Differenzialblutbild
  - BSG
  - Kalzium (Hyperparathyreoidismus?)
  - Vitamin D
  - PA (↑? Morbus Paget)
  - Phosphat (chronische Niereninsuffizienz?)
  - Blut und Urin: Bence-Jones-Ketten (multiples Myelom?)
- Osteodensitometrie: Dual X-Ray Absorptiometry (DEXA) – Knochendichtemessung: normal ≥ –1
  - Osteopenie –1 bis –2,5
  - Osteoporose ≤ –2,5; manifeste Osteoporose + 1–3 Wirbelbrüche

- Röntgenaufnahmen der Wirbelsäule
  - Keil-, Fisch- oder Plattwirbel
  - Deckplatteneinbrüche bis Plattwirbel
  - vermehrte Strahlentransparenz
  - Trabekel wird rarefiziert
  - spongiosa Vertikalbetonung (strähniges Aussehen)
  - leere Diaphysen der langen Röhrenknochen
- Sonografie und CT-Knochendichtemessungen
- ggf. Knochenbiopsie

15.3.5 Therapie

- Kalzium
- Vitamin D_3
- Bisphosphonate: hemmen die Osteoklasten
- Denosumab: hemmt die Osteoklasten
- rekombinantes PTH
- Kalzitonin: aktiviert Osteoblasten + wirkt zentral analgetisch
- Strontiumranelat: osteoanabol
- Raloxifen: selektiver Östrogenrezeptor-Modulator (SERM), nur bei Postmenopause; antiresorptiv
- Fluoride

15.3.6 Prophylaxe

- Vitamin D_3, Calcium
- Östrogene oder Raloxifen (postmenopausal)
- Sport

15.4 Wirbelsäulenfrakturen

15.4.1 Ätiologie

- direkte Gewalteinwirkung, z. B. Schlag oder Schuss
- indirekte Gewalteinwirkung, z. B. Sturz aufs Gesäß
- pathologische Frakturen: Osteoporose, Metastasen

15.4.2 Klinik

- stabile Frakturen: häufig asymptomatisch
- Schmerzen bei Bewegung
- neurologische Manifestationen – sensibel oder motorisch
- Querschnittsyndrom

LittleDoc meint

„Physiologische Skoliose: zwischen Mythos und Realität" – dieses Thema werde ich hier nicht besprechen, da es zu viel Streit darüber gibt.
Ich vermute, Sie alle haben eine leichte Skoliose (z. B. eine sinistro-konkave Halsskoliose, weil Sie so viel schreiben); aber solange sie nicht mehr als 15–20° misst, würde ich sie nicht pathologisch nennen.
Andere sagen, dass eine Skoliose immer pathologisch ist und immer mehr als 20° misst …
Tja ;-)

15.4.3 Körperliche Untersuchung

- Inspektion: Körperhaltung, physiologische Krümmungen der Wirbelsäule
  - Halslordose, Lendenlordose
  - Brustwirbelsäulenkyphose
- Druck, Kompressions- oder Klopfschmerzen
- Tonus der Analsphinkter überprüfen

Einteilung der Wirbelsäulenfrakturen nach Denis

= **Dreisäulenmodell,** um die Stabilität einer Wirbelkörperfraktur einzuschätzen
- **Typ A:** Wirbelkörperfraktur ohne Beteiligung der Hinterkante
- **Typ B:** Wirbelkörperfraktur mit Beteiligung der Hinterkante und der Bogenwurzel sowie des hinteren Längsbandes
- **Typ C:** Wirbelbogen- und Fortsatz-Fraktur, Intervertebralgelenke und hinterer Bandapparat

15.4.4 Diagnostik

- Röntgen Wirbelsäule in 2 Ebenen + Beckenübersicht
- Computertomografie: Beurteilung der Hinterkante + Einengung des Wirbelkanals?
- MRT: Beurteilung des Rückenmarks, Spinalkanalhämorrhagien, Diskusprolapse

15.4.5 Therapie

- **Typ A**
  - einige Tage Bettruhe → Mobilisierung
  - Schmerztherapie
  - Röntgenkontrollaufnahme nach ca. 7 Tagen
  - ggf. osteosynthetische Stabilisierung bei Hyperkyphose oder Instabilität
  - bei Osteoporose: Kyphoplastie
- **Typ B und C**
  - operative Versorgung: posterior Fixateur interne und anterior Defektausfüllung mit Spongiosa oder Knochenzement

- 2 Wochen komplette Bettruhe
- ab der 3. Woche Krankengymnastik im Bett
- nach ca. 4 Wochen: Mobilisierung

15.5 Diskusprolaps (Bandscheibenvorfall)

15.5.1 Ätiopathogenese

- Degeneration des Anulus fibrosus mit Strapazierung und Rissen → Verschiebung der Bandscheibengewebe nach posterior
- schwächster Punkt: paramedian
- sehr häufig im Lumbalbereich
- Einteilung in Grade
  - **Grad I:** Protrusion: intakter Anulus fibrosus
  - **Grad II:** Prolaps: Nucleus pulposus durchbricht den Anulus fibrosus
  - **Grad III:** Sequester: Teil des Diskus frei im Spinalkanal

15.5.2 Klinik

- unspezifische Schmerzen (im Lumbalbereich: *Lumbalgie*), scharf und stechend
- Husten, Niesen oder Pressen → ↑ der Beschwerden
- wenn der Druck ↑ → Kompression der Nervenwurzeln → zur Schmerzausstrahlung, Motorik und Sensibilitätsstörungen entsprechend der betroffenen Wurzel (z. B. Lumboischialgie)
- Hackengang → Lähmung der Fußheber (L5)
- Zehengang → Lähmung der Fußsenker (S1)
- Gangunsicherheit → beginnende Paresen
- positives Lasègue-Zeichen → Dehnungsschmerz des N. femoralis
- manchmal *Reflex-Störungen*
  - *bei L3-Diskusprolaps:* Parese des M. quadriceps femoris, ggf. M. iliopsoas, ⊗ Patellarsehnenreflex; betroffenes Dermatom: Trochanter major → Oberschenkel medial → Kniegelenk
  - *bei L4-Diskusprolaps:* Parese der Mm. Quadriceps femoris und tibialis anterior, ⊗ Patellarsehnenreflex; betroffenes Dermatom: Oberschenkel anterior → Knie → Wade medial → medialer Knöchel
  - *bei L5-Diskusprolaps:* Parese der Mm. extensor hallucis longus und extensor digitorum brevis, ⊗ Tibialisposterior-Reflex; betroffenes Dermatom: Oberschenkel lateral → Knie → Unterschenkel anterior und lateral → Fußrücken medial → Großzehe
  - *bei S1-Diskusprolaps:* Parese der Mm. peronaei, triceps surae und glutaeus maximus, ⊗ Achillessehnenreflex; betroffenes Dermatom: Oberschenkel posterior → Unterschenkel posterior → Kniekehle (Fossa poplitea) → Knöchel lateral → Fuß-Rand → Kleinzehe

15.5.3 Komplikationen

LittleDoc meint

Bitte begründen Sie: Wieso hat das Cauda-equina-Syndrom eine Notfallindikation für eine OP?

- *Cauda-equina-Syndrom*
  - Blasen- und Darminkontinenz
  - Paraparese
  - Reithosenanästhesie
  - radikuläre neuropathische Schmerzen
  - positives Lasègue-Zeichen
  - → Notfallindikation für OP
- Erb-Duchenne-Lähmung: C5–C6-Plexusläsion
  - Lähmungen der Mm. deltoideus, biceps brachii, brachioradialis, supinator, supra und infraspinatus, ggf. pectoralis und Handextensoren
  - Arm hängt in Innenrotationsstellung des Armes + Handfläche posterio
  - Bizepssehnenreflex gestört
- Déjerine-Klumpke-Lähmung: C7–C8 Plexusläsion
  - Paresen der langen Fingerbeuger und kleinen Handmuskeln → Krallenstellung, ggf. Lähmung des M. triceps brachii
  - Horner-Syndrom

15.5.4 Diagnostik

- Röntgen der LWS in 2 Ebenen:
  - Fehlhaltungen oder Fehlbildungen
  - Degenerative oder entzündliche Veränderungen
  - Tumoren
- MRT oder CT
  - Prolapsgrad
  - Spinalkanalstenose
- Myelografie
- Elektromyografie
- Nervenleitgeschwindigkeit

15.5.5 Differenzialdiagnosen

- Morbus Bechterew
- Blockierungen der Wirbelgelenke
- Tumoren
- Entzündungen
- Irritationen des N. ischiadicus oder des N. femoralis durch Krankheiten des kleinen Beckens oder Polyneuropathien
- DM, C_2-Abusus

15.5.6 Therapie

- *konservativ*
  - Bettruhe
  - Massagen, Elektrotherapie
  - Krankengymnastik
  - Patientenedukation: mit den Beinen heben, nicht mit dem Rücken
  - Akupunktur
  - Analgetika, Antiphlogistika (Diclofenac), Glukokortikoide
  - Myotonolytika (Tetrazepam)
  - CT-kontrollierte Nervenwurzelblockade mit Lokalanästhetikum und Kortison
- *operativ:* bei neurologischen Ausfällen, therapierefraktären Schmerzen
  - mikrochirurgische Techniken
  - perkutane lumbale Nukleotomie bei Protrusionen
  - Mikrodiskektomie: bei ausgedehnten Protrusionen, Prolaps und Sequester
  - konventionelle Nukleotomie mit Laminektomie bzw. Hemilaminektomie: bei Protrusionen, Prolaps und Sequestern
  - Spinalkanalstenose
  - Anlage eines Mieders
  - Mobilisation nach 1–2 Tagen
  - Physiotherapie
  - Komplikation
  - Postdiskektomie-Syndrom: Arthrose der Wirbelgelenke durch die fehlende Bandscheibe → diffuse, bilaterale radikuläre und/oder pseudoradikuläre Beschwerden
- *Psychotherapie* bei Chronifizierung

15.6 Schultergelenk-Luxation

15.6.1 Klinik

- Schmerzen
- Bewegungseinschränkung
- Arm leicht abduziert
- DMS überprüfen!

15.6.2 Diagnostik

- Schulterkontur ist deformiert: sichtbare Eindellung = Epaulettenphänomen
- außerhalb der Gelenkpfanne kann der Schulterkopf ertastet werden

- ggf. Hill-Sachs-Delle = Impression am Humeruskopf durch den Druck der Schultergelenkspfanne
- ggf. Bankart-Läsion = Abreißen des Labrum glenoidale im unteren Bereich des vorderen Pfannenrandes → 100-prozentig Rezidiv ohne OP
- Röntgenaufnahme der Schulter in 2 Ebenen und Y-Aufnahme (Scapula tangential)

15.6.3 Therapie

- Reposition unter leichter Sedierung und Analgesie nach der Methode von Arlt oder Hippokrates
  - Arlt-Methode: Patient auf einem Stuhl sitzend, der betroffene Arm hängt über der Stuhllehne → Zug am Arm → Reposition
  - Hippokrates-Methode: Patient auf einer Liege → Arzt stemmt seinen Fuß in die Axilla des Patienten und zieht am Arm → Reposition
  - DMS- und Rx.-Kontrolle!
- OP: Gefäß- und/oder Nerven-Verletzungen, dislozierte Frakturen, Bankart-Läsion, Hill-Sachs-Läsion und wiederholte Luxationen bei jungen Menschen – *Goldstandard:* arthroskopisch assistierte Refixation

MERKE

Rotatorenmanschette – stabilisiert das Schultergelenk und besteht aus:
- Musculus infraspinatus
- Musculus supraspinatus
- Musculus subscapularis
- Musculus teres minor
- Ligamentum coracohumerale

15.7 Humerusfraktur

- Einteilung allgemein
  - Humeruskopffrakturen
  - Humerusschaftfrakturen
  - distale Humerusfrakturen
- *Humeruskopffraktur:* typisch bei älteren Menschen
- *suprakondyläre Fraktur:* häufig bei Kindern

Einteilungen

- Einteilung der proximalen Humerusfraktur nach Neer
  - **I** mit minimaler Verschiebung
  - **II** Fraktur am Collum anatomicum
  - **III** Fraktur am Collum chirurgicum
  - **IV** Abriss des Tuberculum majus
  - **V** Abriss des Tuberculum minor
  - **VI** Luxationsfrakturen (anterior oder posterior)

- Einteilung der Frakturen der Röhrenknochen nach der AO-Klassifikation (nach Güthoff et al. 2017)
  - **1. Stelle** = betroffener Knochen
    - 1 = Humerus
    - 2 = Radius und Ulna
    - 3 = Femur
    - 4 = Tibia und Fibula
  - **2. Stelle** = betroffenes Segment
    - 1 = proximal
    - 2 = diaphysar
    - 3 = distal
  - **3. Stelle** = Morphologie der Fraktur
    - wenn diaphysar: A = einfach, B = Keifraktur, C = komplex
    - wenn proximal oder distal: A = extraartikulär, B = partielle Gelenkfraktur, C = vollständige Gelenkfraktur
  - **4. und 5. Stelle:** genauere Bewertung der Frakturschwere

15.7.1 Ätiopathogenese

- direkt: Schlag
- indirekt: Sturz auf Hand oder Ellenbogen

15.7.2 Klinik

- die typischen Frakturzeichen
- DMS überprüfen

Mögliche Komplikationen

- Fettembolie, Hämorrhagie, Infektion usw. (s. „Frakturkomplikationen")
- proximale Fraktur
  - Verletzung von N. axillaris, Plexus brachialis, A. und V. axillaris; Einklemmung der Bizepssehne
  - Humeruskopfnekrose
- Schaftfraktur
  - Verletzung von N. radialis: Fallhand
  - Verletzung von A. und V. brachialis
- distale Fraktur
  - Verletzung von N. ulnaris: Krallenhand
  - Verletzung von N. medialis: Schwurhand
  - Verletzung von A. und V. radialis und ulnaris
  - Varusfehlstellung der Ellenbogenachse

LittleDoc meint

Umschreiben Sie Fallhand, Krallenhand und Schwurhand mit Ihren eigenen Worten: Wie sehen sie aus?

15.7.3 Diagnostik

- Röntgenaufnahme des Humerus in 2 Ebenen plus Y-Aufnahme
- CT oder RMN: bei komplizierten Frakturen oder bei Verdacht auf okkulte oder pathologische Frakturen
- DSA bei fehlendem Puls der A. radialis

15.7.4 Therapie

- *konservativ*
  - stabile Frakturen, ohne Dislokation
  - möglich bei Klavikula-, Scapula-, Humerusschaft-Frakturen
  - stabilisierender Verband: Rucksack- bzw. Gilchrist- oder Desault-Verband 1–3 Wochen, dann ca. 2 Wochen Oberarm-Brace
  - Analgetika
  - Krankengymnastik
- *operativ*
  - Osteosynthese, dann ca. 8 Tage Gilchrist- oder Desault-Verband
  - Physiotherapie

15.8 Femurfraktur

15.8.1 Lokalisation

- proximal beim Sturz auf die Hüfte, bei älteren Patienten, Osteoporose oder ossären Filiae
  - Femurkopf
  - Schenkelhals
  - pertrochantäre Fraktur: häufig Mehrfragmentfrakturen bis hin zur Trümmerfraktur
- Femurschaft: Hämorrhagien, Schock, Weichteilverletzungen – häufig bei Verkehrsunfällen
- distal – häufig bei Verkehrsunfällen
- Schenkelhalsfraktur-Einteilung nach *Pauwels*
  - **Typ I** (Abduktionsfraktur): Winkel < 30°, Valgusfehlstellung
  - **Typ II:** Winkel von 30° bis 50°
  - **Typ III** (Adduktionsfraktur): Winkel > 50°, Varusfehlstellung

15.8.2 Klinik

- die typischen Frakturzeichen – *Cave:* größte Gefahr hier: Hämorrhagie
- DMS: N. ischiadicus und N. peroneus, Knieflexion, Fuß sowie Dorsalextension und Plantarflexion, A. poplitea, A. tibialis posterior und A. dorsal pedis – Puls? wenn abwesend → Doppler

15.8.3 Diagnostik

- Rx.: Beckenübersicht, axiale Aufnahme, Femur antero-posterior und lateral
- CT oder MRT: okkulte oder pathologische Frakturen

15.8.4 Therapie

- i. v. Zugänge + Infusionstherapie mit Ringer-Laktat, Schmerztherapie ggf. mit Piritramid
- Thrombose- und Dekubitusprophylaxe
- pertrochantäre Fraktur: OP möglichst schnell
- Osteoporose, V. a. Hüftkopfnekrose oder Trümmerfraktur: Hemi-Endoprothese (HEP) oder Total-Endoprothese (TEP)

15.8.5 Komplikationen

LittleDoc meint
Nennen Sie hier die Wundheilungsstörungen.

- Hämorrhagien + Bluttransfusionsrisiken
- Thrombose, Embolien
- Infektionen
- Wundheilungsstörungen
- Erweiterung des Eingriffs, ggf. Gelenkersatz durch TEP oder HEP
- Gewebs-, Gefäß- und Nerven-Verletzungen
- Implantdislokationen, -lockerung oder -bruch → Re-OP
- Hüftkopfnekrose
- Koxarthrose
- Pseudarthrose

15.9 Koxarthrose

15.9.1 Ätiologie

- Degeneration des Hüftgelenks: Abbau der Knorpel und subchondralen Knochen → Zerstörung des Gelenks
  - primär
  - sekundär: eine präarthrotische Läsion war schon vorhanden
- prädisponierende Faktoren
  - Trauma
  - Infektionen
  - GKK
  - rheumatische Erkrankungen
  - angeborene Hüftdysplasie
  - Coxa vara, Coxa valga
  - Autoimmunerkrankungen

  - längere Immobilisation
  - DM
  - Gicht
  - Adipositas

15.9.2 Klinik

- Bewegungs- und Belastungsschmerzen mit zunehmender Bewegungseinschränkung
- morgendlicher Einlaufschmerz
- Kapseldruckschmerz
- Trochanterklopfschmerzen

15.9.3 Diagnostik

- Röntgen: Beckenübersichtsaufnahme antero-posterior, Hüftgelenk axial, Kniegelenk, Lendenwirbelsäule
  - Gelenkdeformierung
  - Osteophyten: Spangen, Höcker
  - Verschmälerung des Gelenkspaltes
  - subchondrale Sklerosierung
  - Geröllzysten: zystische Osteolysen im subchondralen Knochenbereich
- CT oder MRT: Hüftkopfnekrose?
- Labor: Entzündungsparameter, Rheumafaktor
- Gelenkpunktion: Bakteriologie/Serologie

15.9.4 Therapie

- Gewichtsreduktion
- Gehstock
- leichte Sportarten: Schwimmen, Radfahren, Krankengymnastik
- NSAR
- GKK intraartikulär
- OP
  - Umstellungsosteotomie
  - HEP oder TEP
  - ausnahmsweise Arthrodese = Gelenkversteifung (bei schweren Knochendefekten, schweren Infektionen)

15.9.5 Differenzialdiagnosen

- rheumatologische Erkrankungen
- Hüftkopfnekrose
- Koxitis

15.10 Knieläsionen: Menisken und Bänder

15.10.1 Klinik

- Schmerzen
- Bewegungseinschränkung
- Schwellung des Knies
- Giving-way-Symptomatik = Instabilitätsgefühl und Einknicken im Kniegelenk → Kreuzbandruptur
- Streckhemmung → Meniskusläsion + Einklemmung im Gelenkspalt
- Unhappy Triad: Ruptur des vorderen Kreuzbandes + Innenmeniskusläsion + medialer Seitenbandriss
- Schonhaltung des Kniegelenks → leichte Beugung
- ggf. Atrophie des M. vastus medialis bei älteren Läsionen

Zeichen und Tests

- *Steinmann-I-Zeichen*
  - Läsion des Außenmeniskus → Innenrotation des Unterschenkels bei gebeugtem Kniegelenk→ Schmerzen
  - Läsion des Innenmeniskus → Außenrotation des Unterschenkels bei gebeugtem Kniegelenk → Schmerzen
- *Steinmann-II-Zeichen*
  - Meniskusläsion → Beugung des Knies → Schmerzen am Kniegelenkspalt
- *Böhler-Test*
  - mediale Meniskusläsion → Varusstress im Kniegelenk → Schmerzen
  - laterale Menisukusläsion → Valgusstress im Kniegelenk → Schmerzen
- *Neutral-Null-Methode*
  - dreistelliger Code: die Bewegung von der Neutral-Null-Position („Mitte“) wird in Winkelgraden ausgedrückt
  - z. B.: Extension/Flexion: 10-0-120 (im Hüftgelenk)
- *Payr-Zeichen*
  - Innenmeniskusläsion → im Schneidersitz → Schmerzen am inneren Gelenkspalt
- *Apley-Zeichen*
  - Meniskusläsion → Rotation + Kompression in 90°-Beugestellung in Bauchlage → Schmerzen am Gelenkspalt
  - Innen- oder Außenbandläsion → bei Valgus- oder Varusstress → seitliche Aufklappbarkeit
- *Schubladentest*
  - in 90°-Beugestellung: Ruptur des vorderen Kreuzbandes → Tibiakopf kann nach ventral subluxiert werden
  - in 90°-Beugestellung: Ruptur des hinteren Kreuzbandes → Tibiakopf kann nach dorsal subluxiert werden
- *Lachmann-Test*
  - 20–30°-Beugestellung → Verschiebbarkeit des Femurs dem Tibiakopf gegenüber?

LittleDoc meint

Diese Zeichen sollten Sie bitte gründlich lernen. Sie sind auch für die Differenzialdiagnostik wichtig!

- *Pivot-Shift-Test*
  - gestrecktes Kniegelenk: Valgusstress + Innenrotation des Unterschenkels → fühlbares Schnappen
- Druck auf die Kniescheibe → „tanzende“ Patella → Kniegelenkerguss

15.10.2 Diagnostik

- Röntgen-Kniegelenk in zwei Ebenen + tangentiale Patellaaufnahme: Knochenläsion?
- Gelenkpunktion → V. a. septische oder entzündliche Synovitis? Hämarthrose? + Schmerzlinderung
- Knie-MRT: Meniskus und Bandstrukturen Beurteilung; Knochenläsionen? Bone Bruise = subchondrale ossäre Kontusion
- Arthroskopie: diagnostisch + ggf. therapeutisch

15.10.3 Therapie

- analgetisch und antiphlogistisch: NSAID
- Hochlagerung und Kühlung des Knies
- Unterarmgehstützen
- Thromboseprophylaxe bei vorhandenen Risikofaktoren
- vordere Kreuzbandruptur → arthroskopisch assistierter Ersatz durch Sehnentransplantate aus der Semitendinosus- oder Patellasehne wegen Gonarthrose-Gefahr + Therapie der ggf. vorliegenden Begleitverletzungen
- konservativ: Ruhigstellung + Kniegelenkorthese bei anderen Bandrupturen, 6 Wochen
- Meniskusläsion: Resektion oder Refixation verletzter Anteile
- nach der Operation
  - Kniegelenkorthese
  - Thromboseprophylaxe
  - 6–8 Monate keine schweren Sportarten

15.11 OSG-Fraktur

= **Fraktur des oberen Sprunggelenks**

15.11.1 Ätiopathogenese

- direkt
- indirekt
- Kompressionsfraktur
- Luxationsfraktur: Torsion- und Biegekräfte

15.11.2 Einteilung

- *Maisonneuve*-Fraktur: proximale Fibulafraktur mit Läsion am Innenknöchel
- *Weber*
  - Weber **Typ A:** Fraktur der Fibula distal der Syndesmose (diese ist nicht verletzt)
  - Weber **Typ B:** Fraktur der Fibula in Höhe der Syndesmose (diese kann verletzt sein)
  - Weber **Typ C:** Fraktur der Fibula proximal der Syndesmose (diese ist auch verletzt)

15.11.3 Diagnostik

- typische Frakturzeichen
- Röntgen
  - isolierte Fraktur
  - Bimalleolarfaktur
  - Volkmann-Dreieck: Trimalleolarfraktur

15.11.4 Therapie

- Luxation/Subluxation: Reposition (Gefahr einen inneren Dekubitus bei ↑ Kompression des Knochens auf die Haut)
- operative Rekonstruktion, Fixateur externe
- primäre Arthrodese bei Trümmerfrakturen
- Maisonneuve-Fraktur: Fixierung der OSG-Gabel mit einer Stellschraube

15.12 Kalkaneus-Fraktur

= **Fersenbein-Fraktur**

15.12.1 Ätiopathogenese

- Sturz aus größer Höhe
- axiales Kompressions-(Stauchungs-)Trauma

15.12.2 Klinik

- typische Frakturzeichen
- Verbreiterung des Rückfußes

- nach einigen Tagen: Ablaufhämatom auf einer horizontalen Linie (entspricht der Fußsohle)
- *Joint-Depression* = keilartig eindringende Fraktur durch das Vordringen des Processus lateralis talii in den Kalkaneus
- *Tongue-Type* = horizontale Spaltung des Tuber calcanei

15.12.3 Diagnostik

- Röntgen in zwei Ebenen
- CT
- *Einteilung nach Sanders* (je nach Darstellung koronarer CT-Schichten des Subtalargelenks)
  - **Typ I:** Ø dislozierte Frakturen
  - **Typ II:** 1 dislozierte Fraktur
  - **Typ III:** 2 dislozierte Frakturen
  - **Typ IV:** ≥ 3 dislozierte Frakturen

15.12.4 Therapie

- dislozierte Frakturen: OP → reponiert und retiniert
- nicht dislozierte Frakturen: konservativ: 6 Wochen Entlastung → Röntgenkontrolle
- Fraktur des Sustentaculums: immer OP

15.13 Polytrauma

= **gleichzeitige Verletzung** von mindestens 2 Körperregionen oder -systemen, wobei mindestens eine Verletzung oder die Kombination mehrerer *lebensbedrohlich* ist

- verschiedene Klassifikationssysteme für Polytrauma:
  - *Abbreviated Injury Scale (AIS):* die einzelnen Verletzungen werden von 1 (geringfügig) bis 6 (maximal) bewertet; AIS-Wert = 9 = verstorben
  - *Injury Severity Score (ISS):* bewertet die Schwere der Verletzungen in 6 Körperregionen (Kopf, Gesicht, Thorax, Abdomen, Extremitäten und Pelvis, Haut und Weichteile) nach AIS; die drei schwersten Verletzungen aus verschiedenen Regionen werden quadriert und addiert; wenn ein AIS-Wert bei 6 liegt, wird der ISS-Wert automatisch auf 75 gesetzt
  - *New Injury Severity Score:* die drei höchsten AIS-Werte werden quadriert und addiert, unabhängig von der Körperregion
  - weitere: Trauma and Injury Severity Score, Revised Trauma Score (RTS), Hannover Polytrauma Score (PTS), Schweiberer-Score u. a.

15.13.1 Vorgehen

LittleDoc meint
Es ist wichtig, dass Sie das Primary Survey gut beherrschen!

- *Primary Survey* nach der ABCDE-Regel:
  - **A**irway (Atemweg)
  - **B**reathing (Belüftung)
  - **C**irculation (Kreislauf)
  - **D**isability (neurologisches Defizit)
  - **E**nvironment (Exposure, Umfeld)
  - **F**ocused **A**ssessment with **S**onography for **T**rauma (FAST)
  - Flüssigkeit im Abdomen? (Morison-, Koller-, Douglas-Pouch), Pleura- oder Perikardergüsse?
- Notfalleingriffe
  - Intubation
  - Thoraxdrainage
  - Koniotomie usw.
- binnen 15 Minuten: Mehrschicht-Spiral-Computertomografie (Polytraumaspirale – MSCT)
  - native Schädel-CT (CCT)
  - CT mit KM: Thorax, Abdomen, Becken und Extremitäten
- *Secondary Survey:*
  - ABCDE-Regel
  - Therapie
  - CCT nach ca. 1 Stunde
- *Definitive Care:* wenn die Noteingriffe nicht mehr nötig sind
- die Versorgung der Polytrauma-Patienten wird in vier Phasen verteilt (➤ Tab. 15.1)

Tab. 15.1 Therapie-Phasen bei Polytrauma (nach Krahl 2012)

Phase	Eingriffe/Operationen
Reanimationsphase ≤ 3 Stunden	• Noteingriffe
Primärphase 4–72 Stunden	• Organverletzungen • blutende, offene Wunden oder Frakturen
Sekundärphase 3–8 Tage	• restliche Frakturenversorgung • funktionserhaltende OPs
Tertiärphase ≥ 8. Tag	• Rehabilitationsmaßnahmen

15.13.2 Labor

- Blutbild, BGA
- Entzündungsparameter
- Gerinnung: Fibrinogen → DIK?
- Elektrolyte
- Blutzucker
- Myoglobin: Crush-Syndrom, Rhabdomyolyse, Zerquetschungsverletzungen?

- Transaminasen
- Nierenwerte
- Pankreaswerte
- Blutgruppe und Kreuzblut (Bedside-Test? Bluttransfusion?)

15.13.3 Komplikationen

- hämorrhagischer Schock
- spinaler Schock (Verletzung des Rückenmarks → periphere Vasodilatation durch Sympathikusblockade)
- Bronchus- oder Tracheaabriss
- Verletzung größerer thorakaler Gefäße
- Herzverletzung oder Herzkontusion → Arrhythmie, Asystolie
- Perikardtamponade
- (Hämo-)Pneumothorax
- Leber-Ruptur (spontan oder zweizeitig: subkapsuläres Hämatom, das nach Stunden, Tagen, Wochen bricht, wenn ↑ Druck)
- Milz-Ruptur (spontan oder zweizeitig: subkapsuläres Hämatom, das nach Stunden, Tagen, Wochen bricht, wenn ↑ Druck): Kehr-Zeichen: die Schmerzen strahlen in die linke Schulter aus
- Hypothermie (fast alle polytraumatisierten Patienten sind unterkühlt)
  - Kardio → ≥ 30 °C Bradykardie, arterielle Hypotonie, Rhythmusstörungen, ≤ 30 °C Kammerflimmern
  - Lungen → ↓ Atemfrequenz und das Atemzugvolumen (Tidal Volume); ≤ 24 °C Apnoe
  - ZNS → 33 °C Bewusstseinsstörungen, 30 °C Ohnmacht
  - Gerinnung

15.13.4 „Zweitkrankheit"

- **A**cute **R**espiratory **D**istress **S**yndrome (ARDS)
- Nierenversagen
- DIK
- Stoffwechselstörungen
- Hirnödem nach Schädel-Hirn-Trauma

15.14 Schädel-Hirn-Trauma (SHT)

- **Schädel-Hirn-Trauma** durch Gewalteinwirkung → mindestens kurzzeitige neurologische Symptomatik mit oder ohne Hirnverletzung
- **offenes SHT**
  - direkt: Austritt von Hirngewebe, Liquor und Blut aus dem Schädel
  - indirekt (Schädelbasisfrakturen): Austritt von Blut oder Liquor aus Ohren, Nase und/oder Mund

- **Schädelprellung** durch Gewalteinwirkung → ohne neurologische Symptomatik

15.14.1 Klinik

- Kopfschmerz
- Schwindel
- neurologische Ausfälle
- Bewusstlosigkeit
- Hypakusis
- Visus-Störungen
- Amnesie
- vegetative Symptome

15.14.2 Diagnostik

- initiale CCT ohne KM: intrakranielle Blutung? Hirnödem?
- frische Blutung: hyperdens (weiß)
- ↑ Hirndruck: verstrichene Gyrierung oder Mittellinienverschiebung, später eine obere (auch transtentorielle) Einklemmung verschiedener Strukturen (z. B. N. III → Pupillenerweiterung) im Tentoriumschlitz oder untere Einklemmung im Foramen magnum → Verletzung der Medulla oblongata
- nach 4–8 Stunden und bei klinischem Verdacht: CCT Wiederholung
- Epiduralblutung (EDB)
  - zwischen Kalotte und Dura
  - bikonvex oder linsenförmig
  - kontralateral eine Kontusionsblutung (Coup) + frontal eine kleinere (Contrecoup)
- Subduralblutung (SDB)
  - unter der Dura + ggf. Contrecoup
  - sichel- oder halbmondförmig
- Subarachnoidalblutung (SAB)
  - zwischen Arachnoidea und Pia
  - hyperdense Linien entlang der Gyri und Sulci
- intrazerebrale Blutung (ICB)
  - polymorph, hyperdens
- Glasgow Coma Scale (GCS, auch: Glasgow-Koma-Skala) zur Quantifizierung einer Bewusstseinsstörung (Scoring), insbesondere in der Intensivmedizin (➤ Tab. 15.2)

Tab. 15.2 Glasgow Coma Scale (GCS) zur Abschätzung einer Bewusstseinsstörung (nach Güthoff et al. 2017) [F210-010]

Öffnen der Augen	
spontan	4 Punkte
bei Ansprache	3 Punkte
bei Schmerzreiz	2 Punkte
kein Öffnen der Augen	1 Punkt
Beste verbale Antwort	
konversationsfähig, orientiert	5 Punkte
konversationsfähig, desorientiert	4 Punkte
„Wortsalat"	3 Punkte
sinnlose Laute	2 Punkte
Ø verbale Antwort	1 Punkt
Beste motorische Antwort	
bei Aufforderung	6 Punkte
gezielte Bewegung bei Schmerzreiz	5 Punkte
ungezielte Bewegung bei Schmerzreiz	4 Punkte
Beugesynergismen	3 Punkte
Strecksynergismen	2 Punkte
Ø motorische Reaktion	1 Punkt
Gesamtpunktzahl	**(3–15 Punkte)**
Interpretation	
15–14 Punkte	keine Bewusstseinsstörung → keine diesbezüglichen Maßnahmen
13–12 Punkte	leichte Bewusstseinsstörung → Monitoring
11–9 Punkte	mittelschwere Bewusstseinsstörung → Intubationsbereitschaft
8–3 Punkte	schwere Bewusstseinsstörung, komatös → Schutzintubation wegen fehlender Schutzreflexe

15.14.3 Therapie

- GCS < 15: stationäre Überwachung
- GCS < 9: intensivstationäre Überwachung, Schutzintubation
- Hirndruckzeichen + intubierte Patienten: intensivstationäre Überwachung
- Hirndrucksenkung (Mannit, TRIS, NaCl 10 %)
- Bohrlochtrepanation, Kraniektomie
- Frakturen-Versorgung: erst nach Stabilisierung

Formulierungsbeispiele

Patient	Arzt
Ich bin heute Vormittag im Park spazieren gegangen. Ich weiß nicht, ob Sie die aktuelle Veranstaltung auf der großen Wiese vor dem See gesehen haben – es geht um internationale Käsesorten. Viele Experten aus der ganzen Welt sind vertreten, es ist alles sehr eng und man muss immer aufpassen, dass man nicht über die Tischbeine stolpert. Aber genau das ist mir passiert! Ich stand vor einem kleinen Kiosk mit Schimmelkäse aus Australien – der hat im Übrigen sehr gut geschmeckt –, ein Kind ist dann in meine Richtung gelaufen. Ich glaube, es wollte seinen Bruder finden oder jagen – Kinder halt. Das Kind ist, wie gesagt, in meine Richtung gelaufen. Und ich – so bin ich halt, passe immer auf bei Kindern – wollte den Zusammenstoß vermeiden, bin nach links gesprungen und irgendwie über das blöde Tischbein gestolpert. Und dann bin ich gestürzt. Es war mir so peinlich! Ich hatte ein Glas Rotwein in der Hand und meine neue weiße Bluse bekam ein paar große Flecken ab, die gehen ja nur ganz schwer wieder raus. Die Passanten halfen mir aufzustehen. Es dauerte eine Weile, bis ich bemerkte, dass mein linkes Fußgelenk ganz schön doll wehtat. Aber gut, ich habe es erst mal ignoriert – ich glaube, das war ein Adrenalin-Kick, wissen Sie? Ich traf dann meine beste Freundin, sie ist ja eine berühmte Gastronomin unserer Stadt, kennen Sie bestimmt, und sie wollte unbedingt, dass wir uns noch den Käsestand aus Norwegen anschauen, die haben nämlich diesen süßlichen Käse, wie heißt der noch? Gudbrandsdalsost, genau! So lecker! Ich mache ja gerne gemischte Häppchen für meine Freunde, geht ganz schnell, nur so für uns, wenn wir Spieleabende haben, und den Käse kannte ich schon vor dieser Veranstaltung. Aber es ist ja was anderes, wenn man den direkt von der Quelle und nicht – aua! Ach, sehen Sie, es tut immer noch weh. Ist auch geschwollen und etwas blau geworden – wo war ich? Ach ja, Häppchen. Nein, genau, es ist was Besonderes, wenn man diesen Käse von der Quelle bekommen kann, schmeckt ganz anders als aus dem Supermarkt. Und wenn man dann schon mal da ist, muss man auch von der Elchsalami was probieren. Fan-tas-tisch! Ich habe dann aber gemerkt, dass etwas mit dem Gelenk ist. Und ich habe Barbara – so heißt meine Freundin – Barbara – gesagt, dass wir wahrscheinlich in die Notaufnahme müssen, irgendwas stimmt da nicht. Und genau das haben wir gemacht.	Die Patientin stellte sich in unserer Notfallpraxis wegen akut aufgetretener OSG li. Schmerzen, Schwellung und Hämatom nach Sturz vor. *So sollte das Aufnahmegespräch natürlich nicht verlaufen!* *Hinweis: Sie führen das Aufnahmegespräch mit den Patienten, nicht andersherum! In der FSP müssen Sie zeigen, dass Sie sich auf das Wesentliche konzentrieren – und die Patienten respektvoll begrenzen können. In dieser Situation wäre die Zeit schnell vorbei und man könnte nur maximal zwei Sätze zur Patientin schreiben. Die Prüfung wäre dann wahrscheinlich nicht bestanden.*

KAPITEL

16 Dermatologie

16.1 Malignes Melanom (schwarzer Hautkrebs)

16.1.1 Ätiologie

Risikofaktoren

- ↑ Anzahl schwerer Sonnenbrände (Dauer ist bei Basaliomen wichtig) – meistens an Hautstellen, die in der Regel bedeckt sind
- Hauttyp: hell
- UV-Strahlung
- ≥ 50 Nävuszellnävi > 2 mm → 64× höheres Melanomrisiko
- Genmutationen (BRAF)
- Immunsuppression, HIV
- chronisch lymphatische Leukämie und Non-Hodgkin-Lymphome

16.1.2 Klinik

- „buntes" Bild: dunkelschwarze, aber auch graue, rote, weiße, blaue Punkte oder Flecke, mit Krusten, Erosionen, Pruritus, selten auch Blutungen; häufig schon > 5 mm
- Hutchinson-Zeichen: longitudinale Nagel- und periunguale Pigmentierung
- *ABCDE-Regel*
  - **A** (Asymmetrie): nicht rund, sondern asymmetrisch geformt
  - **B** (Begrenzung): unregelmäßig, scharfe und unscharfe Zonen
  - **C** (Color): Farbmischung
  - **D** (Durchmesser): Fleck wächst, ist meist größer als 5 mm
  - **E** (Erhabenheit): Herausragen über das Hautniveau
- Breslow-Level: pathohistologische Klassifikation des malignen Malignoms (wichtig für die Prognose)
  - Level **1:** ≤ 1,0 mm
  - Level **2:** 1,01–2,0 mm
  - Level **3:** 2,01–4 mm
  - Level **4:** > 4 mm
- Clark-Level (selten verwendet) indiziert die Eindringtiefe der Tumorzellen

16.1.3 Typen

- superfiziell spreitend
- Lentigo maligna
- nodulär maligne
- amelanotisch
- akrolentiginös

16.1.4 Therapie

- beginnende Stadien: vollständige Exzision mit Sicherheitsabstand
- fortgeschrittene Stadien: Exzision + Chemotherapie + Strahlentherapie
- Metastasen, Resektion unmöglich: B-RAF-Inhibitoren (Vemurafenib, Dabrafenib), monoklonale Antikörper Pembrolizumab, Nivolumab, Ipilimumab; Kombinationspräparate bei niedriger PD-L1-Expression der Tumorzellen: Nivolumab+Relatlimab
- Neoantigene

TIPP
Psychologische Unterstützung empfehlen!

LittleDoc meint
Wenn Sie das Thema „Impfstoffe bei malignen Melanomen" besonders interessiert, lesen Sie bitte mehr dazu im Artikel von Hu-Lieskovan et al. (2019).

16.1.5 Prognose

- Metastasen?
- Tumordicke > 4 mm?

16.2 Herpes Zoster (Gürtelrose)

16.2.1 Ätiopathogenese

- endogene Reaktivierung neurotroper Varizella-Zoster-Viren (Zweitmanifestation) wegen einer Immundefizienz
  - es gab eine Erstinfektion (Varizellen/Windpocken) und die Erreger bleiben das ganze Leben in den Neuronen und Gliazellen der Spinalganglien
- Schmierinfektion durch Bläschenflüssigkeit möglich → Windpocken; Herpes Zoster ist per se *als Krankheit nicht* übertragbar

16.2.2 Klinik

- Prodromi: Müdigkeit, Cephalgie, manchmal auch Fieber, Muskelschmerzen: bis zu einer Woche vorher

- dann dumpfe, ziehende Schmerzen und Parästhesien entlang von 1 bzw. 2–3 Dermatomen → Hauteffloreszenzen = Gruppen von Bläschen mit klarer Flüssigkeit, die segmental auf einer erythematösen Haut angeordnet sind → sie konfluieren, die Flüssigkeit wird trübe → sie brechen auf → es bilden sich Krusten (gelb-bräunlich)
- falls es Überinfektionen oder Nekrosen gibt (Zoster gangraenosus) → zusammenziehende Narben, Hyper- oder Hypopigmentierung
- meistens sind Thoraxsegmente betroffen, aber auch zervikale und trigeminale Areale
- spezielle Formen (stationäre Behandlung):
  - Zoster ophthalmicus (Visusminderung möglich; Hutchinson-Zeichen: Hautläsionen auf der Nasenspitze können es andeuten)
  - Zoster oticus (Hör- und Gleichgewichtsstörungen möglich)
  - Zoster genitalis
  - Zoster generalisatus (disseminatus wenn Virämie ↑)

16.2.3 Komplikationen

- oostzosterische Neuralgien
- Fazialisparese
- Zoster gangraenosus
- Zostermeningitis, -myelitis (u. a.)

16.2.4 Therapie

- lokal: austrocknende, antiseptische, krustenlösende Präparate
- antiviral: Aciclovir i. v. oder p. o., Valaciclovir p. o., Famiciclovir p. o., Brivudin p. o.
- Analgetika: nach WHO-Stufenschema zur Behandlung des Schmerzes; lokaltherapeutische Optionen mit Capsaicin- oder Lidocainpflaster möglich
- bei postzosterischen Neuralgien: Antikonvulsiva (Pregabalin, Gabapentin); bei unzureichender Wirkung trizyklische Antidepressiva
- Impfung: Immundefizit, Senioren
- s. *S2k-Leitlinie* zur Diagnostik und Therapie (DDG & PEG 2019)

16.3 Psoriasis vulgaris (Schuppenflechte)

16.3.1 Ätiopathogenese

- inkomplett geklärt, multifaktoriell
- Immunzellen-Dysregulation
- familiäre Prädisposition

- Keratinozyten brauchen bei Psoriasis nur 3–5 Tage, um die Hornschicht der Haut zu erreichen (normalerweise 28 Tage)
- ↑ ↑ ↑ Produktion der epidermalen Zellen → schnelle Regeneration der Epidermis
- **Auslöser**
  - Infektionen
  - Stress
  - Immundefizit
  - Medikamente (Antibiotika, Antihypertensiva, NSAR)
  - C_2-Abusus physikalische, chemische und entzündliche
  - Hautverletzungen, Sonnenbrand, Kratzen

16.3.2 Klinik

- chronische, schubweise verlaufende Hauterkrankung
- scharf begrenzte, erythematöse Herde mit weiß-silbernen lamellaren Schuppen wie Kerzenwachs (Kerzenfleckphänomen)
- die letzte Schicht der Epidermis = letzte Häutchen; wenn sie auch entfernt wird → punktförmige Blutung („blutiger Tau", Auspitz-Phänomen)
- Pruritus
- Arthritis psoriatica
- Lokalisation
  - Streckseiten (Ellenbogen, Knie)
  - Kreuzbein
  - Psoriasis palmoplantaris
  - Psoriasis capitis
- Krümelnagel oder Tüpfelnagel: kleine napfförmige Einziehungen mit gelblichen Verfärbungen („Ölflecken") und Splitterblutungen innerhalb der Nagelmatrix
- mehrere Formen, z. B.
  - Psoriasis punctata
  - Psoriasis anularis
  - Psoriasis geographica
  - Psoriasis pustulosa usw.

16.3.3 Diagnostik

- Klinik
- Hautbiopsie
  - Epidermis ↑
  - Stratum granulosum ↓ oder fehlt
  - Keratinozyten bleiben unreif: Zellkern auch in den obersten Schichten
  - Infiltration mit Entzündungszellen

16.3.4 Differenzialdiagnosen

- seborrhoisches Ekzem
- Mykosen
- Allergien
- HIV
- Syphilis
- Pityriasis rosea/rubra

16.3.5 Therapie

- *leichte Formen:* topische Behandlung mit GKK, Vitamin-D_3-Derivaten, Teer, Dithranol, Laser, Tazaroten, Calcineurin-Inhibitoren (off-label Oktober 2024)
- *schwere Formen:*
  - Ultraviolettfototherapie (SUP), Fotochemotherapien (PUVA)
  - Retinoide
  - Immunsuppressiva: MTX, Ciclosporin A
  - monoklonale Antikörper: z. B. Adalimumab, Brodalumab, Certolizumab
  - Arthritis psoriatica: NSAR, Immunsuppressiva, monoklonale Antikörper und physikalische Therapie
- s. *S3-Leitlinie* zur Therapie der Psoriasis (DDG 2021)

TIPP
Psychologische Unterstützung empfehlen!

16.4 Follikulitis, Furunkel und Karbunkel

16.4.1 Begriffe

- **Follikulitis** = Entzündung des Haarfollikels
- **Furunkel** = Entzündung von Haarfollikel und Talgdrüse
- **Karbunkel** = konfluierende Furunkel + ausgedehnter Abszess + Nekrose

16.4.2 Ätiopathogenese

- hormonelle Veränderungen
- mangelhafte Hygiene
- Diabetes mellitus und andere endokrine Erkrankungen (z. B. Morbus Cushing)
- Immunsuppression durch Therapie, maligne Krankheiten, Immundefekte
- häufigster Erreger: Staphylococcus aureus

16

16.4.3 Klinik

- häufig an Nacken, Rücken, Gesäß und äußerem Gehörgang, aber prinzipiell überall möglich, wo es Haare gibt
- lokale Entzündung und Schmerzen, Eiter-Erguss möglich
- AZ ↓, Fieber bei Furunkeln und Karbunkeln
- seltener: Sepsis (bei Karbunkeln)

16.4.4 Differenzialdiagnosen

- Akne
- Hautausschläge verschiedener Ätiologie
- infiziertes Atherom

16.4.5 Therapie

- lokale Desinfektion, antiseptische Salben, Ichthyol-Salbe (Zugsalbe)
- Einschmelzung: Abszessspaltung, Wundabstrich, Sanierung mit Exzision der Nekrosen, Spülung
- ggf. Antibiose
- Gesichtsfurunkel: stationäre Aufnahme + systemische Antibiotikatherapie nach Antibiogramm + je nach Lokalisation Kauverbot, ggf. Sprechverbot; kein Drücken oder Quetschen → Gefahr Sinus-cavernosus-Thrombose, eitrige Meningitis
- Tetanusschutz?

16.5 Wundbeschreibung

LittleDoc meint
Wichtig auch für pAVK, chronisch venöse Insuffizienz und diabetisches Fußsyndrom!

- Dauer
  - akut – Verletzung, Schnitt, OP usw.
  - chronisch > 4 Wochen
- Ort
- Größe
- Wundgrund
  - nicht belegt (sauber)
  - mit Granulation
  - mit Fibrin-/Kollagen-(Beläge)
  - mit Nekrose/Gangrän
  - mit Fremdkörper
- Wundrand
  - o. p. B.
  - unregelmäßig
  - mazeriert
  - entzündet

- Exsudat
  - Menge
  - Farbe und Konsistenz
  - serös
  - blutig
  - eitrig usw.
- Geruch
- Entzündungszeichen
  - calor
  - rubor
  - dolor
  - tumor
  - functio laesa

TIPP

Vergessen Sie bitte nicht, dass Sie in der FSP keine körperliche Untersuchung durchführen. Bitte nicht nur sagen: „Beschreiben Sie mir bitte die Wunde", sondern direkte Fragen stellen! Fragen Sie direkt während der Anamnese nach Ort, Dauer usw. der Wunde.

Formulierungsbeispiele

Patient	Arzt
Ich habe dieses Muttermal schon ewig. Aber jetzt habe ich mich aus Versehen verletzt oder gekratzt. Es hat jetzt eine Kruste und juckt mega. Es ist auch größer geworden und nicht mehr so rund wie früher.	Die Patientin berichtete über eine morphologische Veränderung eines Nävus. Sie habe in letzter Zeit bemerkt, dass dieser asymmetrisch, vergrößert und verkrustet sei. Zudem klagte sie über lokalen Pruritus.
Ich habe solche Schmerzen! Erst hatte ich um das Ohr herum bis ins Gesicht viele Bläschen, die sind teilweise ineinandergewachsen. Jetzt habe ich überall diesen Schorf, alles ist gerötet. Und hier in Richtung Ohr habe ich schwarze Stellen, und das Ganze dehnt sich jetzt auf meinen Hals aus. Und die Schmerzen … aaah!	Die Patientin berichtete über Gesichtseffloreszenzen, die initial als Vesiculae aufgetreten seien, im Verlauf konfluiert und nun Crustae hinterlassen hätten. Laut ihren Angaben sei der Ausgangspunkt der Effloreszenzen das Ohr gewesen; diese hätten sich anschließend auf das Gesicht und nun auf den Hals ausgedehnt. Frau X klagte über ausgeprägte lokale Schmerzen und berichtete über möglicherweise nekrotische Areale im Ohrbereich.
Ich habe so einen komischen Hautausschlag an den Ellenbogen – was ist das? Das sind so große rote Flecken mit Schuppen drauf.	Der Patient berichtete über erythematöse Herde mit Schuppen an den Ellenbogen.

KAPITEL

17 Pädiatrie

17.1 Morbilli (Masern)

Achtung, meldepflichtig!

17.1.1 Ätiologie

- Erreger: Masern-Virus
- Übertragung: Kontakt, Tröpfchen, aerogen, vom 5. Tag der Inkubationszeit → 4. Tag des Exanthems
- Inkubationszeit: ca. 10 Tage
- inzwischen auch bei Erwachsenen

17.1.2 Klinik

- *Prodrom:* 3 Tage
  - Fieber
  - Konjunktivitis ± Fotophobie
  - Rhinitis, Bronchitis
  - Wangenschleimhaut gegenüber der Molaren: nicht abwaschbares Enanthem = Koplik-Flecke
  - Himbeerzunge
- *Exanthem:* 5–6 Tage
  - makulopapulös, dunkelrot, konfluierend → am Ende Schuppen
  - hinter den Ohren → Gesicht → Oberkörper → Glieder → Extremitäten (hier manchmal mit Blutungen, „schwarze Masern")

17.1.3 Komplikationen

- bakterielle Superinfektion, z. B. Masernotitis
- Pneumonie, Pseudokrupp
- Enzephalitis (Masernenzephalitis)
- Myokarditis

17.1.4 Therapie

- symptomatisch
- Bettruhe
- Prophylaxe: Mumps-Masern-Röteln-Impfung

17.2 Parotitis epidemica (Mumps)

LittleDoc meint
Ich würde bei diesen Krankheiten empfehlen, online nach Bildern zu schauen. So merken Sie sich schneller, wie jede aussieht :-)

Achtung, meldepflichtig!

17.2.1 Ätiologie

- Erreger: Mumps-Virus
- Übertragung: Tröpfchen, Schmierinfektion – Muttermilch und andere körperliche Sekretionen bzw. Ausscheidungen: vom 5. Tag vor der Schwellung → Abschwellung (ca. 8 Tage später); *Cave:* kontagiös, auch wenn asymptomatisch
- Inkubationszeit: 2–4 Wochen

17.2.2 Klinik

- *Prodrom:* 1–2 Tage
  - Fieber
  - Cephalgie
  - Arthralgien
- schmerzhafte Schwellung der Glandula parotis
- Ohrenschmerzen oder Schmerzen beim Kauen
- nach 1–2 Tagen ist die kontralaterale Speicheldrüse betroffen → Mumps-Gesicht
- manchmal sind auch kleinere Speicheldrüsen beteiligt

17.2.3 Diagnostik

- IgM-Antikörper → später IgG
- Amylase ↑
- PCR: Erregernachweis

17.2.4 Differenzialdiagnosen

- Lymphadenitis
- Sialolithiasis
- bakterielle Infektion der Speicheldrüse

17.2.5 Komplikationen

- Hörschädigung
- Pankreatitis
- Orchitis → Sterilität bzw. Oophoritis
- Meningoenzephalitis

17.2.6 Therapie

- Analgetika
- lokale Wärme
- GKK bei Enzephalitis und Orchitis
- Prophylaxe: MMR-Impfung

17.3 Rubeola (Röteln)

Achtung, meldepflichtig!

17.3.1 Ätiologie

- Erreger: Rubi-Virus
- Übertragung: Tröpfchen, diaplazentar; von einer Woche bevor → eine Woche nachdem das Exanthem auftritt
- Inkubationszeit: 2–3 Wochen

17.3.2 Klinik

- *Prodrom:*
  - Fieber
  - Katarrh der oberen Atmungswege
  - Zervikale schmerzlose Lymphadenitis → generalisiert → ggf. Splenitis
- *Exanthem:* nach 2 Tagen, dauert ca. 3 Tage
  - hinter den Ohren → Gesicht → Thorax → zentrifugal → Extremitäten
  - makulopapulös, hellrot, mit blässerem Rand, nicht konfluierend
  - durchschnittlich 5 mm groß
- makulöses Pharynx-Enanthem

17.3.3 Diagnostik

- Leukopenie, ggf. mit Lymphozytose
- IgM → später IgG

- PCR: Erregernachweis
- *Hämagglutinationshemmtest*

17.3.4 Differenzialdiagnosen

- Scharlach
- Masern
- Allergien

17.3.5 Komplikationen

- Embryopathien
- Enzephalitis
- Arthralgien
- Atemwegentzündungen
- Hepatosplenomegalie ± Hypersplenismus

17.3.6 Therapie

- symptomatisch
- Prophylaxe: MMR-Impfung

17.4 Varizellen (Windpocken)

Achtung, meldepflichtig!

17.4.1 Ätiologie

- Erreger: Varizella-Zoster-Virus
- Übertragung: aerogen, Schmierinfektion; von 2 Tagen vor dem Exanthem-Auftritt → alle Effloreszenzen = nur Krusten
- Inkubationszeit: 8–21 Tage
- Gravidität: ≤ 20. Schwangerschaftswoche: Abortio oder Missbildungen

17.4.2 Klinik

- Fieber
- Cephalgie
- Muskelschmerzen

- *Exanthem* mit Pruritus
  - kleine, rote Flecken oder Papeln→ Bläschen mit erythematösem Rand → Pusteln → Krusten; Koexistenz der verschiedenen Stadien dieser Hautläsionen → Heubner-Sternenkarte oder -Sternenhimmel
  - Rumpf → Kopf → Gesicht → Extremitäten mit Ausnahme von Handinnenflächen und Fußsohlen (spezifisch)
- ggf. orales Enanthem

17.4.3 Therapie

- symptomatisch
- Aciclovir
- Prophylaxe: Impfung oder passive Immunisierung mit Varicella-Zoster-Immunglobulin

17.5 Scarlatina (Scharlach)

Achtung, meldepflichtig!

17.5.1 Ätiologie

- Erreger: β-hämolysierenden Streptokokken der Gruppe A
- Übertragung: Tröpfchen
- Inkubationszeit: 2–5 Tage

17.5.2 Klinik

- *Prodrom:* 1–2 Tage
  - Fieber
  - Allgemeinzustand ↓
  - eitrige Tonsillitis
  - Pharyngitis
  - Nausea, Vomitus
- *Exanthem* mit Effloreszenzen:
  - makulopapulös, klein, nebeneinander, rot, leicht herausragend
  - Hals → Nacken → Rücken → Rumpf → Extremitäten → Gesicht
  - am besten dargestellt an den Achseln und Leisten
  - Mund-Kinn-Dreieck bleibt frei = periorale Blässe
- ggf. Enanthem
- Zunge: am Anfang weißlich belegt → dann Himbeerzunge

17.5.3 Diagnostik

- Rachenabstrich + Kultur
- Schnelltests für Antigene der A-Streptokokken

17.5.4 Differenzialdiagnosen

- Masern
- Röteln

17.5.5 Komplikationen

- rheumatisches Fieber mit spezifischen Komplikationen (Herz-, Nierenbeteiligung, Chorea Sydenham)
- lokale Nekrose durch Scharlach-Toxine
- Hyperpyrexie
- ZNS-Beteiligung

17.5.6 Therapie

- Penicillin V
- Erythromycin p. o.

17.6 Pertussis (Keuchhusten)

Achtung, meldepflichtig!

17.6.1 Ätiologie

- Erreger: Bordetella pertussis
- Übertragung: aerogen
- Inkubationszeit: 7–20 Tage

17.6.2 Klinik

- Stadium catarrhale ca. 2 Wochen: grippeähnliche Symptomatik: Fieber, Schnupfen, Husten
- Stadium convulsivum: Husten ↑ ↑ ↑ → stakkatoartige Hustenanfälle mit keuchenden Geräuschen
  - Salven von 15–20
  - Zunge ist herausgestreckt
  - Gesicht wird zyanotisch
  - zähes, schleimiges, glasiges Sputum
  - manchmal Erbrechen

LittleDoc meint
Es gibt online viele Videos zu diesen Husten-Episoden. Gern „Whooping Cough" eingeben!

17.6.3 Diagnostik

- Lymphozytose
- Rachenabstrich + Kultur oder PCR mit DNA aus den Abstrichen
- IgM, IgG

17.6.4 Komplikationen

- Stimmlippenkrampf → Apnoe
- Pneumonie
- Otitis

17.6.5 Therapie

- Erythromycin
- Azythromycin
- Clarythromycin
- Prophylaxe: DTP-Impfung

TIPP
Den „STIKO Impfkalender 2025" (RKI 2025) für Deutschland finden Sie im Anhang dieses Buches.

Formulierungsbeispiele

Patient	Arzt
Es geht nicht um mich, sondern um mein 3-jähriges Kind. Vor 3 Wochen war Tina erkältet – Fieber, Muskelschmerzen, das ganze Paket! Ein heftiger Husten ist geblieben. Wenn sie anfängt, hört sie nicht mehr auf. Sie hustet, und hustet, ringt nach Luft, wird ganz blau im Gesicht und spuckt jede Menge Schleim aus. Und wenn es richtig schlimm wird, übergibt sich die arme Maus dabei auch noch.	Fremdanamnestisch war zu erfahren, dass die 3-jährige Patientin vor ca. 20 Tagen unter grippeähnlicher Symptomatik gelitten habe. Seitdem bestehen laut Bericht der Mutter stakkatoartige Hustenanfälle mit keuchenden Geräuschen, Gesichtszyanose und Expektoration, teilweise auch mit Erbrechen.
Mein Kind hat schon wieder irgendwelche Kita-Keime mit nach Hause geschleppt. Julian hatte Anfang der Woche die Grippe, dann war auf einmal sein Gesicht geschwollen, anfangs nur links, aber jetzt auch rechts. Das tut ihm weh, besonders beim Kauen. Ich glaube, er hört auch nicht mehr richtig. Kann das von einer Ohrenentzündung kommen?	Laut Bericht des Vaters habe der *x-jährige* Patient vor ca. 3 Tagen grippeähnliche Beschwerden gehabt. *(Das ist nur eine Umformulierung. Bitte nach den genauen Symptomen fragen.)* Zudem habe er eine schmerzhafte Gesichtsschwellung bemerkt, initial links, später auch kontralateral, die Beschwerden beim Kauen verursache. Der Vater vermute zudem eine begleitende Hypakusie. *(Bitte nach weiteren Symptomen und Beschreibung der Schwellung, v. a. Lokalisation, fragen.)*

KAPITEL

18 Ophthalmologie

18.1 Glaukom (grüner Star)

18.1.1 Ätiologie

- normale Werte des Augeninnendrucks < 22 mmHg; zwischen 22–26 mmHg V. a. Glaukom
- ↑ > 26 mmHg: Glaukom: gestörte Produktion und Abfluss des Kammerwassers →
  - Schädigung des Nervus opticus durch ↑ Druck
  - Beteiligung Sehnervenpapille
  - Skotome (Gesichtsfeldausfälle)

18.1.2 Einteilung

- **primäres Glaukom**
  - *primär chronisches Offenwinkelglaukom:* Hindernis der Kammerwasserpassage im Trabekelwerk
  - *primär akutes Winkelblockglaukom:* Hindernis der Kammerwasserpassage im Pupillarwinkel wegen einer akuten Verengung des Kammerwinkels durch die Iris = Glaukomanfall
  - *kongenitales Glaukom*
- **sekundäres Glaukom:** Folge einer anderen Augenerkrankung, nach Trauma oder iatrogen durch Eingriffe oder Medikamente
  - *sekundäres Offenwinkelglaukom* mit der Sonderform *pseudoexfoliatives Glaukom,* durch die Ablagerung von proteischen Granulen am Rand der Iris und an der Innenseite der Vorderkammer → Hindernis der Kammerwasserpassage im Trabekelwerk
  - *sekundäres Winkelblockglaukom:* Hindernis der Kammerwasserpassage im Pupillarwinkel

18.1.3 Diagnostik

- Spaltlampenuntersuchung – generelle Untersuchung des Auges
- Augeninnendruckmessung
- Gonioskopie – Beurteilung des Trabekelwerks
- Fundoskopie – Beurteilung der Sehnervenpapille und des Nervus opticus
- Perimetrie – Gesichtsfeldausfälle?

18.1.4 Therapie

- konservativ: Acetazolamid oder Pilocarpin lokal → ↓ Produktion von Kammerwasser
- Lasertrabekuloplastik
- Laseriridotomie
- Zyklophotokoagulation
- Trabekulektomie
- Goniotomie

18.2 Katarakt (grauer Star)

18.2.1 Ätiologie

- Trübung der Augenlinse
- kann genetisch oder erworben sein
  - *genetisch:* Neurodermitis, Morbus Wilson, Vitiligo, Down-Syndrom, Marfan-Syndrom, Alport-Syndrom, Morbus Anderson-Fabry usw.
  - *erworben:* infektiös (TORCH), Strahlung, GKK, lokales Trauma
- Formen: nuklear-sklerotisch, kortikal und posterior-subkapsulär

Risikofaktoren

- ↑ Alter
- aHT
- DM
- Rauchen
- Adipositas
- C_2-Abusus
- Augen-OPs
- übermäßige Sonneneinstrahlung

18.2.2 Klinik

- Visusminderung
- Myopie
- Blendungsempfindlichkeit

18.2.3 Therapie

- Katarakt-OP: Ersetzung der getrübten Augenlinse durch eine Kunstlinse

MERKE

- *Ametropie* = Fehlsichtigkeit durch Refraktionsanomalien und/oder Augenachsenlängenveränderung
  - *Myopie* = Kurzsichtigkeit = Form von Ametropie
  - *Hypermetropie* = Weitsichtigkeit = Übersichtigkeit = Form von Ametropie
- *Astigmatismus* = Stabsichtigkeit = Hornhautverkrümmung = eine Fehlsichtigkeit

Formulierungsbeispiele

Patient	Arzt
Ich schiele schon seit der Kindheit mit dem linken Auge.	Strabismus links sei vorbekannt.
Manchmal sehe ich so Flecken oder eher Fäden mit dem rechten Auge. Die bewegen sich oder scheinen die ganze Zeit zu schweben. Ich kann mit dem Auge aber sonst gut sehen.	Frau X beschrieb Mouches volantes (rechts).

KAPITEL

19 Psychiatrie

19.1 Psychopathologischer Befund

Wenn Sie den psychopathologischen Befund in der FSP gut vorstellen können, ist der Fall schon zu 50 % „gelöst". Um im Arzt-Arzt-Gespräch eine präzise Fallvorstellung zu geben, können Sie z. B. folgende Fachterminologie benutzen (Beispiele):

- **äußeres Erscheinungsbild**
  - gepflegt
  - ungepflegt
  - ggf. Beschreibung der Kleidung, Haare
- **im Kontakt**
  - freundlich
  - mürrisch, pampig
  - ablehnend
- **Bewusstsein**
  - wach
  - klar
  - benommen
  - intoxikiert
- **Orientierung zu Ort, Zeit, Person und Situation**
  - voll orientiert
  - unscharf orientiert
  - desorientiert
- **Aufmerksamkeit, Gedächtnis, Auffassungsfähigkeit**
  - unauffällig
  - reduziert
- **formales Denken**
  - kohärent, geordnet
  - inkohärent, zerfahren
  - verlangsamt
  - fixiert auf …
  - Gedankenkreisen
  - Ideenflucht
  - paralogisches Denken (z. B. „Ich kratze an der Wand, weil ich bemerkt habe, dass wenn ich Französisch lerne, die Werbesendung im Fernseher beginnt")
  - Gedankenabreißen
- **inhaltliches Denken**
  - Verfolgungswahn
  - Schuldwahn

  - Verarmungswahn
  - Beziehungswahn
  - religiöser Wahn
  - Größenwahn
  - nihilistischer Wahn
- **Kommunikationsstörungen**
  - Störungen der Sprache
    - Dysarthrie
    - Aphonie, Dysphonie
    - Stottern
  - Störungen der Rede
    - Mutismus
    - Tachyphasie, Bradyphasie
    - Logorrhö
    - stockendes Reden
    - Palilalie, Verbigeration
    - Echolalie
  - Verständlichkeitsstörungen
    - Privatsymbolik
    - Parasyntax, Paragrammatismus
    - Vorbeireden
    - Neologismen
- **Ich-Störungen**
  - Entfremdung
    - Derealisation: die Umwelt, andere Menschen sind fremdartig
    - Depersonalisation: die eigene Person, Körper(teile) sind fremdartig
  - Beeinflussungserleben
    - Gedankeneingebung: eigene Gedanken seien von außen eingegeben
    - Gedankenausbreitung: eigene Gedanken könnten von anderen Menschen „gelesen" werden
    - Gedankenentzug: Fehlen von Gedanken, Gedankenabreißen, das von dem Patienten selbst empfunden wird
  - Transitivismus: Projektion des eigenen Erlebens oder gar Krankseins auf andere
- **dissoziative Störungen**
  - ja/nein
- **Sinnestäuschungen**
  - optische Halluzinationen (z. B. weiße Mäuse bei Alkoholentzug, kleine Tiere, Geister, Menschen usw.)
  - akustische Halluzinationen (Stimmen: imperative, kommentierende, bedrohende, dialogische; Akoasmen usw.)
  - olfaktorische Halluzinationen
  - taktile (haptische) Halluzinationen
  - Geschmackshalluzinationen
- **Affekt**
  - Ambivalenz
  - Affektstarre

  - Affektlabilität
  - Gefühl der Gefühllosigkeit
  - Affektarmut
  - Parathymie
- **Ängste, Phobien oder Zwänge** (welche? bitte nennen)
- **Psychomotorik**
  - ruhig
  - unruhig
  - entspannt
  - angespannt
- **Antrieb**
  - vermindert
  - gesteigert
  - unauffällig
- **vegetative Begleitsymptome**
  - Schwitzen
  - Erbrechen
  - Hyperventilation
  - Verschiedene Entzugserscheinungen
- **Suizidalität, Eigen- oder Fremdgefährdung**
- vgl. Klein et al. (2024)

TIPP

Lesen Sie bitte auch, welche Fragen Sie den Patienten in der Anamnese stellen, wie Sie ein Gespräch beginnen und wie die ersten Fragen lauten (➤ Kapitel 2.2.14 „Psychiatrie").

19.2 Die häufigsten psychiatrischen Syndrome

- Die folgenden Syndrome können in einer Prüfungssituation von den Prüfern leicht simuliert und von den Kandidaten meistens schnell erkannt werden – daher könnten sie auch eventuelle FSP-Fälle darstellen (➤ Tab. 19.1; vgl. auch Rupp 2017)

LittleDoc meint

Auf keinen Fall werde ich hier versuchen, ein Psychiatrie-Fazit zu verfassen. Ich werde also nur beispielhaft einige Notfallsituationen nennen und diese kurz vorstellen – nur dass Sie keine Panik bekommen, falls Sie solche Fälle in der Prüfung haben. :-)
Für den Klinikalltag empfehle ich Ihnen die Fachliteratur.

TIPP

Informieren Sie sich bitte über das Prozedere der Unterbringung in Ihrer Klinik und Ihrem Bundesland!

Sobald bei einem Patienten aufgrund einer psychischen Störung eine *akute Selbst- oder Fremdgefährdung* vorliegt, gibt es mehrere Möglichkeiten, ihn in eine geschlossene Abteilung einer psychiatrischen Klinik einzuweisen, wenn dies freiwillig nicht erfolgen kann – das heißt: eine Unterbringung gegen den Willen des Patienten:

LittleDoc meint

Aus datenschutzrechtlichen Gründen kann ich hier das Bild, das beim Schreiben vor meinem inneren Auge auftaucht, nicht veröffentlichen. In der Psychiatrie hat sich die Kombination „Haloperidol und Lorazepam" über die Jahre etabliert – sie wird jedoch manchmal etwas voreilig eingesetzt. Nichtsdestotrotz kann man den Humor mancher Kollegen schon begrüßen: Online findet man unter dem Titel „Stille Nacht"/ "Silent Night" ein weihnachtliches Bild von einer Packung Haloperidol und einer Packung Lorazepam, die zusammen als Christbaumschmuck gebunden wurden.

Tab. 19.1 Häufige psychiatrische Syndrome in der Zentralen Notaufnahme

Wie sieht das aus?	Was kann man machen?
Psychotisches Syndrom	
• von Grunderkrankung abhängig • Wahn, Halluzinationen • formale Denkstörungen (z. B. inkohärentes, zerfahrenes Denken) • Störungen der Affektivität (z. B. Parathymie, Affektverflachung) • Störungen des Antriebs, der Psychomotorik • bizarres Verhalten usw.	• psychiatrische Vorstellung! • *in Not* Sedativa (z. B. Lorazepam, Diazepam), Antipsychotika (z. B. Haloperidol, Olanzapin) • *Gefährdungsgrundlage* prüfen → Unterbringung notwendig?
Manisches Syndrom	
• euphorische oder dysphorisch-gereizte Stimmung • abnorm gesteigerter Antrieb, psychomotorische Unruhe • mangelnde Erschöpfbarkeit, Schlafmangel • beschleunigtes Denken bis Ideenflucht • Größenideen bis Größenwahn • häufig Aktivitäten mit möglichen negativen Konsequenzen (z. B. maßlose Geldausgaben oder Investitionen, riskantes Sexualverhalten, rasantes und rücksichtsloses Autofahren) usw.	• psychiatrische Vorstellung! • *in Not* Sedativa, Antipsychotika, Stimmungsstabilisierer (z. B. Valproat) • *Gefährdungsgrundlage* prüfen → Unterbringung notwendig?
Stupor und Katatonie	
• verschiedene Formen und Ursachen, u. a.: • *Depression:* maximale Antriebshemmung, Erstarrung in Gefühllosigkeit; häufig bei schweren depressiven Episoden mit psychotischen Symptomen, da oftmals auch Wahninhalte und Katastrophenerleben vorhanden • *Katatonie:* Hypo- und Hyperphänomene, oftmals mit raschem Wechsel: u. a. Stupor, Mutismus, Haltungsstereotypien, Negativismus, Katalepsie, Flexibilitas cerea, Agitation, Echolalie, Echopraxie, Manierismen, Grimassieren; *Cave!* Perniziöse Katatonie (Sonderform der katatonen Schizophrenie): potenziell lebensbedrohlich: o. g. Symptomatik + Fieber, Exsikkose, Tachykardie, Hypertonie, Kreatinkinaseerhöhung, Zyanose • *dissoziativer Stupor:* stärkste Antriebsminderung, fehlende oder maximal eingeschränkte Reaktion auf Außenreize (Licht, Berührung, Geräusche, Ansprache), willkürliche Bewegungen deutlich reduziert oder fehlend, Mutismus; Muskeltonus, aufrechte Körperhaltung, Atmung vorhanden, keine Bewusstlosigkeit; meistens als Folge traumatischer Erlebnisse oder sehr starker emotionaler Belastungen	• psychiatrische Vorstellung! • *depressiver Stupor oder Katatonie: in Not* schnell wirkende Benzodiazepine (z. B. Lorazepam) • *dissoziativer Stupor:* Behandlung am besten durch Fachleute; *in Not:* ruhig bleiben, freundlich, sanft ansprechen, durch Ansprache auf das Hier und Jetzt fokussieren, nicht schütteln, anfassen usw. • *Gefährdungsgrundlage* prüfen → Unterbringung notwendig?

19

Tab. 19.1 Häufige psychiatrische Syndrome in der Zentralen Notaufnahme *(Forts.)*

Wie sieht das aus?	Was kann man machen?
Delirantes Syndrom	
• abruptes Auftreten und fluktuierender Verlauf • Verwirrtheit, Bewusstseinsstörungen (quantitativ und qualitativ) • Orientierungsstörungen • Störungen der Aufmerksamkeit und Auffassung, des Gedächtnisses • Wahrnehmungsstörungen (häufig optische Halluzinationen in Form von Fäden, Tieren) • wahnhafte Verkennung • Störungen der Psychomotorik; Unruhe, aber auch Hypoaktivität möglich • Störungen der Affektivität: euphorisch oder dysphorisch, deprimiert, ängstlich, ratlos • Störung des Tag-Nacht-Rhythmus • vegetative Begleitsymptome (RR ↑, Puls ↑, Schwitzen, Tremor)	• möglichst schnell die Ursache herausfinden! • *in Not:* Antipsychotika (z. B. Haloperidol – *Cave!* > 65 Jahre niedrig dosiert!), Flüssigkeitszufuhr, Überwachung • Im Entzug von Alkohol, Hypnotika, Sedativa: Benzodiazepine • *Gefährdungsgrundlage* prüfen → Unterbringung notwendig?
Depressives Syndrom	
• Niedergeschlagenheit • Freude- und Interessenverlust • Gefühls- und Hoffnungslosigkeit • Antriebslosigkeit • Störungen der Aufmerksamkeit, Konzentration, Appetitveränderungen, suizidale Gedanken, in schweren Formen Wahn, z. B. Schuld-, Verarmungs- oder nihilistischer Wahn	• psychiatrische Vorstellung • Antidepressiva sind *keine* Notfallmedikation!
Suizidales Syndrom	
• meistens im Rahmen einer psychischen Erkrankung • akute Suizidgedanken, Suizidabsichten = *Notfall!*	• dringend psychiatrische Vorstellung! • bei Eigengefährdung und keiner Distanzierung von Suizidplänen: Unterbringung in Betracht ziehen!
Autoaggression	
• in manchen psychiatrischen Krankheiten, u. a. emotional-instabile Persönlichkeitsstörung, Borderline-Typus • oftmals keine Suizidabsichten, sondern Bewältigungsstrategie in Anspannungszuständen, z. B. Schnittverletzungen • Fremdkörperingestion kann auch eine Form der Selbstverletzung darstellen • bedarfsgerechte Versorgung indiziert, sofern die betroffene Person das erlaubt • bei unklaren Absichten oder Ablehnung der Versorgung lebensbedrohlicher Verletzungen oder Zustände ggf. psychiatrisches *Konsil* zur Einschätzung der Eigengefährdung	• psychiatrische Vorstellung erwägen • *Gefährdungsgrundlage* prüfen → Unterbringung notwendig?

Tab. 19.1 Häufige psychiatrische Syndrome in der Zentralen Notaufnahme *(Forts.)*

Wie sieht das aus?	Was kann man machen?
Panikattacken	
• maximale (Todes-)Angst • Engegefühl in der Brust, Tachykardie, Palpitationen • Hyperventilation, Dyspnoe • Schwitzen, Hitzewallungen • Schwitzen, Übelkeit, Tremor • Derealisations-, Depersonalisationsphänomene	• psychiatrische Vorstellung erwägen • ruhig bleiben, freundlich, sanft ansprechen, durch Ansprache auf das Hier und Jetzt fokussieren, die Symptome erklären • *in absoluter Not:* Benzodiazepine (*Cave!* Abhängigkeitspotenzial und *keine* Dauertherapie!)

- Unterbringung nach § 1831 BGB, i. d. R. durch einen gesetzlichen Betreuer veranlasst
- öffentlich-rechtliche Unterbringung nach PsychKG (Psychisch-Kranken-Gesetze; leichte Unterschiede je nach Bundesland)
- Einweisung in eine Einrichtung des *Maßregelvollzugs* bei strafrechtlichen Verurteilungen

Meistens haben es die diensthabenden Ärzte mit Unterbringungen nach PsychKG, manchmal auch nach BGB zu tun. Dann ist wichtig:

- *Wissen, was die Voraussetzungen für die Unterbringung sind*
  - es besteht eine akute *Gefahr* für die Person selbst (Eigengefährdung) oder für andere Personen (Fremdgefährdung)
  - Gefahr ist durch eine psychische Erkrankung verursacht
  - Gefahr kann nicht auf andere Weise abgewendet werden
  - schädigendes Ereignis steht unmittelbar bevor oder ist aufgrund besonderer Umstände jederzeit zu erwarten
- *Wissen, wer die Unterbringung beantragen darf und wie*
- *Wissen, welche örtliche Behörden informiert werden müssen*
  - die Behörden veranlassen die sofortige Unterbringung
  - die Behörden stellen einen Antrag auf richterliche Anordnung

19.3 Exkurs: Substanzassoziierte Notfälle

Die Welt der psychoaktiven Substanzen ist bunt und vielfältig, und deren Wirkung sowie die Folgen des akuten oder chronischen Konsums begrenzen sich nur in seltenen Fällen auf die Psyche.

Die Behandlung der konsumassoziierten Störungen ist daher *komplex* und benötigt meistens nicht nur einen Behandler, sondern ein ganzes Team und interdisziplinäre Zusammenarbeit (vgl. Kurzhals 2024).

Das *Suchthilfesystem in Deutschland* ist sehr gut entwickelt. Abhängigkeitserkrankungen werden wie alle Erkrankungen behandelt und ernst genom-

LittleDoc meint

Für einige von uns, die sich beruflich der Psychiatrie widmen, ist es der sinnstiftendsten Bereich in der ganzen Medizin.

men. Dafür stehen ambulante, teilstationäre und stationäre Programme, z. B. qualifizierte Entgiftungen, Substitutionsprogramme, Entwöhnungsbehandlungen, Vorsorge, Nachsorge und schließlich auch das Prinzip „Harm Reduction" zur Verfügung. All dies gehört – genauso wie Therapien für akute Appendizitis, Diabetes mellitus, Herzinfarkt, Frakturen und Hirntumoren – zum Behandlungsangebot des deutschen Gesundheitssystems.

19.3.1 Intoxikationen

LittleDoc meint

Das Thema ist megakomplex! Hier sehen Sie nur die *FSP Basics Edition.*

Vordergründig sind Intoxikationen nicht psychiatrisch; aufgrund von häufig assoziierten *Verhaltensauffälligkeiten* benötigen manche aber eine psychiatrische Behandlung.

Wenn die internistisch-intensivmedizinische Überwachung nicht notwendig ist, aber Verhaltensauffälligkeiten bestehen – oder wenn es sich um ein etabliertes Konsummuster handelt –, können viele Patienten von einer psychiatrischen Behandlung profitieren.

Die Wirkung der meisten psychoaktiven Substanzen kann variieren – nicht nur von Wirkstoff abhängig, sondern auch von Menge und Applikationsform. Das klinische Bild wird dann zu einem *Spektrum* – von Vigilanzminderung, Verwirrung und Desorientiertheit über Enthemmung und Aggressivität bis zum psychotischen Erleben, aber auch schweren somatischen Folgen wie Herzrhythmusstörungen, epileptischen Anfällen, Nierenversagen und Exitus.

In solch einem *Notfall* ist die *Substanzanamnese* wichtig. Teststreifen können den Konsum bestimmter Substanzen indizieren. Es gibt jedoch viele andere Wirkstoffe, vor allem von den neueren Generationen, die sich durch Schnelltests oder die üblichen Laboruntersuchungen nicht feststellen lassen. Wichtig ist es zu erfahren, was konsumiert wurde, und dann zu klären:

- Gibt es für die vorliegende Situation ein spezifisches Gegenmittel (Antidot)?
- Muss der Patient intensivmedizinisch überwacht werden – oder wo kann die notwendige Behandlung erfolgen?
- Ist der Einsatz von Antipsychotika und/oder Sedativa bei Bedarf angezeigt oder empfohlen?
- *Für die FSP* können Sie bei Verdacht auf eine (Misch-)Intoxikation eine intensivmedizinische Überwachung empfehlen, ggf. unter Einbeziehung der psychiatrischen Fachkollegen.

19.3.2 Entzugssyndrome

- Das klinische Bild eines Entzugssyndroms ist ebenso ein breites *Spektrum,* das oftmals das Gegenüber der Symptome einer Intoxikation darstellt. Wenn man die Wirkung psychoaktiver Substanzen kennt, kann man in vielen Fällen die Symptome des jeweiligen Entzuges erahnen. Beispiele: Patienten im Benzodiazepinentzug leiden oft unter starken Ängsten, Schlafstörungen und Unruhe, im Opiatentzug unter starken Schmerzen, während der Kokainentzug (hierbei durch etwas komplexere Mechanismen) häufig mit depressiven Verstimmungen assoziiert ist.

- Für die FSP und auch für den Klinikalltag ist es wichtig zu wissen, dass Entzugssyndrome *lebensbedrohlich* werden können. Im Falle des Alkohol-, Benzodiazepin- und GHB-Entzugs besteht die Gefahr von epileptischen Anfällen und Delir. Auch andere Formen von Entzug können lebensbedrohlich werden, vielleicht etwas „indirekter", wenn das Leiden und die Verzweiflung zu extremen Maßnahmen wie Suizid oder Überdosierungen führen.
- Für einige Entzugsformen gibt es eine spezifische Medikation (Alkoholentzug: Benzodiazepine, Clomethiazol; Benzodiazepine: meistens homologer Entzug möglich; GHB: langwirkende Benzodiazepine, Phenobarbital, 4-Hydroxybutansäure; Opioide: unterschiedlich, aber teils homolog möglich usw.). Für andere Entzugsformen erfolgt die Behandlung symptomatisch.
- Manche Patienten bekommen eine sog. *Substitutionstherapie:* Sie erhalten ein Medikament (Substitut), um Entzugserscheinungen im Rahmen einer Opioidabhängigkeit zu vermeiden.
  - Es gibt klare Kriterien für eine Substitutionstherapie. Nicht jeder Patient, der Opiate konsumiert und in die Notaufnahme kommt, kann sofort auf ein Substitut eingestellt werden. Bitte unbedingt Rücksprache mit einem Suchtmediziner halten!
  - Bei Patienten, die sich bereits in einer Substitutionstherapie befinden: Verabreichen Sie die angegebene Tagesdosis nicht ohne genaue Informationen. Diese Medikamente können lebensgefährlich sein! Es ist wichtig, einen Nachweis über die letzte, idealerweise unter Aufsicht eingenommene Dosis zu haben. Nur einen (evtl. sogar etwas älteren) Substitutionspass zu besitzen, reicht in den meisten Fällen nicht. Auch hier empfiehlt sich die Rücksprache mit einem Suchtmediziner.
  - Bevor Sie solche Medikamente verabreichen, benötigen Sie den Nachweis, dass der Patient tatsächlich Opioide konsumiert. Ein Urinteststreifen kann in den meisten Fällen schnell Klarheit schaffen. Trotzdem sollte auch in diesem Fall zunächst eine Rücksprache mit einem Suchtmediziner erfolgen.

CAVE!

Bitte höchste Vorsicht bei der Verschreibung von Medikamenten mit Abhängigkeitspotenzial, insbesondere bei Patienten, die schon an einer Abhängigkeitserkrankung leiden!

Ein Beispiel wäre die Verschreibung von Z-Substanzen, Benzodiazepinen oder Gabapentinoiden – eher zu vermeiden, solange es keine dringende Indikation ist oder es Alternativen gibt, die kein Abhängigkeitspotenzial bergen.

III Prüfungssimulationen und Terminologie

KAPITEL

20 Prüfungssimulationen

20.1 Tipps zur Beruhigung

- Wenn ich es geschafft habe, schaffen Sie es auch ;-)
- Sie haben schwierigere Prüfungen bestanden. Vergessen Sie das bitte nicht.
- Es ist nicht die letzte Chance Ihres Lebens. Vergessen Sie das bitte auch nicht.

Um sich gut auf die Fachsprachprüfung vorzubereiten, brauchen Sie dieses Buch nicht auswendig zu lernen. Sie müssen das Buch auch nicht in toto studieren. Lesen Sie aber bitte die Kapitel, die mit dem Blitz markiert sind. [*Die anderen Kapitel sind nur für den Fall, dass Sie nichts Besseres zu tun haben.* (Nein, es wäre gut, wenn Sie auch darauf einen Blick werfen, aber bitte nicht verzweifeln!)]

20.2 Antworten auf die häufigsten Fragen

- Nein, die TNM-Klassifikationen brauchen Sie nicht auswendig zu lernen.
- Nein, alle möglichen OP-Schritte brauchen Sie nicht ganz genau zu kennen.
- Nein, die Dosierungen und Medikamente brauchen Sie nicht exakt zu wissen. Die Klassen reichen aus – und vielleicht ein Beispiel.

Wenn Sie in der FSP keine Ahnung haben, was dem Patienten fehlt, machen Sie eine schöne, ausführliche Fallvorstellung. Am Ende melden Sie einfach ein Konsil oder mehrere Konsile *„zur Mitbeurteilung der Diagnose und Optimierung der Therapie"* an – and show your best smile to the examiners. Falls das nicht möglich ist, sagen Sie einfach, welches System betroffen ist, und erklären Sie ganz höflich, dass Sie den Fall mit einem Oberarzt besprechen würden.

Wenn Sie Hufschläge hören … denken Sie zuerst an Pferde und nicht an Zebras. Versuchen Sie in der Fachsprachprüfung immer, klare Diagnosen zu stellen und – sofern möglich – einfache Diagnosen zu geben. *Beispiel:*

- Sie bekommen einen Patienten mit diffusen Abdominalschmerzen und Diarrhö seit 4 Tagen. Sagen Sie bitte nicht gleich „Colitis ulcerosa" oder „Kolonkarzinom", wenn dafür keine weiteren Symptome vorliegen. Eine „Enterokolitis" reicht.

Wenn Sie eine systemische Krankheit vermuten (autoimmune Krankheit, Kollagenose usw.), aber nicht genau wissen, um welche es sich handelt:

Beruhigen Sie sich. Systemische Krankheiten können Sie einfach **„aufspalten“**. *Beispiel:*

- Sie bekommen einen 35-jährigen Patienten mit Dysurie („Brennen beim Wasserlassen“), Pruritus im genitalen Bereich, Arthralgie im Kniegelenk li., Sprunggelenk bds., schuppendem Hautausschlag an der Fußsohle re., Fremdkörpergefühl im Auge re. Die urogenitalen Beschwerden sind seit 10 Tagen da, die anderen Beschwerden erst seit 4 Tagen.
- Die Diagnose wäre Reiter-Syndrom/reaktive Arthritis infolge einer Urethritis. Doch bei der Prüfung erkennen Sie das nicht sofort → *aufspalten.*
- Der Patient hat einen genitalen Infekt (urologisches Konsil, vergessen Sie bitte die Sexualanamnese nicht), eine Dermatitis an der Fußsohle (dermatologisches Konsil), eine Arthropathie (Röntgen-Thorax anfertigen, um eine degenerative Krankheit auszuschließen + rheumatologisches Konsil) und eine Konjunktivitis (ophthalmologisches Konsil).

Kommunikative Strategie! Elegant? Überhaupt nicht. Lösung? Das schon. Punkte? Bestimmt! Wichtig ist, *dass* Sie kommunizieren und etwas Passendes zu den Symptomen finden.

- Ja, die *Allgemeinmaßnahmen* sind sehr wichtig: Patientenschulung, Ernährungsberatung, Gewichtsabnahme, Tabakkarenz, Sport usw.
- Und ja, *die psychologische oder psychotherapeutische Unterstützung* ist wichtig – bitte nicht vergessen, besonders bei Krebs oder anderen schweren Krankheiten.

Bei schweren Erkrankungen

LittleDoc meint

Im klinischen Alltag:
Sorgen Sie für eine ruhige Umgebung und ausreichend Zeit. Das Gespräch sollte nicht auf dem Flur, nicht in Anwesenheit anderer Patienten usw. stattfinden.
Bitten Sie andere Patienten, das Zimmer zu verlassen.

Eine lebensverändernde Diagnose wie eine Krebserkrankung sollten Sie dem Patienten nicht direkt mitteilen (also nicht: „Ja, ich habe einen Verdacht auf Magenkrebs“). Sondern: *„Wir können leider im Moment nichts ausschließen. Ich bitte Sie um ein bisschen Geduld, bis alle Ergebnisse da sind.“*

Wenn Sie in der FSP von den Prüfern die „Ergebnisse“ bekommen und aufgefordert werden, nun dem „Patienten“ die Diagnose zu kommunizieren:

- Fragen Sie den Patienten, ob er das Gespräch allein durchführen möchte; empfehlen Sie ihm bitte, dass er eine Vetrauensperson/Begleitung dabeihaben kann.
- Fragen Sie, wie es ihm geht; ob er fit für das Gespräch ist; ob er ein Glas Wasser möchte.
- Erklären Sie ihm erneut, welche Untersuchungen durchgeführt wurden und was die Ergebnisse bedeuten.
- Machen Sie eine Pause. „Okay, Herr X, ich glaube, wir brauchen eine Pause. So, einmal tief durchatmen.“
- Erklären Sie ihm nun die Therapie. Zuerst die Technik. Dann wieder Pause. Fragen Sie, ob er alles verstanden hat.
- Erklären Sie die möglichen Komplikationen der Therapie. Fragen Sie, ob der Patient Fragen hat.
- Sprechen Sie über Allgemeinmaßnahmen, z. B. die Ernährung.
- Geben Sie dem Patienten den Hinweis, dass er in dieser Situation Unterstützung durch eine *Psychotherapie* bekommen kann.

Bei Komplikationen

Wenn Sie nicht alle möglichen Komplikationen einer Untersuchung/OP genau nennen können, nennen Sie die Komplikationen von Anästhesie und Zugang: Allergie, Infektion usw. Das gilt aber selbstverständlich *nur in der FSP.*

Small Talk in der FSP

Sie sollten sich auf Small Talk vorbereiten. Die Prüfer werden Sie anfangs fragen, seit wann Sie in Deutschland sind, seit wann Sie Deutsch lernen, welche Fachrichtung Sie interessiert. [Lasst uns alle einen Moment der Stille haben für die Kollegen, die „Innere Medizin" oder „Allgemeinmedizin" sagen …]

Dann ist es gut, schon einen kurzen Text im Kopf zu haben: „Ich bin …, komme aus …, habe Humanmedizin in … studiert. Ich interessiere mich für … Ich habe mich entschieden, nach Deutschland zu kommen, weil … Meine Hobbys sind …" (insgesamt 3, 4 Sätze, ca. 1 Minute).

Training der Prüfungssituation mit Simulationen

Im Folgenden finden Sie als Beispiele **5 medizininsche Fälle.** Sie werden sehen, wie Sie im *Arzt-Patienten-Gespräch* die Anamnese erheben, wie Sie den Fall im *Arztbrief* dokumentieren und ihn schließlich im *Arzt-Arzt-Gespräch* Ihrem Kollegen vorstellen (s. dazu auch die Kapitel in Teil I).

Der FSP-Kandidat nimmt die Position des diagnostizierenden Arztes ein (hier: linke Spalte) – ein Prüfer spielt den Patienten und wird auch als Kollege zur Verfügung stehen (rechte Spalte). Mit dem Patienten wählen Sie die *Umgangssprache* – im Arztbrief und mit dem Kollegen bitte *Fachsprache.*

Bitte beachten Sie, dass es oft mehrere Wege gibt, die zum Ziel führen. Sie trainieren hier jedoch eine Struktur, wie die FSP typischerweise verläuft. Und dann heißt es: üben, üben, üben.

20.3 Fall 1: Divertikulitis

20.3.1 Anamnese im Arzt-Patienten-Gespräch

Arzt (FSP-Kandidat)	Patient (Prüfer)
Guten Tag. Mein Name ist Herr/Frau X und ich bin hier in der Notaufnahme als AA/AÄ tätig. Heute möchte ich mit Ihnen das Aufnahmegespräch durchführen. Sind Sie einverstanden? Sehr wichtige Frage!	
	Guten Tag. Ja, klar.
Wie heißen Sie?	
	Ich heiße Katharina Müller.
Könnten Sie das bitte (langsam) buchstabieren?	

Arzt (FSP-Kandidat)	Patient (Prüfer)
	Ach Mensch, boah, es tut so weh! Okay: K-A-T-H-A ...
Danke. Wie alt sind Sie, Frau Müller? Die Prüfungskandiaten sollten den Patienten in der Anamnese MINDESTENS 3 Mal mit Namen ansprechen!	
	Ich bin 41 Jahre alt.
Und wann genau sind Sie geboren?	
	Am 12.10., den Rest können Sie allein ausrechnen.
Was führt Sie zu uns, Frau Müller?	
	Ach, Herr/Frau X, ich habe diese ganz starken Bauchschmerzen (Abdominalschmerzen, Abdomenschmerzen).
Wo genau tut es weh?	
	So, hier, im Unterbauch (Hypogastrium) ... Mann ...
Im ganzen Unterbauch (Hypogastrium)?	
	Nein, eher links ... Ja, also links (Fossa iliaca sinistra) tut es richtig weh.
Können Sie die Schmerzen genauer beschreiben? Sind sie eher kolikartig oder krampfartig, stechend, brennend oder ziehend ...?	
	Sie sind stechend – oder kolikartig, ich weiß es nicht genau ...
Und strahlen diese Schmerzen irgendwohin aus, Frau Müller?	
	Ja, in den ganzen Bauch und ins linke Bein.
Seit wann haben Sie diese Schmerzen?	
	Seit heute Morgen.
Okay. Und sind sie plötzlich aufgetreten?	
	Ja. Aber sie waren am Anfang nicht so stark.
Okay. Und haben Sie die Schmerzen ständig oder kehren sie immer wieder zurück?	
	Oh Mensch, jetzt ständig!
Frau Müller, ist Ihnen das schon mal passiert?	
	Nein.
Und was haben Sie gerade gemacht, als die Schmerzen begannen?	
	Ich bin einfach aufgestanden und – tja, da begannen die schon.
Haben Sie etwas ausprobiert, um die Schmerzen zu lindern? Ein Medikament oder eine bestimmte Körperlagerung?	

Arzt (FSP-Kandidat)	Patient (Prüfer)
	Ich kann mich kaum bewegen – wenn ich das Bein abwinkle, tut es noch mehr weh!
Haben Sie auch Übelkeit (Nausea) verspürt oder haben Sie sich erbrochen (Vomitus)?	
	Ja, letzten Abend habe ich einmal erbrochen … und mir ist immer noch übel.
Wie sah das Erbrochene (Vomitus) aus, Frau Müller?	
	Pfff … keine Ahnung, braun … weiß nicht, wie Erbrochenes (Vomitus) eben aussieht! Ach Mensch, was fragen Sie denn danach? Sind Sie Arzt oder Student oder was? Sehen Sie nicht, dass ich Schmerzen habe? Geben Sie mir mal was gegen diese Schmerzen … Oh Mann …
Frau Müller, ich glaube Ihnen, dass es wehtut, und ich versuche, die richtige Diagnose zu stellen. Wenn ich Ihnen jetzt vorschnell das falsche Medikament gäbe, würde Ihnen das eher schaden als nutzen. Die FSP-Kandidaten sollten Antworten wie „ich verstehe, ich weiß" IMMER vermeiden. Das irritiert die Patienten nur. „Ich glaube Ihnen" zeigt dagegen mehr Empathie.	
	Na gut, was brauchen Sie noch?
Was haben Sie gestern oder in den letzten Tagen gegessen?	
	Hm … so wie immer, also ich koche alles selbst und ja … gestern Morgen habe ich Müsli gegessen, dann einen Salat und abends ein kleines Steak mit Brot. Mir war da schon übel/schlecht (Nausea), wie gesagt.
Haben Sie Fieber, Schüttelfrost oder Nachtschweiß?	
	Ein bisschen Fieber, glaube ich …
Haben Sie das Fieber gemessen? Seit wann haben Sie Fieber?	
	Seit letzter Nacht und ich habe es nicht gemessen …
Haben Sie ungewollt ab- oder zugenommen?	
	Nein.
Hat sich Ihr Appetit verändert, Frau Müller? Ich meine, nicht heute oder gestern, sondern in den letzten Wochen.	

Arzt (FSP-Kandidat)	Patient (Prüfer)
	Nein, nur heute und gestern konnte ich nicht richtig essen.
Haben Sie Probleme mit dem Stuhlgang (Defäkation) oder beim Wasserlassen (Miktion)?	
	Ich habe heute Morgen einen weicheren Stuhlgang (Fäzes) gehabt … Sonst ist da alles gut.
Welche Farbe?	
	Normal, ohne Blut oder so was. Nur weicher …
Frau Müller, besuchen Sie regelmäßig Ihren Frauenarzt?	
	Hm … na ja … was heißt regelmäßig … Nicht so richtig, nein.
Das ist sehr wichtig, gerade auch in Ihrem Alter. Bei frühzeitiger Diagnose sind viele Krankheiten heilbar. Ich möchte Ihnen dringend raten, einen Termin bei Ihrem Frauenarzt zu vereinbaren. Nur um zu bestätigen, dass alles in Ordnung ist.	
	Ja, okay. Meine Frauenärztin meinte sowieso letztes Jahr, dass ich irgendwelche Zysten am Eierstock (Ovar-Ovarien) oder so was habe.
Diese Informationen sind auch für uns sehr wichtig. Wir werden auch mit den Kollegen in der Frauenheilkunde sprechen, die Sie dann eventuell auch untersuchen werden.	
	Okay.
Ist es möglich, dass Sie schwanger sind?	
	Wow. Die Frage habe ich jetzt nicht erwartet. Also na ja … ich hoffe es wirklich nicht, aber es könnte schon sein, also … ich glaube nicht, ich weiß es nicht.
Wann hatten Sie Ihre letzte Regelblutung (Menstruation)?	
	Keine Ahnung, die kommt, wenn sie will … nie regelmäßig …
Leiden Sie an irgendwelchen Erkrankungen? An der Blutzuckerkrankheit (Diabetes mellitus), an Bluthochdruck (arterieller Hypertonie), einer Krebserkrankung (Malignom, Karzinom, Sarkom, Leukämie, Lymphom usw.), an ansteckenden Krankheiten (Infektionen)? Magen (Gaster/Ventriculus), Leber (Hepar), Lungen (Pulmones), Nieren (Renes), Kopf … ist da alles in Ordnung?	

Arzt (FSP-Kandidat)	Patient (Prüfer)
	Ich glaube ja ... Alles ist gut ... nur diese Zysten habe ich ...
Sind Sie schon einmal operiert worden?	
	Ja, ich hatte eine Blinddarmentzündung (Appendizitis) und wurde operiert (Appendektomie). Und ich hatte auch 2 Kaiserschnitte (Sectio caesarea).
Wann waren diese Operationen? Warum brauchten Sie Kaiserschnitte?	
	Also die Blinddarmentzündung (Appendizitis) hatte ich als Kind ... 12 Jahre alt, glaube ich. Die Kaiserschnitte (Sectiones Caesareae – Pl.) waren vor 10 bzw. 7 Jahren. Beim ersten Mal war das Kind zu groß und es wurde mir gesagt, dass es irgendwie nicht rauskommen kann ... so mit der Schulter (Risiko einer Schulter-Dystokie). Und beim zweiten Mal haben die gesehen, dass das Herzchen des Babys plötzlich zu langsam schlug ... auf so einem EKG vom Kind (Dezellerationen/Dips auf dem CTG/Kardiotokogramm). Aber beide Kinder waren und sind gesund.
Sehr gut. Hatten Sie schon mal eine Dickdarmspiegelung? Wann ungefähr?	
	Nein, das nicht.
Okay. Nehmen Sie regelmäßig oder gelegentlich Medikamente ein, Frau Müller?	
	Hm ... Ich nehme bei Bedarf MCP (Metoclopramid) ein.
Welche Dosierung und wie viel am Tag?	
	Ich glaube 10 mg 1 bis 2 Mal pro Tag, wenn mir übel wird (Nausea).
Haben Sie irgendwelche Allergien?	
	Ja, ich habe eine Pollenallergie.
Rauchen Sie, Frau Müller?	
	Ja.
Wie viel und seit wann?	
	2 Schachteln pro Tag seit fast 20 Jahren, glaube ich.
Oh, das ist aber viel. Und wie viel Alkohol trinken Sie am Tag?	

Arzt (FSP-Kandidat)	Patient (Prüfer)
	Also … ich trinke nicht täglich … eine Flasche Bier am Wochenende vielleicht.
Drogen? Das muss ich standardmäßig fragen.	
	Nö.
Gibt es irgendwelche Erkrankungen in Ihrer Familie?	
	Hm, meine Mutter hat Krampfadern (Varikose) und mein Vater hat Bluthochdruck (arterielle Hypertonie).
Sind Sie verheiratet?	
	Ja.
Und Sie sagten, Sie haben 2 Kinder.	
	Nein, ich habe 3 Kinder. Einmal habe ich normal entbunden (Spontanpartus) – vor 3 Jahren.
Okay. Sind alle drei Kinder gesund?	
	Ja, Gott sei Dank. Herr/Frau Doktor … es tut weh!!!
Ich glaube Ihnen, ich bin fast fertig. Wo und wie wohnen Sie?	
	Bergstr. 12, 34567 Karlsruhe.
Ist das eine Wohnung? Welche Etage?	
	Ja, 2. Etage.
Haben Sie Haustiere?	
	Nein.
Wie groß sind Sie?	
	1,70 Meter.
Und wie viel wiegen Sie?	
	68 Kilo.
Was sind Sie von Beruf? Falls Sie die Berufsbezeichnung nicht kennen: Und was genau machen Sie in Ihrem Beruf?	
	Ich bin Friseurin.
Okay, eine weitere Frage. Wie heißt Ihr Hausarzt?	
	Dr. Feldmann.
Gut, danke sehr. Frau Müller, ich habe einen Verdacht auf eine sogenannte Divertikulitis. Die Schmerzen sind denen einer Blinddarmentzündung ähnlich, aber auf der linken Seite. Es war gut, dass Sie hierhergekommen sind. Ich werde Sie untersuchen, wenn Sie einverstanden sind, dann lege ich Ihnen einen Zugang und nehme gleichzeitig Blut ab. Ich werde auch eine Urinprobe von Ihnen brauchen.	

Arzt (FSP-Kandidat)	Patient (Prüfer)
	Oh Mann … ja, ich bin einverstanden mit der Untersuchung … Ist das sehr schlimm? Brauche ich eine Operation? Muss ich hierbleiben?
Sie sollten hierbleiben, bis wir alle Ergebnisse haben. Im Moment kann ich noch nicht 100-prozentig sicher sagen, ob Sie auch stationär bleiben müssen – ich brauche noch die Laborwerte und vielleicht einen Bauchultraschall (Abdomen-Sonografie). Meine vorläufige Diagnose ist nicht schlimm, aber Sie brauchen schon Behandlung. Ich würde jetzt den Fall mit dem Oberarzt besprechen. Ich bin gleich wieder für Sie da. Bleiben Sie bitte liegen und versuchen Sie sich, so gut es geht, zu entspannen.	
	Okay … dann warte ich hier.

20.3.2 Arztbrief

Sehr geehrter Herr Kollege, sehr geehrte Frau Kollegin,

wir berichten Ihnen nachfolgend über Frau Katharina Müller, geb. 12.10.1983, wohnhaft Bergstr. 12, 34567 Karlsruhe, die sich am 26.01.2025 in unserer Notaufnahme vorstellte.

Die Patientin befand sich bei der Aufnahme in einem deutlich reduzierten Allgemeinzustand. Die 41-jährige Patientin stellte sich mit seit ca. 6 Stunden bestehenden starken, kolikartigen, plötzlich aufgetretenen, progredienten, in das ganze Abdomen und in das linke Bein ausstrahlenden Schmerzen in der linken Fossa iliaca bei uns vor. Des Weiteren klagte die Patientin über Nausea und Vomitus seit ca. 16 Stunden. Bis auf Fieber, weiche Fäzes und Inappetenz war die vegetative Anamnese unauffällig.
Ovarialzysten seien bekannt.
Zustand nach Appendektomie vor 16 Jahren, 2 × Sectiones caesareae vor 10 bzw. 7 Jahren.
1 × Spontanpartus vor 3 Jahren.
Pollenallergie sei bekannt.
Tabakabusus wurde mit 40 py bejaht. Alkoholkonsum wurde mit 1 Flasche Bier am Wochenende bejaht. Drogenabusus wurde verneint.
Die Mutter der Patientin leide an Varikose. Der Vater der Patientin leide an arterieller Hypertonie.
Frau Müller wohne mit ihrer Familie in einer Wohnung und arbeite als Friseurin.
Die Anamnese deutet auf akute Divertikulitis hin. Die Patientin wurde stationär aufgenommen. Blutprobe (Blutbild, Entzündungswerte [CRP, BSG], Nie-

LittleDoc erklärt
PY oder py ist die Abkürzung für „pack year", auf Deutsch: „Packungsjahr".
py = (pro Tag gerauchte Zigarettenpackungen) × (Anzahl der Raucherjahre).

renwerte [Krea, Harnstoff]), Harnsäure, Elektrolyte, Leberwerte [GOT, GPT, GGT, β-HCG]), Urinprobe (U-Sticks, Schwangerschaftstest, Urinkultur ggf. mit Antibiogramm) und Stuhlprobe (Koprokultur, ggf. mit Antibiogramm) wurden entnommen.

Eine Abdomensonografie wurde angemeldet. Eine Abdomen-CT ist geplant.

Ein gynäkologisches und ein chirurgisches Konsil wurden angemeldet.

Analgetika, Spasmolytika und Antibiotika wurden verschrieben. Infusionstherapie wurde angeordnet. Bettruhe und Tabakkarenz wurden empfohlen.

Die Ergebnisse o. g. Untersuchungen stehen zurzeit noch aus.

Für weitere Fragen stehen wir Ihnen gern zur Verfügung.

Mit freundlichen kollegialen Grüßen
AA/AÄ/FA/FÄ …

20.3.3 Fallvorstellung im Arzt-Arzt-Gespräch

Arzt (FSP-Kandidat)	Arzt (Prüfer)
Guten Tag. Ich möchte Ihnen heute über eine neue Patientin, nämlich Frau Katharina Müller, berichten. Darf ich?	
	Ja, natürlich.
Frau Müller ist eine 41-jährige Patientin, die sich vor einigen Minuten wegen seit ca. 6 Stunden bestehenden starken, kollikartigen, plötzlich aufgetretenen und jetzt zunehmenden, in das ganze Abdomen und in das linke Bein ausstrahlenden Fossa-iliaca-sinistra-Schmerzen bei uns vorstellte. Des Weiteren klagte die Patientin über Nausea und Vomitus seit ca. 16 Stunden. Sie ist dadurch in einem reduziertem AZ. Schlanker EZ. Sie ist vollorientiert. Bis auf Fieber, weiche Fäzes und Inappetenz war die vegetative Anamnese unauffällig. Ovarialzysten seien bekannt. Zustand nach (Z.n.) Appendektomie (App) vor 16 Jahren, 2 × Sectiones caesareae vor 10 bzw. 7 Jahren und 1 × Spontanpartus (Spp.) vor 3 Jahren. Keine feste Medikation, sie nehme manchmal MCP bei Übelkeit. Pollenallergie sei bekannt. Tabakabusus wurde mit 40 Packungsjahren (= engl.: pack years) bejaht. Alkoholkonsum wurde mit 1 Flasche Bier am Wochenende bejaht. Drogenabusus hat sie verneint. Die Mutter leide an Varikose,der Vater an arterieller Hypertonie (aHT). Frau Müller wohne mit ihrer Familie in einer Wohnung und arbeite als Friseurin. Ich habe einen Verdacht auf akute Divertikulitis. Ich habe sie untersucht. Ich habe sie stationär aufgenommen. Blut-, Urin- und Stuhlproben wurden entnommen.	

Arzt (FSP-Kandidat)	Arzt (Prüfer)
	Okay, stopp! Was zeigte die lokale körperliche Untersuchung?
Die Patientin hatte Abwehrspannung und Hyperästhesie, und sie erlaubte fast keine Palpation. Also ein akutes Abdomen.	
	Warum haben Sie Blut abgenommen?
Wir brauchen ein Blutbild (BB), Entzündungswerte (CRP, BSG), Nierenwerte (Krea, Harnstoff), Harnsäure, Elektrolyte, Leberwerte (GOT, GPT, GGT), Gerinnung und natürlich ß-HCG, um eine Gravidität bzw. Extrauteringravidität (EUG) auszuschließen.	
	Was werden Sie mit der Urinprobe machen?
U-Sticks und einen Schwangerschaftstest. Auch eine Mittelstrahlurinprobe wurde entnommen, um eine Pyelonephritis (Nierenentzündung) oder Zystitis (Harnblasenentzündung) auszuschließen – also ich habe schon eine Urinkultur, ggf. (= wenn Bakterien/Keime auf der Kultur wachsen) mit Antibiogramm, angemeldet.	
	Und wozu die Stuhlprobe?
Für eine Koprokultur,um eine Enterokolitis auszuschließen.	
	Gut, weiter bitte.
Abdomensonografie wurde angemeldet.	
	Warum?
Wir suchen vor allem nach verdickten Darmwandabschnitten, Umgebungsflüssigkeit und Hinweisen auf einen Abszess. Wir wollen einen Tumor und eine Nephrolithiasis (Nierensteine) ausschließen. So können wir auch eine EUG oder normale Gravidität sehen bzw. ausschließen.	
	Okay, aber warum haben Sie keine Koloskopie angemeldet?
Falls die Patientin eine Divertikulitis hat, besteht ein Risiko für eine iatrogene Perforation (Bruch wegen des Eingriffs). Ich habe aber CT-Abdomen schon angemeldet.	
	Okay, und was kam dabei raus?
Alle Ergebnisse stehen noch aus. Ein gynäkologisches und ein chirurgisches Konsil wurden angemeldet.	

Arzt (FSP-Kandidat)	Arzt (Prüfer)
Variante 1: FSP-Kandidat bleibt bei Divertikulitis Analgetika (Schmerzmittel), Spasmolytika (gegen Krämpfe) und Antibiotika wurden verschrieben. Infusionstherapie wurde angeordnet. Bettruhe wurde empfohlen. Tabakkarenz wurde empfohlen. Als Differenzialdiagnosen kommen in Betracht: • Adnexitis (Eierstock- und Eileiter-Entzündung) • Ovarialzyste • rupturierte Ovarialzyste • Extrauteringravidität • Ovarialtorsion (Eierstock-Verdrehung) • Nierenkolik • Zystitis • chronisch entzündliche Darmerkrankungen wie Morbus Crohn oder Colitis ulcerosa • glutensensitive Enteropathie/Sprue • Malignom (eher unwahrscheinlich) So. Jetzt möchte ich den Fall mit Ihnen besprechen.	
	Vielen Dank. Wir haben keine Fragen mehr. Das wäre alles.
Variante 2: FSP-Kandidat sagt EUG/ Ovarialtorsion/etwas Gynäkologisches Ein gynäkologisches Konsil wurde angemeldet. Falls es sich um eine dieser Krankheiten handelt, werden die Gynäkologen die Patientin übernehmen. Sie wird wahrscheinlich eine diagnostische und/oder therapeutische Laparoskopie (Bauchspiegelung) bekommen. Dabei wird die Zyste entfernt, ggf. mit den Adnexen (Eierstock +/– Eileitern). Bei Ovarialtorsion werden wahrscheinlich die Adnexen entfernt, wenn sie schon nekrosiert sind (Gewebsuntergang). Bei EUG werden sie wahrscheinlich erst mal medikamentös eine Abortio (Fehlgeburt) provozieren. Man muss die β-HCG-Werte engmaschig kontrollieren. Wenn das nichts bringt, werden sie operieren müssen. Dabei wird die Patientin wahrscheinlich die Tuba (Eileiter) und das Ovar (Eierstock) verlieren.	Wie würden Sie das ausschließen und was soll man in diesem Fall machen?
Variante 3: Enterokolitis Wir haben schon eine Stuhlprobe entnommen und haben schon eine Koprokultur, ggf. mit Antibiogramm, angemeldet. Wenn E-coli, Shigella, Streptokokken wachsen, dann nur eine Infusionstherapie für ein paar Tage – das sollte reichen. Wenn es länger dauert: Antibiotika. Falls es andere gefährliche Bakterien sind (z. B. Clostridium), muss die Patientin isoliert und mit Antibiotika behandelt werden. Binnen 24 Stunden muss das Gesundheitsamt informiert werden.	Wie würden Sie das ausschließen und was soll man in diesem Fall machen?

Arzt (FSP-Kandidat)	Arzt (Prüfer)
Variante 4: Zystitis oder Nierenkolik Wir haben schon eine Urinprobe (Mittelstrahlurin!!!) entnommen und eine Sonografie durchgeführt. Bei Nephrolithiasis (Nierensteinen): Spasmolytikum (Butylscopolamin). Wenn die Steine groß sind: Stoßwellenlithotrypsie oder Operation. Bei Zystitis oder Pyelonephritis: Antibiotika.	Wie würden Sie das ausschließen und was soll man in diesem Fall machen?

20.4 Fall 2: Akute Cholezystitis

- Cholezystitis ist eine Entzündung der Gallenblase.
- Häufigste Ursache sind Gallensteine (Cholezystolithiasis).

20.4.1 Anamnese im Arzt-Patienten-Gespräch

Arzt (FSP-Kandidat)	Patient (Prüfer)
Guten Tag. Mein Name ist Frau X und ich bin auf der Station als AÄ tätig. Heute möchte ich mit Ihnen das Aufnahmegespräch durchführen. Sind Sie einverstanden? Wichtige Frage!	
	Guten Tag. Ja, natürlich.
Wie heißen Sie? Könnten Sie das bitte (langsam) buchstabieren? Danke.	
	Ich heiße Maria Schröder. S-C-H-R …
Wie alt sind Sie, Frau Schröder? Die FSP-Kandidaten sollten während der Anamnese MINDESTENS 3 Mal den Namen des Patienten sagen.	
	Ich bin 55 Jahre alt.
Und wann genau sind Sie geboren?	
	Am 14. Mai 1969.
Was führt Sie zu uns, Frau Schröder?	
	Ach, Frau X, ich habe diese ganz starken Bauchschmerzen (Abdominalschmerzen, Abdomenschmerzen).
Wo genau tut es weh?	
	So hier im Oberbauch (Epigastrium). Auuuutsch!
Im ganzen Oberbauch (Epigastrium)?	
	Nein, mehr rechts (Regio hypochondriaca dextra), da tut es richtig weh.

20

Arzt (FSP-Kandidat)	Patient (Prüfer)
Können Sie die Schmerzen genauer beschreiben? Sind sie eher kolikartig oder krampfartig, stechend, brennend oder ziehend ...?	
	Sie sind stechend.
Und strahlen diese Schmerzen irgendwohin aus, Frau Schröder?	
	Ja, in den ganzen Oberbauch und nach hinten und ein bisschen in die rechte Schulter ...
Seit wann haben Sie diese Schmerzen?	
	Seit heute Morgen.
Okay. Und sind sie plötzlich aufgetreten?	
	Ja ... aber die waren anfangs nicht so stark.
Okay. Und haben Sie die Schmerzen ständig oder sind sie wiederkehrend (intermittierend)?	
	Sie kommen immer wieder (intermittierend).
Frau Schröder, ist Ihnen das schon mal passiert?	
	Oh ja, Frau Doktor. Schon oftmals.
Was machten Sie gerade, als die Schmerzen begannen?	
	Also wir hatten gerade gegessen und ich saß einfach am Computer.
Was hatten Sie gegessen? Haben Sie schon bemerkt, ob die Schmerzen mit dem Essen verbunden sind?	
	Hm, wir hatten Hähnchen mit Sahnesoße und dann Pilze mit Mayo gegessen. Ja ... also wenn ich etwas Fettiges oder wenn ich ein bisschen zu viel gegessen habe, dann bekomme ich diese Schmerzen. Und mir wird auch schlecht/übel (Nausea).
Haben Sie etwas ausprobiert, um die Schmerzen zu lindern? Ein Medikament oder eine bestimmte Körperlagerung?	
	Ich habe eine Ibu-Tablette (Ibuprofen) eingenommen, aber das hat leider nichts gebracht.
Haben Sie auch dieses Mal Übelkeit (Nausea) verspürt oder mussten Sie sich übergeben (Vomitus)?	

Arzt (FSP-Kandidat)	Patient (Prüfer)
	Ja, ich merke eine starke Übelkeit und ich glaube, ich muss mich erbrechen, aber … ich weiß es nicht.
Haben Sie Fieber, Schüttelfrost oder Nachtschweiß?	
	Ein bisschen Fieber, glaube ich … und Schüttelfrost wegen der Schmerzen.
Haben Sie das Fieber gemessen? Seit wann haben Sie Fieber?	
	Seit ein paar Stunden und ich habe es nicht gemessen …
Haben Sie ungewollt ab- oder zugenommen?	
	Hm, na gut … Ja … so … ich habe vielleicht ein bisschen zugenommen.
Alles gut, Frau Schröder. Sie brauchen sich nicht zu schämen. Wie viel und in welchem Zeitraum haben Sie zugenommen?	
	So … 8 Kilo in den letzten 2 Monaten vielleicht? Ja …
Hat sich Ihr Appetit verändert, Frau Schröder? Ich meine nicht heute oder gestern, sondern in den letzten Wochen.	
	Nein, ich esse immer gern.
Haben Sie Probleme mit dem Stuhlgang (Defäkation) oder beim Wasserlassen (Miktion)?	
	Nein, alles ist in Ordnung.
Frau Schröder, besuchen Sie regelmäßig Ihren Frauenarzt?	
	Nein, Frau X. Warum sollte ich das tun? Bei mir ist da unten nichts mehr … wissen Sie?
Also Sie hatten eine Gebärmutterentfernung (Hysterektomie) – wann hat man das gemacht und warum? Sind die Eierstöcke (Ovarien) noch erhalten?	
	Ja. Das war vor 8 Jahren. Die Eierstöcke (Ovarien) wurden gleichzeitig entfernt, ich hatte ja schon keine Regel mehr und die Ärzte meinten, die waren schon geschrumpft oder so was (Atrophie der Ovarien).
Okay. Und warum wurde die Operation durchgeführt?	

Arzt (FSP-Kandidat)	Patient (Prüfer)
	Hm, ich hatte eine gutartige Geschwulst an der Gebärmutter (V.a. Uterusmyom) und ich bekam diese ganz starken Schmerzen nach dem Geschlechtsverkehr, also nach dem Orgasmus (Dyspareunie).
In welchem Jahr war das?	
	Das war 2017.
Okay. Es ist trotzdem sehr wichtig, dass Sie den Frauenarzt weiterhin regelmäßig besuchen. Er untersucht nicht nur Gebärmutter und Eierstöcke, sondern auch Probleme mit der Scheide (Vagina), mit den Drüsen (Bartholindrüsen, Vestibulardrüsen), die sich in dieser Region befinden, und natürlich auch die Brüste (Mamma). Wenn frühzeitig diagnostiziert wird, sind sehr viele Krankheiten heilbar. Ich würde Ihnen dringend empfehlen, einen Termin mit Ihrem Frauenarzt zu vereinbaren. Nur vorsorglich, um zu bestätigen, dass alles in Ordnung ist.	
	Ja, okay.
Leiden Sie an Erkrankungen wie Blutzuckerkrankheit (Diabetes mellitus), Bluthochdruck (arterielle Hypertonie), Krebserkrankung (Malignom, Karzinom, Sarkom, Leukämie, Lymphom usw.) oder an einer ansteckenden Krankheit (Infektion)? Bei Magen (Gaster/Ventriculus), Leber (Hepar), Lungen (Pulmones), Nieren (Renes) und Kopf ist alles in Ordnung?	
	Ich habe Bluthochdruck (arterielle Hypertonie), erhöhte Blutfettwerte (Hypercholesterinämie) und eine Entzündung der Schilddrüse (Thyreoiditis) … es gibt einen Namen dafür … ich weiß es nicht …
Morbus Hashimoto? (Hashimoto-Thyreoiditis)	
	Ach ja, genau.
Außer der Gebärmutterentfernung – hatten Sie noch andere Operationen?	
	Ja, ich hatte eine Blinddarmentzündung (Appendizitis), und der wurde entfernt (Appendektomie). Und letztes Jahr hatte ich einen Unfall mit einem Oberschenkelbruch (Femurfraktur).
Auf welcher Seite war das?	
	Links.

Arzt (FSP-Kandidat)	Patient (Prüfer)
Wann war die Blindarmentzündungsgeschichte?	
	Oh, das ist lange her. Ich glaube, ich war 14 Jahre alt.
Okay, Frau Schröder. Nehmen Sie regelmäßig oder gelegentlich Medikamente ein?	
	Hm … Ich nehme Captopril, Simvastatin, Furosemid, ASS … tja …
Welche Dosierung und wie viel am Tag?	
	Captopril 50 mg morgens, Simvastatin 80 mg abends, Furosemid 20 mg mittags und ASS 100 mg auch morgens.
Und für die Schilddrüse?	
	Ach so, ja … Euthyrox nehme ich auch ein. 75 Mikrogramm.
Morgens, 30 Minuten vor dem Frühstück, ja?	
	Genau.
Haben Sie irgendwelche Allergien?	
	Ja, eine Zitrus-Allergie.
Rauchen Sie, Frau Schröder?	
	Ja.
Wie viel und seit wann?	
	2 Schachteln pro Tag seit fast 30 Jahren, glaube ich.
Oh … Und wie viel Alkohol trinken Sie am Tag?	
	Ich trinke keinen Alkohol.
Drogen? Ich muss Sie das standardmäßig fragen.	
	Nein.
Gibt es irgendwelche Erkrankungen in Ihrer Familie?	
	Meine Mutter hatte Brustkrebs (Mammakarzinom) und mein Vater hatte etwas an der Prostata … die war groß, aber nicht bösartig (Prostata-Hyperplasie).
Oh, das tut mir leid für Ihre Mutter. Sind Sie selbst verheiratet?	
	Ja.
Haben Sie Kinder?	
	4 Stück. Alle groß und gesund.
Okay. Haben Sie normal entbunden?	

Arzt (FSP-Kandidat)	Patient (Prüfer)
	Ja, alle 4.
Wo und wie wohnen Sie, Frau Schröder?	
	In der Katharinenstraße 98 in 76543 Bordesholm.
Ist das eine Wohnung? Welche Etage?	
	Das ist eigentlich ein Haus.
Haben Sie Haustiere?	
	2 Katzen.
Wie groß sind Sie?	
	1,55 Meter.
Und wie viel wiegen Sie?	
	80 Kilogramm.
Was sind Sie von Beruf? Falls Sie die Berufsbezeichnung nicht kennen: Und was genau machen Sie in Ihrem Beruf?	
	Ich bin Bäckerin.
Wie heißt Ihr Hausarzt?	
	Das ist Herr Dr. Rohne.
Gut, vielen Dank. Das waren meine Fragen. Frau Schröder, ich habe einen Verdacht auf eine Gallenblasenentzündung. Es war gut, dass Sie hierhergekommen sind. Ich werde Sie untersuchen, wenn Sie einverstanden sind, dann lege ich Ihnen einen Zugang und nehme gleichzeitig Blut ab. Ich werde auch eine Urinprobe von Ihnen brauchen.	
	Oh, Mensch … Ja, okay, ich bin einverstanden mit der Untersuchung. Muss ich operiert werden? Ist das eine schlimme Sache? Muss ich hierbleiben? Wie ist das passiert?
Sie sollten hierbleiben, bis wir Sie stabilisieren können und uns alle Ergebnisse vorliegen. Im Moment kann ich noch nicht 100-prozentig genau sagen, ob Sie eine Operation benötigen – ich brauche noch die Laborwerte und vielleicht einen Bauchultraschall (Abdomen-Sonografie). Es kann sein, dass Sie auch Gallenblasensteine (Cholezystolithiasis) haben, die Ihre Schmerzen verursachen. Ich würde jetzt den Fall mit dem Oberarzt besprechen. Bleiben Sie bitte einen Moment hier, bis die Krankenschwester Ihnen zeigt, wo Ihr Zimmer ist. Ich sehe Sie später dort. Bis dann.	
	Ach Mensch, okay … dann warte ich erst mal hier.

20.4.2 Arztbrief

Sehr geehrter Kollege, sehr geehrte Kollegin,

wir berichten Ihnen nachfolgend über Frau Maria Schröder, geb. 14.05.1969, wohnhaft Katharinenstraße 98, 76543 Bordesholm, die sich am 27.01.2025 in unserer Notaufnahme vorstellte.

Die 55-jährige Patientin stellte sich mit seit ca. 8 Stunden bestehenden starken, stechenden, plötzlich aufgetretenen, intermittierenden, in das Epigastrium, dorsal und kranial, ausstrahlenden Regio-hypochondriaca-dextra-Schmerzen bei uns vor. Des Weiteren klagte die Patientin über Nausea. Bis auf Fieber und Schüttelfrost war die vegetative Anamnese unauffällig.
Die Patientin leide an Adipositas, arterieller Hypertonie, Hypercholesterinämie und Hashimoto-Thyreoiditis.
Z. n. Appendektomie mit 14 Jahren, totaler Hysterektomie und Adnexektomie bds. 2017, Femurfraktur links vor 1 Jahr und Z. n. 4 × Spontanpartus.
Die Patientin nehme Captopril 50 mg 1-0-0, Simvastatin 80 mg 0-0-1, Furosemid 20 mg 0-1-0, ASS 100 mg 1-0-0 und Euthyrox 75 µg 1-0-0 ein.
Zitrus-Allergie sei bekannt.
Tabakabusus wurde mit 60 py py = (pro Tag gerauchte Zigarettenpackungen) × (Anzahl Raucherjahre) = Packungsjahr (engl.: pack year) bejaht.
Alkohol- und Drogenkonsum wurde verneint.
Die Mutter der Patientin habe an Mammakarzinom gelitten. Der Vater der Patientin habe an Prostata-Hyperplasie gelitten.
Die Patientin sei verheiratet. Sie wohne in einem Haus und arbeite als Bäckerin.
Die Anamnese deutet auf Cholezystitis bei Cholezystolithiasis hin. Körperliche Untersuchung wurde durchgeführt. Die Patientin wurde stationär aufgenommen. Blutprobe wurde entnommen (Blutbild, Entzündungswerte [CRP, BSG], Nierenwerte [Krea, Harnstoff], Harnsäure, Elektrolyte, Leberwerte [GOT, GPT, GGT], Bilirubinwerte [direkt und gesamt] und Pankreas-Amylase und -Lipase).Abdomensonografie wurde angemeldet. Analgetika (Metamizol), Spasmolytika (Butylskopolamin) und Infusionstherapie wurden verabreicht. Gastroenterologisches und chirurgisches Konsil wurden geplant.
Alle Ergebnisse stehen zurzeit noch aus.

Für weitere Fragen stehen wir Ihnen gern zur Verfügung.

Mit freundlichen kollegialen Grüßen
AÄ/FÄ …

20.4.3 Fallvorstellung im Arzt-Arzt-Gespräch

Arzt (FSP-Kandidat)	Arzt (Prüfer)
Guten Tag. Ich möchte Ihnen heute über eine neue Patientin, nämlich Frau Maria Schröder, berichten. Darf ich?	
	Ja, bitte.
Die 55-jährige Patientin stellte sich mit seit ca. 8 Stunden bestehenden starken, stechenden, plötzlich aufgetretenen, intermittierenden, in das Epigastrium, dorsal (nach hinten) und kranial (nach oben) ausstrahlenden Schmerzen in der Regio hypochondriaca dextra (Oberbauch rechts) bei uns vor. Des Weiteren klagte die Patientin über Nausea. Bis auf Fieber und Schüttelfrost war die vegetative Anamnese unauffällig. Adipositas, Arterielle Hypertonie, Hypercholesterinämie und Hashimoto-Thyreoiditis bekannt. Zustand nach Appendektomie mit 14 Jahren Femurfraktur links vor 1 Jahr, 4 × Spontanpartus und Z.n. totale Hysterektomie (Gebärmutterentfernung) und Adnexektomie (Eierstock- und Eileiterentfernung) beidseits (bds.) 2017. Die Patientin nehme morgens Captopril 50 mg und ASS 100 und abends, Simvastatin 80 mg und Furosemid 20 mg. Zitrus-Allergie sei bekannt. Tabakabusus wurde mit 60 Pack-Years bejaht. Alkohol- und Drogenkonsum hat sie verneint. Die Mutter der Patientin habe an Mammakarzinom gelitten und der Vater an einer Prostata-Hyperplasie. Sie sei verheiratet, wohne in einem Haus und arbeite als Bäckerin. Die Anamnese deutet auf Cholezystitis bei Cholezystolithiasis hin. Ich habe sie stationär aufgenommen, untersucht und das Labor läuft gerade.	
	Kennen Sie ein typisches klinisches Zeichen, das Sie bei Patienten mit akuter Cholezystitis auslösen können?
Typisch für die akute Cholezystitis ist das *Murphy-Zeichen:* Der Arzt palpiert die Gallenblase unterhalb des rechten Rippenbogens, während der Patient tief einatmet. Ist die Gallenblase entzündet und ödematös geschwollen, empfindet der Patient die Palpation als sehr schmerzhaft und stoppt die Einatmung plötzlich. Auch *Abwehrspannung* ist möglich.	
	Okay, und warum haben Sie Blut abgenommen?

Arzt (FSP-Kandidat)	Arzt (Prüfer)
Wir brauchen ein Blutbild (BB), Entzündungswerte (CRP, BSG), Nierenwerte (Krea, Harnstoff), Harnsäure, Elektrolyte, Leberwerte (GOT, GPT, GGT), Bilirubinwerte (direkt und gesamt) und Pankreas-Amylase und -Lipase, um eine Pankreatitis (Bauchspeicheldrüsenentzündung) auszuschließen.	
	Gut, weiter bitte.
Abdomensonografie (Bauchultraschall) wurde angemeldet.	
	Warum? Welche Veränderungen können Sie dadurch sehen?
Wir wollen eine Cholezystolithiasis (Gallenblasensteine) und eine Cholezystitis (Gallenblasenentzündung) bestätigen und natürlich eine Beurteilung der anderen Organe leisten. Typisch für Steine in der Gallenblase ist ein echoreicher Reflex im Gallenblasenlumen mit dorsalem Schallschatten. Steine in den Gallenwegen sind meist indirekt an einer Erweiterung des Ductus choledochus (mehr als 7 mm) und der intrahepatischen Gallenwege erkennbar. Die Gallenblasenwand ist verdickt und ödematös (typische 3er-Schichtung)	
	Würden Sie in diesem Fall eine ERCP (endoskopische retrograde Cholangiopankreatikografie) anmelden?
Nein.	
	Warum nicht?
Wir vermuten im Moment nur Cholezysthitis bei Cholezystolithiasis, keine Choledokolithiasis. Und es gibt die Gefahr, dass man eine Post-ERCP-Pankreatitis verursacht.	
	Gäbe es eine Alternative dazu?
Ja, man könnte eine MRCP (Magnetresonanz-Cholangiopankreatikografie) durchführen. Aber das ist im Moment nicht nötig. Das wäre bei Gallenwegsteinen, Pankreatitiden, Gallenwegtumoren und zum Ausschluss eines Pankreas divisum.	
	Weiter bitte.
Sie hat Analgetika (Metamizol), Spasmolytika (Butylskopolamin) und Infusionstherapie bekommen. Nahrungskarenz wurde angeordnet. Gastroenterologisches und chirurgisches Konsil wurden angemeldet.	
	Warum?

Arzt (FSP-Kandidat)	Arzt (Prüfer)
Heutzutage ist die frühzeitige operative Cholezystektomie (Gallenblasenentfernung) die Therapie der Wahl. Sie sollte innerhalb von 24 Stunden nach der stationären Aufnahme des Patienten durchgeführt werden. Bis dahin stehen eine konsequente Nahrungskarenz zur Gallenblasenentlastung, ein Volumen- und Elektrolytausgleich und eine systemische Antibiose im Vordergrund.	
	Okay. Und was ist die am meisten gefürchtete Komplikation der akuten Cholezystitis?
Am meisten gefürchtet ist die Gallenblasenperforation (Bruch) mit galliger Peritonitis (Bauchfellentzündung). Empyem (Abszess, Infektion), Gangrän (Nekrose, Gewebsuntergang) oder Perforation der Gallenblase sind auch möglich. Ebenso Steinwanderung in den Ductus choledochus mit Verschlussikterus, akuter Cholangitis, Leberabszess, akuter biliärer Pankreatitis und sekundärer biliärer Zirrhose (Schrumpfleber).	
	Nennen Sie bitte Risikofaktoren für diese Erkrankung. Haben Sie schon von der *6-F-Regel* gehört?
Ja: female, fair, fat, forty, fertile, family. Also: • Adipositas („fat") • weibliches Geschlecht („female") • Alter (über „forty") • hereditäre Faktoren („family") • helle Haut („fair") • Schwangerschaft („fertile")	
	Bei welchen Symptomen müssen Sie an eine akute Cholangitis (Entzündung der Gallenwege) denken?
Charcot-Trias-II-Fieber, rechtsseitige Oberbauchschmerzen und Ikterus.	
	Sehr gut, Frau X. Weiter bitte.

Arzt (FSP-Kandidat)	Arzt (Prüfer)
Alle Ergebnisse der angemeldeten Untersuchungen stehen noch aus. Als Differenzialdiagnosen kommen in Betracht: • MI • akute Pankreatitis – Ausschluss durch Pankreas-Lipase und -Amylase • Choledokolithiasis – Ausschluss durch Sonografie (= Ultraschall) • Ulcus ventriculi (Magengeschwür), Ulcus duodeni (Zwölffingerdarmgeschwür) – Ausschluss durch Endoskopie (Magen-Darm-Spiegelung) • Gastritis (Magenschleimhautentzündung) – Ausschluss durch Endoskopie (Magen-Darm-Spiegelung) • Nephrolithiasis (Nierensteine) – Ausschluss durch Sonografie, ggf. Röntgen-Abdomen So. So weit bin ich gekommen, jetzt warte ich, wie gesagt, auf die Untersuchungen. Soll ich noch etwas anmelden?	
	Vielen Dank, aber ich glaube, das reicht für heute. Wir warten erst mal auf die Ergebnisse. Sie melden sich, sobald Sie da sind, okay?
Ja, bis dann!	

20.5 Fall 3: Leistenhernie

- Hernia inguinalis = Leistenhernie = Leistenbruch

20.5.1 Anamnese im Arzt-Patienten-Gespräch

Arzt (FSP-Kandidat)	Patient (Prüfer)
Guten Tag. Mein Name ist Herr X und ich bin als AA tätig. Ich bin hier, um das Aufnahmegespräch mit Ihnen durchführen. Sind Sie einverstanden? (sehr wichtige Frage)	
	Guten Tag. Ja, klar.
Wie heißen Sie? Würden Sie Ihren Nachnamen bitte (langsam) buchstabieren? Vielen Dank.	
	Ich heiße Wolfgang Berger. Das ist B-E-R …

Arzt (FSP-Kandidat)	Patient (Prüfer)
Wie alt sind Sie, Herr Berger? (mindestens 3 Mal während der Anamnese den Patienten mit dem Namen ansprechen).	
	Ich bin 76 Jahre alt.
Und wann genau sind Sie geboren?	
	Am 5. Januar 1949.
Was führt Sie zu uns, Herr Berger?	
	Also Herr Doktor, ich habe diese komische Wölbung an der Leiste und ich kann sie nicht mehr zurückschieben.
Wo genau haben Sie diese Vorwölbung?	
	An der Leiste.
Auf welcher Seite?	
	Auf der rechten.
Seit wann haben Sie diese Ausstülpung?	
	Na ja, seit 2 Jahren schon … aber die war nicht immer so groß wie jetzt.
Wie groß ist sie jetzt?	
	So etwa faustgroß.
Und seit wann ist sie nicht mehr zurückschiebbar?	
	Seit gestern, aber heute begann es wehzutun.
Ist die Haut wärmer oder rötlich geworden?	
Normalerweise sollten die FSP-Kandidaten eine ganze Schmerzanalyse mit Charakter der Schmerzen, Ausstrahlung usw. durchführen. In diesem Fall aber sollten Sie nicht darauf bestehen, denn die Diagnose ist klar. Der Patient hat eine inkarzerierte (eingeklemmte) Hernie (Bruch), wahrscheinlich schon nekrosiert/gangränös (mit Gewebsuntergang), und er braucht eine Operation.	Ja … und es schmerzt ständig.
Haben Sie früher bemerkt, dass diese Ausstülpung herauskam, etwa beim Husten oder wenn Sie etwas Schweres trugen?	
	Ja, genau, so ist es eigentlich am Anfang gewesen. Ich hatte mich erkältet und hustete so ein paar Wochen und dann merkte ich was dort … aber damals war das nur … so 2 cm groß.
Okay, Herr Berger. Haben Sie Fieber, Schüttelfrost oder Nachtschweiß?	

Arzt (FSP-Kandidat)	Patient (Prüfer)
	Ein bisschen Fieber, glaube ich …
Haben Sie das Fieber gemessen? Seit wann haben Sie Fieber?	
	Seit letzter Nacht – und nein, ich habe nicht gemessen.
Haben Sie ungewollt ab- oder zugenommen?	
	Hm … ich habe zugenommen.
Wie viel und in welchem Zeitraum?	
	Ungefähr 10 kg in den letzten 2 Monaten.
Hat sich Ihr Appetit verändert, Herr Berger?	
	Nein, ich esse immer gern.
Haben Sie Probleme mit dem Stuhlgang (Defäkation) oder beim Wasserlassen (Miktion)?	
	Na ja, mit dem Alter … Ich habe schon Probleme beim Wasserlassen, muss 2 bis 3 Mal auch nachts aufs Klo gehen … Und tagsüber so 8 bis 9 Mal.
Und waren Sie schon beim Urologen? Oder beim Hausarzt?	
	Nee … den Hausarzt habe ich schon lange nicht mehr gesehen …
Herr Berger, Sie wissen aber, dass die jährliche Vorsorgeuntersuchung wichtig ist. Er muss auch Ihre Medikation einstellen – wenn Sie Medikamente einnehmen.	
	Ja … na gut.
Leiden Sie an einer Erkrankung? An der Blutzuckerkrankheit (Diabetes mellitus), an Bluthochdruck (arterielle Hypertonie), einer Krebserkrankung (Malignom, Karzinom, Sarkom, Leukämie, Lymphom usw.) oder ansteckenden Krankheiten (Infektion)? Magen (Gaster/Ventriculus), Leber (Hepar), Lungen (Pulmones), Nieren (Renes) und Kopf – ist da alles in Ordnung?	
	Blutzucker habe ich.
Welcher Typ? Wissen Sie das?	
	Keine Ahnung.
Okay. Seit wann haben sie die Blutzuckerkrankheit? Und nehmen Sie Medikamente dagegen oder spritzen Sie Insulin?	

Arzt (FSP-Kandidat)	Patient (Prüfer)
	Seit 20 Jahren und ich nehme nur Medikamente ein, keine Spritzen!
Sind Sie schon einmal operiert worden?	
	Niemals! Ich war nie im Krankenhaus.
Okay, Herr Berger. Nehmen Sie die Medikamente regelmäßig oder gelegentlich ein?	
	Metformin. Das ist alles. Regelmäßig. Und mehr will ich auch nicht haben.
Welche Dosierung und wie viel am Tag?	
	500 mg morgens und abends.
Haben Sie irgendwelche Allergien?	
	Ja, eine Erdbeerallergie.
Rauchen Sie, Herr Berger?	
	Ja.
Wie viel und seit wann?	
	1 Schachtel pro Tag, seit über 50 Jahren, glaube ich.
Oh, das ist viel. Und wie viel Alkohol trinken Sie am Tag?	
	Ähm … 2 bis 3 Gläser Wein.
Drogen? Ich muss Sie das standardmäßig fragen.	
	Nee.
Gibt es irgendwelche Erkrankungen in Ihrer Familie?	
	Tja … Also meine Mutter hatte eine Herzschwäche (Herzinsuffizienz) und mein Vater hatte eine Schrumpfleber (Leberzirrhose), weil er so viel getrunken hat …
Sind Sie verheiratet?	
	Ja.
Haben Sie Kinder?	
	Ja, 3 Töchter.
Okay. Sind alle gesund?	
	Ja, Gott sei Dank.
Wo und wie wohnen Sie?	
	In Bordesholm, auf dem Land. Ich habe einen großen Bauernhof.
Die genaue Adresse bitte.	
	Warum brauchen Sie die? Das habe ich doch schon der Krankenschwester gesagt.

20

Arzt (FSP-Kandidat)	Patient (Prüfer)
Ich muss die Information auch hier auf meinem Bogen notieren – und lieber zweimal, damit es keine Missverständnisse gibt.	
	Na gut. Brunswickerstr. 10, 10101 Bordesholm.
Haben Sie Haustiere?	
	Oh, ja, ich habe 3 große Hunde … Und ja … wir haben Kühe und Schafe.
Wie groß sind Sie?	
	1,80 m.
Und wie viel wiegen Sie?	
	120 kg.
Was sind Sie von Beruf? Falls Sie die Berufsbezeichnung nicht kennen: Was genau machen Sie in Ihrem Beruf?	
	Jetzt bin ich Rentner.
Und früher?	
	Ich war früher Lkw-Fahrer.
Wie heißt Ihr Hausarzt?	
	Dr. Daratz.
Würden Sie bitte auch diesen Namen buchstabieren?	
	D-A-R …
Gut, danke sehr. Das waren meine Fragen. Herr Berger, Sie haben höchstwahrscheinlich einen Leistenbruch. Das ist diese Vorwölbung. Es war gut, dass Sie hierhergekommen sind. Ich werde Sie untersuchen, wenn Sie einverstanden sind, dann lege ich Ihnen einen Zugang und nehme gleichzeitig Blut ab. Herr Berger, Sie sollten wissen, dass es kein gutes Zeichen ist, dass diese Ausstülpung nicht mehr zurückschiebbar ist. Das heißt, Sie brauchen eine Operation. Ich muss Sie jetzt stationär aufnehmen.	
	Oh, Mensch, ja, mit der Untersuchung bin ich einverstanden … Aber hierbleiben … und eine Operation … Muss das jetzt wirklich sein?

Arzt (FSP-Kandidat)	Patient (Prüfer)
Ja, das muss jetzt tatsächlich sein. Sonst besteht das Risiko, dass Sie eine Infektion bekommen, dass sich ein Geschwür/Abszess bildet. Oder eine Blutvergiftung. Die Komplikationen können sogar lebensbedrohlich werden. Sie brauchen die Behandlung jetzt, dann ist aller Voraussicht nach alles gut. Die Kollegen in der Chirurgie sind sehr gut ausgebildet und machen solche Operationen sehr häufig.	
	Tja … okay, dann geht es wohl nicht anders.
Ich würde jetzt den Fall mit dem Oberarzt besprechen. Bleiben Sie hier, die Krankenschwester wird Ihnen gleich zeigen, wo Ihr Zimmer ist. Ich komme danach zu Ihnen. Wir müssen Sie noch aufklären und die Anästhesisten kommen noch auf Sie zu. Bis dann.	
	Mensch, okay … dann warte ich hier.

20.5.2 Arztbrief

Sehr geehrter Herr Kollege,

wir berichten Ihnen nachfolgend über Herrn Wolfgang Berger, geb. 05.01.1949, wohnhaft Brunswickerstr. 10, 10101 Bordesholm, der sich am 02.02.2025 in unserer Notaufnahme vorstellte.

Der 76-jährige Patient stellte sich mit seit ca. 2 Jahren bestehendem, faustgroßem Tumor in der linken Leiste bei uns vor. Der Patient gab an, dass der Tumor seit 48 Stunden nicht mehr reponierbar sei. Des Weiteren klagte er über Schmerzen, Rötung und Wärmegefühl seit ca. 24 Stunden im Bereich des o. g. Tumors. Bis auf leichtes Fieber, eine Gewichtszunahme von 10 kg binnen 2 Monaten und Pollakisurie war die vegetative Anamnese unauffällig.
Der Patient leide an Adipositas und Diabetes mellitus Typ 2 und nehme Metformin 500 mg 1-0-1 ein.
Erdbeerallergie sei bekannt.
Tabakabusus wurde mit 50 py bejaht.
Alkoholkonsum wurde mit 2–3 Gläsern Wein täglich bejaht.
Drogenabusus wurde verneint.
In der Familienanamnese seien eine Herzinsuffizienz (Mutter) und eine alkoholtoxische Leberzirrhose (Vater) bekannt.
Der Patient sei Rentner, verheiratet und wohne auf einem Bauernhof. Er habe 3 Hunde.

Die Anamnese deutet auf Leistenhernie hin. Der Patient wurde stationär aufgenommen.. Blutprobe – Blutbild (BB), Entzündungswerte (CRP, BSG), Nierenwerte (Krea, Harnstoff), Harnsäure, Elektrolyte, Leberwerte (GOT, GPT, GGT), Glukose und HbA1c (glykosyliertes Hämoglobin) – wurde entnommen. Eine Sonografie der Leistenregion beidseits zur Beurteilung des Tumors und der Leistengefäße wurde angemeldet. Ein chirurgisches Konsil wurde angemeldet. OP für heute terminiert.
Infusionstherapie, prophylaktische Antibiotika und Schmerzmittel wurden verabreicht.
Als Allgemeinmaßnahmen würden wir zukünftig Tabak- und Alkoholkarenz, Ernährungsberatung zwecks Gewichtsabnahme und Vermeidung körperlicher Belastung empfehlen.

Für weitere Fragen stehen wir Ihnen gern zur Verfügung.

Mit freundlichen kollegialen Grüßen
AA/FA …

20.5.3 Fallvorstellung im Arzt-Arzt-Gespräch

Arzt (FSP-Kandidat)	Arzt (Prüfer)
Guten Tag. Ich möchte Ihnen heute über einen neuen Patienten, nämlich Herrn Wolfgang Berger, berichten. Darf ich?	
	Ja, natürlich.
Der 76-jährige Patient stellte sich mit seit ca. 2 Jahren bestehendem, faustgroßem Tumor (hier im Sinne von Schwellung) in der linken Leiste bei uns vor. Der Patient gab an, dass der Tumor seit 48 Stunden nicht mehr reponierbar sei. Des Weiteren klagte er über Schmerzen, Rötung und Wärmegefühl seit ca. 24 Stunden im Bereich der o. g. Tumors. Bis auf leichtes Fieber, eine Gewichtszunahme von 10 kg binnen 2 Monaten und Pollakisurie (mehrfach aufs Klo gehen und wenig Wasser lassen) war die vegetative Anamnese unauffällig. Der Patient leide an Adipositas und Diabetes Mellitus Typ 2 (wir gehen davon aus, dass er DM Typ 2 hat, weil er erst seit 20 Jahren Diabetes hat und Metformin einnimmt – DM Typ 1 hätte bereits viel früher begonnen und würde Insulin benötigen) und nehme dafür Metformin 500 mg zweimal täglich ein. Erdbeerallergie sei bekannt. Tabakabusus wurde mit 50 py bejaht. Alkoholkonsum wurde mit 2–3 Gläsern Wein täglich bejaht. Drogenabusus wurde verneint.	
	Haben Sie ihn schon untersucht?

Arzt (FSP-Kandidat)	Arzt (Prüfer)
Ja. Ich habe mit dem Finger durch den Hodensack getastet; der Tumor war nicht reponierbar und sehr schmerzhaft. Ich habe das mit dem Patienten einmal flach liegend gemacht und einmal stehend.	
	Entschuldigung, Herr X, die körperliche Untersuchung hat 4 Teile, soweit ich weiß.
Genau. Bei der *Inspektion* habe ich einen ca. 10 cm großen Tumor im Bereich der linken Leiste bemerkt. Auf der rechten Seite sah alles in Ordnung aus. Bei der *Auskultation* (Abhören) habe ich keine Darmgeräusche im Tumor gehört. Das heißt: Entweder gab es dort keine Darmteile, oder sie waren schon gangränös. Die *Palpation* (Abtasten) auf der linken Seite war schmerzhaft und der Tumor war derb, prall und leicht verschieblich, aber nicht reponierbar. Der Hustenanprall-Test hat keine neuen Informationen gebracht. Auf der rechten Seite gab es keinen Tumor. *Perkussion* (Abklopfen) war wegen der Schmerzen nicht möglich.	
	Sehr schön. Warum haben Sie Blut abgenommen – welche Werte brauchen Sie?
Wir brauchen ein Blutbild (BB), die Entzündungswerte (CRP, BSG), Nierenwerte (Krea, Harnstoff), Harnsäure, Elektrolyte, Leberwerte (GOT, GPT, GGT), Glukose und HbA1c (glykosyliertes Hämoglobin).	
	Okay, weiter bitte.
Sonografie der Leistenregion beidseits zur Beurteilung der Tumor und der Leistengefäße wurde angemeldet. Chirurgisches Konsil wurde angemeldet. Eine dringende Operation steht schon für heute auf dem Plan. Infusionstherapie, prophylaktische Antibiotika und Schmerzmittel wurden verabreicht. Als Allgemeinmaßnahmen würde ich Tabak- und Alkoholkarenz, Ernährungsberatung zwecks Gewichtsabnahme und Vermeidung körperlicher Belastung empfehlen.	
	Okay, vielen Dank. Welche Formen der Leistenhernie kennen Sie?
• *Indirekte Leistenhernie:* Eintritt in den Leistenkanal am Anulus inguinalis profundus lateral der epigastrischen Gefäße; kann angeboren oder erworben sein. • *Direkte Leistenhernie:* Durchtritt medial der epigastrischen Gefäße am muskelarmen Hesselbach-Dreieck; ist immer erworben.	
	Was enthält der Leistenkanal?

Arzt (FSP-Kandidat)	Arzt (Prüfer)
Beim Mann: Samenstrang mit Ductus deferens und Testikulargefäßen. Bei der Frau: Lig. teres uteri.	
	Nennen Sie bitte ein Paar prädisponierende Faktoren für die Ausbildung von Hernien.
• Erhöhter intraabdomineller Druck, z. B. bei Aszites (Bauchwassersucht), chronischem Husten (Raucher und Asthmatiker), Gravidität (Schwangerschaft) oder großen intraabdominellen Raumforderungen. • Bindegewebsschwäche: angeboren, durch Langzeiteinnahme von Kortison oder bei Immunsuppression. • Starke körperliche Belastung.	
	Sehr gut. Das wäre erst einmal alles. Vielen Dank.

20.6 Fall 4: Reaktive Arthritis

- Eine reaktive Arthritis ist eine entzündliche Gelenkerkrankung, die als Reaktion auf eine bakterielle intestinale oder urogenitale Infektion auftritt (Zweiterkrankung).

20.6.1 Anamnese im Arzt-Patienten-Gespräch

Arzt (FSP-Kandidat)	Patient (Prüfer)
Guten Tag. Mein Name ist Frau X und ich bin heute die diensthabende Ärztin. Ich bin hier, um das Aufnahmegespräch mit Ihnen durchzuführen. Sind Sie einverstanden? Wichtige Frage!	
	Guten Tag, ja, okay.
Wie heißen Sie? Könnten Sie das bitte (langsam) buchstabieren? Danke.	
	Ich heiße Markus Hellmich. Okay: M-A-R …
Wie alt sind Sie, Herr Hellmich? (In der FSP den Patienten MINDESTENS 3 Mal mit Namen ansprechen).	
	Ich bin 36 Jahre alt.
Und wann genau sind Sie geboren?	
	Am 9.7. … den Rest können Sie allein ausrechnen.
Was führt Sie zu uns, Herr Hellmich?	
	Ach, Frau X … ich habe diese komischen Gelenkschmerzen.

Arzt (FSP-Kandidat)	Patient (Prüfer)
Wo genau tut es weh?	
	Im linken Knie, im rechten Sprunggelenk und in der rechten Ferse.
Können Sie die Schmerzen genauer beschreiben? Sind sie eher dumpf, stechend, ziehend …?	
	Sie sind dumpf … ja.
Und strahlen diese Schmerzen irgendwohin aus, Herr Hellmich?	
	Nein, eigentlich nicht, nö.
Seit wann haben Sie diese Schmerzen?	
	Seit 2 Wochen.
Okay. Und sind sie plötzlich aufgetreten?	
	Ja … aber die waren am Anfang nicht so stark.
Okay. Und haben Sie die Schmerzen jetzt ständig oder sind sie wiederkehrend?	
	Oh Mensch … jetzt ständig …
Herr Hellmich, ist Ihnen das schon mal passiert?	
	Neeeeeeein …
Und was haben Sie gerade gemacht, als die Schmerzen begannen? Kann es sein, dass Sie sich verletzt haben?	
	Nein, Frau Doktor, ich war eigentlich die ganze Zeit zu Hause, weil ich die Woche davor 'ne Magen-Darm-Grippe hatte.
Haben Sie etwas ausprobiert, um die Schmerzen zu lindern? Ein Medikament oder eine bestimmte Körperlagerung?	
	Ich habe viel Diclofenac eingenommen, aber mein Magen tat danach weh … Das hat aber bei den Gelenkschmerzen geholfen.
Ein Magenschutzmittel ist wichtig, wenn man Diclofenac, Ibuprofen oder ASS einnimmt.	
	Ach so … das wusste ich nicht.
Hatten Sie auch Übelkeit (Nausea) oder Erbrechen (Vomitus)?	
	Also, wie gesagt, die Woche vorher schon. Ich habe mich mehrfach übergeben und mir war ständig übel. Aber jetzt geht es mir in der Hinsicht ganz gut.

Arzt (FSP-Kandidat)	Patient (Prüfer)
Wie sah das Erbrochene (Vomitus) aus, Herr Hellmich?	
	Pfff … keine Ahnung, braun … Weiß nicht, wie Erbrochenes halt (Vomitus) … Ach Mensch, was Sie da jetzt fragen …
Hatten Sie denn etwas Besonderes gegessen?	
	Tja … also ich habe diese Enteneier bekommen und die gekocht, aber nicht ganz hart … Ich kenne mich mit diesen Sachen nicht so gut aus. Also die waren so halb roh. (Inkomplett gekochte Eier, besonders Enteneier, können Salmonella, einen Keim, enthalten. Das führt zu Magen-Darm-Infekt – Gastroenteritis – Salmonellose genannt)
Haben Sie auch andere Beschwerden?	
	Tja … ich habe so eine Rötung, so einen Hautausschlag auf der rechten Fußsohle … Wie Schuppenflechte (Psoriasis). Das juckt auch ein bisschen.
Okay … seit wann haben Sie das?	
	Seit ca. 10 Tagen.
Und haben Sie noch weitere Beschwerden?	
	Meine Augen – sehen Sie? Die sind auch gerötet und ich habe das Gefühl, da sei so etwas wie Staub oder eine Wimper drin.
Seit wann?	
	Auch seit ca. 10 Tagen.
Ooookay. Haben Sie Fieber, Schüttelfrost oder Nachtschweiß?	
	Fieber, aber nicht jetzt – vor 3 Wochen etwa.
Haben Sie das Fieber gemessen?	
	Nein, hab ich nicht.
Haben Sie ungewollt ab- oder zugenommen?	
	Nö.
Hat sich Ihr Appetit verändert, Herr Hellmich?	
	Nein, ich esse wieder ganz normal.
Haben Sie Probleme mit dem Stuhlgang (Defäkation) oder beim Wasserlassen (Miktion)?	
	Ich hatte vor 3 Wochen Durchfall (Diarrhö), aber jetzt ist alles gut.
Herr Hellmich, besuchen Sie regelmäßig Ihren Hausarzt?	

Arzt (FSP-Kandidat)	Patient (Prüfer)
	Klar, alle 6 Monate.
Leiden Sie an irgendwelchen Erkrankungen? Zum Beispiel an Blutzuckerkrankheit (Diabetes mellitus), Bluthochdruck (arterielle Hypertonie), einer Krebserkrankung (Malignom, Karzinom, Sarkom, Leukämie, Lymphom usw.) oder ansteckenden Krankheiten (Infektion)? Und mit Magen (Gaster/Ventriculus), Leber (Hepar), Lungen (Pulmones), Nieren (Renes), Kopf – ist da alles in Ordnung?	
	Ich habe sonst nichts, ich bin noch jung! Nur Bluthochdruck hätte ich … also …
Okay, also Bluthochdruck. Sind Sie schon einmal operiert worden?	
	Nein … hm, oder? Ach ja, ich hatte eine Mandelentzündung (Tonsillitis), als ich ein Kind war … und ich wurde operiert (Tonsillektomie).
Gut. Nehmen Sie regelmäßig oder gelegentlich Medikamente ein, Herr Hellmich?	
	Uhmm … Ich nehme Perindopril und Nebivolol ein … und noch etwas … ich hab's vergessen.
Welche Dosierung und wie viel am Tag?	
	Morgens, aber keine Ahnung, welche Dosierung.
Haben Sie eine Liste dabei?	
	Nein, sorry.
Alles gut, machen Sie sich keine Sorgen. Ich würde gern mit Ihrem Hausarzt telefonieren. Sind Sie einverstanden?	
	Ja, klar.
Haben Sie irgendwelche Allergien?	
	Ich habe eine Katzenhaarallergie.
Rauchen Sie, Herr Hellmich?	
	Nein.
Okay. Wie viel Alkohol trinken Sie am Tag?	
	Ich trinke keinen Alkohol.
Drogen? Ich muss Sie das standardmäßig fragen.	
	Nee.
Gibt es irgendwelche Erkrankungen in Ihrer Familie?	

Arzt (FSP-Kandidat)	Patient (Prüfer)
	Tja … Also meine Mutter hat Asthma (Asthma bronchiale) und Knochenschwund (Osteoporose) und mein Vater hat so … eine Entzündung des Darms, schon als er jung war. Er wurde auch ein paarmal operiert und nimmt Medikamente ein … wie heißt das noch gleich?
Morbus Crohn vielleicht?	
	Genau!
Okay. Sind Sie verheiratet?	
	Nein. Im Moment bin ich ledig.
Haben Sie Kinder?	
	Ja, ich habe einen Sohn.
Ist er gesund?	
	Ja.
Wo und wie wohnen Sie?	
	Kaiserstr. 12, 12121 Frankfurt.
Ist das eine Wohnung? Welche Etage?	
	Ja, 4. Etage.
Haben Sie Haustiere?	
	Nein.
Wie groß sind Sie?	
	1,75 Meter.
Und wie viel wiegen Sie?	
	85 Kilo.
Was sind Sie von Beruf? Falls Sie den Beruf nicht kennen: Und was genau machen Sie in Ihrem Beruf?	
	Ich bin Versicherungsmakler.
Wie heißt Ihr Hausarzt?	
	Das ist Herr Dr. Schneider.
Gut. Das waren meine Fragen, danke, Herr Hellmich. Aufgrund der Anamnese habe ich einen Verdacht auf eine sogenannte *reaktive Arthritis*, das ist eine Gelenkentzündung. Was Sie an der Fußsohle und in den Augen spüren plus diese Gelenkschmerzen und die vorherige Magen-Darm-Grippe – das nennt sich *Reiter-Syndrom*. Das hängt mit dem Magen-Darm-Infekt zusammen, den Sie vor 3 Wochen hatten. Es war gut, dass Sie hierhergekommen sind. Ich werde Sie untersuchen, wenn Sie einverstanden sind, dann lege ich Ihnen einen Zugang und nehme gleichzeitig Blut ab. Ich werde auch eine Urinprobe und eine Stuhlprobe von Ihnen brauchen. Machen Sie sich keine Sorgen, das ist heilbar.	

20

Arzt (FSP-Kandidat)	Patient (Prüfer)
	Oh Mann … ja, ich bin einverstanden mit der Untersuchung … Muss ich gleich hierbleiben?
Sie sollten hierbleiben, bis wir Sie stabilisiert haben, die notwendigen Konsile gelaufen sind und alle Ergebnisse vorliegen. Es wird wahrscheinlich nicht alles heute stattfinden können, sondern in den nächsten 2–3 Tagen. Wir werden auch ein paar andere Untersuchungen durchführen. Sie werden ein Zimmer bekommen, wo Sie sich ausruhen können. Die Schwester zeigt Ihnen gleich, wo das ist.	
	Ach Mensch … Okay, na gut. Bis dann.

20.6.2 Arztbrief

Sehr geehrter Herr Kollege,

wir berichten Ihnen nachfolgend über Herrn Markus Hellmich, geb. 09.07.1988, wohnhaft Kaiserstr. 12, 12121 Frankfurt, der sich am 25.01.2025 in unserer Notaufnahme vorstellte.

Der 36-jährige Patient stellte sich mit seit ca. 2 Wochen bestehenden, stechenden Arthralgien im linken Knie, im rechten Sprunggelenk und in der rechten Ferse bei uns vor. Diese Beschwerden seien plötzlich – ca. 1 Woche nach einer Gastroenteritis – aufgetreten. Des Weiteren klagte er über ein schuppendes Erythem an der rechten Fußsohle (V. a. Keratoderma blennorrhagicum) und Zeichen einer Konjunktivitis bds.
Bis auf die o. g. Gastroenteritis waren die Vorerkrankungen unauffällig.
Zustand nach Tonsillektomie im Kindesalter.
Der Patient nehme regelmäßig Medikamente ein. Rücksprache mit dem Hausarzt bezüglich der Medikation des Patienten steht noch aus.
Katzenhaarallergie sei bekannt.
Tabak-, Alkohol- und Drogenkonsum wurden verneint.
In der Familienanamnese seien Asthma bronchiale, Osteoporose und M. Crohn bekannt.
Herr Hellmich sei ledig, arbeite als Versicherungsmakler und wohne in einer Wohnung. Er habe einen Sohn.
Die Anamnese deutet auf Reiter-Syndrom/reaktive Arthritis hin. Der Patient wurde stationär aufgenommen. Blutprobe für Blutbild, Entzündungswerte (CRP, BSG), Nierenwerte (Krea, Harnstoff), Harnsäure, Elektrolyte, Leberwerte (GOT, GPT, GGT) und Stuhlprobe wurden entnommen. Eine Sonografie der Füße und Kniegelenke beidseits sowie Röntgenuntersuchungen

zum Ausschluss entzündlich rheumatischer Erkrankungen wurden angemeldet. Zum Ausschluss einer bakteriellen Arthritis wurde eine Punktion des geschwollenen Kniegelenks und Synoviaanalyse mit Zytologie und Gram-Präparat geplant.
Nichtsteroidale Antirheumatika (Diclofenac) und PPI (Omeprazol) wurden verschrieben. Ophtalmologisches, rheumatologisches und dermatologisches Konsil wurden angemeldet.

Für weitere Fragen stehen wir Ihnen gern zur Verfügung.

Mit freundlichen kollegialen Grüßen
AÄ/FÄ …

20.6.3 Fallvorstellung im Arzt-Arzt-Gespräch

Arzt (FSP-Kandidat)	Arzt (Prüfer)
Guten Tag. Ich möchte Ihnen heute von einem neuen Patienten, nämlich Herr Markus Hellmich, berichten. Gestatten Sie?	
	Ja, natürlich.
Der 36-jährige Patient stellte sich mit seit ca. 2 Wochen bestehenden, stechenden Arthralgien im linken Knie, im rechten Sprunggelenk und in der rechten Ferse bei uns vor. Diese Beschwerden seien plötzlich, ca. 1 Woche nach einer Gastroenteritis, aufgetreten. Des Weiteren klagte er über ein schuppendes Erythem an der rechten Fußsohle (V.a. *Keratoderma blennorrhagicum*) und Zeichen einer Konjunktivitis bds. Er habe vor ca. 3 Wochen Fieber gehabt, aktuell verneint. Bis auf die o.g. Gastroenteritis waren die Vorerkrankungen unauffällig. Zustand nach Tonsillektomie im Kindesalter. Der Patient nehme regelmäßig Medikamente ein. Ich werde den Hausarzt wegen des Medikationsplans kontaktieren, der Patient hat dem zugestimmt. Katzenhaarallergie sei bekannt. Tabak-, Alkohol- und Drogenkonsum wurden verneint. Die Mutter des Patienten leide an Asthma bronchiale und Osteoporose. Der Vater des Patienten leide an Morbus Crohn. Herr Hellmich sei ledig, arbeite als Versicherungsmakler und wohne in einer Wohnung. Er habe einen Sohn. Die Anamnese deutet auf *Reiter-Syndrom/reaktive Arthritis* hin. Ich habe ihn stationär aufgenommen. Blut- und Stuhlprobe wurden entnommen.	
	Okay, welche Werte wären wichtig im Blut?
Wir brauchen ein Blutbild (BB), die Entzündungswerte (CRP, BSG), die Nierenwerte (Krea, Harnstoff), Harnsäure-, Elektrolyte- und Leberwerte (GOT, GPT, GGT).	

20

Arzt (FSP-Kandidat)	Arzt (Prüfer)
	Und wozu die Stuhlprobe?
Wir wollen sehen, ob er eine eventuell sehr gefährliche oder hochansteckende Infektion hat. Vielleicht muss er isoliert werden und Antibiotika einnehmen. Ggf. muss das Gesundheitsamt informiert werden.	
	Sehr schön. Weiter bitte.
Sonografie der Füße und Kniegelenke beidseits wurde angemeldet.	
	Warum?
Wir suchen nach Gelenkerguss bzw. Fersensporn.	
	Okay. Weiter.
Röntgen der Gelenke zum Ausschluss entzündlich rheumatischer Erkrankungen wurde geplant. Eine Punktion des geschwollenen Kniegelenks und Synoviaanalyse mit Zytologie und Gram-Präparat wurden angemeldet, um nachzuweisen, ob der Erguss entzündlich ist, und um eine bakterielle Arthritis auszuschließen.	
	Und was für Keime erwarten Sie im Punktat?
Keine. Es soll steril sein. Nichtsteroidale Antirheumatika (Diclofenac) und PPI (Omeprazol) wurden angeordnet. Ophtalmologisches, rheumatologisches und dermatologisches Konsil wurden angemeldet. Als Differenzialdiagnosen kommen in Betracht: • andere Oligoarthritiden (Psoriasisarthritis, seronegative Spondylitis ankylosans [Morbus Bechterew], Löfgren-Syndrom, Lyme-Arthritis, Morbus Behçet, Polymyalgia rheumatica, rheumatisches Fieber) • andere bakterielle Arthritiden (z. B. durch Gonokokken) Das war vorerst alles.	
	Wie würden Sie eine Urethritis in diesem Fall untersuchen? Also statt der Enterokolitis?
• bakteriologische Untersuchung auf Chlamydien-Antigen (PCR) im Morgenurin • Sonografie der Füße und Kniegelenke beidseits • Punktion des geschwollenen Kniegelenks und Synoviaanalyse mit Zytologie und Gram-Präparat • Serologie: Suche nach Antikörpern gegen Chlamydien und Yersinien, um Hinweise auf mögliche Erreger zu erhalten	
	Und wie sieht die Therapie aus?

Arzt (FSP-Kandidat)	Arzt (Prüfer)
• nichtsteroidale Antiphlogistika (z. B. Diclofenac) bei Bedarf (Schmerz) • bei gesicherter Chlamydieninfektion antibiotische Behandlung zur Erregerelimination, z. B. mit Doxycyclin über 14 Tage; wichtig ist die Mitbehandlung des Sexualpartners, da eine Reinfektion möglich ist und eine Infertilität resultieren kann (Ping-Pong-Infektion). • bei ausgeprägter Arthritis intraartikuläre Injektion von Glukokortikoiden • wenn es trotz Erregerelimination zu einem chronischen Verlauf kommt: Versuch einer sog. Basistherapie wie bei rheumatoider Arthritis, z. B. mit Sulfasalazin oder Methotrexat	
	Sehr schön. Vielen Dank.

20.7 Fall 5: Cluster-Kopfschmerzen

20.7.1 Anamnese im Arzt-Patienten-Gespräch

Arzt (FSP-Kandidat)	Patient (Prüfer)
Guten Tag. Mein Name ist (Herr) X und ich bin auf der Station als AA tätig. Heute möchte ich mit Ihnen das Aufnahmegespräch durchführen. Sind Sie einverstanden? (sehr wichtige Frage)	
	Guten Tag. Ja, bitte.
Wie heißen Sie? Könnten Sie das bitte (langsam) buchstabieren? Danke.	
	Ich heiße Tom Sälzer, also S-Ä-L …
Wie alt sind Sie, Herr Sälzer? (Die FSP-Kandidaten sollten während der Anamnese MINDESTENS 3 Mal den Namen des Patienten sagen).	
	Ich bin gerade 50 geworden.
Und wann genau sind Sie geboren?	
	Am 1. Januar 1975.
Was führt Sie zu uns, Herr Sälzer?	
	Ach, Herr Dr. X, ich weiß gar nicht, wo ich anfangen soll, aber ich glaube, ich werde verrückt. Ich kann nicht mehr schlafen (Insomnie), kaum noch essen … Ich habe im Internet nachgeschaut und ich fürchte, ich habe Hirnkrebs (Hirntumor).

Arzt (FSP-Kandidat)	Patient (Prüfer)
Herr Sälzer, versuchen Sie bitte, sich ein bisschen zu beruhigen. Hirnkrebs bekommt man nicht so einfach. Warum können Sie nicht mehr schlafen?	
	Ich habe diese megastarken Kopfschmerzen (Cephalgien). Die schlimmsten Schmerzen meines Lebens, Herr Doktor.
Können Sie die Schmerzen genauer beschreiben? Sind sie eher dumpf, stechend, ziehend …?	
	Sie sind stechend! Wie ein Messer! Durch das Auge bis ins Hirn!
Okay, also die Schmerzen sind hinter oder im Auge am stärksten (retroorbitaler Punctum maximum). Haben Sie die nur auf einer Seite des Kopfes?	
	Ja, immer auf der rechten Seite. Ich glaube, dort sitzt der Krebs.
Herr Sälzer, die Schmerzen, die Sie beschreiben, sind nicht spezifisch für Krebs. Strahlen die Schmerzen aus?	
	Die bleiben nur so einseitig.
Seit wann haben Sie diese Schmerzen?	
	Seit rund 2 Jahren. Aber anfangs hatte ich die nicht so oft, vielleicht nur 1 oder 2 Mal pro Monat … Und die dauerten so … 15 Minuten. Und sie kamen nur nachts, so ca. 2 Stunden nach dem Einschlafen.
Okay. Wie häufig treten die Schmerzen jetzt auf? Und wie lange halten sie an?	
	Oh Mann … jetzt bekomme ich die sogar 7 bis 8 Mal pro Tag … und manchmal dauern die 2 bis 3 Stunden, auch tagsüber … oder nachts … egal. Am liebsten würde ich mir mein Auge selbst rausnehmen, Herr X. Es tut extrem weh!
Gibt es einen Auslöser für die Schmerzen?	
	Nein, nichts … die kommen einfach, wann sie wollen. Ach, ich werde verrückt!

Arzt (FSP-Kandidat)	Patient (Prüfer)
Und die treten plötzlich auf, ohne Übelkeit, irgendwelche Lichtblitze oder zickzackartigen Linien vor dem Auge vorher?	
	Nein, ich werde zwar verrückt, aber so was sehe ich noch nicht.
Herr Sälzer, leiden Sie auch an Lichtempfindlichkeit (Fotophobie) oder vertragen Sie Geräusche (Phonophobie) oder bestimmte Gerüche (Osmophobie) schwerer während der Attacken?	
	Neeeeeeein … Ich nehme nichts mehr wahr … Es ist mir total egal, ob es Tag oder Nacht, sonnig oder dunkel ist … Ich werde total unruhig und laufe dann meist herum …
Spüren Sie auch Übelkeit (Nausea) oder müssen Sie sich erbrechen (Vomitus)?	
	Nein.
Haben Sie etwas ausprobiert, um die Schmerzen zu lindern? Ein Medikament oder eine bestimmte Körperlagerung?	
	Ich habe tausend Tabletten Ibu, Indometacin und Diclofenac eingenommen. Außer Bauchschmerzen hat das nichts gebracht!
Haben Sie auch andere Beschwerden? Also passiert noch etwas während dieser Attacken? Oder haben Sie irgendwelche Veränderung bei sich bemerkt?	
	Ja, mir tränen die Augen (Lakrimation), meine Nase läuft manchmal (Rhinorrhoe) und manchmal ist auch die Nase verstopft (Nasenkongestion). Und mein Auge wird rot (konjunktivale Injektion) und das Augenlid sieht komisch aus, es hängt quasi so herab (Ptosis).
Ooookay. Haben Sie Fieber, Schüttelfrost oder Nachtschweiß?	
	Nein.
Haben Sie ungewollt ab- oder zugenommen?	
	Nein.
Hat sich Ihr Appetit verändert, Herr Sälzer?	
	Nein.

Arzt (FSP-Kandidat)	Patient (Prüfer)
Haben Sie Probleme mit dem Stuhlgang (Defäkation) oder beim Wasserlassen (Miktion)?	
	Nein.
Herr Sälzer, besuchen Sie regelmäßig Ihren Hausarzt?	
	Hmmm … ehrlich gesagt: nein.
Leiden Sie an psychischen Erkrankungen?	
	Ich habe Depressionen.
Seit wann?	
	Seit 8 Monaten.
Und haben Sie schon eine Therapie bekommen? Geht es Ihnen ein bisschen besser?	
	Ja, eine Therapie bekomme ich endlich, aber es geht mir noch nicht besser. Und diese Schmerzen helfen auch nicht dabei.
Das glaube ich Ihnen. Deswegen würde ich vorschlagen, dass wir die Untersuchungen stationär durchführen – so erfahren wir schneller, was mit Ihnen los ist, und so können wir den Verlauf besser überwachen.	
	Wie bitte? Wegen Kopfschmerzen? Nein, das darf nicht wahr sein! Ich ertrage es nicht, eingeschlossen zu werden! Nein. Ich gehe.
Herr Sälzer, Sie waren schon sehr mutig, hierherzukommen, obwohl Sie glaubten, Sie würden etwas Schlimmes hören. Wollen Sie nicht, dass wir Ihnen zu 100 % bestätigen, dass es sich *nicht* um Hirnkrebs handelt? Schauen Sie mal, ich habe einen Vorschlag: Sie dürfen jederzeit spazieren gehen, solange Sie uns Bescheid geben, Sie dürfen Musik hören, lesen, Besuch bekommen. Und wenn Sie den Eindruck haben: „Okay, ich halte nicht durch, ich muss weg", dann dürfen Sie es jederzeit – meine Bitte wäre nur, dass Sie sich bei uns vorher melden. Okay?	
	Tja … also gut. Aber ich kann Ihnen nicht versprechen, dass ich das aushalte.
Wir versuchen es zusammen.	
	Okay.

Arzt (FSP-Kandidat)	Patient (Prüfer)
Leiden Sie an weiteren Erkrankungen wie Blutzuckerkrankheit (Diabetes mellitus), Bluthochdruck (arterielle Hypertonie), einer Krebserkrankung (Malignom, Karzinom, Sarkom, Leukämie, Lymphom usw.) oder an einer ansteckenden Krankheit (Infektion)? Bei Magen (Gaster/Ventriculus), Leber (Hepar), Lungen (Pulmones), Nieren (Renes) und Kopf ist alles in Ordnung?	
	Nein. Also außer diesen Kopfschmerzen, Depressionen und Panikattacken habe ich nichts.
Sind Sie schon einmal operiert worden?	
	Nein.
Okay. Nehmen Sie regelmäßig oder gelegentlich Medikamente ein, Herr Sälzer?	
	Uhmm … Ich nehme Sertralin und Quetiapin ein.
In welcher Dosierung, wie viel am Tag?	
	Sertralin 150 mg morgens und Quetiapin 50 mg abends. Und wenn ich angespannt bin oder spüre, dass eine Attacke kommt, dann nehme ich auch tagsüber so bei Bedarf 25 mg Quetiapin ein.
Haben Sie Allergien?	
	Ja, eine Penicillinallergie habe ich.
Rauchen Sie, Herr Sälzer?	
	Ja.
Wie viel rauchen Sie?	
	5 Zigaretten pro Tag.
Seit wann?	
	Seit 10 Jahren.
Okay. Wie viel Alkohol trinken Sie am Tag?	
	Ich trinke keinen Alkohol.
Drogen?	
	Nööö.
Gibt es irgendwelche Erkrankungen in Ihrer Familie?	

Arzt (FSP-Kandidat)	Patient (Prüfer)
	Tja … Also meine Mutter hatte weißen Hautkrebs (Basallom/Basalzellkarzinom) und sie hat auch Depressionen. Mein Vater hatte Bauchspeicheldrüsenkrebs (Pankreaskarzinom) und ist daran gestorben.
Das tut mir leid.	
	Danke.
Sind Sie verheiratet?	
	Nein.
Haben Sie Kinder?	
	Nein.
Wo und wie wohnen Sie?	
	In der Muhliusstraße 11 in 22222 Elmshorn.
Ist das eine Wohnung? Welche Etage?	
	Ja, 1. Etage.
Haben Sie Haustiere?	
	Nein.
Wie groß sind Sie?	
	1,85 Meter.
Und wie viel wiegen Sie?	
	82 Kilogramm.
Was sind Sie von Beruf? Falls Sie eine Berufsbezeichnung nicht kennen: Und was genau machen Sie in Ihrem Beruf?	
	Ich bin Koch.
Wie heißt Ihr Hausarzt?	
	Frau Dr. Kruse.
Gut, vielen Dank. Das waren meine Fragen. Aufgrund der Anamnese habe ich einen Verdacht auf Cluster-Kopfschmerzen. Das bedeutet, es gibt Medikamente dagegen, Herr Sälzer. Es war gut, dass Sie hierhergekommen sind. Ich werde Sie untersuchen, wenn Sie einverstanden sind, dann nehme ich Ihnen ein bisschen Blut ab. Sie sollten hierbleiben, bis wir die Diagnose bestätigen und alles andere hoffentlich ausschließen können. Ich werde Ihren Fall jetzt auch mit dem Oberarzt besprechen. Die Schwester zeigt Ihnen gleich, wo Sie sich ausruhen können. Bis später, Herr Sälzer.	
	Okay. Tschüss.

20.7.2 Arztbrief

Sehr geehrter Herr Kollege,

wir berichten Ihnen nachfolgend über Herrn Tom Sälzer, geb. 01.01.1975, wohnhaft Muhliusstr. 11, 22222 Elmshorn, der sich am 26.01.2025 in unserer Notaufnahme vorstellte.

Der in leicht reduziertem Allgemeinzustand 50-jährige Patient stellte sich mit seit ca. 2 Jahren bestehenden, plötzlich auftretenden, in den letzten Monaten intensivierten, stechenden, einseitigen Cephalgien vor, die einen retroorbitalen Punctum maximum haben. Die Schmerzattacken treten 7–8 Mal pro 24 Stunden auf und dauern zwischen 15–180 Minuten. Die Einnahme von nonsteroidalen Antiphlogistika sei erfolglos. Diese Beschwerden seien von Lakrimation, Nasenkongestion im Wechsel mit Rhinorrhoe, einseitiger Ptosis, konjunktivaler Injektion und Bewegungsunruhe („pacing around") begleitet. Bis auf Insomnie war die vegetative Anamnese unauffällig.
Der Patient leide an einer depressiven Störung und Panikattacken.
Der Patient nehme Sertralin 150 mg 1-0-0 und Quetiapin 50 mg 0-0-1 und 25 mg als Bedarfsmedikation ein.
Penicillinallergie sei bekannt.
Tabakabusus wurde mit 5 Zigaretten/d seit 10 Jahren bejaht.
Alkohol- und Drogenkonsum wurde verneint.
In der Familienanamnese seien depressive Störungen und ein Basaliom bei der Mutter bekannt. Der Vater des Patienten sei an den Folgen eines Pankreaskarzinoms verstorben.
Der Patient sei ledig und arbeite als Koch. Er wohne in einer Wohnung.
Die Anamnese deutet auf Cluster-Kopfschmerzen hin. Der Patient wurde stationär aufgenommen. Die Laborergebnisse und das EKG stehen noch aus. Eine cMRT wurde geplant.
Als Berdarfsmedikation bei langen Attacken wurde Sumatriptan intranasal angeordnet, alternativ auch Lidocain, auch für intranasale Applikationen. Bei unauffälligem EKG ist eine Medikation mit Verapamil zur Anfallsprophylaxe geplant.

Für weitere Fragen stehen wir Ihnen gern zur Verfügung.

Mit freundlichen kollegialen Grüßen
AA/FA …

20.7.3 Fallvorstellung im Arzt-Arzt-Gespräch

Arzt (FSP-Kandidat)	Arzt (Prüfer)
Guten Tag. Ich möchte Ihnen heute über einen neuen Patienten, nämlich Herrn Tom Sälzer, berichten. Darf ich?	
	Ja, natürlich.

Arzt (FSP-Kandidat)	Arzt (Prüfer)
Danke. Der 50-jährige Patient stellte sich mit seit ca. 2 Jahren bestehenden, plötzlich auftretenden, in den letzten Monaten intensivierten, stechenden, einseitigen Cephalgien vor, die einen retroorbitalen Punctum maximum haben. Die Schmerzattacken treten 7–8 Mal pro 24 Stunden auf und dauern zwischen 15–180 Minuten; die Einnahme von nonsteroidalen Antiphlogistika sei erfolglos. Diese Beschwerden seien von Lakrimation, Nasenkongestion im Wechsel mit Rhinorrhoe, einseitiger Ptosis, konjunktivaler Injektion und Bewegungsunruhe („*pacing around*") begleitet. Bis auf Insomnie war die vegetative Anamnese unauffällig. Der Patient leide an Depression und Panikattacken und nehme Sertralin 150 mg 1-morgens und Quetiapin 50 mg zur Nacht und tagsüber 25 mg als Bedarfsmedikation ein. Penicillinallergie sei bekannt. Tabakabusus wurde mit 5 Zigaretten/Tag seit 10 Jahren bejaht. Alkohol- und Drogenkonsum wurde verneint. Die Mutter des Patienten leide an Depression und bei ihr sei früher ein Basaliom festgestellt worden. Der Vater des Patienten sei an den Folgen eines Pankreaskarzinoms verstorben. Der Patient sei ledig und arbeite als Koch. Er wohne in einer Wohnung. Die Anamnese deutet auf Cluster-Kopfschmerzen hin. Ich habe ihn stationär aufgenommen und ein Routine-Labor abgenommen. Das EKG sollte schon geschrieben sein.	
	Warum ein EKG bei diesem Patienten?
Die Prophylaxe bei Cluster-Kopfschmerzen wird in der Regel mit Verapamil durchgeführt. Das ist ein Calciumantagonist. Zuerst sollte bestätigt werden, dass der Patient keine Rhythmusstörungen hat.	
	Sehr schön. Weiter bitte.
Als Bedarfsmedikation bei langen Attacken wurde Sumatriptan intranasal angeordnet, alternativ auch Lidocain 4 %, auch für intranasale Applikationen. Wir müssen schauen, was am besten hilft. Wenn das EKG in Ordnung ist, werde ich Verapamil als prophylaktische Medikation wurde verschrieben. Eine cMRT zum Ausschluss einer Raumforderung wurde auch geplant. Als Differenzialdiagnosen kommen in Betracht: • andere trigeminoautonome Kopfschmerzen • Migräne • Apoplexie • Hirntumor Das war alles fürs Erste. Des Weiteren möchte ich den Fall gern mit Ihnen besprechen.	

Arzt (FSP-Kandidat)	Arzt (Prüfer)
	Vielen Dank. Was wären die anderen trigeminoautonomen Kopfschmerzen?
• der episodische und chronische Cluster-Kopfschmerz (CK) • die episodische und chronische paroxysmale Hemikranie (CPH) • das SUNCT-Syndrom („Short-lasting Unilateral Neuralgiform Headache With Conjunctival Injection and Tearing") • Hemicrania continua	
	Okay. Wie würden Sie eine Migräne klinisch ausschließen?
Der Patient hat keine Aura, keine Prodrome, keine Nausea, kein Vomitus, keine Fotophobie, Phonophobie oder Osmophobie. Die Attacken dauern nie länger als ca. 3 Stunden (bei Migräne 4–72 Stunden), es gibt keine Verstärkung der Schmerzen bei Bewegung.	
	Sehr gut. Wie würden Sie dann eine Hemikranie klinisch ausschließen?
Eine Hemikranie wird bestätigt nach der therapeutischen Probe mit Indometacin. Das hat keinen Effekt bei unserem Patienten.	
	Warum haben Sie bildgebende Verfahren angemeldet?
Die Indikationen wären: • atypischer Verlauf • veränderter Schmerzcharakter • (Tumor-)Angst des Patienten • Fieber, Meningismus, Bewusstseinsstörung • neurologische Ausfälle Unser Patient hatte eine große Tumorangst und aufgrund seiner psychiatrischen Erkrankungen habe ich eine MRT angemeldet.	
	Sehr schön. Vielen Dank.

KAPITEL

21 Fachterminologie

Am Ende der FSP bekommen Sie eine Liste mit ca. 10 medizinischen Fachbegriffen. Erklären Sie diese Begriffe einem „Patienten" in klaren, allgemein verständlichen Worten (kein „Fachchinesisch") – und zwar schriftlich. Als kleiner Tipp: Wenn Sie das deutsche Wort vergessen haben, versuchen Sie, den Begriff zu umschreiben – in kurzen Sätzen.

Hier habe ich häufig verwendete Begriffe für Sie zusammengestellt. Am Seitenrand haben Sie genug Platz, um die Begriffe in ihre Bestandteile zu zerlegen, sie zu umschreiben oder die schwierigsten Begriffe handschriftlich abzuschreiben, damit sie sich besser einprägen.

Eine gute Übung: Versuchen Sie, die Fachbegriffe in eigenen Worten zu erklären – und bitte möglichst nur in der deutschen Sprache!

Die Chance, dass Sie genau die Begriffe aus diesem Buch in der Prüfung bekommen, sind allerdings nicht allzu hoch! Die folgende Liste ist jedoch ein sehr nützliches Instrument, mit dessen Hilfe Ihnen die Erklärungen und Umschreibungen leichterfallen.

LittleDoc meint
Ach, die schöne deutsche Sprache und ihre „Mini-Wörter" ;-) Vorsicht, Zungenbrecher!

21.1 Anatomie

die A. axillaris	die Achselarterie
die A. brachialis	die Oberarmarterie
die A. carotis communis	die Halsschlagader
die A. carotis externa	die äußere Halsschlagader
die A. carotis interna	die innere Halsschlagader
die A. dorsalis pedis	die Fußrückenarterie
die A. femoralis	die Oberschenkelarterie
die A. fibularis	die Wadenbeinarterie
die A. iliaca communis	die gemeinsame Darmbeinarterie
die A. iliaca externa	die äußere Beckenarterie
die A. iliaca interna	die innere Beckenarterie
die A. mesenterica inferior	die untere Eingeweidearterie
die A. mesenterica superior	die obere Eingeweidearterie
die A. poplitea	die Kniekehlenarterie
die A. profunda femoris	die tiefe Oberschenkelarterie
die A. radialis	die Speichenarterie
die A. renalis	die Nierenarterie

die A. subclavia	die Unterschlüsselbeinarterie
die A. testicularis	die Hodenarterie
die A. tibialis anterior	die vordere Schienbeinarterie
die A. tibialis posterior	die hintere Schienbeinarterie
die A. ulnaris	die Ellenarterie
das Abdomen	der Bauch
das Aden/die Glandula	die Drüse
die Adnexe	der Eierstock, der Eileiter
die Akren (Pl.)	die hervorstehenden äußeren Körperenden (Pl.)
die Alveole	das Lungenbläschen
das Angion/das Vas	das Gefäß
der Anus	der After/der Darmausgang
die Aorta	die Hauptschlagader
der Appendix vermiformis	der Wurmfortsatz
der Arcus aortae	der Aortenbogen
die Arterie/die Arteria	die Pulsschlagader
die Articulatio	das Gelenk
die Articulatio cubiti	das Ellenbogengelenk
die Articulatio genus	das Kniegelenk
die Articulatio talocruralis	oberes/das obere Sprunggelenk
die Articulatio talotarsalis	unteres/das untere Sprunggelenk
die Auris	das Ohr
die Auris media	das Mittelohr
die äußere Hirnhaut	die Bindegewebsschicht, die das Gehirn umgibt
die Axilla	die Achsel, die Achselhöhle
das Basalganglion	das Kerngebiet im Gehirn
die Bifurcatio aortae	die Aortenbifurkation
das Brachium	der Oberarm
der Bronchus	der Hauptast der Luftröhre
die Carotis/die Arteria carotis	die Halsschlagader
der Cartilago	der Knorpel
die Cellulae ethmoidales (Pl.)	die Siebbeinzellen (Pl.)
das Cerebellum	das Kleinhirn
das Cerebrum	das Großhirn
das Cerumen/das Zerumen	das Ohrenschmalz
die Clavicula	das Schlüsselbein
die Cochlea	die Ohrschnecke
die Concha nasalis	die Nasenmuschel
das Cor	das Herz
die Cornea	die Hornhaut

der Corpus luteum	der Gelbkörper
das Cranium	der Schädel
das Crus	der Unterschenkel
die Cutis/das Derma	die Haut
der Dens	der Zahn
das Dentin	das Zahnbein
der Uterus	die Gebärmutter
das Diaphragma	das Zwerchfell
der Didymus/der Testis	der/die Hoden
der Digitus	der Finger/der Zeh
der Digitus minimus	die Kleinzehe
das Dorsum pedis	der Fußrücken
der Ductus choledochus	der Hauptgallengang
der Ductus deferens	der Samenleiter
das Duodenum	der Zwölffingerdarm
das Endometrium	die Gebärmutterschleimhaut
das Enteron	der Darm
die Epididymis	der Nebenhoden
die Epiglottis	der Kehldeckel
das Epithelkörperchen	die Nebenschilddrüse
das Femur	der Oberschenkelknochen
die Fibula	das Wadenbein
die Gaster/der Ventrikulus	der Magen
das Gefäß	die Ader
das Genu	das Knie
die Gingiva	das Zahnfleisch
die Glandula parathyroidea	die Nebenschilddrüse
die Glandula parotidea	die Ohrspeicheldrüse
die Glandula pinealis/das Corpus pineale	die Zirbeldrüse
die Glandula sublingualis	die Unterzungenspeicheldrüse
die Glandula submandibularis	die Unterkieferspeicheldrüse
die Glandula suprarenalis	die Nebenniere
die Glandula thyroidea	die Schilddrüse
die Glandula vesiculosa	die Samenblase
die Glans penis	die Eichel
die Glossa/die Lingua	die Zunge
der Hallux	der Großzeh
das Hepar	die Leber
der Humerus	der Oberarmknochen
der/das Hymen	das Jungfernhäutchen
die Hypophyse/die Glandula pituitaris	die Hirnanhangdrüse
der Hypothalamus	ein lebenswichtiger Teil des Gehirns

das Ileum	der Krummdarm/der Hüftdarm
die Insulae pancreaticae (Pl.)	die Langerhans-Inseln (der Bauchspeicheldrüse; Pl.)
die Iris	die Regenbogenhaut
das Jejunum	der Leerdarm
die Kapillaren (Pl.)	die Haargefäße
das Kolon/das Colon	der Dickdarm, der Grimmdarm
die Konjunktiva	die Bindehaut
die Kystis/die Vesika	die Blase
die Labien (Pl.)	die Schamlippen (Pl.)
der Larynx	der Kehlkopf
der Lien/der Splen	die Milz
das Ligamentum inguinale	das Leistenband
der Liquor (cerebrospinalis)	die Gehirn- und Rückenmarksflüssigkeit
die Magenkurvatur	die Magenkrümmung
der Malleolus lateralis	der Außenknöchel
der Malleolus medialis	der Innenknöchel
die Mamilla	die Brustwarze
die Mamma/die Mammae	die (weibliche) Brust/die Brüste
die Mandibula	der Unterkiefer
die Manus	die Hand
die Maxilla	der/das Oberkiefer
das Mesenterium	das Gekröse
der Musculus	der Muskel
der Musculus quadriceps femoris	der vierköpfige Oberschenkelmuskel
der Musculus sartorius	der Schneidermuskel
der Musculus sternocleidomastoideus	der Kopfnickermuskel
der Musculus trapezius	der Trapezmuskel
das Myokard	der Herzmuskel
das Nasenseptum	die Nasenscheidewand
der Nasus	die Nase
der Nervus abducens [VI]	der Augenabziehnerv
der Nervus accessorius [XI]	der Beinerv
der Nervus facialis [VII]	der Gesichtsnerv
der Nervus glossopharyngeus [IX]	der Zungen-Rachen-Nerv
der Nervus hypoglossus [XII]	der Unterzungennerv
der Nervus intermedius	der Intermediusnerv
der Nervus oculomotorius [III]	der Augenbewegungsnerv
der Nervus olfactorius [I]	der Riechnerv
der Nervus opticus [II]	der Sehnerv
der Nervus trigeminus [V]	der Drillingsnerv (ein Hirnnerv)
der Nervus trochlearis [IV]	der Augenrollnerv

der Nervus vagus [X]	der „umherschweifende" Nerv (ein Hirnnerv)
der Nervus vestibulocochlearis [VIII]	der Hör- und Gleichgewichtsnerv
der Nervus	der Nerv
der Oculus/der Ophtalmos	das Auge
das Omentum minus/majus	kleines/großes Netz
die Orbita	die Augenhöhle
das Os	der Knochen
das Os carpi	der Handwurzelknochen
das Os coccygis	das Steißbein
das Os femoris	der Oberschenkelknochen
das Os fibularis	das Wadenbein
das Os ischii	das Sitzbein
das Os pubis	das Schambein
das Os sacrum	das Kreuzbein
das Os tibia	das Schienbein
das Os zygomaticum	das Jochbein/das Wangenbein
das Os/das Stoma	der Mund
der Ösophagus	die Speiseröhre
das Ovar/das Ovarium	der Eierstock
das Pankreas	die Bauchspeicheldrüse
die Patella	die Kniescheibe
der Pectus/der Thorax	der Brustkorb
die Pelvis renalis	das Nierenbecken
der Penis/der Phallus	das Glied
das Periost	die Knochenhaut
das Peritoneum	das Bauchfell
der Pes	der Fuß
der Pharynx	der Rachen
die Planta pedis	die Fußsohle
die Plazenta	der Mutterkuchen (präpartum), die Nachgeburt (postpartum)
die Pleura	das Rippenfell, das Brustfell
der Plexus	das Nervengeflecht
der Processus mastoideus	der Warzenfortsatz
der Processus xiphoideus	der Schwertfortsatz
die Prostata	die Vorsteherdrüse
der Pulmo	die Lunge
der Pylorus	der Magenpförtner
der Radius	die Speiche
die Radix linguae	die Zungenwurzel
das Rektum	der Mastdarm/Enddarm

der Ren/die Renes	die Niere/die Nieren
die Retina	die Netzhaut
das Septum des Atriums/Ventrikels	die Vorhofscheidewand/die Kammerscheidewand
das Sigma	der letzte Teil des Dickdarms
der Sinus frontalis	die Stirnhöhle
der Sinus lacrimalis	die Tränenbeinhöhle
der Sinus maxillaris	die Kieferhöhle
der Sinus palatinus	die Gaumenhöhle
der Sinus sphenoidalis	die Keilbeinhöhle
die Sinus paranasales (Pl.; dt. manchmal „die Sinusse")	die Nasennebenhöhlen (Pl.)
das Skrotum	der Hodensack
der Sphinkter	der Schließmuskel, ein ringförmig verschließender Muskel
die Spina iliaca anterior superior	der vordere Darmbeinstachel
das Spinalganglion	die Ansammlung von Nervenzellkörpern der Spinalnerven
das Sternum	das Brustbein
der Thymus	das Bries (eine Drüse des lymphatischen Systems)
die Tibia	das Schienbein
die Tonsillen (Pl.)	die Mandeln (Pl.)
die Trachea	die Luftröhre
der Trochanter major	der große Rollhügel
der Truncus brachiocephalicus	der Arm-Kopf-Gefäßstamm
der Truncus coeliacus	der Bauchhöhlenstamm
die Tuba auditiva	die Ohrtrompete
die Ulna	die Elle
der Ureter	der Harnleiter
die Urethra	die Harnröhre
die Vagina/der Kolpos	die Scheide
die Vene	die Blutader
der Ventrikel	die Kammer (im Herzen oder Gehirn)
die Vertebra	der Wirbel
die Vesica urinaria	die Harnblase
die Viszera (Pl.)	das Eingeweide
das Zäkum/Caecum	der Blinddarm
die Zervix/Cervix	der Gebärmutterhals

21.2 Kardiologie

die Angina pectoris	die Brustschmerzen, das Engegefühl im Brustbereich
die Angiografie	die Röntgen-Darstellung der Gefäße
die Angiologie	das Teilgebiet der inneren Medizin, das sich mit Blutgefäßen und deren Krankheiten befasst
das Aortenaneurysma	die Aussackung der Hauptschlagader
die Aortenisthmusstenose	die Verengung der Aorta
die Aortenklappeninsuffizienz	ungenügender Verschluss einer Herzklappe
die Aortenklappenstenose	die Einengung einer Herzklappe
die Aortenruptur	das Zerreißen der Hauptschlagader
die Aortenstenose	die Verengung der Hauptschlagader
die Apoplexie	die Durchblutungsstörung, der Schlaganfall
die Arrhythmie	die Unregelmäßigkeit des Herzschlags
die arterielle Hypertonie	der Bluthochdruck
die arterielle Hypotonie	der niedrige Blutdruck
die Arteriitis	die Entzündung von Arterien
die Arteriosklerose	die Schlagaderverhärtung
die Asystolie	der Herzstillstand
die Atherosklerose	die Arterienverkalkung
das Atrium	der Herzvorhof
der Atriumseptumdefekt/der Vorhofseptumdefekt	ein Loch in der Herzscheidewand zwischen den Vorhöfen
der atrioventrikuläre Block, AV-Block	die Reizleitungsstörung zwischen Vorhof und Kammer
der bifaszikuläre Block	der Herzleitungsbündelblock
die Bradykardie	der zu langsame Herzschlag
der Bypass	die Umgehung eines Blutgefäßabschnitts
die chronisch ischämische Herzkrankheit	der Durchblutungsmangel des Herzes
die chronische Stauungsleber	der Blutstau in der Leber
die Claudicatio intermittens	ein schmerzbedingtes zeitweises Hinken bei pAVK; die „Schaufensterkrankheit"
das Diastolikum	die Entspannungs- und Füllungsphase
die Dissektion der Aorta	die Auftrennung der Wandschichten der Hauptschlagader
das Elektrokardiogramm (EKG)	die grafische Darstellung der elektrischen Herzaktivitäten
die Embolie	der Verschluss eines Blutgefäßes durch eingeschwemmte Blutgerinnsel, Fett, Luft, Fruchtwasser, Fremdkörper usw.

das Endokard	die Herzinnenhaut
die Endokarditis	die Entzündung der Herzinnenhaut
die Extrasystole	der Extraschlag, das Herzstolpern
die Herzinsuffizienz	die Herzschwäche
die Herzneurose	die Herzangst
die Herzvitien (Pl.)	die Herzfehler (Pl.)
der hypovolämische Schock	der Volumenmangelschock
die Kardiomegalie	die Herzvergrößerung
die Kardiomyopathie	die Herzmuskelerkrankung
die Karotisstenose	die Verengung der Halsschlagader
das Koagel	das Blutgerinnsel
das Koronargefäß	das Herzkranzgefäß
die Mitralklappeninsuffizienz	die „Undichtigkeit" der Herzklappe zwischen linkem Vorhof und linker Herzkammer
der Mitralklappenprolaps	die Fehlbildung der Herzklappe zwischen linkem Vorhof und linker Herzkammer
die Mitralklappenstenose	die Einengung der Herzklappe zwischen linkem Vorhof und linker Herzkammer
das Myokard	der Herzmuskel
der Myokardinfarkt	der Herzinfarkt
die Myokardischämie	die Minderdurchblutung des Herzmuskelgewebes
die Myokarditis	die Herzmuskelentzündung
die Palpitationen (Pl.)	das Herzklopfen, das Herzpochen
die paroxysmale Tachykardie	das anfallsweise Herzrasen
das Perikard	der Herzbeutel
der Perikarderguss	der Herzbeutelerguss
die Perikarditis	die Herzbeutelentzündung
das Perikardreiben	das Herzbeutelreiben
die Phlebitis	die Venenentzündung
das Präexzitationssyndrom	die vorzeitige Erregung der Herzkammer
der Rechtsschenkelblock	eine Störung der Erregungsleitung im Herzen als Befund im EKG
das Sick-Sinus-Syndrom	die Herzrhythmusstörungen des Sinusknoten
das Systolikum	die Anspannungs- und Auswurfphase
die Tachykardie	das Herzrasen
die Thrombophlebitis	die Thrombose und Entzündung oberflächlicher Venen
die Thrombose	das Blutgerinnsel in einem Gefäß
das Ulcus cruris	das Unterschenkelgeschwür, offenes Bein
die Varize	die Krampfader
die ventrikuläre Tachykardie	das Kammerherzrasen

21.3 Pneumologie

die Apnoe	der Atemstillstand
die Asphyxie	der Erstickungszustand
die Aspiration	das Einatmen, das Verschlucken von Fremdkörpern
die Bradypnoe	die verlangsamte Atemfrequenz
das Bronchialatmen	zentrales Atemgeräusch
die Bronchiektase	die Ausweitung der Atemgänge
die Bronchiolitis	die Entzündung der kleinen Atemabschnitte
die Bronchitis	die Entzündung der Hauptäste der Luftröhre
die Bronchophonie	hochfrequente Töne beim Sprechen wegen Brustkorbvibration
der Bronchospasmus	die Verkrampfung der Luftröhrenäste
die chronisch obstruktive Lungenerkrankung (COPD)	die dauerhafte, progrediente Verstopfung der Atemwege
die Diphtherie	der Krupp, die Infektion der oberen Atemwege
die Dyspnoe	die Atemnot
das Emphysem	die Überblähung
die Epiglottitis	die Kehldeckelentzündung
der Fassthorax	fassförmiger Brustkorb
das Giemen	pfeifendes Atemnebengeräusch
der Hämatothorax	die Blutansammlung im Brustfellspalt
die Hämoptoe	das/der Bluthusten
die Hyperventilation	die beschleunigte Atmung
die Intubation	das Einführen eines Schlauchs in die Luftröhre
die Kußmaul-Atmung	die tiefe betonte Atmung wegen metabolischer Azidose
die Laryngitis	die Kehlkopfentzündung
der Laryngospasmus	der Stimmbandkrampf
das Larynxödem	die Kehlkopfschwellung
die Lobärpneumonie	die Lungenlappenentzündung
das Lungenödem	die Wasserlunge
die Lungentuberkulose	die Schwindsucht
das Mukolytikum	das Schleimlösungsmittel
die Nasenseptumdeviation	die Nasenscheidenwandverkrümmung
die Orthopnoe	die Minderatmung, die sich beim Aufstehen verbessert
die Pertussis	der Keuchhusten
der Pleuraerguss	die Flüssigkeit im Brustfellspalt

die Pleuralgie	der Rippenfellschmerz
die Pleuritis	die Brustfellentzündung
die Pneumonie	die Lungenentzündung
der Pneumothorax	der Lufteintritt zwischen beiden Blättern des Rippenfells
die pulmonale Hypertonie	der Lungenhochdruck
die Rasselgeräusche	die Atemnebengeräusche
die Rhinitis	der Schnupfen, die Nasenschleimhautentzündung
die Schlafapnoe	der Atemstillstand beim Schlafen
die Sinusitis	die Nasennebenhöhlenentzündung
der Spannungspneumothorax	der Pneumothorax mit lebensgefährlichem Druckanstieg
das Sputum	der Auswurf
der Status asthmaticus	der lang anhaltende Asthmaanfall
die Sternotomie	die Öffnung des Brustbeins
der Stimmfremitus	tieffrequente Töne beim Sprechen wegen Brustkorbvibration
der Stridor	das Ausatemgeräusch
die Tachypnoe	die beschleunigte Atemfrequenz
die Thorakotomie	die Eröffnung der Brusthöhle
die Tonsillektomie	die Entfernung der Rachenmandeln
die Tonsillitis	die Mandelentzündung
die Tracheomalazie	zu weiche Knorpelspangen der Luftröhre und/oder des Larynx
die Tracheostenose	die Verengung der Luftröhre
die Tracheostoma	der Luftröhrenschnitt
das Vesikuläratmen	das gedämpfte Atemgeräusch

21.4 Gastroenterologie

die Achalasie	die fehlende Erschlaffung der glatten Muskulatur von Hohlorganen
der Aderlass	eine größere Blutentnahme zu therapeutischen Zwecken
die Aerobilie	die Luft in den Gallengängen
die Aerophagie	das Luftschlucken
die Alkoholgastritis	die Magenentzündung wegen Alkoholkonsum
die Analfissur	der Einriss der Haut des Afters
die Appendizitis	die „Blinddarmentzündung"

der Aszites	die Flüssigkeitsansammlungen in der Peritonealhöhle
das Bilirubin	das Abbauprodukt des Hämoglobins
okkultes Blut	unsichtbares Blut
das Budd-Chiari-Syndrom	die Lebervenenthrombose
die Cholangitis	die Entzündung der Gallengänge
die Cholelithiasis	die Gallensteine (Pl.)
die Cholezystitis	die Gallenblasenentzündung
das Colon irritabile	das Reizdarmsyndrom
die Diarrhö	der Durchfall
das Divertikel	die Ausstülpung von Hohlorganwänden
die Divertikulitis	die entzündete Schleimhautausstülpung
die Divertikulose	eine Darmkrankheit mit vielen Schleimhautausstülpungen
die Duodenitis	die Zwölffingerdarmentzündung
die Endoskopie	die Spiegelung
die Enteritis	die Darmentzündung
die Flatulenz	der übermäßige Abgang von Darmgasen
der Gallensteinileus	der Darmverschluss durch Gallensteine
die Gastritis	die Magenschleimhautentzündung
die Gastroskopie	die Magenspiegelung
der Haemoccult-Test (Guajak-Test)	der Test, um Blut im Stuhl nachzuweisen
die Hämorrhoiden (Pl.)	die krankhaften Gefäßerweiterungen am After
die Hepatitis	die Leberentzündung
die Hepato-/Splenomegalie	die Leber-/Milzvergrößerung
hepatotoxisch	leberschädigend
die Hiatushernie/die Zwerchfellhernie	der Durchtritt von Magenanteilen durch das Zwerchfell
ikterisch	gelb gefärbt, gelblich
der Ikterus	die Gelbsucht
der Ileus	der Darmverschluss
paralytischer Ileus	der Darmstillstand
die Indigestion	die Verdauungsstörung
das Klysma/das Klistier	der Einlauf
die Koloskopie	die Darmspiegelung
die Leberzirrhose	die Schrumpfleber
die Magendilatation	die Magenerweiterung
das Magendivertikel	die Ausstülpung der Magenschleimhaut
die Malabsorption	die schlechte Aufnahme von Nahrungsbestandteilen
das Mallory-Weiss-Syndrom	längliche Einrisse der Schleimhaut der Speiseröhre

das Megakolon	die Dickdarmerweiterung
die Meläna	der Teerstuhl
der Meteorismus	die Blähungen (Pl.)
das Miserere	das Koterbrechen bei Ileus
die Obstipation	die Verstopfung
die Ösophagitis	die Speiseröhrenentzündung
die Ösophagushernie	der Speiseröhrenbruch
die Ösophagusvarizen (Pl.)	die Krampfadern (Pl.) in der Speiseröhre
die Pankreasinsuffizienz	die unzureichende Funktion der Bauchspeicheldrüse
die Pankreatitis	die Bauchspeicheldrüsenentzündung
die Peristaltik	die Darmbewegung
die Peritonitis	die Bauchfellentzündung
die Pfortaderthrombose	die Verstopfung der Pfortader durch Blutpfropfen
die Pharyngitis	die Rachenentzündung
die portale Hypertonie	der Pfortaderhochdruck
die Pyrosis	das Sodbrennen
die Rektoskopie	die Mastdarmspiegelung
die Siderose	die Eisenspeicherkrankheit
das Ulcus duodeni	das Zwölffingerdarmgeschwür
das Ulcus pepticum	das Magen-Darm-Trakt-Geschwür durch die Einwirkung von Magensäure
das Ulcus ventriculi	das Magengeschwür
die Zöliakie	die Glutenunverträglichkeit

21.5 Neurologie

die Adiadochokinese	die Aufhebung der Bewegungskoordination
die Alexie	die Leseunfähigkeit
die amyotrophe/amyotrophische Lateralsklerose	eine Erkrankung des zentralen Nervensystems mit fortschreitenden Muskellähmungen
die Anarthrie	das Sprechunvermögen wegen ZNS-Störungen
die Aphasie	die Sprachstörung, der Sprachverlust
die Apraxie	die Störung der willkürlichen Motorik
das Astrozytom	der Hirnkrebs aus den Astrozyten
die Ataxie	die Bewegungskoordinationsstörung

die Blut-Hirn-Schranke	die physiologische Barriere zwischen Blutkreislauf und Zentralnervensystem
die Cheyne-Stokes-Atmung	die regelmäßige wechselnde Atemtiefe/ Atemfrequenz
die Commotio cerebri	die Gehirnerschütterung
die Contusio cerebri	die Gehirnquetschung
die Dysarthrie	die Sprechstörung durch mangelhafte Koordination der Sprechwerkzeuge bei Hirnverletzungen oder -krankheiten
die Dyslexie	die Lesestörung
die Dysmetrie	die Störung willkürlicher Bewegungsabläufe
die Dysphasie	die Sprachverarbeitungsstörung
das Elektroenzephalogramm	die grafische Darstellung der Gehirnaktivität
die Enzephalitis	die Gehirnentzündung
die Enzephalomyelitis	die Entzündung des Gehirns und Rückenmarks
die Enzephalopathie	die krankhafte Veränderung des Gehirns
epidural	die harte Rückenmarkshaut betreffend
die epidurale Blutung	eine Hirnblutungsart
der epileptische Anfall	der Krampfanfall
die Faszikulationen (Pl.)	die unwillkürliche Bewegung kleiner Muskelgruppen
die Glossoplegie	die Zungenlähmung
die Hemiparese	die unvollständige Lähmung einer Körperhälfte
die Hemiplegie	die vollständige Lähmung einer Körperhälfte
die hereditäre Ataxie	die erbliche Störung von Bewegungsabläufen
der Hirninfarkt	der Schlaganfall
das Hirnödem	die Hirnschwellung
der Hydrozephalus	der „Wasserkopf"
die hypertensive Enzephalopathie	die krankhafte Veränderung des Gehirns aufgrund aHT
die intrakranielle Raumforderung	die Raumforderung innerhalb des Schädels
die intrakranielle Verletzung	die Verletzung im Schädel
die intrazerebrale Blutung	die Hirnblutung
die Kataplexie	der emotionsbedingte kurzzeitige Verlust der Muskelgrundspannung
der Klonus	die unwillkürliche, rhythmische Zusammenziehung von Muskeln
komatös	in tiefer Bewusstlosigkeit

die Kraniotomie	die operative Öffnung des Schädels
die Leukodystrophie	der fortschreitende Zerfall der weißen Substanz im Nervensystem
die Lumbalpunktion	der Eingriff zur Entnahme von Liquor (Nervenflüssigkeit)
der Meningismus	die schmerzhafte Nackensteifigkeit
die Meningitis	die Hirnhautentzündung
die Myelitis	die Entzündung des Rückenmarks
der Myoklonus	die unwillkürliche Muskelzuckung
die neuralgische Amyotrophie	die Nervengeflechtentzündung
die Neuritis	die Nervenentzündung
die Paraplegie	die Querschnittslähmung
die Parese	die unvollständige Lähmung
die Plegie	die vollständige Lähmung
die Poliomyelitis	die Kinderlähmung
das Schädel-Hirn-Trauma	die Schädel-Hirn-Verletzung
die skandierende Sprache	das abgehackte, verwaschene Sprechen
die Subarachnoidalblutung	eine Hirnblutungsart
die subdurale Blutung	eine Hirnblutungsart
die Synkope	die Ohnmacht
der Tetanus	der Wundstarrkrampf
die Tetraplegie	die Querschnittslähmung im Hals
die Trigeminusneuralgie	der Gesichtsschmerz
die Zerebralparese	die Hirnlähmung

21.6 Nephrologie

die Anurie	die Harnausscheidung < 100 ml in 24 Stunden
das Clearance	die Filtrationsleistung der Nieren
die Diurese	die Harnausscheidung pro Tag
die Hämaturie	das Blut bzw. die Erythrozyten im Harn
die Nephrolithiasis	Steine in der Niere und/oder in den ableitenden Harnwegen
die Nephrose	die Nierenerkrankung
nephrotoxisch	nierenschädigend
die Niereninsuffizienz	die unzureichende Nierenleistung
die Polyurie	eine Harnausscheidung > 1500 ml/m^2 Körperfläche in 24 Stunden
die Urämie	die Harnvergiftung

die Urin-Sticks (U-Sticks; Pl.)	die Urinstreifen (Pl.)
die Zystitis	die Blasenentzündung
die Zystoskopie	die Blasenspiegelung

21.7 Hämatologie

die Agranulozytose	sehr wenige Granulozyten im Blut (< 500/µl)
das Albumin	eine Proteinart
das Allergen	die allergieerzeugende Substanz
die Anämie	die Blutarmut
der (Blut-)Ausstrich	die Präparation von Blut für eine mikroskopische Untersuchung
das Cholesterin	die fettartige Substanz
der Coombs-Test	der Antiglobulintest
das Differenzialblutbild	das Blutbild, das die Zusammensetzung der weißen Blutkörperchen im Blut beurteilt
der Erythrozyt	rotes/das rote Blutkörperchen
die Fettembolie	der Gefäßverschluss durch Fettpfropfen
das Fibrinogen	ein Glykoprotein, das für die Blutgerinnung wichtig ist
der Granulozyt	ein Typ vom weißen Blutkörperchen
der Hämatokrit	der Anteil der festen Blutbestandteile im Gesamtblut
das Hämoglobin	der Blutfarbstoff
die Hämolyse	die Auflösung roter Blutkörperchen
die Hyperkaliämie	die erhöhten Kaliumwerte im Blut
die Hyperlipidämie/Hyperlipämie	die erhöhten Blutfettwerte
die Infusion	eine Flüssigkeitsgabe in die Venen
die Knochenmarkspunktion	eine Untersuchungsmethode zur Entnahme von Knochenmarksgewebe
die Kreuzprobe	das Testverfahren, wodurch die Verträglichkeit von Spenderblut und Empfängerblut beurteilt wird
die Leukopenie	sehr wenige weiße Blutkörperchen im Blut
der Leukozyt	weißes/das weiße Blutkörperchen
die Leukozytose	sehr viele weiße Blutkörperchen im Blut
die Luftembolie	der Gefäßverschluss durch Gasansammlungen
die Lungenembolie	die Verstopfung eines Lungengefäßes

der Lymphozyt	ein Typ von weißem Blutkörperchen
die Makrophage	die „Fresszelle"
der Monozyt	größtes weißes Blutkörperchen
pCO2	der Kohlendioxidpartialdruck
pH	das Gleichgewicht von Säuren und Basen (Blut pH 7,36–7,44)
pO2	der Sauerstoffpartialdruck
der Quick-Wert	der Parameter der Blutgerinnungsleistung
der Retikulozyt	unreifes rotes Blutkörperchen
die (Sinus-)Venenthrombose	die Gefäßpfropfen (Pl.) in Gehirnvenen
die Thrombolyse	die Auflösung von Blutgerinnseln
die Thromboplastinzeit	Parameter der Blutgerinnungsleistung
die Thrombose	die Verstopfung eines Blutgefäßes durch ein Blutgerinnsel
der Thrombozyt	das Blutplättchen
die Transaminasen	die Enzyme (Pl.), welche die Funktion der Leber beurteilen (GOT, GPT)
die Triglyzeride (Pl.)	eine Form von Fetten
die Venenpunktion	der Einstich in eine Körpervene
die Zellen im Blut	die Blutkörperchen (Pl.)

21.8 Frauenheilkunde

die Ablatio	die Abtragung, die Amputation
der Abort	die spontane oder induzierte Beendigung der Schwangerschaft < 24. SSW oder bei einem fetalen Gewicht < 500 g
der Abortus imminens	die drohende Fehlgeburt
der Abortus incompletus/die Missed Abortion	die unvollständige Fehlgeburt
die Abrasio	die Ab-/Ausschabung von Körpergewebe
die Dilatation	die Erweiterung
die Gestation/Gravidität	die Schwangerschaft
die Gestose (*früh:* der Ptyalismus gravidarum, die Hyperemesis gravidarum; *spät:* die Präeklampsie, die Eklampsie, das HELLP-Syndrom)	eine Gruppe schwangerschaftsbedingter Erkrankungen
die gynäkologische Untersuchung	die frauenärztliche Untersuchung
die Hysterektomie	die Gebärmutterentfernung
die In-vitro-Fertilisation	die künstliche Befruchtung

die Kolpitis	die Entzündung der Scheide
die Kontrazeptiva (Pl.)	die Verhütungsmittel (Pl.), die Antibabypille
die Ovarialgravidität	die Eierstockschwangerschaft
die Ovariektomie	die operative Entfernung des Eierstocks
die Plazenta	der Mutterkuchen, die Nachgeburt
die Sectio caesarea	der Kaiserschnitt/die Schnittentbindung
der Spontan-Partus	die normale Entbindung
die Tokolyse	die Wehenhemmung
die Wehen (Pl.)	die Kontraktionen der Gebärmutter

21.9 Endokrinologie

die Akromegalie	das Wachstum der Akren (wegen STH-Überproduktion); wenn im Kindesalter: der Gigantismus
der Diabetes mellitus	die Zuckerkrankheit
der Hirsutismus	die pathologische Behaarung bei Frauen, die dem männlichen Verteilungsmuster ähnelt (Brust, Bart usw.)
die Hyper-/Hypothyreose	die Schilddrüsenüberfunktion/-unterfunktion
die Osteomalazie	die Knochenerweichung
die Osteoporose	der Knochenschwund
die Struma	die Vergrößerung der Schilddrüse, der Kropf
die Strumektomie	die Schilddrüsenresektion oder Extirpation
das Testosteron	das männliche Keimdrüsenhormon/ Sexualhormon

21.10 Chirurgie

der/das Abszess	die Eiteransammlung
die Adhäsion	die Verwachsung
das akute Abdomen	ein Syndrom, das durch die Reizung des Bauchfells ausgelöst wird
die Amputation	die Entfernung eines Körpergliedes

die Analatresie	angeborener Verschluss des Darmausgangs
die Analfissur	der Einriss der Afterschleimhaut
die Analinkontinenz	die Darmschwäche/das Unvermögen, den Stuhl einzuhalten
der Analprolaps	ein Vorfall des Afters
die Anastomose	die künstliche Verbindung von Hohlräumen
die Cholezystektomie	die Entfernung der Gallenblase
die Darmanastomose	die künstliche Verbindung von Darmabschnitten
die Darmstenose	die Verengung des Darms
die Drainage	die Ableitung von Körperflüssigkeiten
die Duodenalstenose	die Verengung des Zwölffingerdarms
das Empyem	die Eiteransammlung in einer Körperhöhle
die Femoralishernie	die (Ober-)Schenkelhernie
die Fissur	die Ritze, die Spalte
die Fistel	krankhafter Gang zwischen zwei Hohlorganen oder zwischen einem Organ und der Haut
die Hernie	der Bruch
die Herniotomie	die operative Rückverlagerung eines Bruchs
die Hodentorsion	die Hodenstieldrehung
die Ileostoma	künstlicher Darmausgang
die Invagination	die Darmeinstülpung in den folgenden Darmabschnitt
die Laparoskopie	die Bauchspiegelung
die Laparotomie	die Eröffnung der Bauchhöhle
die Lavage	die Spülung
die Leistenhernie	der Leistenbruch
die Ligatur	die Unterbindung
die Nabelhernie	der Nabelbruch
die Narbenhernie	der Narbenbruch
die Orchiektomie	die operative Entfernung des Hodens
die parenterale Ernährung	die künstliche Ernährung, bei der der Gastrointestinaltrakt umgangen wird
die Perforation	der Durchbruch
die Punktion	der Einstich, in der Regel mit Hohlnadel oder Trokar
die rektale Untersuchung	die Untersuchung des Enddarms
der Rektumprolaps	der Mastdarmvorfall
reponierbar	zurückschiebbar

die Resektion	die Entfernung von Körpergewebe, Tumoren usw.
die Resistenz	der Widerstand
die Splenektomie	die Entfernung der Milz
die Sterilisationsoperation	die Operation zur Verhinderung der Zeugungsfähigkeit
die Strumektomie	die Entfernung der Schilddrüse
die Thorakotomie	die operative Eröffnung des Brustkorbs
die Thrombektomie	die Entfernung eines Blutgerinnsels
die Tracheotomie	der Luftröhrenschnitt
das Trauma	die schwere körperliche oder psychische Verletzung
der Volvulus	die Darmverdrehung
die Wunddehiszenz	das Auseinanderklaffen von Wundrändern
die Zirkumzision	die Beschneidung

21.11 Orthopädie

die Arthritis	die Gelenkentzündung
die Arthrose	die Gelenkdegeneration
die Arthroskopie	die Gelenkspiegelung
die Bursitis	die Schleimbeutelentzündung
die Chondromalazie	die Knorpelerweichung
die Chondropathie	die krankhafte Veränderung des Knorpelgewebes
die Coxarthrose	die Hüftgelenksarthrose
die Exartikulation	die Abtrennung einer Gliedmaße im Gelenk
die Fraktur	der Knochenbruch
das Genu valgum	die X-Beine (Pl.)
das Genu varum	die O-Beine (Pl.)
die Klavikulafraktur	der Schlüsselbeinbruch
die Kontraktur	die Gelenkversteifung
die Kyphose/Lordose	die nach hinten/vorn gekrümmte Wirbelsäule
die Läsion der Rotatorenmanschette	die Verletzung der Muskeln in der Schulterblattregion
die Luxation	die Gelenkverschiebung, die Gelenkverrenkung
der Meniskusriss	der Knorpelscheibenriss

die Muskelatrophie	der Muskelschwund
die Myasthenia gravis	die Autoimmunerkrankung der Muskulatur
der Nucleus pulposus-Prolaps	der Bandscheibenvorfall
die offene/geschlossene Fraktur	der offene/geschlossene Bruch
die Ossifikation	die Knochenbildung
die Osteosynthese	die Zusammenfügung von Knochen
der Pes planus	der Plattfuß
die Skoliose	die Seitverbiegung der Wirbelsäule
die Spondylitis	die Entzündung der Wirbel
die Tendovaginitis	die Sehnenscheidenentzündung

21.12 Psychiatrie

der Abusus	der Missbrauch
die Akrophobie	die Phobie vor Höhen
die Amnesie	der Gedächtnisverlust
die Anorexie nervosa	die Magersucht
das Anxiolytikum	das Mittel zur Angstlösung
die Bulimie	die Ess-Brech-Sucht, die „Fress-Kotz-Sucht"; eine Essstörung
die Demenz	die Hirnschwäche
die Depression	die seelische Niedergeschlagenheit
die Halluzination	die Sinnestäuschung
die Nervosität	die Reizbarkeit
die Phobie	die krankhafte Angst
somnolent	schläfrig
soporös	benommen

21.13 Sonstige Fachbegriffe

die Adipositas	die Fettsucht
die Adnexitis	die Entzündung von Eileiter (Salpingitis), Eierstock (Oophoritis) und umgebendem Gewebe
afebril	kein Fieber
die Akupunktur	die Nadeleinstich-Therapie
die Alkalose	Blut pH > 7,45

die Allergie	die Überempfindlichkeitsreaktion
die Alopezie	der Haarausfall
die Amaurosis fugax	die vorübergehende Blindheit
die Ambulanz	die Ambulanz
die Amputation	die Abtrennung
die Analgesie	die Aufhebung der Schmerzen
das Analgetikum	das Mittel gegen Schmerzen
die Anaphylaxie	die schwere lebensbedrohliche allergische Reaktion
die Anasarka	die Hautwassersucht
die Anästhesie	die Narkose/die Betäubung
der Anästhesist	der Anästhesist
das Anästhetikum (lokale Anästhetikum)	das Arzneimittel zur Betäubung (lokales Betäubungsmittel)
das Aneurysma	die Aussackung
der/die Angehörige	der/die Angehörige
das Angiom	das Gefäßknäuel
der Angiospasmus	der Gefäßkrampf
die Anisokorie	eine Seitendifferenz im Durchmesser der Pupillen
die Anorexie	der Appetitmangel
anterograd/retrograd	vorwärtswirkend/rückwirkend
der Anthrax	der Milzbrand
das Antiarrhythmikum	das Mittel gegen Herzrhythmusstörungen
das Antibiotikum	das Mittel gegen lebende Krankheitserreger
das Antidot	das Gegenmittel, das Gegengift
das Antihistaminikum	der Wirkstoff, der die Ausschüttung von Histamin unterdrückt
das Antihypertonikum	das Mittel gegen erhöhten Blutdruck
das Antihypotonikum	das Mittel gegen erniedrigten Blutdruck
das Antikoagulans	das gerinnungshemmende Mittel
die Antikoagulation	die Blutgerinnungshemmung
das Antikonvulsivum	das Mittel gegen Krämpfe
der Antikörper	das Protein gegen Antigene
das Antimykotikum	das Medikament gegen Pilzinfektionen
das Antiphlogistikum	das Mittel gegen Entzündungen
das Antipyretikum	das Mittel gegen Fieber
das Antitussivum	das Mittel zur Hustenstillung
die Asystolie	das Aussetzen der Herzaktion für mehr als 2 Sekunden
die Atelektase	ein Belüftungsdefizit von Teilabschnitten der Lunge

die Atresie	die fehlende natürliche Körperöffnung
die Atrophie	die Rückbildung von Gewebe
die Auskultation	das Abhören
die Azidose	die Übersäuerung
das Barotrauma	die Druckverletzung
das Basaliom/das Basalzellkarzinom	der weiße Hautkrebs
benign	gutartig
das Bikarbonat	die Pufferbase
die Biopsie	die Gewebeprobeentnahme
die Blutbank	die Blutbank
die Blutgasanalyse (BGA)	die Messung der Gasverteilung im Blut
die Bluttransfusion	die Übertragung von Blut
der Botulismus	die Fleischvergiftung
der Brachialis-Puls	der Brachialis-Puls
das Breitspektrumantibiotikum/das Breitbandantibiotikum	das Antibiotikum gegen viele Bakterien
die Chemotherapie	die medikamentöse Behandlung von Krebserkrankungen und Infektionen
der Chylothorax	die Lymphe-Ansammlung in der Pleurahöhle
die Deformation	die Verformung
die Dehiszenz	das Auseinanderklaffen
dehydriert	entwässert
die Dekompressionskrankheit	die Taucherkrankheit
der Dekubitus	das Druckgeschwür
die Dermatitis	die Hautentzündung
die Dermatose	die Hauterkrankung
die Desinfektion	die Keimreduzierung
die Diagnostik	die Feststellung einer Krankheit
die Diät	die spezielle Kost
die Didymitis	die Hodenentzündung
das Diuretikum	das harntreibende Mittel
der Dolor	der Schmerz
die Dolorimetrie	die Messung der Schmerzempfindung
die Drainage	der Ableitweg von Körperflüssigkeiten
druckdolent	mit Schmerzen beim Drücken
das Ekzem	der juckende Hautausschlag
die Elektrolyte (Pl.)	die Ionen (Pl.) im Blut
die Embolie	der Verschluss eines Blutgefäßes durch Fetttropfen, Blutgerinnsel, Luftblasen, Fruchtwasser usw.
die Epistaxis	das Nasenbluten
das Erythem	die Haut- oder Schleimhautrötung

das Exanthem	der Hautausschlag
der Exophthalmus	der hervorstehende Augapfel
das Expektorans	das Mittel zur Förderung des Auswurfs
exsikkiert	ausgetrocknet
die Exsikkose	die Austrocknung
die Exstirpation	die vollständige Entfernung
die Extubation	die Entfernung eines Beatmungsschlauchs
die Exzision	das Herausschneiden
der Famulant/die Famulantin	der Student/die Studentin in der Famulatur (Praktikum während des Medizinstudiums, aber nicht PJ)
der Flush	die anfallsartige Hautrötung
der Fötor/der Foetor	der Mundgeruch
die/das Gangrän	der Gewebsuntergang mit Selbstverdauung
das Gehgestell	der Gehbock/der Gehrahmen
die gingivale Hyperplasie	die Vergrößerung/Wucherung des Zahnfleisches
das Glaukom	der grüne Star
die Glossitis	die Zungenentzündung
die Glukose	ein Kohlenhydrat
die Gynäkomastie	die Vergrößerung der Brustdrüse beim Mann
die Halbwertszeit	die Dauer, bis die Hälfte eines Medikaments den Organismus verlassen hat
das Hämatom	der Bluterguss
die Hämodialyse	die Blutwäsche
die Hämophilie	eine Erbkrankheit mit Störung der Blutgerinnung
der Hausarzt	der Hausarzt
der Hautturgor	der Spannungszustand der Haut
die Hebamme	die Hebamme
die Hemianopsie	ein halbseitiger Gesichtsfeldausfall
die Hyperaktivität	die Überaktivität
die Hyperglykämie	der erhöhte Blutzuckerspiegel
die Hyperkapnie	ein erhöhter Kohlendioxidgehalt im Blut (pCO2 > 45 mmHg)
hyperpigmentiert	überpigmentiert
die Hyperthermie	die erhöhte Körpertemperatur
die Hypertonie	erhöhter Muskeltonus, manchmal auch aHT
das Hypnotikum	das Schlafmittel

die Hypoglykämie	der niedrige Blutzuckerspiegel
die Hypokaliämie	die verminderten Kaliumwerte im Blut
die Hypothermie	die erniedrigte Körpertemperatur
die Hypotonie	der erniedrigte Muskeltonus, manchmal auch erniedrigter BD
die Immobilisation	die Ruhigstellung
das Immunglobulin	der Antikörper
der Immunkomplex	der Antigen-Antikörper-Komplex
die Implantation	die Einpflanzung
die Impotenz	eine männliche Sexualstörung; die Unfähigkeit, eine Erektion zu bekommen oder zu halten
der Infarkt	der Gewebetod durch Minderdurchblutung
die Infektion	die Ansteckung
die Influenza	die Grippe
die Inhalation	die Einatmung (von Heilmitteln)
die Injektion	die Einspritzung von Medikamenten
inkarzeriert	eingeklemmt
intakt	funktionsfähig
die Inkontinenz	die Blasen- und/oder Darmschwäche
die Inselzellen (Pl.)	die Langerhans-Inseln/die insulinproduzierenden Zellen der Bauchspeicheldrüse
die Instillation	das Eintropfen
die Insuffizienz	die Leistungsschwäche eines Organs
das Interstitium	der Zwischenraum
die Intoxikation	die Vergiftung
die Intubation	die Einführung eines Beatmungsschlauchs
die Inzision	der Einschnitt in das Körpergewebe
die Ischämie	die Durchblutungsstörung
der Isthmus	die Engstelle
die Karenz	die Enthaltsamkeit
kariös	von Karies befallen
der Katarakt	der graue Star, die Augenlinsentrübung
der Katheter	der Schlauch/die Röhre, um Hohlorgane zu entleeren, füllen oder untersuchen
die Kinetose	die Reisekrankheit/die Seekrankheit
klopfdolent	klopfschmerzhaft
die Kolik	der krampfartige Eingeweideschmerz
kongenital	angeboren
die Konjunktivitis	die Augenbindehautentzündung

die Konsistenz	die Beschaffenheit
die Kontraindikation	das Argument gegen eine bestimmte Behandlung
die Kontusion	die Quetschung
die Krücke	die Unterarmgehstütze
das Laxans	das Abführmittel
ligieren	das Abbinden von Gefäßen mit Naht
die Logopädie	die Sprachheilkunde
die Lokalanästhesie	die örtliche Betäubung
die Magnetresonanztomografie (MRT)	die Kernspinuntersuchung
die Malaria	das Sumpffieber
malign	bösartig
die Mazeration	die Aufweichung von Gewebe
die metabolische Azidose	eine stoffwechselbedingte Übersäuerung des Blutes
der Metabolismus	der Stoffwechsel
die Mobilisation	die Wiederherstellung der Beweglichkeit
das Monitoring	die Dauerüberwachung
die Morbilli (Pl.)	die Masern
die Mortalität	die Sterberate
der/die Mumps	der „Ziegenpeter"
die Myalgie	der Muskelschmerz
die Myasthenie	die Muskelschwäche
die Mykose	die Pilzerkrankung
die Narkolepsie	die Schlafkrankheit
die Narkose	die allgemeine Betäubung
die Nekrose	der Gewebetod
die Neoplasie	die Neubildung
der Nystagmus	die unkontrollierten, rhythmischen Bewegungen (Pl.) der Augen
die Obstruktion	der Verschluss
das Ödem	die Flüssigkeitsansammlung
die Odontalgie	der Zahnschmerz
das Onkologikum	das Mittel zur Geschwulstbehandlung
der Opisthotonus	der Krampf der Streckmuskulatur
per os	durch den Mund
die Osteosynthese	das operative Verfahren zur schnellen Wiederherstellung der verletzten Knochen
ototoxisch	gehörschädigend
die Palliativbehandlung	die Behandlung von unheilbaren Krankheiten zur Linderung der Symptome
die Palpation	das Abtasten

die Paradontose	die Erkrankung des Zahnhalteapparates
die Paraneoplasie	die Begleitsymptome von Krebs, die nicht vom Primärtumor oder Filiae ausgelöst werden
die Paraphimose	die Abschnürung der Glans penis aufgrund einer Phimose; Unvermögen des Präputiums zurück über die Glans penis zu gleiten
die periodische Atmung	das An- und Abschwellen der Atemtiefe
die Peristaltik	die ringförmige Zusammenziehung
die Peritonealdialyse	die Bauchfelldialyse
die Perkussion	das Abklopfen
die Phakomatose	eine Krankheit mit Fehlbildungen der Haut und des Nervensystems
die Phimose	die Vorhautverengung
die Physiotherapie	die Krankengymnastik
der PJ-ler	der Student im praktischen Jahr
das Plazebo	das Scheinarzneimittel
die Pleurodese	die operative Verbindung des Lungenfells mit dem Brustfell
der Polyp	die Vorwölbung der Schleimhaut in einem Hohlorgan
die Posthitis	die Vorhautentzündung
die Prophylaxe	die Verbeugung, die Verhütung, die Prävention
die Prostatahyperplasie	die Prostatavergrößerung, die Vorsteherdrüsenvergrößerung
die Prothese	der künstliche Körperteil
die Pseudozyste	der flüssigkeitsgefüllte Hohlraum ohne Kapsel im Körpergewebe
der Punctum maximum	die Stelle, an der etwas am stärksten ist (z. B. Schmerz oder Herzgeräusch)
die Rabies	die Tollwut
die Radiotherapie	die Strahlentherapie
die Reanimation	die Wiederbelebung
der Reflux	der Rückfluss
die Rehabilitation	die Wiedereingliederung
die Rektaltemperatur	im Mastdarm gemessene Körpertemperatur
reponierbar	zurückschiebbar
die Reposition	die Wiederherstellung
die Respiration	die Atmung
das Rezidiv	der Rückfall
die Rigidität	die Steifigkeit

der Rigor	die Muskelstarre/gesteigerte Grundspannung der Skelettmuskulatur
die Rippenserienfraktur	der Rippenserienbruch
die Rubella/die Rubeola	die Röteln
das Sauerstoffgerät	das Sauerstoffgerät
das Sedativum	das Beruhigungsmittel
das Sediment	der Niederschlag, der Bodensatz
das Sekret	die Flüssigkeit
die Sektion	die Zerschneidung
der Sequester	isoliertes, abgestorbenes Gewebe
der Shunt	die Verbindung zwischen arteriellen und venösen Blutgefäßen
der Singultus	der Schluckauf
das Skalpell	das chirurgische Messer
die Sklerose	die Verhärtung
sklerosierend	verhärtend
die Sonografie	der Ultraschall
das Spasmolytikum	das Mittel zur Krampflösung
der Spasmus	der Muskelkrampf
der Sphinktertonus	die Schließmuskelaktivität
die Spirometrie	die Messung der Atemleistung
die Stauungspapille	Die Schwellung an der Austrittsstelle des Sehnervs
die Stenose	die Verengung, die Engstelle
die Sterilisation	die Keimfreimachung; die Unfruchtbarmachung
die Sterilisierung	die Abtötung von Mikroorganismen
die Stomatitis	die Entzündung der Mundhöhle
stranguliert	abgeschnürt
subkutan	unter die Haut
das Suppositorium	das Zäpfchen
das Symptom	das Anzeichen für eine Krankheit
die Tamponade	die Ausstopfung einer Wunde mit Mullbausch (meistens zur Blutstillung nach einer Operation)
die Teleangiektasien (Pl.)	die Erweiterung der kleinen, oberflächlichen Hautgefäße
die Therapie	die medizinische Behandlung
die Thrombangiitis obliterans	die Gefäßabschnittsentzündung (meist in den Beinen)
die Toxikologie	die Wissenschaft von den Giften und deren Wirkungen
die Transfusion	die Blutübertragung
die Transplantation	die Gewebe- oder Organverpflanzung

der Tremor	das Zittern
das Tuberkulostatikum	das Medikament zur Behandlung von Tuberkulose (TBC)
der Tumor	das/die Geschwulst, die Neubildung
das Ulkus	das Geschwür
die Varikose	das Krampfaderleiden
die Varize	die Krampfader
die Varizellen	die Windpocken
die Venenektasie	die Erweiterung von Blutadern
die Vollnarkose	der künstliche Tiefschlaf
die Vollremission	das Nachlassen von Krankheitssymptomen
der zentrale Venenkatheter (ZVK)	der venöse Zugang in die innere Drosselvene
die Zirrhose	die narbige Schrumpfung eines Organs
die Zyanose	die Blaufärbung von Haut- und Schleimhaut (durch einen Mangel an Sauerstoff im Blut)
zyanotisch	bläulich verfärbt
die Zyste	flüssigkeitsgefüllter Hohlraum mit Kapsel
die Zytologie	die Zellenlehre, die Wissenschaft von der Zelle
das Zytostatikum	das Mittel zur Hemmung des Zellwachstums

IV Anhang

Meldepflicht nach dem Infektionsschutzgesetz (IfSG)

Das Gesetz zur Verhütung und Bekämpfung von Infektionskrankheiten beim Menschen *(Infektionsschutzgesetz, IfSG)* nennt unter § 6 und § 7 diejenigen Erkrankungen und Krankheitserreger, die in Deutschland beim *Gesundheitsamt* gemeldet werden müssen. Um herauszufinden, welches Gesundheitsamt zuständig ist, gibt es vom Robert Koch-Institut ein praktisches Tool: https://tools.rki.de/PLZTool/ (RKI 2025).

Zusätzlich gibt es in den einzelnen deutschen Bundesländern spezielle Meldepflichten.

TIPP

Da Gesetze sich immer wieder an die aktuelle Situation anpassen, sollten Sie die Informationen regelmäßig nach seriösen Quellen aktualisieren, z. B. vom Bundesministerium der Justiz:
http://www.gesetze-im-internet.de/ifsg (BMJ & BfJ 2025a).

Mir ist schon bewusst, dass das URL-Eintippen eine von niemandem gemochte Tätigkeit ist. Besonders wenn Sie gerade mit dem Buch vor sich auf dem Bett liegen und das Handy nicht in Reichweite ist. Nichtsdestotrotz ist es wichtig, dass Sie die meldepflichtigen Krankheiten bzw. die Erreger zumindest einmal gründlich lesen:

- *§ 6 Meldepflichtige Krankheiten* IfSG (BMJ & BfJ 2025b):
  https://www.gesetze-im-internet.de/ifsg/__6.html
- *§ 7 Meldepflichtige Nachweise von Krankheitserregern* IfSG (BMJ & BfJ 2025c):
  https://www.gesetze-im-internet.de/ifsg/__7.html

STIKO Impfkalender 2025

In Deutschland gibt die *Ständige Impfkommission (STIKO)* am *Robert Koch-Institut (RKI)* jedes Jahr Empfehlungen zu Schutzimpfungen („Impfkalender"), die dann deutschlandweit gelten.

Da Sie nicht permanent über eine Internetverbindung verfügen, besonders wenn Sie sich gerade auf dem Weg nach Deutschland befinden: Auf der folgenden Seite ist der Impfkalender von 2025 abgebildet.

Über die Standardimpfungen für Säuglinge und Kleinkinder (Tabelle A) sowie Kinder ab 5 Jahren, Jugendliche und Erwachsene (Tabelle B) können Sie sich hier ein Bild verschaffen – und evtl. sogar sehen, welche Impfungen Ihnen selbst noch fehlen. Gut wäre es auch, wenn Sie einen Impfpass nach Deutschland mitbringen (Ihr Arbeitgeber wird danach fragen).

TIPP

Der Impfkalender der STIKO wird *jedes Jahr* aktualisiert. Die neuesten Informationen und Empfehlungen finden Sie am Robert Koch-Institut unter https://www.rki.de/DE/Themen/Infektionskrankheiten/Impfen/Impfkalender/impfkalender-node.html (RKI 2025).

A – Säuglinge, und Kleinkinder bis zum Alter von 59 Monaten (≤ 4 Jahre)

Impfung/Immunisierung	Alter in Wochen			Alter in Monaten										
	0	4	6	2	3	4	5–7	8–10	11*	12	13–14	15	16–23	24–59
	U2	U3		U4			U5		U6				U7	U7a/U8
Respiratorische Synzitial Viren	mAk (Einmaldosis) je nach Geburtsmonat[a]													
Rotaviren			G1[b]		G2	(G3)								
Tetanus[c]				G1		G2			G3[f]					
Diphtherie[c]				G1		G2			G3[f]					
Pertussis[c]				G1		G2			G3[f]					
Hib[c] – *H. influenzae* Typ b				G1		G2			G3[f]					
Poliomyelitis[c]				G1		G2			G3[f]					
Hepatitis B[c]				G1		G2			G3[f]					
Pneumokokken[c,d]				G1		G2			G3[f]					
Meningokokken B[e]				G1		G2				G3[f]				
Meningokokken C										G1				
Masern, Mumps, Röteln									G1			G2		
Varizellen									G1			G2		

STIKO Impfkalender 2025: Standardimmunisierungen mit Impfstoffen und monoklonalen Antikörpern (RKI 2025) [X221-064]

B – Kinder ≥ 5 Jahre, Jugendliche und Erwachsene								
Impfung	Alter in Jahren							
	5–6	7–8	9–14	15–16	17	ab 18	60–74	ab 75
	U9	U10	U11/J1		J2			
Tetanus	A1		A2				A[h]	
Diphtherie	A1		A2				A[h]	
Pertussis	A1		A2			A3[h]		
Poliomyelitis			A1					
Hepatitis B								
HPV – Humane Papillomviren			G1[g] G2[g]					
Meningokokken C								
Masern						S[i]		
Mumps, Röteln								
Varizellen								
Pneumokokken							S[k]	
Herpes zoster							G1[l] G2[l]	
Influenza							S (jährlich)[m]	
COVID-19						Gx[j]	S (jährlich)[m]	
Respiratorische Synzitial Viren								S[n]

- Empfohlener Impfzeitpunkt
- Empfohlener Zeitraum für die Verabreichung der mAk
- Nachholimpfzeitraum für Grund- bzw. Erstimmunisierung und Verabreichung der mAk

G	Grundimmunisierung (G1 – G3)
A	Auffrischimpfung
S	Standardimpfung
mAk	monoklonale Antikörper

a Zwischen April und September Geborene sollen Nirsevimab im Herbst vor Beginn ihrer 1. RSV-Saison erhalten; Neugeborene jeglichen Gestationsalters, die während der RSV-Saison (meist zwischen Oktober und März) geboren werden, sollen Nirsevimab möglichst rasch nach der Geburt erhalten, idealerweise bei Entlassung aus der Geburtseinrichtung bzw. bei der U2 (3.–10. Lebenstag).

b Erste Impfstoffdosis bereits ab dem Alter von 6 Wochen, je nach verwendetem Impfstoff 2 bzw. 3 Impfstoffdosen im Abstand von mind. 4 Wochen

c Frühgeborene: zusätzliche Impfstoffdosis im Alter von 3 Monaten, d. h. insgesamt 4 Impfstoffdosen

d Säuglinge (inkl. Frühgeborene) werden mit PCV13 oder PCV15 geimpft

e Gemäß Fachinformation besteht die Impfserie im Alter von 2–23 Monaten aus 3 Impfstoffdosen, ab dem Alter von 24 Monaten aus 2 Impfstoffdosen

f Mindestabstand zur vorangegangenen Impfstoffdosis: 6 Monate

g Zwei Impfstoffdosen im Abstand von mind. 5 Monaten, bei Nachholimpfung beginnend im Alter ≥15 Jahre oder bei einem Impfabstand von <5 Monaten zwischen 1. und 2. Impfstoffdosis ist eine 3. Impfstoffdosis erforderlich

h Td-Auffrischimpfung alle 10 Jahre. Nächste fällige Td-Impfung 1-malig als Tdap- bzw. bei entsprechender Indikation als Tdap-IPV-Kombinationsimpfung

i Eine Impfstoffdosis eines MMR-Impfstoffs für alle nach 1970 geborenen Personen ≥18 Jahre mit unklarem Impfstatus, ohne Impfung oder mit nur einer Impfung in der Kindheit

j Impfung bis die Anzahl der für die Basisimmunität erforderlichen ≥3 SARS-CoV-2-Antigenkontakte (davon mindestens 1 Impfung) erreicht ist. Mindestimpfabstand zwischen G1 und G2 ≥4 bis vorzugsweise 12 Wochen, und zwischen G2 und G3 ≥6 Monate

k Impfung mit PCV20

l 2 Impfstoffdosen des adjuvantierten Herpes-zoster-Totimpfstoffs im Abstand von mindestens 2 bis maximal 6 Monaten

m Jährliche Impfung im Herbst

n 1-malige Impfung mit einem proteinbasierten RSV-Impfstoff im Spätsommer/Herbst vor Beginn der RSV-Saison

* Impfungen können auf mehrere Impftermine verteilt werden. MMR und V können am selben Termin oder in 4-wöchigem Abstand gegeben werden

Didaktische Empfehlungen für Sprachlehrer und Study-Groups

Der Lernstoff

Ideal wäre es, das Buch in 4 Wochen einmal gründlich durchzuarbeiten und dann 2 Wochen für Wiederholungen einzuplanen.

Ich würde empfehlen, dass die Prüfungskandidaten *zu zweit arbeiten* – aber nicht immer mit demselben Kollegen – und dass die zwei sich gegenübersitzen. Von der Sitzordnung in „traditionellen“ Klassenzimmern, in denen jeder Kandidat an einem Einzeltisch sitzt, rate ich ab; lieber entweder 2-Personen-Tische oder ein sehr großer Tisch, an dem alle sitzen.

Meine Empfehlung ist es, den Tagesablauf zu strukturieren. Bestens bewährt hat sich: *vormittags Gruppensitzung* und *nachmittags Einzelcoaching.* Ich würde davon abraten, pro Tag länger als 4 Stunden in der Gruppe (mit 2 bis 3 Pausen, je nach Bedarf – und je nach den gerade zu bearbeitenden Kapiteln!) und mehr als 1,5 bis 2 Stunden im Einzelcoaching zu planen. Das Einzelcoaching ist wichtig, weil manche Angst haben, vor ihren Kollegen etwas „Doofes“ zu fragen, oder sich für ihre Fragen schämen.

Drei Regeln

Es ist sinnvoll, gleich von Anfang an *essenzielle Regeln* zu erklären, die für den ganzen Kurs gelten:

1. Nicht alle Kollegen sind frischgebackene Ärzte; nicht alle Kollegen haben gerade alles zur Inneren Medizin gelesen. Manche kommen frisch von der Uni. Manche sind z. B. seit 15 Jahren Psychiater. Bitte Geduld und Verständnis mit- und füreinander haben.
2. Wenn Sie mit dem Patienten reden – keine Fachbegriffe! Wenn Sie einen Arztbrief schreiben, eine Fallvorstellung machen oder das Arzt-Arzt-Gespräch üben – nutzen Sie Fachbegriffe, bitte!
3. Bitte immer Empathie zeigen: Wenn die Patienten verwitwet sind („Das tut mir leid“, „Mein Beileid“); wenn sie Krebs, schwere Erkrankungen, Depressionen usw. haben: psychologische Unterstützung anbieten.

An die Lehrenden

Mein Rat ist, dass Sie fortlaufend Ihre eigenen Notizen in diesem Buch ergänzen. Besonders beim Arzt-Arzt-Gespräch stellen die Prüfungskandidaten immer wieder neue Fragen, bieten alternative Diagnosen an usw. So sammeln Sie eine eigene Datenbasis, die Ihren Unterricht noch abwechslungsreicher macht.

Ebenso wäre es meine Bitte (da auch ich einmal Kandidatin war), dass Sie die fachliche Meinung der Prüfungskandidaten wohlwollend zur Kenntnis nehmen und im Unterricht flexibel darauf reagieren.

Wenn die Kandidaten zu einem Fall z. B. sagen: „Diese Untersuchung passt hier nicht", bitte nicht darauf bestehen, diese Untersuchung zu nennen, bloß um zu zeigen, dass man sie kennt. Das führt nur zu peinlichen Situationen in der Prüfung, denn die Kandidaten sollen nicht „aufzählen", was sie wissen, sondern eine adäquate Verdachtsdiagnose stellen und die dazu passenden Therapien nennen.

Ablauf und Ziele des Kurses

1. **Vorstellung**
   a) Kennenlernen: kurze Vorstellung der Prüfungskandidaten im Kurs.
   b) Dann bereiten die Kandidaten ihre eigene Vorstellung für die FSP vor. Die Vorstellung soll enthalten: Name; Alter; Heimatland; Stadt, in der das Studium absolviert wurde; berufliche Erfahrungen (im Heimatland, in Deutschland, Praktika, Hospitationen usw.); Grund, warum Deutschland ausgewählt wurde; Begründung, welche Fachrichtung der Kandidat wählen möchte. Jede Vorstellung ca. 1 Minute.
   c) Small Talk üben: „Seit wann sind Sie in Deutschland?" – „Schönes Wetter haben wir heute" usw.
2. **Konjunktiv I** – aber bitte nur die Basics; es ist auch kein Drama-Lama, wenn die Kandidaten Konjunktiv I beim Sprechen nicht perfekt beherrschen.
3. **Tägliche Tests:** Ich empfehle, jeden Tag mit einem 10-minütigen schriftlichen Test zu beginnen: 10 Fachbegriffe in 5 Minuten und 2 Medizin-Fragen in 5 Minuten. Nicht länger, nicht mehr. Die Ergebnisse nicht öffentlich bekannt geben; jeder Kandidat sollte nur seine eigene Note zur Einschätzung seiner persönlichen Kenntnisse bekommen.
4. **Der wichtigste Lernstoff:** Die Krankheiten der mit *Blitz* markierten Kapitel sollten alle Kandidaten gut kennen und lernen – sie stellen die wichtigsten Basics der Medizin dar, die in der FSP beherrscht werden müssen. Die nicht markierten Kapitel sollen einmal gut gelesen werden. Dazu empfehle ich die folgende Struktur:
   a) In den ersten 3 Tagen: Erklärung der Anamnese (Arzt-Patienten-Gespräch), des Arztbriefs (Dokumentation), der

Fallvorstellung (Arzt-Arzt-Gespräch; s. Part I) plus Lernen der „Fachbegriffe Anatomie".
   b) Dann soll (je nach Größe) 1 Kapitel (aus Part II) in ca. 2 Tagen bearbeitet werden: spezielle
   Anamnese + Aufklärungen + Krankheiten + Fachbegriffe *[klingt nach sehr viel, ist es aber gar nicht – Ärzte sind masochistisch, die mögen viel arbeiten, besonders weil sie sich danach beklagen dürfen ;-)]*
   c) Hausaufgaben: Alle Kandidaten sollen zu Hause auf einem Blatt Papier zu allen mit Blitz markierten Krankheiten Stichpunkte notieren, als ob sie selbst Patienten wären. Dies dient der Vorbereitung von Simulationen.
5. **Simulationen** im Gruppenunterricht – das beste Training für die Prüfungssituation:
   a) Ein Kandidat ist der Arzt und ein Kandidat spielt den Patienten (er wird seine Notizen aus der Hausaufgabe benutzen) in der Anamnese. Der Patient darf (und soll) gemein sein: „Das will ich nicht!" – „Das sage ich nicht!" – „Woher kommt das?" – „Was bedeutet das?" – „Werde ich sterben?" – „Habe ich Krebs?" – „Warum stellen Sie so viele Fragen?" – „Woher kommen Sie eigentlich?" usw. Der Arzt macht sich Notizen. Niemand darf den Arzt unterbrechen (außer der Patient).
   b) Die Kollegen schreiben währenddessen ihre Meinungen und weitere mögliche Fragen an den Patienten auf und schlagen diese am Ende der Anamnese vor.
   c) Direkt nach der Anamnese, nur mit den eigenen Notizen in der Hand, folgt die Fallvorstellung (ja, das ist schwierig, aber es ist auch eine gute Übung). Der ehemalige Patient wird nun zum Oberarzt/Prüfer und stellt am Ende Fragen. Wenn er keine Fragen (mehr) hat, dann stellen die Kollegen dem Kandidaten ihre Fragen. Am Ende darf auch der Lehrer Fragen stellen.
   d) Die nicht mit Blitz markierten Krankheiten werden unter den Prüfungskandidaten verteilt – jeder soll die Krankheit vorstellen, die er am vorherigen Tag bekommen hat.
6. **Arztbriefe zur Dokumentation:** Alle Kandidaten sollen mindestens 2 Briefe zu Hause schreiben – zu den Anamnesen im Kurs. Dafür bitte ab der zweiten Woche mindestens 4 bis 5 Simulationen pro Tag durchführen.
7. **Kontakte knüpfen:** Unterstützen Sie den Austausch der Kontakte. Es wäre gut, wenn die Kandidaten nach dem Kurs in Verbindung bleiben, sodass sie bis zur Prüfung weiter miteinander üben können.

Viel Kraft und Geduld,

Ihre
Stefania-Cristina Rogoveanu

Nachwort

Liebe Prüfungskandidatinnen und -kandidaten,

wenn Sie das Buch bis hierher gelesen haben: Herzlichen Glückwunsch! *[Wenn nicht, seien Sie bitte kein Cheater, go back, go back, go back!]*

Wir verabschieden uns nun gleich, doch zuvor möchte ich Ihnen noch ein paar Anregungen für die Zukunft mitgeben:

Wenn ich zu Ihnen nach Hause komme, ziehe ich meine Schuhe an der Tür aus. Wenn Sie mir sagen, ich soll mich auf die Couch setzen, gehe ich nicht in die Küche, um dort Platz zu nehmen. Ich respektiere Ihre Regeln, wenn ich bei Ihnen zu Hause bin. Sie respektieren meine Regeln, wenn Sie bei mir zu Hause sind. Das Gleiche gilt für Deutschland: Wenn Deutschland uns zu sich einlädt, dann sollten wir den Regeln folgen.

Der Job ist nicht alles, was wir hier haben. Wer sagt, dass er nur wegen des Jobs nach Deutschland zieht, ist leider noch nicht bereit. Wir ziehen mit unserem ganzen Leben um, auch wenn es nur für eine Weile sein sollte.

Versuchen Sie bitte, sich zu integrieren und nicht separat – in kleinen Gemeinschaften – zu leben. Lernen Sie die Menschen und ihre Art zu leben kennen. Und arbeiten Sie an Ihrem Deutsch, damit die Menschen auch Sie gut kennenlernen können.

Ich bin mir sicher, dass Sie viele sehr schöne Bräuche in Ihrem Heimatland haben. Das heißt aber nicht, dass alle Menschen bereit sind, diese zu übernehmen. Vergessen Sie bitte nicht: Ich respektiere Ihre Regeln, wenn ich bei Ihnen zu Hause bin. Sie respektieren meine Regeln, wenn Sie bei mir zu Hause sind. Dann werden Sie sehen, wie viel Freude das Kennenlernen macht.

Ich hoffe, Sie hatten viel Spaß beim Lesen. Ich hatte auf jeden Fall viel Spaß beim Schreiben.

Es war mir eine Ehre, Sie auf Ihrem Weg nach Deutschland begleiten zu dürfen.

Ihre
Stefania-Cristina Rogoveanu
und Glücksbringer *Lin*

[O690]

Literatur

QUELLEN

ACS – American Cancer Society (2018). Acute Myeloid Leukemia (AML). Subtypes and Prognostic Factors. https://www.cancer.org/cancer/types/acute-myeloid-leukemia/detection-diagnosis-staging/how-classified.html [letzter Aufruf: 05.03.2025].

ACS – American Cancer Society (2024). Types of Myelodysplastic Syndromes. https://www.cancer.org/cancer/myelodysplastic-syndrome/about/mds-types.html [letzter Aufruf: 23.02.2025].

Ahmed, L. A., Kelani, A.-A. I. & Nasr-Allah, F. R. (2020). Evaluation of the prognostic value of the neutrophil to lymphocyte ratio, lactate dehydrogenase enzyme, and proteinuria in patients with acute pancreatitis admitted at Assiut University Hospitals and its correlation with Ranson's criteria scoring system. The Egyptian Journal of Internal Medicine, 32(5). https://doi.org/10.1186/s43162-020-00001-4 [letzter Aufruf: 16.02.2025].

Aktuerk, D. & Karim, A. (2012). Last Minute: Chirurgie: mit Zugang zum Elsevier-Portal. München: Urban & Fischer in Elsevier.

Andus, T. & Messmann, H. (2012). Klinische Gastroenterologie. Stuttgart: Thieme.

Arajmand, S. T., et al. (2019). Laparoscopic Nissen fundoplication in the management of gastroesophageal reflux disease: a single centre experience. International Surgery Journal, 6(5): 1678. https://doi.org/10.18203/2349-2902.isj20191890 [letzter Aufruf: 16.02.2025].

Aringer, M., Costenbader, K., Daikh D., et al. (2019) European League Against Rheumatism/American College of Rheumatology Classification Criteria for Systemic Lupus Erythematosus. Arthritis Rheumatol, 71(9): 1400–1412. https://doi.org/10.1002/art.4093 [letzter Aufruf: 17.02.2025].

Ashfaq, U. A. & Khalid, H. (2017). Mechanism of Hepatitis C Virus-Induced Diabetes Mellitus. Critical Reviews in Eukaryotic Gene Expression, 27(4): 363–371. https://doi.org/10.1615/CritRevEukaryotGeneExpr.2017020437 [letzter Aufruf: 05.03.2025].

Badea, D. C., Sfredel, V. & Badea, M. (2011). Fiziologia sangelui. Craiova: Sitech.

Bailey, C. (2010). Hepatic Failure: An Evidence-Based Approach In The Emergency. Emergency Medicine Practice, 12(4). https://www.drhem.com/education/wp-content/uploads/2015/12/0410-Hepatic-Failure.pdf [letzter Aufruf: 10.03.2025].

BÄK, KBV & AWMF (2021). S3-Leitlinie: Nationale VersorgungsLeitlinie COPD. NVL-Programm von BÄK, KBV, AWMF. Stand: 25.06.2021. AWMF-Registernummer: nvl-003. https://register.awmf.org/de/leitlinien/detail/nvl-003 [letzter Aufruf: 14.02.2025].

Bichay, C. (2019). CGRP-Antikörper: Revolution Bei Migräne? https://www.deutsche-apotheker-zeitung.de/news/artikel/2019/03/20/cgrp-antikoerper-revolution-bei-migraene [letzter Aufruf: 10.03.2025].

Binet, J. L., Leporrier, M., Dighiero, G., et al. (1977). A clinical staging system for chronic lymphocytic leukemia: prognostic significance. Cancer, 40(2): 855–864. https://doi.org/10.1002/1097-0142(197708)40:2<855::aid-cncr2820400239>3.0.co;2-1 [letzter Aufruf: 10.03.2025].

BMJ & BfJ – Bundesministerium der Justiz & Bundesamt für Justiz (2025a). Gesetz zur Verhütung und Bekämpfung von Infektionskrankheiten beim Menschen. Gesetze im Internet. https://www.gesetze-im-internet.de/ifsg/ [letzter Aufruf: 05.03.2025].

BMJ & BfJ – Bundesministerium der Justiz & Bundesamt für Justiz (2025b). Gesetz zur Verhütung und Bekämpfung von Infektionskrankheiten beim Menschen (Infektionsschutzgesetz – IfSG). § 6 Meldepflichtige Krankheiten. https://www.gesetze-im-internet.de/ifsg/__6.html [letzter Aufruf: 05.03.2025].

BMJ & BfJ – Bundesministerium der Justiz & Bundesamt für Justiz (2025c). Gesetz zur Verhütung und Bekämpfung von Infektionskrankheiten beim Menschen (Infektionsschutzgesetz – IfSG). § 7 Meldepflichtige Nachweise von Krankheitserregern. https://www.gesetze-im-internet.de/ifsg/__7.html [letzter Aufruf: 05.03.2025].

Budimir, I., et al. (2017). Scoring systems for peptic ulcer bleeding: Which one to use? World Journal of Gastroenterology, 23(41): 7450–7458. https://www.wjgnet.com/1007-9327/full/v23/i41/7450.htm [letzter Aufruf: 16.02.2025].

CDC – Centers for Disease Control and Prevention (1993). Revised Classification System for HIV Infection and Expanded Surveillance Case Definition for AIDS Among Adolescents and Adults. https://www.cdc.gov/mmwr/preview/mmwrhtml/00018871.htm [letzter Aufruf: 11.02.2025].

Child, C. G. & Turcotte, J. G. (1964). Surgery and portal hypertension. Major Probl Clin Surg, 1: 1–85.

DDG – Deutsche Dermatologische Gesellschaft e. V. (2021). S3-Leitlinie: Therapie der Psoriasis vulgaris. Stand: 19.02.2021, in Überarbeitung. AWMF-Registernummer: 013-001. https://register.awmf.org/de/leitlinien/detail/013-001 [letzter Aufruf: 03.05.2025].

DDG & PEG – Deutsche Dermatologische Gesellschaft & Paul-Ehrlich-Gesellschaft für Chemotherapie (2019). S2k-Leitlinie: Diagnostik und Therapie des Zoster und der Postzosterneuralgie. Stand: 24.05.2019, wird zurzeit überarbeitet. AWMF-Registernummer: 013-023. https://register.awmf.org/assets/guidelines/013-023l_S2k_Diagnostik-Therapie-Zoster-Postzosterneuralgie_2020-09-abgelaufen.pdf [letzter Aufruf: 05.03.2025].

DGA – Deutsche Gesellschaft für Angiologie, Gesellschaft für Gefäßmedizin (2023). S2k-Leitlinie: Diagnostik und Therapie der Venenthrombose und Lungenembolie. Stand: 14.02.2023. AWMF-Registernummer: 065-002. https://register.awmf.org/de/leitlinien/detail/065-002 [letzter Aufruf: 13.02.2025].

DGA – Deutsche Gesellschaft für Angiologie, Gesellschaft für Gefäßmedizin (2024). S3-Leitlinie: Diagnostik, Therapie und Nachsorge der peripheren arteriellen Verschlusskrankheit. Stand: 18.09.2024. AWMF-Registernummer: 065-003. https://register.awmf.org/de/leitlinien/detail/065-003 [letzter Aufruf: 13.01.2025].

DGHO – Deutsche Gesellschaft für Hämatologie und Medizinische Onkologie (2022). S3-Leitlinie: Diagnostik, Therapie und Nachsorge des Hodgkin Lymphoms bei erwachsenen Patienten. Leitlinienprogramm Onkologie, Langversion, Stand: Oktober 2022. AWMF-Registernummer: 018/029OL. https://www.leitlinienprogramm-onkologie.de/leitlinien/hodgkin-lymphom [letzter Aufruf: 20.02.2025].

DGK – Deutsche Gesellschaft für Kardiologie (2018). Management der arteriellen Hypertonie. ESC/ESH Pocket Guidelines. https://leitlinien.dgk.org/files/28_2018_pocket_leitlinien_arterielle_hypertonie.pdf [letzter Aufruf: 14.02.2025].

DGP – Deutsche Gesellschaft für Pneumologie und Beatmungsmedizin (2023). S2k-Leitlinie zur fachärztlichen Diagnostik und Therapie von Asthma. Stand: 01.03.2023. AWMF-Registernummer: 020-009. https://register.awmf.org/de/leitlinien/detail/020-009 [letzter Aufruf: 06.02.2025].

DGVS – Deutsche Gesellschaft für Gastroenterologie, Verdauungs- und Stoffwechselkrankheiten (2024). Aktualisierte S3-Leitlinie: Diagnostik und Therapie des Morbus Crohn. Version 4.1 – living guideline. Langfassung, Stand: März 2024. AWMF-Registernummer: 021-004. https://register.awmf.org/de/leitlinien/detail/021-004 [letzter Aufruf: 23.02.2025].

DGVS – Deutsche Gesellschaft für Gastroenterologie, Verdauungs- und Stoffwechselkrankheiten (2024). Aktualisierte S3-Leitlinie: Colitis ulcerosa. Version 6.2, Langfassung, Stand: Januar 2024. AWMF-Registernummer: 021-009. https://register.awmf.org/de/leitlinien/detail/021-009 [letzter Aufruf: 23.02.2025].

DGVS – Deutsche Gesellschaft für Gastroenterologie, Verdauungs- und Stoffwechselkrankheiten & DGAV – Deutsche Gesellschaft für Allgemein- und Viszeralchirurgie (2021). S3-Leitlinie: Divertikelkrankheit/Divertikulitis. Stand: 21.10.2021. AWMF-Registernummer: 021-20. https://register.awmf.org/de/leitlinien/detail/021-020 [letzter Aufruf: 10.02.2025].

Dragovich, T., Erickson, R. A. & Larson, C. R. (2024). Pancreatic Cancer. Medscape Journal of Medicine. https://emedicine.medscape.com/article/280605-overview [letzter Aufruf: 10.03.2025].

Fritscher-Ravens, A., Schuppan, D., Ellrichmann, M., Schoch, S., Röcken, C., Brasch, J., Bethge, J., Böttner, M., Klose, J. & Milla, P. (2014). Confocal Endomicroscopy Shows Food-Associated Changes in the Intestinal Mucosa of Patients with Irritable Bowel Syndrome, in: Gastroenterology, 147(5): 1012–1020. https://www.ncbi.nlm.nih.gov/pubmed/25083606 [letzter Aufruf: 18.03.2020].

GOLD – Global Initiative for Chronic Obstructive Lung Disease (2024, 2025). Global Strategy for the Diagnosis, Management, and Prevention of Chronic Obstructive Pulmonary Disease. 2025 Report. https://goldcopd.org/wp-content/uploads/2024/11/GOLD-2025-Report-v1.0-15Nov2024_WMV.pdf [letzter Aufruf: 10.03.2025].

Goligher, J. C. (1980). Surgery of the Anus, Rectum and Colon. 4th Edition. London: Ballierè Tindal.

Güthoff, S., et al. (2017). Die 50 wichtigsten Fälle Chirurgie. Urban & Fischer.

Hu-Lieskovan, S., et al. (2019). Abstract 942: The personalized vaccine, NEO-PV-01 with anti-PD1, induces neoantigen-specific de novo immune responses in patients with advanced metastatic melanoma: Association with clinical outcomes. Cancer Research 79 (13 Suppl): 942. https://doi.org/10.1158/1538-7445.AM2019-942 [letzter Aufruf: 10.02.2025].

Huzly, D. (2012). Diagnostik der akuten und chronischen Virushepatitis. Abt. Virologie – Uniklinik Freiburg, Offenburg. https://www.uniklinik-freiburg.de/fileadmin/mediapool/08_institute/virologie/pdf/Diagnostik/Hepatitis_Offenburg2012.pdf [letzter Aufruf: 10.03.2025].

Kantly, R. & Medikeri, A. (2018). Study on severity assessment of acute pancreatitis using BISAP score in rural area of South India. International Surgery Journal, 5(8):2777–2781.

Klein, J. P., et al. (2024). Mein Erster Dienst. Psychiatrische Notfälle. 3. Ed. Berlin: Springer.

Krahl, M. (2012). Schockraumversorgung des Schwerverletzten: Eine Auswertung der Abläufe im Schockraum des Universitätsklinikums Kiel und Detektion von Optimierungspotential. Inauguraldissertation zur Erlangung der Doktorwürde der Medizinischen Fakultät der Christian-Albrechts-Universität zu Kiel. Universitätsbibliothek Kiel.

Kurzhals, S. (Hrsg.) (2024). Präklinische Notfallpsychiatrie und Krisenhilfe. Berlin: MWV.

Laursen, S. & de Muckadell, O. S. (2013). Endoscopic Management of Nonvariceal Upper Gastrointestinal Bleeding. Video Journal and Encyclopedia of GI Endoscopy, 1(1), 122–124. https://doi.org/10.1016/s2212-0971(13)70053-0 [letzter Aufruf: 16.02.2025].

Lengfelder, E., Baerlocher, G. M., Döhner, K., et al. (2023). Polycythaemia Vera (PV). Onkopedia. https://www.onkopedia.com/de/onkopedia/guidelines/polycythaemia-vera-pv/@@guideline/html/index.html [letzter Aufruf: 10.03.2025].

Ostendorf, N., et al. (2025). Harnwegsinfekt. DocCheck Flexikon. https://flexikon.doccheck.com/de/Harnwegsinfekt [letzter Aufruf: 10.03.2025].

Pereira, et al. (2017). Rheumatic Fever: Update on the Jones Criteria According to the American Heart Association Review – 2015. Revista Brasileira De Reumatologia, Sociedade Brasileira De Reumatologia, www.scielo.br/scielo.php?script=sci_arttext&pid=S0482-50042017000400364 [letzter Aufruf: 17.02.2025].

Potter, L. (2010). Nephrotic vs Nephritic Syndrome. https://geekymedics.com/nephrotic-vs-nephritic-syndrome/ [letzter Aufruf: 10.03.2025].

Pottgießer, T. & Ophoven, S. (2015). Die 50 wichtigsten Fälle Innere Medizin. München: Elsevier, Urban & Fischer.

Pradeep, A. (2025). Chronic Kidney Disease (CKD). Section: Practice Essentials, Staging. https://emedicine.medscape.com/article/238798 [letzter Aufruf: 23.02.2025].

Protz, K. (2012). Klassifikationssysteme. Die richtige Wunddiagnose ist Voraussetzung für eine adäquate Therapie. Die Schwester, der Pfleger, Heft 4/2012. https://www.bibliomed-pflege.de/zeitschriften/die-schwester-der-pfleger/heftarchiv/ausgabe/artikel/sp-4-2012-forensische-pflege-therapie-hinter-mauern/27117-die-richtige-wunddiagnose-ist-voraussetzung-fuer-eine-adaequate-therapie/ [letzter Aufruf: 10.03.2025].

Ranson, J. H., Rifkind, K. M., Roses, D. F., Fink, S. D., Eng, K., Spencer, F. C. (1974). Prognostic signs and the role of operative management in acute pancreatitis. Surg Gynecol Obstet, 139(1): 69–81.

Rivera-Bou, W. L. (2021). Thrombolytic Therapy: Background, Thrombolytic Agents, Thrombolytic Therapy for Acute Ischemic Stroke. https://emedicine.medscape.com/article/811234-overview#a7 [letzter Aufruf: 10.03.2025].

RKI – Robert Koch-Institut (2025). STIKO Impfkalender. Epidemiologisches Bulletin 4/2025 (23. Januar 2025). https://www.rki.de/DE/Themen/Infektionskrankheiten/Impfen/Impfkalender/impfkalender-node.html [letzter Aufruf: 20.02.2025].

RKI – Robert Koch-Institut (2025). Tool: Gesundheitsamt nach Postleitzahl oder Ort. https://tools.rki.de/PLZTool/ [letzter Aufruf: 05.03.2025].

Rupp, M. (2017). Notfall Seele Ambulante Notfall- und Krisenintervention in der Psychiatrie und Psychotherapie. 4. Ed. Stuttgart: Georg Thieme Verlag.

Santiago, P. (2012). Ferrous versus Ferric Oral Iron Formulations for the Treatment of Iron Deficiency: A Clinical Overview. The Scientific World Journal, 2012: 846824. https://doi.org/10.1100/2012/846824 [letzter Aufruf: 10.03.2025].

Shah, D. (2024). Multiple Myeloma Workup: Staging. https://emedicine.medscape.com/article/204369-workup#c19 [letzter Aufruf: 10.03.2025].

Stoica, V. & Scripcariu, V. (2016). Compendiu de specialitati medico-chirurgicale – Util pentru intrarea in rezidentiat. Bukarest, Rumänien: Editura Medicala.

Tang, J. C. (2021). Acute Pancreatitis Treatment & Management. https://emedicine.medscape.com/article/181364-treatment#d10 [letzter Aufruf: 10.03.2025].

Truelove, S. C. & Witts, L. J. (1955). Cortisone in ulceartive colitis; final report on a therapeutic trial. British Medical Journal, 2(4947): 1041–1048. https://doi.org/10.1136/bmj.2.4947.1041 [letzter Aufruf: 10.03.2025].

Tsoris, A. & Marlar C. A. (2023). Use Of The Child Pugh Score In Liver Disease. StatPearls Publishing. https://www.ncbi.nlm.nih.gov/books/NBK542308/ [letzter Aufruf: 11.02.2025].

Vavricka, S. & Wilhelmi, M. (2014). Essentials in Gastroenterology and Hepatology. Freiburg: Falk Foundation e. V.

Vigneri, S., et al. (1995). A Comparison of Five Maintenance Therapies for Reflux Esophagitis. New England Journal of Medicine, 333(17), 1106–1110, https://doi.org/10.1056/nejm199510263331703 [letzter Aufruf: 16.02.2025].

Vogel, A. (2015). Chirurgie in Frage und Antwort: Fragen und Fallgeschichten. Mündliche Prüfung, basiert auf Prüfungsprotokollen. München: Elsevier, Urban & Fischer.

Wells, P. S., Anderson, D. R., Rodger, M., et al. (2003). Evaluation of D-Dimer in the Diagnosis of Suspected Deep-Vein Thrombosis. New England Journal of Medicine, 349(13): 1227–1235. https://doi.org/10.1056/NEJMoa023153 [letzter Aufruf: 10.03.2025].

Wolf, D. C. (2020): Hepatic Encephalopathy: Definition, Pathogenesis. Section: Clinical Features of Hepatic Encephalopathy (Anand, B. S. & Talavera, F., Chief Eds.). https://emedicine.medscape.com/article/186101-overview#a3 [letzter Aufruf: 16.02.2025].

BASISWISSEN – FACHLITERATUR

Baldus, J., Andreae, B. & Jehle, I. (2015). Die Top-Themen zum Hammerexamen 2016/2017: die wichtigsten Themen aus der beliebten AMBOSS-Bibliothek. Köln: Miamed.

Eisoldt, S. (2014). Fallbuch Chirurgie. Stuttgart: Thieme.

Grifka, J. (2014). Orthopädie und Unfallchirurgie in Frage und Antwort: Fragen und Fallgeschichten; München: Elsevier, Urban & Fischer.

Gumpert, N., et al. (2014). Die 50 wichtigsten Fälle Orthopädie. Urban & Fischer.

Hellmich, B. (2020). Fallbuch Innere Medizin. Stuttgart: Thieme.

Hellmich, S. & Hellmich, B. (2020). Mündliche Prüfung innere Medizin: 1500 Fragen. Stuttgart: Georg Thieme Verlag.

Herold, G. (2025). Innere Medizin: eine vorlesungsorientierte Darstellung: unter Berücksichtigung des Gegenstandskataloges für die Ärztliche Prüfung: mit ICD 10-Schlüssel im Text und Stichwortverzeichnis. Köln: Gerd Herold.

Klein, R. (2016). Die 50 wichtigsten Fälle Allgemeinmedizin. Urban & Fischer.

Klein, R. (2023). 100 Fälle Allgemeinmedizin. Elsevier, Urban & Fischer.

Klotz, T., Zafari, A. M. & Schupp, M. (2022). Innere Medizin in Frage und Antwort: Fragen und Fallgeschichten. 11. Ed. München: Elsevier, Urban & Fischer.
Lauber, A. (2018). Kardiologische Untersuchungen: Teil 2: Die verschiedenen EKG. Kindle Edition.
Maurer, M. & Wiener, E. (2013). Last Minute: Bildgebende Verfahren. München: Elsevier, Urban & Fischer.
Niethard, F. U., Pfeil, J. & Biberthaler, P. (2022). Duale Reihe Orthopädie und Unfallchirurgie. 9. Ed. Stuttgart: Thieme.
Oestmann, J. W. (2022). Die 50 wichtigsten Fälle Bildgebende Verfahren. 2. Ed. München: Elsevier, Urban & Fischer.
Rey, J. (2015). Last Minute: Innere Medizin. München: Elsevier, Urban et Fischer.
Sitzer, M. & Steinmetz, H. (2016). Lehrbuch Neurologie. München: Urban & Fischer, Elsevier.
Tischendorf, F. W., et al. (2017). Blickdiagnostik Compact Atlas der klinischen Inspektionen und Differenzialdiagnosen – griffbereit. 5. Ed. Stuttgart: Schattauer.

VORBEREITUNG AUF DIE FSP

Deschka, M. (2015). Lernkarten Grundwortschatz Medizin: 324 Karteikarten zum Einstieg in die medizinische Fachsprache: Fachbegriffe, Fremdwörter, Terminologie. Bibliomed – Medizinische Verlagsgesellschaft mbH: Melsungen.
Farhan, N. K. N. & Wirsching, M. (2017). Kommunikation für ausländische Ärzte: Vorbereitung auf den Patientenkommunikationstest in Deutschland. Urban & Fischer.
Koetz, I. M. (2019). Deutsch für Mediziner: Vorbereitung auf die Fachsprachprüfung. Selbstverlag.
Schrimpf, U. & Bahnemann, M. (2015). Deutsch für Ärztinnen und Ärzte: Kommunikationstraining für Klinik und Praxis; plus Audiodateien und Unterrichtsmaterial zum Download. Berlin: Springer.
Schrimpf, U. (2014). Deutsch Medizin. Frankfurt am Main: Telc.

NICE TO CLICK

Amboss.com – Amboss SE, Berlin. https://www.amboss.com/de [letzter Aufruf: 10.03.2025].
AWMF – Arbeitsgemeinschaft der Wissenschaftlichen Medizinischen Fachgesellschaften, Berlin. AWMF online: Leitlinien-Register. https://register.awmf.org/ [letzter Aufruf: 10.03.2025].
DocCheck Flexikon – DocCheck Community GmbH. https://flexikon.doccheck.com/de/ [letzter Aufruf: 10.03.2025].
Medscape – WebMD Health LLC, USA; D. Flapan. https://www.medscape.com/ [letzter Aufruf: 10.03.2025].
PubMed – National Library of Medicine (NLM, NCBI). https://pubmed.ncbi.nlm.nih.gov/ [letzter Aufruf: 10.03.2025].

Praxiswissen Allgemeinmedizin – kompakt auf den Punkt gebracht

ISBN 9783437224577

20250708k4 Irrtümer vorbehalten. Stand 07/2025

ELSEVIER

Diesen und viele weitere Titel sowie die aktuellen Preise
finden Sie in Ihrer Buchhandlung vor Ort und unter **shop.elsevier.de**

Traumatologisch-orthopädische Untersuchung Schritt für Schritt

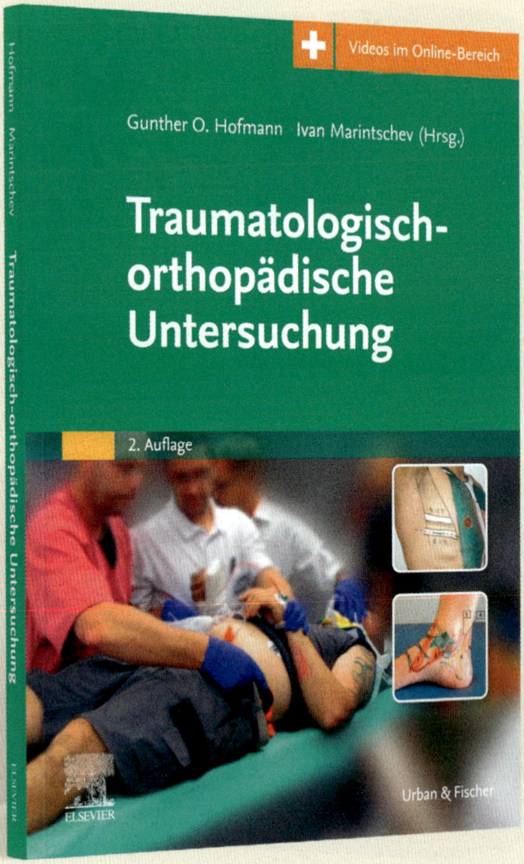

ISBN 9783437234026

20250708K6 Irrtümer vorbehalten. Stand 07/2025

ELSEVIER

Diesen und viele weitere Titel sowie die aktuellen Preise
finden Sie in Ihrer Buchhandlung vor Ort und unter **shop.elsevier.de**